SPICILEGIUM FRIBURGENSE

TEXTE ZUR GESCHICHTE DES KIRCHLICHEN LEBENS

BEGRÜNDET VON

A. HÄNGGI – G. G. MEERSSEMAN

HERAUSGEGEBEN VON

A. HÄNGGI – P. LADNER – J. LEISIBACH – J. SIEGWART

35 A

1994

UNIVERSITÄTSVERLAG FREIBURG SCHWEIZ

ANTON HÄNGGI – PASCAL LADNER

MISSALE BASILEENSE SAEC. XI

(CODEX GRESSLY)

TEXTBAND

1994
UNIVERSITÄTSVERLAG FREIBURG SCHWEIZ

Die Deutsche Bibliothek – CIP-Einheitsaufnahme

Missale Basileense saec. XI: (Codex Gressly) / Anton Hänggi; Pascal Ladner. – Freiburg,
Schweiz: Univ.-Verl.
  (Spicilegium Friburgense; 35)
  ISBN 3-7278-0945-0
NE: Hänggi, Anton, [Hrsg.]; GT

1 = A. Textband. – 1994

Veröffentlicht mit Unterstützung des Schweizerischen Nationalfonds
zur Förderung der wissenschaftlichen Forschung,
des Hochschulrates der Universität Freiburg
und des Bistums Basel

VORWORT

In nicht allzu grosser Entfernung vom Amtssitz des Bischofs von Basel in Solothurn liegt auf der andern Seite der Aare der sogenannte «Kreuzacker», ein schönes Herrschaftshaus aus dem 17./18. Jahrhundert, in dessen Hauskapelle bis vor wenigen Jahren eine liturgische Handschrift aus dem Hochmittelalter aufbewahrt wurde, die aller Wahrscheinlichkeit nach im alten Bistum Basel entstanden ist, mit Sicherheit jedoch dort im Gebrauch stand; nach ihrem damaligen Besitzer, der sie in grosszügiger Weise der Diözese geschenkt hat, haben wir sie «Codex Gressly» benannt.

Schon während meiner Tätigkeit als Professor für Liturgiewissenschaft an der Universität Freiburg hatte ich Kenntnis von diesem Band, und ich habe eine gründlichere Untersuchung ins Auge gefasst, zu der es aber infolge der Berufung zum Bischof von Basel nicht gekommen ist. Erst nach dem Rücktritt von diesem Amt und der damit wiedergewonnenen Freiheit für wissenschaftliche Arbeit konnte der alte Plan erneut aufgenommen werden. In gemeinsam mit meinem Freund Pascal Ladner, dem Inhaber des Lehrstuhles für Historische Hilfswissenschaften an der Philosophischen Fakultät der Universität Freiburg, durchgeführten Kodikologisch-liturgischen Kolloquien hat sich allmählich der Rahmen für eine vorzunehmende Veröffentlichung abgezeichnet, mit welcher eine wichtige Etappe in der noch nicht hinreichend aufgearbeiteten Geschichte des Messbuches dokumentiert werden sollte. Pascal Ladner hat mit bewundernswerter Energie, Akribie und Wissen ein grosses Kapital an Arbeit und Zeit in das gemeinsame Unternehmen investiert. Ihm gebührt mein herzlichster Dank.

Die nun vorliegende Publikation ist ein wirkliches Gemeinschaftswerk, insbesondere was den Editionsteil (Text, Variantenapparat und Register) betrifft; in bezug auf die Einleitung haben wir insofern eine Arbeitsteilung vorgenommen, als sich Ladner in erster Linie auf die Beschreibung der Handschrift und deren Geschichte sowie auf die Kommentierung des Kalendars und des Lektionars konzentriert hat, während ich mich besonders mit dem Graduale, dem Sakramentar, dem Rituale und der zusammenfassenden Wertung beschäftigt habe. Doch alle unsere Beiträge haben wir stets miteinander besprochen, so dass man im besten Sinne des Wortes von einem gegenseitigen Nehmen und Geben sprechen darf.

Beide Bearbeiter haben einer Reihe von Persönlichkeiten zu danken, die uns in uneigennütziger Weise ihr Wissen und ihre Hilfe zur Verfügung gestellt haben, so (in alphabetischer Reihenfolge) den Herren Robert Amiet, Lyon; Walter von Arx, Würzburg; Bonifacio Baroffio OSB, Rom; Bernhard Bischoff †, München; Lukas Brinkhoff, Trier; Nicolao Bux, Bari; Antoine Chavasse, Strassburg; Ruggero Dalla Mutta, Genua; Ferdinando Dell'Oro SDB, Turin; Balthasar Fischer, Trier; François Huot OSB, Le Bouveret/Schweiz; Max Lütolf, Zürich; Robert Maloy, Dallas/USA; Guido Muff, Freiburg/Schweiz; Eric Palazzo, Paris; Damien Sicard, Paris, sowie des Herren Robert Rinderknecht und Peter Wäschle vom Urkundenlabor der Kantonspolizei Zürich.

Danken möchten wir auch jenen, die mit grosszügigen Druckbeihilfen diese Publikation ermöglicht haben: Dem Schweizerischen Nationalfonds zur Förderung der wissenschaftlichen Forschung, dem Hochschulrat der Universität Freiburg/Schweiz sowie meinem Nachfolger Herrn Bischof Dr. Otto Wüst und der Bischöflichen Ordinariatsstiftung. Unser Dank gebührt aber auch dem Universitätsverlag und der Paulusdruckerei für ihre gediegene Arbeit, ihr Verständnis und ihre Nachsicht.

ANTON HÄNGGI
1968–1982
Bischof von Basel

INHALTSVERZEICHNIS

VERZEICHNIS DER ABKÜRZUNGEN

abb.	abbas	oct.	octava
ad compl.	ad complendum	of.	offertorium
add.	additur	om.	omittit
ant.	antiphona	omps	omnipotens
ap.	apostolus	or.	ora (-te), oratio
b.	beatus	post com.	postcommunio
cf.	confer	pp.	papa
conf.	confessor	pr.	presbyter
com.	communio	pref.	praefatio
d.	digneris	proph.	propheta
dns	dominus	qs	quaesumus
dom.	dominica	QT	Quattuor Tempora
ds	deus	℟	responsorium
eccl.	ecclesia	r.	rogamus
ep.	episcopus	s.	sanctus
epist.	epistula	ss.	sancti
ev.	evangelium	Sakr.	Sakramentar
grad.	graduale	sec.	secundum
i.i.t.	in illo tempore	secr.	secreta
intr.	introitus	sempit.	sempiternus
KL	Kalendar	seq.	sequentia
l.n.d.	libera nos domine	sps	spiritus
lect.	lectio	super obl.	super oblata
Lekt.	Lektionar	t.r.a.	te rogamus audi
lib.	liber	tract.	tractus
L	litania	v.	virgo
m.	martyr	℣	versus, versiculus
nat.	natale	ⅎ	Vere dignum
nr	noster	vesp.	vesperae
ob.	obiit	vig.	vigilia

VERZEICHNIS DER HANDSCHRIFTEN

Baltimore, Walters Art Gallery, siehe Verzeichnis der Siglen W 28 add., W 28

Bologna, Biblioteca dell'Università, cod. 2547: Sakramentar aus dem Kloster San Salvatore in Brescia aus dem 11. Jh., vgl. GAMBER, CLLA/S Nr. 893*, S. 99f.

Colmar, Bibliothèque municipale, codd. 443, 444: Missale von Murbach aus dem 11. Jh., vgl. LEROQUAIS, Les sacramentaires et les missels manuscrits 1, S. 131–133

Einsiedeln, codd. 113, 114: beide Codices enthalten im wesentlichen je ein Graduale und ein Sakramentar, Einsiedeln 11./12. Jh., vgl. MEIER, Catalogus, S. 93–95; BRUCKNER, Scriptoria Medii Aevi Helvetica V, S. 172

Freiburg i. Br., Universitätsbibliothek, cod. 360a: Sakramentar aus Sankt Vitus in Mönchengladbach, Köln um 1070–1080, vgl. PLOTZET, in: Rhein und Maas 1, S. 208, 212; 2, S. 305, 327; HAGENMAIER, Die lateinischen mittelalterlichen Handschriften I/3, S. 94–96

Ivrea, Biblioteca Capitolare, cod. 56 (XIX): Missale des Bischofs Ogerio (1074–1095), vgl. PROFESSIONE, Inventario, S. 50

Solothurn, Bischöfliches Archiv, «Codex Gressly»

St. Gallen, Stiftsbibliothek, codd. 338, 339, 340: die drei Codices beinhalten im wesentlichen je ein Graduale und ein Sakramentar, St. Gallen 11. Jh., vgl. SCHERRER, Verzeichnis der Handschriften der Stiftsbibliothek St. Gallen, S. 118f.; BRUCKNER, Scriptoria Medii Aevi Helvetica III, S. 47, 96, 97; IV, S. 43; DUFT, Sankt-Galler Buchmalerei im 11. Jahrhundert, S. 108, 110, Abb. 20, 21, 22, 23, vgl. dort auch das Verzeichnis der zitierten Handschriften, S. 267

– cod. 341: Sakramentar, St. Gallen Mitte 11. Jh., SCHERRER, Verzeichnis der Handschriften der Stiftsbibliothek St. Gallen, S. 119f.; BRUCKNER, Scriptoria Medii Aevi Helvetica III, S. 47, 97, 98; IV, S. 43; DUFT, Sankt-Galler Buchmalerei im 11. Jahrhundert, S. 108

– cod. 342: Graduale, St. Gallen 11. Jh., und Sakramentar, St. Gallen 10. Jh., vgl. SCHERRER, Verzeichnis der Handschriften der Stiftsbibliothek St. Gallen, S. 120f.; BRUCKNER, Scriptoria Medii Aevi Helvetica III, S. 47, 96–98; IV, S. 43; DUFT, Sankt-Galler Buchmalerei im 11. Jahrhundert, S. 108.

– cod. 374: Graduale und Lektionar, St. Gallen 11. Jh., vgl. SCHERRER, S. 127; BRUCKNER, Scriptoria Medii Aevi Helvetica III, S. 47, 99

St. Gallen, Stiftsarchiv, Fonds Pfäfers, cod. Fab. VI: Graduale, Sakramentar, Lektionar, St. Gallen 11. Jh., vgl. BRUCKNER, Scriptoria Medii Aevi Helvetica I, S. 82f.

Zürich, Zentralbibliothek, codd. Rh 71, Rh 75: die beiden Codices beinhalten im
    wesentlichen je ein Graduale, ein Sakramentar und ein Lektionar, vgl.
    MOHLBERG, Katalog, S. 189f., 192; BRUCKNER, Scriptoria Medii Aevi Helveti-
    ca V, S. 43, 46

VERZEICHNIS DER SIGLEN

Nicht aufgenommen sind die Siglen zur Bezeichnung der biblischen Bücher; dazu vgl. Verzeichnis der Bibelstellen.

A	SAINT-ROCH P., Liber Sacramentorum Engolismensis (B.N. Lat. 816) (CC 159C), Turnhout 1987 (Sakramentar von Angoulême)
AASS	Acta Sanctorum, 60 Bde., Paris 1863ff.
AH	Analecta hymnica medii aevi, hg. von G. M. DREVES und C. BLUME, 55 Bde., Leipzig 1886–1922 (Reprint New York-London 1961). – Register, hg. von M. LÜTOLF, 3 Bde., Bern-München 1978
ALW	Archiv für Liturgiewissenschaft, Regensburg 1950ff.
Ao	AMIET R., Missale Augustanum. Edition synthétique de 22 missels du diocèse d'Aoste, XI–XVIᵉ siècles, 2 vol. (Monumenta Liturgica Ecclesiae Augustanae 8, 9), Aoste 1986 (Missale von Aosta)
B	HÄNGGI A.-LADNER P., Missale Basileense saec. XI («Codex Gressly»), 2 Teile (Spicilegium Friburgense 35), Freiburg/Schweiz 1994
Biburg	ARX W. von, Das Klosterrituale von Biburg (Budapest, Cod. Lat. m.ae. Nr. 330, 12. Jh.) (Spicilegium Friburgense 14), Freiburg/Schweiz 1970
Bl	HESBERT R.-J., L'antiphonaire du Mont-Blandin (VIIIᵉ–IXᵉ s.), in: DERS., Antiphonale Missarum Sextuplex, Bruxelles 1935
BOURQUE	betr. II/2, S. 473–483 von BOURQUE E., Etude
C	HESBERT R.-J., L'antiphonaire de Compiègne (IXᵉ s.), in: DERS., Antiphonale Missarum Sextuplex, Bruxelles 1935
CC	Corpus Christianorum seu nova patrum collectio, Turnhout-Paris 1953ff.
CLLA	GAMBER K., Codices liturgici latini antiquiores (Spicilegii Friburgensis subsidia 1), Freiburg/Schweiz ²1968
CLLA/S	GAMBER K., Codices liturgici latini antiquiores/ Supplementum. Ergänzungs- und Registerband unter Mitarbeit von B. BAROFFIO, F. DELL'ORO, A. HÄNGGI, J. JANINI, A.M. TRIACCA, (Spicilegii Friburgensis subsidia 1A), Freiburg/Schweiz 1988

CoA	WILMART A., Le Lectionnaire d'Alcuin, in: EL 51, 1937, S. 136–197 (Comes Alkuins)
CoL	FRERE W. H., Studies in early Roman liturgy III. The Roman Epistle-Lectionary (Alcuin Club collection 32), London 1935, S. 1–24 (Comes von Leningrad)
Conc.	DESHUSSES J.-DARRAGON B., Concordances et tableaux pour l'étude des grands Sacramentaires. T. I: Concordance des pièces (Spicilegii Friburgensis subsidia 9), Fribourg 1982
CoP	AMIET R., Un «Comes» carolingien inédit de la Haute-Italie (Paris, BN, ms. lat. 9451), in: EL 73, 1959, S. 335–367
CoV	REHLE S., Lectionarium Plenarium Veronense (Bibl. Cap., Cod. LXXXII), in: SE 22, 1974/75, S. 321–376
CP	MOELLER E., Corpus praefationum, 5 vol. (CC 161, 161A–D), Turnhout 1980–1981
D	DESHUSSES J., Le sacramentaire grégorien. Ses principales formes d'après les plus anciens manuscrits. Edition comparative. T.1: Le Sacramentaire. Le Supplément d'Aniane; t.2: Textes complémentaires pour la messe; t.3: Textes complémentaires divers (Spicilegium Friburgense 16, 24, 28), Fribourg ^{3}1992, ^{2}1988, ^{2}1991
DA	Deutsches Archiv für Erforschung des Mittelalters, Köln, Wien 1937ff.
DACL	Dictionnaire d'archéologie chrétienne et de liturgie, 15 vol., Paris 1907–1953
E1, 2, 3, 4	HENGGELER R., Die mittelalterlichen Kalendarien von Einsiedeln, in: ZSKG 48, 1954, S. 31–65
Eg	Codex Egberti der Stadtbibliothek Trier. Textband von H. SCHIEL, Basel 1960
EL	Ephemerides Liturgicae, Rom 1887ff.
EO	Ecclesia Orans. Periodica de scientiis liturgicis (S.Anselmo), Roma 1984ff.
EW	MÜLLER I., Ein elsässisch-westschweizerisches Kalendar im Cod. Sang. 403 aus dem 12. Jahrhundert, in: SZKG 63, 1969, S. 334–336
F	RICHTER G.-SCHÖNFELDER A., Sacramentarium Fuldense saeculi X (Quellen und Abhandlungen zur Geschichte der Abtei und der Diözese Fulda 9), Fulda 1912
Florian	FRANZ A., Das Rituale von St.Florian aus dem zwölften Jahrhundert, Freiburg i.Br. 1904
Fu	BÖHNE W., Ein Fuldaer Perikopenbuch des 11. Jahrhunderts, in: Archiv für mittelrheinische Kirchengeschichte 41, 1989, S. 403–490

G	DUMAS A., Liber Sacramentorum Gellonensis, 2 vol. (CC 159, 159A), Turnhout 1981
Ge	BARTH M., Kalendare des 11. Jahrhunderts aus den Abteien St.Thomas in Strassburg und Gengenbach in Baden, in: Freiburger Diözesan-Archiv 72, 1952, S. 41–53
Gel VIII	Sacramentarium (-ria) Gelasianum (-na) saeculi VIII, siehe A, G, Ph, Rh, S
Gr	Sacramentarium Gregorianum, siehe D
Graduel	Le Graduel Romain. Edition critique par les moines de Solesmes II: les sources, Solesmes 1957
GrH	Sacramentarium Gregorianum Hadrianum, siehe D
Ho	BARTH M., Elsässische Kalendare, in: Archiv für Elsässische Kirchengeschichte 3, 1928, S. 7–17 (Kalendar der Abtei Honau)
HS	Helvetia Sacra, Bern 1972ff.
K	HESBERT R.-J., L'antiphonaire de Corbie (IX^c–X^c s.), in: DERS., Antiphonale Missarum Sextuplex, Bruxelles 1935
L	MOHLBERG L. C.-EIZENHÖFER L.-SIFFRIN P., Sacramentarium Veronense (Cod. Bibl. Capit. Veron. LXXX [80]) (Rerum ecclesiasticarum documenta. Series maior. Fontes I), Roma 1956 (Sacramentarium Leonianum)
LexMA	Lexikon des Mittelalters, München-Zürich (1977) 1980ff.
LQF	Liturgiegeschichtliche Quellen und Forschungen, Münster i.W. 1909–1940; 1957ff.
LOR	HÄNGGI A., Der Rheinauer Liber Ordinarius (Zürich Rh 80, Anfang 12. Jh.) (Spicilegium Friburgense 1), Freiburg/Schweiz 1957
LThK	Lexikon für Theologie und Kirche, 10 Bde., Freiburg i.Br. 1957–1965
Lu	BÖHNE W., Ein neuer Zeuge stadtrömischer Liturgie aus der Mitte des 7. Jahrhunderts. Das Evangeliar Malibu, CA, USA, Paul Getty-Museum, vormals Sammlung Ludwig, Katalog-Nr. IV 1, in: ALW 27, 1985, S. 35–69
M	WILMART A., Le Comes de Murbach, in: RBén 30, 1913, S. 25–29
MartA	Le martyrologe d'Adon. Texte et commentaire, J. DUBOIS et G. RENAUD (Sources d'histoire médiévale), Paris 1984
MartAL	Martyrologium Anonymi Lugdunensis: siehe DUBOIS-RENAUD, Edition pratique
MartB	Martyrologium Bedae: siehe DUBOIS-RENAUD, Edition pratique

MartF	Martyrologium Flori Lugdunensis: siehe DUBOIS-RENAUD, Edition pratique
MartG	Martyrologium aus dem Sakramentar von Gellone, ed. DUMAS, Liber Sacramentorum Gellonense, S. 490–513: siehe G
MartH	Martyrologium Hieronymianum, ed. DE ROSSI-DUCHESNE (AASS Novembris II, pars prior, S. 1–195), Bruxelles 1894
MartHM	Rabani Mauri Martyrologium, ed. McCULLOH (CC Continuatio medievalis 44), Turnhout 1979
MartN	Notkeri Balbuli Martyrologium, in: PL 131, Sp. 1029–1164
MartPh	Martyrologium aus dem Philipps-Sakramentar, ed. HEIMING, Liber Sacramentorum Augustodunensis, S. 262–283: siehe Ph
MartU	Le martyrologe d'Usuard. Texte et commentaire par J. DUBOIS (Subsidia hagiographica 40), Bruxelles 1965
MGH Auct.Ant.	Monumenta Germaniae Historica, Auctores Antiquissimi
MGH Dipl.	Monumenta Germaniae Historica, Diplomata
MR	Missale Romanum, ed. by R. LIPPE, 2 vol.(Henry Bradshaw Society 17, 33), London 1899–1917
Mu	BARTH M., Aus dem liturgischen Leben der Abtei Murbach, in: Freiburger Diözesan-Archiv 73, 1953, S. 63–66 (Kalender der Abtei Murbach)
Mü	BARTH M., Elsässische Kalendare, in: Archiv für Elsässische Kirchengeschichte 3, 1928, S. 7–21 (Kalender der Abtei Münster im Gregoriental)
Mz	HESBERT R.-J., Le graduel de Monza (VIIIᶜ s.), in: DERS., Antiphonale Missarum Sextuplex, Bruxelles 1935
OM Aosta	AMIET R., L'Ordinaire de la messe selon le rite valdôtain, in: Recherches sur l'ancienne liturgie et les usages religieux et populaires valdôtains 6, 1976, S. 85–211
OM Chur	CASTELMUR A. von, Fragmente eines Churer Missale aus der Mitte des 11. Jahrhunderts, in: ZSKG 22, 1928, S. 186–197
OM Ivrea	BAROFFIO B.-DELL'ORO F., L'«Ordo missae» del vescovo Warmondo d'Ivrea, in: Studi Medievali 3. ser., 16, 1975, S. 815–816
OM Minden	Missa Latina («Missa Illyrica»), in: PL 138, Sp. 1305–1336
OM Mon.	DELL'ORO F.-BAROFFIO B., Un «Ordo missae» monastico del secolo XI, in: Mysterion. Nella celebrazione del misterio di Christo la vita della Chiesa (Quaderni di Rivista liturgica N.S. 5), Torino 1981, S. 591–637
OM Narni	BAROFFIO B., L'«Ordo missae» del rituale-messale vallicelliano E 62, in: Traditio et Progressio. Studi liturgici in onore del prof. Adrien Nocent, hg. von G. FARNEDI (Studia Anselmiana 95. Analecta Liturgica 12), Roma 1988, S. 52–59

OM Sg 338	St.Gallen, Stiftsbibliothek Cod. 338 (11. Jh.), S. 336–798: Sakramentar
OM Sg 339	St.Gallen, Stiftsbibliothek Cod. 339 (11. Jh.), S. 189–550: Sakramentar
Pf	STREITER, G., Das Lektionar von Pfäfers. Untersuchung von Ms III des Stiftsarchivs St.Gallen (Fonds Pfäfers), in: ZSKG 78, 1984, S. 11–109
Ph	HEIMING O., Liber Sacramentorum Augustodunensis (CC 59B), Turnhout 1984 (Philipps-Sakramentar)
PL	MIGNE J.P., Patrologiae cursus completus. Accurante Jacques-Paul Migne. Series latina, 221 vol., Paris 1841–1864
Po	BÖHNE W., Das Perikopenbuch Kaiser Heinrichs II. in der Gräflich Schönbornschen Bibliothek zu Pommersfelden, in: ALW 32, 1990, S. 9–26
PRG	VOGEL C.-ELZE R., Le Pontifical romano-germanique du dixième siècle, 3 vol. (Studi e Testi 226, 227, 269), Città del Vaticano 1963–1972
R	HESBERT R.-J., L'antiphonaire de Rheinau (VIIIᵉ–IXᵉ s.), in: DERS., Antiphonale Missarum Sextuplex, Bruxelles 1935
RAC	Reallexikon für Antike und Christentum, Stuttgart 1950ff.
RBén	Revue bénédictine, Maredsous 1890ff.
Re1	MUNDING E., Das älteste Kalendar der Reichenau, Beuron 1952, S. 237–240
Re2	TURNER D. H., The 'Reichenau' sacramentaries at Zurich and Oxford, in: RBén 75, 1965, S. 242–245
Re3	TURNER D.H., The 'Reichenau' sacramentaries at Zurich and Oxford, in: RBén 75, 1965, S. 256–259
Rh	HÄNGGI A.-SCHÖNHERR A., Sacramentarium Rhenaugiense (Spicilegium Friburgense 15), Freiburg/Schweiz 1968
RiAo	AMIET R., Rituale Augustanum, 2 vol. (Monumenta Liturgica Ecclesiae Augustanae 12, 13), Aosta 1991
RiRh	HÜRLIMANN G., Das Rheinauer Rituale (Zürich Rh 114, Anfang 12. Jh.) (Spicilegium Friburgense 5), Freiburg/Schweiz 1959
S	MOHLBERG K., Das fränkische Sacramentarium Gelasianum in alamannischer Überlieferung (Cod. Sangall. 348) (LQF 1/2), Münster i.W. ³1918 (Reprint 1971) (Sakramentar von St.Gallen)
S1	BARTH M., Elsässische Kalendare, in: Archiv für Elsässische Kirchengeschichte 3, 1928, S. 7–17 (Kalendar der Strassburger Domkirche)

S2 BARTH M., Elsässische Kalendare, in: Archiv für Elsässische Kirchengeschichte 3, 1928, S. 7–17 (Kalendar der Strassburger Domkirche)

S3 BARTH M., Elsässische Kalendare, in: Archiv für Elsässische Kirchengeschichte 3, 1928, S. 7–17 (Kalendar der Strassburger Domkirche)

SE Sacris erudiri. Jaarboek voor godsdienstwetenschappen. Steenbrugge u.a. 1948ff.

SG Munding E., Die Kalendarien von St.Gallen. Untersuchungen, Beuron 1951

Sl HESBERT R.-J., L'antiphonaire de Senlis (IXᵉ s.), in: DERS., Antiphonale Missarum Sextuplex, Bruxelles 1935

SP IRTENKAUF W., Eine St.Pauler Handschrift aus dem Jahre 1136, in: Carinthia I 145, 1955, S. 248–274 (Kalendar der Abtei St.Paul in Kärnten)

ST BARTH M., Kalendare des 11. Jahrhunderts aus den Abteien St.Thomas in Strassburg und Gengenbach in Baden, in: Freiburger Diözesan-Archiv 72, 1952, S. 41–53

Tr HEIMING O., Corpus Ambrosiano Liturgicum I. Das Sacramentarium Triplex. Die Handschrift C 43 der Zentralbibliothek Zürich. 1. Teil: Text (LQF 49), Münster i.W. 1968

V MOHLBERG L. C.-EIZENHÖFER L.-SIFFRIN P., Liber Sacramentorum Romanae Aecclesiae ordinis anni circuli (Cod. Vat. Reg. lat. 316 / Paris Bibl. Nat. lat. 7193, 41/56) (Rerum ecclesiasticarum documenta. Series maior. Fontes IV), Roma 1960 (Sacramentarium Gelasianum)

W 28 add., W 28 Baltimore, Walters Art Gallery mss 28 add and W 28 (12. Jh.): Zwei unvollständige Teile eines Sakramentars der Kathedrale von Reims; siehe L.M.C. RANDALL

We BARTH M., Heiligenkalender der alten Benediktinerklöster des Elsass, in: Freiburger Diözesan-Archiv 78, 1958, S. 90–92 (Kalendar der Abtei Weissenburg)

ZSKG Zeitschrift für schweizerische Kirchengeschichte. Revue d'histoire ecclésiastique suisse, Stans, dann Freiburg/Schweiz 1907ff.

VERZEICHNIS DER QUELLEN UND LITERATUR

Ado Viennensis, Le martyrologe d'Adon. Ses deux familles, ses trois recensions. Texte et commentaire, J. Dubois et G. Renaud (Sources d'histoire médiévale), Paris 1984

Allemang G., Albinus von Angers, in: LThK 1, Sp. 289

– Donatian zu Nantes, in: LThK 3, Sp. 504

Amalarius episcopus, Opera liturgica omnia, ed. I.M. Hanssens, 3 Bde. (Studi e Testi 138, 139, 140), Città del Vaticano 1948–1950

Amiet A., Un «Comes» carolingien inédit de la Haute-Italie, in: EL 73, 1959, S. 335–367

– L'ordinaire de la messe selon le rite valdôtain, in: Recherches sur l'ancienne liturgie et les usages religieux et populaires valdôtains 6, 1976, S. 85–211

– Missale Augustanum. Edition synthétique de 22 missels du diocèse d'Aoste, XI–XVI siècles, 2 vol. (Monumenta Liturgica Ecclesiae Augustanae 8, 9), Aosta 1986

– Rituale Augustanum, 2 vol. (Monumenta Liturgica Ecclesiae Augustanae 12, 13), Aosta 1991

Amore A., Susanna von Rom, in: LThK 9, Sp. 1196

Analecta Hymnica: siehe AH

Andrieu, OR: Andrieu M., Les Ordines Romani du haut moyen âge, 5 vol. (Spicilegium sacrum Lovaniense 11, 23, 24, 28, 29), Louvain 1931–1961

Angenendt A., Missa specialis. Zugleich ein Beitrag zur Entstehung der Privatmesse, in: Frühmittelalterliche Studien 17, 1983, S. 153–221

– Theologie und Liturgie der mittelalterlichen Toten-Memoria, in: Memoria. Der geschichtliche Zeugniswert des liturgischen Gedenkens im Mittelalter (Münstersche Mittelalter-Schriften 48), München 1984

Anonymus Lugdunensis, Martyrologium: siehe Dubois-Renaud, Edition pratique

Arnold K., St. Leodegar in Schönenwerd, in: HS II/2, Bern 1977, S. 462–492

– St. Ursus in Solothurn, in: HS II/2, Bern 1977, S. 493–535

Arx W. von, Zur Entstehungsgeschichte des Rituale, in: ZSKG 63, 1969, S. 39–57

– Das Klosterrituale von Biburg (Budapest, Cod. Lat. m.ae. Nr. 330, 12. Jh.) (Spicilegium Friburgense 14), Freiburg/Schweiz 1970

Ausonius, Opuscula, ed. K. Schenkl (MGH, Auct. ant. V/2), Berlin 1883 (Nachdruck 1982)

Baader, Desiderius von Langres, in: LThK 3, Sp. 250f.

– Desiderius von Vienne, in: LThK 3, Sp. 251

– Genesius, in: LThK 4, Sp. 671

BAER C. H., Die Kunstdenkmäler des Kantons Basel-Stadt 3: Die Kirchen, Klöster und Kapellen. Erster Teil: St. Alban bis Kartause, Basel 1941

BANG A., Walburga, in: LThK 10, Sp. 928

BAROFFIO B., L'«Ordo missae» del rituale-messale vallicelliano E 62, in: Traditio et Progressio. Studi liturgici in onore del prof. Adrien Nocent, hg. von G. FARNEDI (Studia Anselmiana 95. Analecta Liturgica 12), Roma 1988, S. 52–59

BAROFFIO B.-DELL'ORO F., L'«Ordo missae» del vesovo Warmondo d'Ivrea, in: Studi Medievali, 3. ser. 16, 1975, S. 815–816

BARTH M., Elsässische Kalendare, in: Archiv für elsässische Kirchengeschichte 3, 1928, S. 7–17

– Kalendare des 11. Jahrhunderts aus den Abteien St.Thomas in Strassburg und Gengenbach in Baden, in: Freiburger Diözesan-Archiv 72, 1952, S. 41–53

– Aus dem liturgischen Leben der Abtei Murbach, in: Freiburger Diözesan-Archiv 73, 1953, S. 63–66

– Heiligenkalender der alten Benediktinerklöster des Elsass, in: Freiburger Diözesan-Archiv 78, 1958, S. 82–125

– Die Kirchweihtage der Münster von Strassburg und Basel sowie der Abteikirche von Weissenburg, in: Freiburger Diözesan-Archiv 78, 1958, S. 126–138.

– Handbuch der elsässischen Kirchen im Mittelalter, in: Archives de l'Eglise d'Alsace 11, 1960, Sp. 1–518; 12, 1961, Sp. 519–1190; 13, 1963/1963, Sp. 1191–2014

BAUERREISS R., Emmeram, in: LThK 3, Sp. 850

– Maurus, in: LThK 7, Sp. 198f.

BAUMEISTER Th., Donatus von Arezzo, in: LexMA 3, Sp. 1236f.

BAUMER I., Pèlerinages jurassiens. Le Vorbourg, Porrentruy 1976

BAUMSTARK: BAUMSTARK A., Missale Romanum. Seine Entwicklung, ihre wichtigsten Urkunden und Probleme, Eindhoven 1929

BAUS K., Energumenen, in: LThK 3, Sp. 862f.

– Julius, in: LThK 5, Sp. 1206

– Margareta, in: LThK 7, Sp. 19

– Maria v. Ägypten, in: LThK 7, Sp. 36

Beda, De temporibus ratione liber, ed. CH.W. JONES, Bedae opera de temporibus, S. 173–291, Cambridge Mass. 1943; CC 123B, Pars VI/2, S. 239–544, Turnhout 1977

– Kalendarium sive martyrologium, ed. CH.W. JONES, CC 123C, Pars VI/3, S. 563–568, Turnhout 1980

– Martyrologium: siehe DUBOIS-RENAUD, Edition pratique

Ps.-Beda, De argumentis lunae, in: PL 90, Sp. 701–728

– De ratione anni, De embolismi ratione, in: PL 90, Sp. 799A

BEYERLE, K. (Hg.), Die Kultur der Abtei Reichenau. Erinnerungsschrift zur zwölfhundertsten Wiederkehr des Gründungsjahres des Inselklosters 724–1924, 2 Bde., München 1925 (Neudruck Aalen 1970)

BEYERLE, K., siehe MANSER A.-BEYERLE K., Aus dem liturgischen Leben der Reichenau

Biblia sacra iuxta vulgatam versionem, ed. R. WEBER, 2 Bde., Stuttgart ²1975

BIELER L., Kolumba(n), in: LThK 6, Sp. 403

– Odila, in: LThK 7, Sp. 1096

– Patricius, in: LThK 8, Sp. 177–180

Böhme W., Brictius, in: LThK 2, Sp. 685

– Medardus, in: LThK 7, Sp. 226f.

– Mellitus, in: LThK 7, Sp. 261

– Monegundis, in: LThK 7, Sp. 549

– Nicetius, in: LThK 7, Sp. 941

– Praxedis, in: LThK 8, Sp. 702

– Privatus, in: LThK 8, Sp. 775

– Pudentiana, in: LThK 8, Sp. 897

– Romanus, in: LThK 9, Sp. 25

– Waldebert, in: LThK 10, Sp. 932f.

– Ein neuer Zeuge stadtrömischer Liturgie aus der Mitte des 7. Jahrhunderts. Das Evangeliar Malibu, CA, USA, Paul Getty-Museum, vormals Sammlung Ludwig, Katalog-Nr. IV 1, in: ALW 27, 1985, S. 35–69

– Ein Fuldaer Perikopenbuch des 11. Jahrhunderts, in: Archiv für mittelrheinische Kirchengeschichte 41, 1989, S. 403–490

– Das Perikopenbuch Kaiser Heinrichs II. in der Gräflich Schönbornschen Bibliothek zu Pommersfelden, in: ALW 32, 1990, S. 9–26

Boner G., Felix und Regula, in: LThK 4, Sp. 72

Borella, Verso il messale plenario, in: EL 67, 1953, S. 338–340

Bosse D., Untersuchung zum Gloria in excelsis deo, Erlangen 1954

Botte B., Le canon de la messe romaine, éd. critique, Louvain 1935

– La Tradition apostolique de Saint Hippolyte, 5. verb. Aufl. durch A. Gerhards (LQF 39), Münster i.W. 1989

Bourque: Bourque E., Etude sur les sacramentaires romains, 3 vol. (Studi di antichità cristiane 20, 25), Città del Vaticano-Québec 1948–1960

Brackmann A., Helvetia pontificia (Regesta Pontificum Romanorum II/2), Berlin 1927

Brechter S., Augustinus OSB, in: LThK 1, Sp. 1102

Brinkhoff: Brinkhoff L., De ordine missae a saeculo X usque ad saeculum XIII (Diss. ad lauream, Maschinenschr.), Roma «Antonianum» 1951

Brouette E., Justus, in: LThK 5, Sp. 1230

– Remigius, in: LThK 8, Sp. 1226f.

– Servatius, in: LThK 9, Sp. 693

– Sulpicius II., in: LThK 9, Sp. 1160f.

Brück A., Albanus, in: LThK 1, Sp. 269f.

Bruckner A., Scriptoria Medii Aevi Helvetica I: Schreibschulen der Diözese Chur, Genf 1935; III: Schreibschulen der Diözese Konstanz, St. Gallen II, Genf 1938; IV: Schreibschulen der Diözese Konstanz, Stadt und Landschaft Zürich, Genf 1940; V: Schreibschulen der Diözese Konstanz: Einsiedeln, S. 11–118, Genf 1943; XII: Das alte Bistum Basel, Genf 1971

– Die Bischöfe von Basel, in: HS I/1, Bern 1972, S. 159–222

Bruylants: Bruylants P., Les Oraisons du Missel Romain. Texte et histoire, 2 vol. (Etudes liturgiques 1), Louvain 1952

Bullough D. A., Alban, in: LexMA 1, Sp. 273

Burckhardt A., Die Heiligen des Bisthums Basel, in: Basler Jahrbuch 1889, S. 144–171

BURCKHARDT R. F., Der Basler Münsterschatz (Die Kunstdenkmäler des Kantons Basel-Stadt 2), Basel 1933

BURG A. M., Amandus, Bischof von Strassburg, in: LThK 1, Sp. 417

– Arbogast, in: LThK 1, Sp. 821

– Attala, in: LThK 1, Sp. 1015

BÜRKE G., Paulinus, Bischof von Nola, in: LThK 8, Sp. 208f.

BUX N., La liturgia di san Nicola. Testi medievali e moderni, Bari 1986

CAMBELL J., Leodegar, in: LThK 6, Sp. 958f.

CAMELAT P.-TH., Alexandros, in: LThK 1, Sp. 313

CASTELMUR A. von, Fragmente eines Churer Missale aus der Mitte des 11. Jahrhunderts, in: ZSKG 22, 1928, S. 186–197

CASUTT L., Fides, in: LThK 4, Sp. 119

Catalogue des manuscrits en écriture latine portant des indications de date, de lieu ou de copiste, hg. von CH. SAMARAN-R. MARICHAL, tome 5: Est de la France, Paris 1965

CHAVASSE A., Etude sur l'onction des infirmes dans l'Eglise latine du IIIe au XIe siècle, Lyon 1942

– Les plus anciens types du lectionnaire et de l'antiphonaire romains de la messe, in: RBén 62, 1952, S. 3–94

– L'Avent romain du Ve au VIIIe siècle, in: EL 67, 1953, S. 297–308

– Gél.: CHAVASSE A., Le sacramentaire gélasien (Vaticanus Reginensis 316). Sacramentaire presbytéral en usage dans les titres romains au VIIe siècle (Bibliothèque de Théologie IV/1), Paris-Tournai 1958

– Cantatorium et Antiphonale Missarum. Quelques procédés de confection. Dimanches après la Pentecôte: Graduels du sanctoral, in: EO 1, 1984, S. 15–55

– Evangéliaire: Evangéliaire, épistolier, antiphonaire et sacramentaire. Les livres romains de la messe au VIIe et au VIIIe siècle, in: EO 6, 1989, S. 177–255; jetzt auch in: Chavasse, La liturgie, S. 153–229

– Les lectionnaires romains de la messe au VIIe et au VIIIe siècle. Sources et dérivés, 2 vol. (Spicilegii Friburgensis Subsidia 22), Fribourg 1993

– La liturgie: La liturgie de la ville de Rome du Ve au VIIIe siècle. Une liturgie conditionnée par l'organisation de la vie in Urbe et extra muros. Présentation d'A. NOCENT (Studia Anselmiana 112, Analecta liturgica 18), Rom 1993

CIOFFARI G., S. Nicola nella critica storica, Bari 1987

CHÈVRE A., Ursicinus, in: LThK 10, Sp. 570f.

CLAUSS J.M.B., Die Heiligen des Elsass (Forschungen zur Volkskunde 18/19), Düsseldorf 1935

Codex Egberti der Stadtbibliothek Trier. Textband von H. SCHIEL, Basel 1960

DANIEL N., Handschriften des zehnten Jahrhunderts aus der Freisinger Bibliothek (Münchner Beiträge zur Mediävistik und Renaissance-Forschung 11), München 1975.

DANIÉLOU J., Daniel, in: RAC 3, Sp. 575–585

DE CLERCQ: DE CLERCQ C., «Ordines unctionis infirmi» des IXe et Xe siècles, in: EL 41, 1930, S. 100–122

DELEHAYE, Commentarius perpetuus in Martyrologium Hieronymianum ad recensionem H. Quentin OSB (AASS Novembris II, pars posterior), Bruxelles 1931

DELL'ORO F.-BAROFFIO B., Un «Ordo missae» monastico del secolo XI, in: Mysterion. Nella celebrazione del mistero di Christo la vita della Chiesa (Quaderni di Rivista liturgica N.S. 5), Torino 1981, S. 591–637

DELL'ORO F.-ROGGER H., Monumenta liturgica Ecclesiae Tridentinae saeculo XIII antiquiora, vol. II/A, Trento 1985

– Monumenta liturgica Ecclesiae Tridentinae saeculo XII antiquiora, vol. II/B, Trento 1987

DESHUSSES J., Le sacramentaire grégorien. Ses principales formes d'après les plus anciens manuscrits. Edition comparative. T. 1: Le Sacramentaire. Le Supplément d'Aniane; t. 2: Textes complémentaires pour la messe; t. 3: Textes complémentaires divers (Spicilegium Friburgense 16, 24, 28), Fribourg ³1991, ²1988, ²1991

– Les Messes d'Alcuin, in: ALW 14, 1972, S. 7–41

DOLD A., Vom Sakramentar, Comes und Capitulare zum Missale (Texte und Arbeiten 34), Beuron 1943.

DOLD A.-GAMBER K., Das Sakramentar von Monza (im Cod. F 1/101 der dortigen Kapitelbibliothek). Ein aus Einzel-Libelli redigiertes Jahresmessbuch (Texte und Arbeiten, 3. Beiheft), Beuron 1957

DRESSLER F., Gangulf, in: LThK 4, Sp. 513f.

DUBOIS, J.: Les martyrologes du moyen âge latin (Typologie des sources du moyen âge occidental 26), Turnhout 1978; mise à jour 1985

– Martyrologium, in: LexMA 6, Sp. 357–360

– s. Usuard

DUBOIS J.-RENAUD G., Edition pratique des martyrologes de Bède, de l'Anonyme lyonnais et de Florus (Institut de Recherche et d'Histoire des Textes. Bibliographies, Colloques, Travaux préparatoires), Paris 1976

– s. Ado Viennensis

DUFT J., Wiborada, in: LThK 10, Sp. 1088f.

– Die Geschichte, in: Die Bibel von Moutier-Grandval British Museum Add.Ms. 10546, Bern 1971, S. 15–48

– Notker der Arzt. Klostermedizin und Mönchsarzt, im frühmittelalterlichen St.Gallen, St.Gallen 1972

– St.Gallen, in: HS III/1, 2, Bern 1986, S. 1186–1204

– Sankt-Galler Buchmalerei im 11. Jahrhundert, in: DERS., Die Abtei St.Gallen I: Beiträge zur Erforschung ihrer Manuskripte. Ausgewählte Aufsätze, hg. zum 75. Geburtstag von P. OCHSENBEIN und E. ZIEGLER, Sigmaringen 1990, S. 105–113

DUMAS A., Liber Sacramentorum Gellonensis, 2 vol. (CC 159, 159A), Turnhout 1981

EBNER: EBNER A., Quellen und Forschungen zur Geschichte und Kunstgeschichte des Missale Romanum im Mittelalter. Iter Italicum, Freiburg i.Br. 1896

ENGELMANN U., Donatus, Bischof von Besançon, in: LThK 3, Sp. 507

– Pirmin(ius), in: LThK 8, Sp. 517

ERHARTER H., Maria Cleophae, in: LThK 7, Sp. 37

EWIG G., Amatus, Abt von Remiremont, in: LThK 1, Sp. 420f.

– Anianus, in: LThK 1, Sp. 561f.

FIALA F., Doktor Urkundio. Eine biographische Skizze, in: Urkundio. Beiträge zur vaterländischen Geschichtsschreibung 1, 1871, S. 1–7

Florus Lugdunensis, Martyrologium: s. DUBOIS-RENAUD, Edition pratique

FONTAINE J., Martin von Tours, in: LThK 7, Sp. 118f.

Fragmentum missae, in: PL 138, Sp. 1335

FISCHER B., Quatember, in: LThK 8, Sp. 928–929

FISCHER J. A., Avitus, in: LThK 1, Sp. 1154f.

FRANK H., Allerheiligenfest, in: LThK 1, Sp. 348

– Allerseelentag, in: LThK 1, Sp. 349

FRANK K. S., Antonius der Eremit, in: LThK 1, Sp. 731f.

– Gregor v. Nazianz, in: LexMA 4, Sp. 1684

– Pachomios, in: LexMA 6, Sp. 1607

FRANZ A., Das Rituale von St. Florian aus dem zwölften Jahrhundert, Freiburg i.Br. 1904

FRANZ, Ben.: FRANZ A., Die kirchlichen Benediktionen im Mittelalter, 2 Bde., Freiburg i.Br. 1909 (Reprint Graz 1960)

– Messe: FRANZ A., Die Messe im deutschen Mittelalter. Beiträge zur Geschichte der Liturgie und des religiösen Volkslebens, Freiburg 1902 (Reprint Darmstadt 1963)

FRANZEN A., Maternus, Bischof von Köln, in: LThK 7, Sp. 165f.

FRERE: FRERE W. H., Studies in early Roman liturgy III. The Roman Epistle-Lectionary (Alcuin Club collection 32), London 1935

FRIED P., Magnus, in: LexMA 6, Sp. 96f.

FROGER J., Le lieu de destination et de provenance du «Compendiensis», in: Ut mens concordet voci. Festschrift für E. Cardine zum 75. Geburtstag, St.Ottilien 1980, S. 338–353

Frühmittelalterliche Studien. Jahrbuch des Instituts für Frühmittelalterforschung der Universität Münster, Berlin 1967ff.

FRUTAZ A.P., Abundius, in: LThK 1, Sp. 102

– Anatolia, in: LThK 1, Sp. 497

– Christina, in: LThK 2, Sp. 1128

– Donatus, Bischof von Arezzo, in: LThK 3, Sp. 506f.

– Euplius, in: LThK 3, Sp. 1186

– Januarius, in: LThK 5, Sp. 872f.

– Julia, in: LThK 5, Sp. 1195

– Marius und Martha, in: LThK 7, Sp. 89

GAMBER K., Die mittelitalienisch-beneventanischen Plenarmissalien, in: SE 9, 1957, S. 265–282

– Oberitalienische Sakramentarfragmente, in: SE 13, 1962, S. 353–359

– Codices liturgici latini antiquiores (Spicilegii Friburgensis subsidia 1), Freiburg/Schweiz ²1968

– Missalia plenaria, in: CLLA, S. 527–547
– Die Messbücher Mittel- und Süditaliens im Frühmittelalter, in: Missa Romensis. Beiträge zur frührömischen Liturgie und zu den Anfängen des Missale Romanum (Studia Patristica et Liturgica 3), Regensburg 1970, S. 157–169
– Vom Messformular zur Messgestaltung. Die Plenarmissalien des römischen Ritus bis zur Jahrtausendwende, in: Heiliger Dienst 37, Salzburg 1983, S. 136–144; ebenfalls in: Sacramentorum. Weitere Studien zur Geschichte des Messbuches und der frühen Liturgie (Studia Patristica et Liturgica 13), Regensburg 1984, S. 107–115
– Die ältesten Messformulare für Mariä Verkündigung. Ein kleines Kapitel frühmittelalterlicher Sakramentargeschichte, in: SE 29, 1986, S. 121–150
– Missale plenaria, in: CLLA/S, S. 135–144
GARAND M., siehe Catalogue des manuscrits en écriture latine 5
GERBERT M., Monumenta veteris liturgiae Alemannicae II, St.Blasien 1779
Gerung N., gen. Blauenstein, Cronica episcoporum Basiliensium (Basler Chroniken 7, bearb. von A. BERNOULLI), Leipzig 1915
GILOMEN H.-J., St. Alban in Basel, in: HS III/2, Bern 1991, S. 147–226
GORDONI G. D., Quintinus, in: LThK 8, Sp. 945
– Rufinus und Valerius, in: LThK 9, Sp. 93
– Scholastica, in: LThK 9, Sp. 445
– Symphorian(us), in: LThK 8, Sp. 1219
– Vedastus, in: LThK 10, Sp. 649
Gössi A., Das Urkundenwesen der Bischöfe von Basel im 13. Jahrhundert (Quellen und Forschungen zur Basler Geschichte 5), Basel 1974
GOUGAUD: GOUGAUD L., Les Saints irlandais hors d'Irlande étudiés dans le culte et dans la dévotion traditionelle (Bibliothèque de la Revue d'Histoire ecclésiastique 16), Louvain/Oxford 1936
GRIBOMONT J., Pachomius der Ältere, in: LThK 7, Sp. 1330f
GRIFFE E., Mamertus, in: LThK 6, Sp. 1338f.
GROSS K., Barbara, in: LThK 1, Sp. 1235
– Coelestin I., in: LThK 2, Sp. 1254
GROTEFEND H., Zeitrechnung des deutschen Mittelalters und der Neuzeit, 2 Bde., Hannover 1891, 1892
– Abriss der Chronologie des deutschen Mittelalters und der Neuzeit (Grundriss der Geschichtswissenschaft I/3), Leipzig-Berlin 1912
– Taschenbuch der Zeitrechnung des deutschen Mittelalters und der Neuzeit, 10. Aufl. durch TH. ULRICH, Hannover 1960
GRUNDHÖFER W., Glodesind, in: LThK 4, Sp. 966f.
– Goar, in: LThK 4, Sp. 1032
GY: GY P.M., Collectaire, Rituel, Processional, in: Revue des sciences philosophiques et théologiques 44, 1960, S. 441–469
– La liturgie dans l'histoire, Paris 1990

HABERL F., Der responsoriale Gesang des gregorianischen Graduale, Roma 1979
HAGENMAIER W., Die lateinischen mittelalterlichen Handschriften der Universitätsbibliothek Freiburg i. Br. I/3, Wiesbaden 1980

HÄNGGI: HÄNGGI A., Zwei interessante alte Ordines unctionis infirmorum im Basler Missale des 11. Jahrhunderts, in: Traditio et Progressio. Studi liturgici in onore del prof. Adrien Nocent, hg. von G. FARNEDI (Studia Anselmiana 95. Analecta Liturgica 12), Roma 1988, S. 197–218

– Der Rheinauer Liber Ordinarius (Zürich Rh 80, Anfang 12. Jh.) (Spicilegium Friburgense 1), Freiburg/Schweiz 1957

HÄUSSLING A., Mönchskonvent und Eucharistiefeier. Eine Studie über die Messe in der abendländischen Klosterliturgie des frühen Mittelalters und zur Geschichte der Messhäufigkeit (LQF 58), Münster i.W. 1973

HEER G., Himerius, in: LThK 5, Sp. 351

– Otmar, in: LThK 7, Sp. 1299f.

– Verena, in: LThK 10, Sp. 693

HEIMING O., Corpus Ambrosiano Liturgicum I. Das Sacramentarium Triplex. Die Handschrift C 43 der Zentralbibliothek Zürich. 1. Teil: Text (LQF 49), Münster i.W. 1968

– Liber sacramentorum Augustodunensis (CC 59B), Turnhout 1984

HEINZELMANN M., Donatus von Besançon, in: LexMA 3, Sp. 1237f.

– Nicetius, in: LexMA 6, Sp. 1127

HENGGELER R., Die mittelalterlichen Kalendarien von Einsiedeln, in: ZSKG 48, 1954, S. 31–65

HENNIG J., Brigida, in: LThK 2, Sp. 694 und in: LexMA 2, Sp. 689

– Cuthbert v. Lindisfarne, in: LThK 3, Sp. 112

– Findan, in: LThK 4, Sp. 137f.

– Fridolin, in: LThK 4, Sp. 366

– Furseus, in: LThK 4, Sp. 464

HERGOTT E., Mauritius, in: LThK 7, Sp. 195

HESBERT R.-J., La messe «Omnes gentes» du VIIᵉ dimanche après la Pentecôte et l'antiphonale missarum romain, in: Revue grégorienne 17, 1932, S. 81–89

– L'antiphonaire de Pamelius et les graduels des dimanches après la Pentecôte, in: EL 49, 1935, S. 348–359

– CA: HESBERT R.-J., Corpus Antiphonalium Officii, 5 Bde. (Rerum ecclesiasticarum documenta. Series maior. Fontes VII–XI), Roma 1963–1975

– Sextuplex: HESBERT R.-J., Antiphonale Missarum Sextuplex, Bruxelles 1935

HEYER H.-R., Die Kunstdenkmäler des Kantons Basel-Landschaft 1: Der Bezirk Arlesheim, Basel 1969

HIERONIMUS K. W., Das Hochstift Basel im ausgehenden Mittelalter (Quellen und Forschungen), Basel 1938

HLAWITSCHKA E., Arnulf, in: LexMA 1, Sp. 1018f.

HOFFMANN H., Buchkunst und Königtum im ottonischen und frühsalischen Reich, 2 Bde. (Schriften der Monumenta Germaniae Historica 30, I [Textbd.], II [Tafelbd.]), Stuttgart 1986

HOMEYER H., Helene, in: LThK 5, Sp. 208f.

Hrabanus Maurus, Martyrologium, ed. J. MCCULLOH (CC Continuatio medievalis 44), Turnhout 1979

HUGLO M., Les listes alléluiatiques dans les témoins du graduel grégorien, in: Speculum musicae artis. Festgabe H. Husman, München 1970, S. 217–227

HUGLO: HUGLO M., Les livres de chant liturgique (Typologie des sources du moyen âge 52), Turnhout 1988

HUOT F., L'Ordinaire de Sion (Spicilegium Friburgense 18), Fribourg 1973

– Les manuscrits liturgiques du Canton de Genève (Iter Helveticum V, Spicilegii Friburgensis subsidia 19), Fribourg 1990

– L'Ordinaire du missel de Genève (Spicilegium Friburgense 33), Fribourg 1993

HÜRLIMANN G., Das Rheinauer Rituale (Zürich Rh 114, Anfang 12. Jh.) (Spicilegium Friburgense 5), Freiburg/Schweiz 1959

IRTENKAUF W., Eine St.Pauler Handschrift aus dem Jahre 1136, in: Carinthia I 145, 1955, S. 248–274

ISERLOH E., Bonifatius, in: LThK 2, Sp. 591–593

JAMMERS E., Das Alleluia in der gregorianischen Messe. Eine Studie über seine Entstehung und Entwicklung (LQF 55), Münster i.W. 1973

JOUNEL P., Le culte des Saints dans les basiliques du Latran et du Vatican au douzième siècle (Collection de l'Ecole Française de Rome 26), Rom 1977

JUNGBAUER, Ägyptische Tage, in: Handwörterbuch des deutschen Aberglaubens 1, Berlin und Leipzig 1927, Sp. 223–226

JUNGMANN, MS: JUNGMANN J.A., Missarum sollemnia. Eine genetische Erklärung der römischen Messe, Wien ³1952

– Präfation, in: LThK 8, Sp. 675–676

KACZYNSKI R., Feier der Krankensalbung, in: Gottesdienst der Kirche. Handbuch der Liturgiewissenschaft, hg. von H. B. MEYER u.a., Teil 7,2: Sakramentale Feiern I/2, Regensburg 1992, S. 241–343

KEHR W., Kataloge der Universitätsbibliothek Freiburg i.Br., Bd.1, Teil 3, Wiesbaden 1980

KELLNER K. A. H., Heortologie, Freiburg i.Br. ³1911

KILGER L., Gallus in: LThK 4, Sp. 507f.

KLAUS A., Antonius, in: LThK 1, Sp. 667ff.

KLAUSER: KLAUSER TH., Das römische Capitulare Evangeliorum (LQF 28), Münster i.W. ²1972

KLEIN R.-SIGAL P.A., Helena, in: LexMA 4, Sp. 2117

KLÜPPEL TH., Reichenauer Hagiographie zwischen Walahfrid und Berno, Sigmaringen 1980

KÖTTING B., Caecilia, in: LThK 2, Sp. 866f.

– Christophorus, in: LThK 2, Sp. 1167f.

– Corona, in: LThK 3, Sp. 61

– Crispinus und Crispinianus, in: LThK 3, Sp. 96 und in: LexMA 3, Sp. 347f.

– Germanus, Bischof von Auxerre, in: LThK 4, Sp. 755

– Julianus, in: LThK 5, Sp. 1196f.

– Paulus von Theben, in: LThK 8, Sp. 214

– Victor, in: LThK 10, Sp. 771f.

KRAFT B., Barnabas, in: LThK 1, Sp. 1255

KREUZ A., Maximinus, Bischof von Trier, in: LThK 7, Sp. 207f.

KRÜGER K. H., Mauritius, in: LexMA 6, Sp. 411
– Medardus, in: LexMA 6, Sp. 443f.
KUITHAN R.-WOLLASCH J., Der Kalender des Chronisten Bernold, in: DA 40, 1984,
S. 478–531
KURZEJA A., Der älteste Liber ordinarius der Trierer Domkirche, London Brit. Mus.
Harley 2958, Anfang 14. Jahrhundert (LQF 54), Münster i.W. 1970

LABUDA G., Adalbert Vojtech, in: LexMA 1, Sp. 101f
LADNER P., Das St. Albankloster in Basel und die burgundische Tradition in der
Cluniazenserprovinz Alemannia (Basler Beiträge zur Geschichtswissenschaft
80), Basel 1960
– Die älteren Herrscherurkunden für Moutier-Grandval, in: Basler Zeitschrift für
Geschichte und Altertumskunde 74, 1974, S. 41–68
LEISIBACH J., Die liturgischen Handschriften des Kapitelsarchivs in Sitten (Iter
Helveticum III, Spicilegii Friburgensis subsidia 17), Freiburg/Schweiz 1979
LEITMAIER L.-DÜRIG W., Gottesurteil, in: LThK 4, Sp. 1130–1132
LEMARIÉ: LEMARIÉ J., Le Pontifical d'Hugues de Salins, son «Ordo Missae» et son
«Libellus Precum», in: Studi Medievali 19, 1978, S. 363–425
LEROQUAIS V., Les sacramentaires et les missels manuscrits des bibliothèques publi-
ques de France, 3 vol., Paris 1924
– L'ordo missae du sacramentaire d'Amiens. Paris, Bibl. Nat. ms.lat 9432 (IXs.), in:
EL 41, 1927, S. 435–444
LE ROUX R., Les Graduels des dimanches après la Pentecôte, in: Etudes grégo-
riennes 5, 1962, S. 122–123
LOERTSCHER G., Solothurn, in: Kunstführer durch die Schweiz 3, Bern 1982,
S. 927–946
LOWE E. A., The Bobbio Missal. A Gallican Mass-Book (Paris ms. lat. 13246)
(Henry Bradshaw Society 58), London 1920
LUYKX: LUYKX B., Der Ursprung der gleichbleibenden Teile der heiligen Messe, in:
Th. BOGER: Priestertum und Mönchstum (Laacher Hefte 29), Maria Laach 1961,
S. 72–119

MAGISTRETTI M., Manuale Ambrosianum (Monumenta veteris liturgiae Ambrosi-
anae II.I), Mediolani 1905
MANSER A.-BEYERLE K., Aus dem liturgischen Leben der Reichenau, in: Die
Kultur der Reichenau. Erinnerungsschrift zur zwölfhundertsten Wiederkehr des
Gründungsjahres des Inselklosters 724–1924, hg. von K. BEYERLE, 2 Bde., Mün-
chen 1925 (Neudruck Aalen 1970)
MANZ G., Ein St. Galler Sakramentar-Fragment (Cod. Sangall. 350) (LQF 31),
Münster i.W. 1939
MARCHAL G.P., Zurzach, in: HS III/1,1, Bern 1986, S. 353f.
MARTÈNE: MARTÈNE E., De antiquis ecclesiae ritibus libri IV, 4 Bde., Antwerpen
²1736 (Reprint Hildesheim 1967)
MARTIMORT, Les lectures liturgiques et leurs livres (Typologie des sources du moyen
âge occidental 64), Turnhout 1992
Martyrologium Hieronymianum saec. V, ed. J.B. DE ROSSI-L. DUCHESNE (AASS
Novembris II, pars prior, S. I-LXXXII, 1–195), Bruxelles 1894

MATTES B., Die Spendung der Sakramente nach Freisinger Ritualien (Münchner Theologische Studien. Systematische Abteilung 34), Münster 1967

MAURER F., Die Kunstdenkmäler des Kantons Basel-Stadt 4: Die Kirchen, Klöster und Kapellen. Zweiter Teil: St. Katharina bis St. Niklaus, Basel 1961

MAURER H. (Hg.), Die Abtei Reichenau. Neue Beiträge zur Geschichte und Kultur des Inselklosters (Bodensee-Bibliothek 20), Sigmaringen 1974

McCULLOH J., Das Martyrologium Notkers als geistesgeschichtliches Dokument (Konstanzer Arbeitskreis für mittelalterliche Geschichte. Protokoll über die Arbeitssitzung am 23. Mai 1983, Nr. 246), Konstanz 1981

MEIER G., Catalogus codicum manu scriptorum qui in bibliotheca monasterii Einsidlensis O.S.B. servantur, Leipzig 1899

MELINCKI M., Das einstimmige Kyrie des lateinischen Mittelalters. Erlangen 1954

METZGER M. J., Zwei karolingische Pontifikalien vom Oberrhein (Freiburger Theologische Studien 17), Freiburg i.Br. 1914

METZGER M., Nouvelles perspectives pour la prétendue «Tradition Apostolique», in: EO 5, 1988, S. 241–259

MEYVAERT P., Augustinus (Missionar), in: LexMA 1, Sp. 1229f.

MIAZGA T., Die Melodien des einstimmigen Credo der römisch-katholischen lateinischen Kirche, Graz 1976

MICHL J., Longinus, in: LThK 6, Sp. 1138

Missale Romanum, ed. by R. LIPPE, 2 vol. (Henry Bradshaw Society 17, 33), London 1899–1917

Mittellateinisches Wörterbuch bis zum Ausgang des 13. Jahrhunderts, hg. von der Bayerischen Akademie der Wissenschaften, München 1959ff.

MOELLER E., Corpus praefationum, 5 vol. (CC 161, 161A–D), Turnhout 1980–1981

MOHLBERG K., Das fränkische Sacramentarium Gelasianum in alamannischer Überlieferung (Cod. Sangall. 348) (LQF 1/2), Münster i.W. ³1918 (Reprint 1971)

– Katalog der Handschriften der Zentralbibliothek Zürich 1: Mittelalterliche Handschriften, Zürich 1932–1952

– Sacramentarium Veronense (Cod. Bibl. Capit. Veron. LXXX) (Rerum ecclesiasticarum documenta 1), Roma 1956

MOHLBERG L. C.-EIZENHÖFER L.-SIFFRIN P., Liber Sacramentorum Romanae Aecclesiae ordinis anni circuli (Cod. Vat. Reg. lat. 316 / Paris Bibl. Nat. lat. 7193, 41/56) (Rerum ecclesiasticarum documenta. Series maior. Fontes IV), Roma 1960

MOSER A., Delémont, in: Kunstführer durch die Schweiz 3, Bern 1982, S. 849–860

MÜLLER, Disentis: MÜLLER I., Zum liturgischen Kalender der Abtei Disentis 8.–12. Jahrhundert, in: Studien und Mitteilungen zur Geschichte des Benediktiner-Ordens 65, 1953/1954, S. 81–89, 274–302

– Pfäfers: MÜLLER I., Das liturgische Kalender von Pfäfers im 12. Jahrhundert, in: ZSKG 55, 1961, S. 21–34, 91–138

– Lucius, in: LThK 6, Sp. 1177

– Ein elsässisch-westschweizerisches Kalendar im Cod. Sang. 403 aus dem 12. Jahrhundert, in: SZKG 63, 1969, S. 332–352

MÜLLER W., Genesius, in: LThK 4, Sp. 671f.

– Wetti(nus), in: LThK 10, Sp. 1080

MUNDING E., Das Verzeichnis der St. Galler Heiligenleben und ihrer Handschriften in Codex Sangall. No. 566. Ein Beitrag zur Frühgeschichte der St. Galler Handschriftensammlung (Texte und Arbeiten 3/4), Beuron 1918

– Abt-Bischof Waldo. Begründer des Goldenen Zeitalters der Reichenau (Texte und Arbeiten 10/11), Beuron 1924

– Die Kalendarien von St. Gallen aus 21 Handschriften 9.–11. Jahrhundert I: Texte, II: Untersuchungen (Texte und Arbeiten 36, 37), Beuron 1948, 1951

– Das älteste Kalendar der Reichenau (aus Cod. Vindob. 1815, saec. IX med.), in: Colligere Fragmenta. Festschrift Alban Dold, hg. von B. FISCHER und V. FIALA (Texte und Arbeiten, 2. Beiheft), Beuron 1952, S. 236–246

NAHMER v.d. D., Martin von Tours, in: LexMA 6, Sp. 344f.

NOCENT A., Les apologies dans la célébration eucharistique, in: Liturgie et rémission des péchés (Bibliotheca EL, Subsidia 3), Roma 1975, S. 179–186

Notker Balbulus, Martyrologium per anni circulum, in: PL 131, Sp. 1029–1164

NUSSBAUM O., Kloster, Priestermönch und Privatmesse. Ihr Verhältnis im Westen von den Anfängen bis zum hohen Mittelalter (Theophaneia 14), Bonn 1961

Ó CRÓINÍN D., Patrick, in: LexMA 6, Sp. 1791f

ODERMATT: ODERMATT A., Ein Rituale in beneventanischer Schrift (Roma, Bibl. Vallicelliana Cod. C 32, Ende des 11. Jahhunderts) (Spicilegium Friburgense 26), Freiburg/Schweiz 1980

OEXLE O.G., Albinus von Angers, in: LexMA 1, Sp. 307

OSWALD J., Oswald, in: LThK 7, Sp. 1296

– Pantaleon, in: LThK 8, Sp. 24f.

– Quirinus, in: LThK 8, Sp. 948

– Siebenschläfer, in: LThK 9, Sp. 737f.

PALAZZO E., L'illustration du codex Gressly, missel bâlois du XIe siècle, in: Histoire de l'Art 11, 1990, S. 15–22

PASCHER J., Das liturgische Jahr, München 1963

PIERCE J., Sacerdotal spirituality at mass: Text and study of the prayerbook of Sigebert of Minden (1022–1036), Notre Dame (USA) 1988

PLOTZET J. M., siehe Rhein und Maas

POULIN J.-C., Anianus, in: LexMA 1, Sp. 644

– Desiderius von Vienne, in: LexMA 3, Sp. 727

– Leodegar, in: LexMA 5, Sp. 1883

PRELOG J., Leander v. Sevilla, in: LexMA 5, Sp. 1776

PRINZ J., Amandus, in: LexMA 1, Sp. 510f.

PROFESSIONE A., Inventario dei Manoscritti della Biblioteca Capitolare di Ivrea, Ivrea 1967

QUENTIN H., Les martyrologes historiques du moyen âge. Etude sur la formation du martyrologe romain. Paris 1908

RAHNER H., Anthimos, in: LThK 1, Sp. 603

RANDALL L.M.C., Medieval and Renaissance Manuscripts in the Walters Art Gallery I: France, 875–1420, Baltimore-London 1989

RASMUSSEN N., ·An early «ordo missae» with a «litania abcedaria» addressed to Christ (Rome, Bibl. Vallicelliana, Cod. B. 141, XI. cent.), in: EL 98, 1984, S. 198–211

REHLE S., Lectionarium Plenarium Veronense (Bibl. Cap., Cod. LXXXII), in: SE 22, 1974/75, S. 321–376

REINLE A., Die heilige Verena von Zurzach. Legende, Kult, Denkmäler (Ars docta 6), Basel 1948

Rhein und Maas. Kunst und Kultur 800–1400, Ausstellungskatalog, 2 Bde., Köln 1972

RICHTER G.-SCHÖNFELDER A., Sacramentarium Fuldense saeculi X (Quellen und Abhandlungen zur Geschichte der Abtei und der Diözese Fulda 9), Fulda 1912

RODEWYK A., Germanus, Bischof von Paris, in: LThK 4, Sp. 756f.

ROLLASON D.W., Columba, in: LexMA 3, Sp. 63–65

– Cuthbert, in: LexMA 3, Sp. 397

RÜCK P., Die Urkunden der Bischöfe von Basel bis 1213 (Quellen und Forschungen zur Basler Geschichte 1), Basel 1966

SAINT-ROCH P., Liber Sacramentorum Engolismensis (B.N. Lat. 816) (CC 159C), Turnhout 1987

SALZGEBER J., Einsiedeln, in: HS III/I,1, Bern 1986, S. 517–594

SAXER V., Le culte de Marie-Madeleine en occident des origines à la fin du Moyen Age, Auxerre 1959

– Caecilia, in: LexMA 2, Sp. 1343f.

SCHERRER G., Verzeichnis der Handschriften der Stiftsbibliothek St.Gallen, Halle 1875 (Reprint Hildesheim-New York 1975)

SCHIEL H., siehe Codex Egberti

SCHILDBACH M., Das einstimmige Agnus Dei und seine Überlieferung vom 10. bis zum 16. Jahrhundert, Erlangen 1967

SCHLAGER, Thematischer Katalog der ältesten Alleluia-Melodien des 10. und 11. Jahrhunderts, ausgenommen das ambrosianische, alt-römische und alt-spanische Repertoire (Erlanger Arbeiten zur Musikwissenschaft 2), München 1965

SCHMIDT L., Vinzenz von Saragossa, in: LThK 10, Sp. 802f.

SCHNYDER H., Säckingen, in: HS III/1,1, S. 324–337

SCHNITZLER Th., Allerheiligen, in: LexMA 1, Sp. 428

– Allerseelen, in: LexMA 1, Sp. 428

SCHWAIGER G., Anenkletos,, in: LThK 1, Sp. 524

– Cajus, in: LThK 2, Sp. 877

– Felix I, in: LThK 4, Sp. 67

– Johannes I., in: LThK 5, Sp. 986 und in: LexMA 5, Sp. 538

– Soter, in: LThK 9, Sp. 893f

SEMMLER J., Bonifatius, in: LexMA 2, Sp. 417–420

SICARD: SICARD D., La liturgie de la mort dans l'Eglise latine des origines à la réforme carolingienne (LQF 63), Münster i. W. 1978

SPINKS B. D., The Sanctus in the Eucharistic Prayer, Cambridge 1993

STAAB K., Thomas, Apostel, in: LThK 10, Sp. 118f.

STASIEWSKI B., Adalbert, in: LThK 1, Sp. 122f.

STOLZ S., Emmeram, in: LexMA 3, Sp. 1888f.

STREITER G., Das Lektionar von Pfäfers. Untersuchung von Ms III des Stiftsarchivs St.Gallen (Fonds Pfäfers), in: ZSKG 78, 1984, S. 11–109

STUIBER A., Die Diptychon-Formel für die Nomina offerentium im römischen Messkanon, in: EL 68, 1954, S. 127–146

– Marcellinus, in: LThK 7, Sp. 1

SZÖVÉRFFY J., Christophorus, in: LexMA 2, Sp. 1938ff.

TANNABAUR P. J., Das einstimmige Sanctus der römischen Messe in der handschriftlichen Überlieferung des 11. bis 16. Jahrhunderts (Erlanger Arbeiten zur Musikwissenschaft 1), München 1962

TATARINOFF A., Der Kreuzacker in Solothurn, in: Jurablätter 1971

THEURILLAT J. M., Sigismund, in: LThK 9, Sp. 748f.

TIROT P., Histoire des pièces d'offertoire dans la liturgie romaine du VIIᵉ au XVIᵉ siècle (Bibliotheca EL, Subsidia 34), Roma 1985

TROUILLAT J., Monuments de l'histoire de l'ancien évêché de Bâle, 5 vol., Porrentruy 1852–1867

TSCHUDI R., Meinrad (Meginrad), in: LThK 7, Sp. 242

TÜCHLE H., Dedicationes Constantienses. Kirch- und Altarweihen im Bistum Konstanz bis zum Jahre 1250, Freiburg i.Br. 1949

– Pelagius, in: LThK 8, Sp. 250f.

TURCK U., Alban, Protomartyrer von England, in: LThK 1, Sp. 269

TURNER D. H., The 'Reichenau' Sacramentaries at Zurich and Oxford, in: RBén 75, 1965, S. 240–276

– Sacramentaries of Saint Gall in the tenth and eleventh centuries, in: RBén 81, 1971, S. 186–215

Usuard, Le martyrologe d'Usuard. Texte et commentaire par J. DUBOIS (Subsidia hagiographica 40), Bruxelles 1965

UYTFANGHE M. van, Adelgundis, in: LexMA 1, Sp. 344

VEGA A. C., Leander, in: LThK 6, Sp. 847f.

VERSTREPEN J. L., Origines et instauration des Quatre-Temps à Rome (handschr. Mémoire), Abbaye Sainte-Marie de la Pierre-Qui-Vire 1990

VIDIER A., L'historiographie à Saint-Benoît-sur-Loire et les miracles de Saint-Benoît, Paris 1965

VILLIGER J. B., Hatto, in: LThK 5, Sp. 27f.

VOGEL C., Contribution des abbayes de Murbach et de Wissembourg à l'élaboration de la liturgie chrétienne durant le Haut Moyen Age, in: Les lettres en Alsace (Publications de la société d'Alsace et des régions de l'Est 8), Strasbourg 1962, S. 35–45

– Introduction aux sources de l'histoire du culte chrétien au moyen âge (Biblioteca degli «Studi Medievali» 1), Spoleto 1975

– Medieval Liturgy. An introduction to the sources, revised and translated by W.G. STOREY and N.K. RASMUSSEN, Washington 1986

VOGEL C.-ELZE R., Le pontifical romano-germanique du dixième siècle, 3 vol. (Studi e Testi 226, 227, 269), Città del Vaticano 1963–1972

VOLK O., Anastasius der Perser, in: LThK 1, Sp. 492

– Mam(m)as, in: LThK 6, Sp. 1339

WAGNER P., Einführung in die gregorianischen Melodien. Ein Handbuch der Choralwissenschaft I: Ursprung und Entwicklung; II: Neumenkunde; III: Gregorianische Formenlehre, 3 Bde., Leipzig ³1911, ²1912, 1921

WALTHER H., Initia carminum ac versuum medii aevi posterioris latinorum, Göttingen ²1969

WARE T., Symeon d. Ä., in: LThK 9, Sp. 1216

WARREN F.E., The Leofric Missal as used in the Cathedral of Exeter, Oxford 1883

WENDEHORST A., Kilian v. Würzburg, in: LThK 6, Sp. 143f.

– Kilian, in: LexMA 5, Sp. 1136f

WENDEHORST W., Radegundis, in: LThK 8, Sp. 963

WERHAHN H.M., Gregorios v. Nazianz d.J., in: LThK 4, Sp. 1209–1211

WIERTZ P., Blasios, in: LThK 2, Sp. 525

WIKENHAUSER A., Sosipatros, in: LThK 9, Sp. 893

WILDERMANN A., St. Germanus in Moutier-Grandval, in: HS II/2, Bern 1977, S. 362–391

– Moutier-Grandval, in: HS III/1,1, Bern 1986, S. 283–288

– Saint-Ursanne, in: HS II/1,1, Bern 1986, S. 321–323

WILMART A., Un missel grégorien ancien, in: RBén 26, 1909, S. 281–300

– Le Comes de Murbach, in: RBén 30, 1913, S. 25–69

WIMMER E., Barbara, in: LexMA 1, Sp. 1432f

– Margareta von Antiochien, in: LexMA 6, Sp. 231f.

– Pantaleon, in: LexMA 6, Sp. 1658

ZAESLIN P.L., St-Ursanne, in: HS II/2, Bern 1977, S. 442–461

ZANA E., Il sacramentario benedittino-bresciano del secolo XI. Ricerche sul ms. 2547 della Bibliotece dell' Università di Bologna (Monumenta Brixiae historica II), Brescia 1971

ZIMMERMANN A.M., Adelgunde, in: LThK 1, Sp. 141

– Arnulf, in: LThK 1, Sp. 901

– Barontus, in: LThK 2, Sp. 1

– Libertus, in: LThK 6, Sp. 1012

ZOEPFL F., Magnus, in: LThK 6, Sp. 1286

– Ulrich, in: LThK 10, Sp. 454–456

ZOTZ Th., Gallus, in: LexMA 4, Sp. 1098

A. EINLEITUNG

DIE HANDSCHRIFT

Zur Geschichte der Handschrift

Trotz intensiver Nachforschung bleibt bis zur Stunde die Geschichte der aus der zweiten Hälfte des 11. Jahrhunderts stammenden Handschrift, welche die Bearbeiter der vorliegenden Edition nach dem ehemaligen Besitzer des Bandes auch «Codex Gressly» benannt haben, über weite Strecken ungeklärt; weder enthält der Band selbst genügend Hinweise, die zur Klärung einer einigermassen kohärenten Besitzer- und Entstehungsgeschichte Aufschluss geben könnten[1], noch liessen sich bisher andere Quellen zur Beantwortung dieser Frage finden.

Als jüngstes gesichertes Datum ist das Dreikönigsfest (6. Januar) 1986 zu nennen, an welchem Dr. Max Gressly, Fürsprecher in Solothurn, dieses liturgische Buch dem Basler Bischof Dr. Otto Wüst zu Handen des Bistums Basel geschenkt hat[2]. In einem die Übergabe bestätigenden Brief hat Max Gressly festgehalten, dass der Codex seit rund 150 Jahren im Altar der Hauskapelle des sog. «Kreuzakkers» in Solothurn, des Wohnhauses des Stifters[3], aufbewahrt worden sei. Im gleichen Schreiben hat er sich vorsichtig auch zur Herkunftsfrage geäussert. Demnach soll der Solothurner Stadt- und Spitalarzt Dr. Peter Ignaz Scherer (1780–1833), der als Lokalhistoriker unter dem Namen «Doktor Urkundio» bekannt geworden ist, die Handschrift mitsamt anderen Akten aus dem Fluchtgut einiger

---

[1] Auch im Kalendar ist kein Festtag rubriziert; vgl. unten S. 113.

[2] Vgl. Brief vom 6. Januar 1986 (Solothurn, Bischöfl. Archiv), in welchem auch das schon alte Interesse des ehemaligen Professors für Liturgiewissenschaft an der Universität Freiburg und nachmaligen Bischofs von Basel, Anton Hänggi, erwähnt wird.

[3] Vgl. TATARINOFF, Der Kreuzacker in Solothurn; LOERTSCHER, Solothurn, S. 945f.

vor den französischen Revolutionstruppen im Frühjahr 1792 von Delsberg nach Solothurn geflohenen Chorherren von Moutier-Grandval (Münster-Granfelden) vor dem Untergang gerettet haben[4]. Da Scherer bei seinem älteren Bruder, dem Ratsherren Franz Philipp Scherer-Gressly, im Kreuzacker wohnte, wäre der Codex auf diesem Weg dorthin gelangt. Quellenmässig lässt sich dies freilich ebensowenig belegen wie der daraus gezogene Schluss – auf den noch zurückzukommen sein wird –, dass der Codex wahrscheinlich aus den Bücherbeständen des 1801 aufgehobenen Chorherrenstiftes Moutier-Grandval stamme. Nur eine sichere Aussage lässt sich inbezug auf die Geschichte der Handschrift im 19. Jahrhundert machen: Wo immer sie auch aufbewahrt wurde und wer ihr Besitzer war, sie ist frühesten 1839 neu gebunden worden[5].

Aus den unmittelbar vorangegangenen Jahrhunderten scheinen keine Quellen zum Codex Gressly überliefert zu sein. Hingegen finden sich in der Handschrift selbst Hinweise darauf, dass sie spätestens im ersten Viertel des 15. Jahrhunderts in der Kapelle Le Vorbourg bei Delsberg lag[6]. Zunächst handelt es sich um zwei urkundliche Aufzeichnungen jeweils auf dem unteren Rand von f. 53v und f. 54r, wonach Junker Johann Theobald Marschalk am 25. März 1417 eine Lichterstiftung zugunsten der dem hl. Himerius geweihten Kapelle errichtet hat[7]. Dazu kommt, dass auf die

---

[4] Gressly stützt sich auf eine Arbeit von FIALA, Doktor Urkundio, S. 6: «Als die französischen Republikaner 1792 in das Fürstbisthum Basel eindrangen, flüchteten sich einige Chorherren des alten Stiftes Münster-Granfelden von Delsberg nach Solothurn. In einem Bürgerhause lagen nun ein Haufen alter Schriften, die einer der Herren als unbedeutend zum Verpacken von Waaren übergeben hatte. Schon war Vieles dazu verwendet worden, da kam auch unser Doktor dahinter und fand unter Anderm mehrere Exemplare einer Denkschrift des Stiftes ...».

[5] Vgl. unten Anm. 27. Dabei sind möglicherweise auch Einträge auf den Dekkeln, Spiegel- und Vorsatzblättern, welche die Geschichte der Handschrift hätten erhellen können, verlorengegangen.

[6] Vgl. BAUMER, Pèlerinages jurassiens. Le Vorbourg.

[7] F. 53v: Anno domini M°CCCC°XVII° die annunciacionis Marie Johannes Thebaldi Marschalci armiger dedit pro se, Margarita eius uxore legitima ac pro parentibus suis pure propter deum necnon in remissionem omnium peccatorum suorum luminari cappelle sancti Ymerii, site in inferiori castello de Telsperg, omnia et singula bona sua immobilia, que habet ⟨et⟩ se habere dinoscitur in villa seu finagio ville de Sougern quocumque nomine ce⟨n⟩seantur et in quibuscumque locis consistant. – F. 54r: Item dedit predictus armiger, modo quo supra, prefate cappelle

ursprünglich fast unbeschriebene Versoseite von f. 97, die vermutlich für die Aufnahme eines Pfingstbildes vorgesehen war, ein zwar undatiertes, aber schriftmässig unzweifelhaft ins 15. Jahrhundert gehörendes Zinsverzeichnis eingetragen wurde, das sich ebenfalls auf Le Vorbourg bezieht[8]. Und schliesslich enthält das Kalendar zum ursprünglich verzeichneten Otmar am 16. November einen Nachtrag aus dem ausgehenden Mittelalter «Dedicacio huius capelle», der wohl auch die Kapelle Le Vorbourg betrifft, welche nach dem hl. Himerius dem hl. Otmar geweiht war[9].

Über den lokalgeschichtlichen Aspekt hinaus zeigen diese Angaben, dass der Codex zumindest im Spätmittelalter in der Diözese Basel im Gebrauch war, und auch weitere Indizien weisen in diese Richtung.

Zu nennen sind in diesem Zusammenhang drei Nachträge im Kalendar. Es handelt sich um die beiden Obiit-Einträge «Lûtholdus eps» (16. Januar), «ob. Ortliebus eps» (18. August) und um den Vermerk «Dedicatio Basiliensis eccl.» (11. Oktober)[10], die von verschiedenen Händen stammen und sehr wahrscheinlich – ihre Kürze erschwert eine Datierung auf paläographischem Weg – ins 13. Jahrhundert gehören; von wem und wo sie vorgenommen worden sind, lässt sich freilich nicht sagen.

Vor allem bemerkenswert ist die Nennung der beiden Bischöfe, deren Erinnerung offenbar wachgehalten werden sollte. Der jüngere von ihnen ist mit Lüthold II. von Röteln (1238–1248) zu

---

sancti Ymerii mediam partem quorundam proventuum decimorum 'die Lantgarben', quos habet in villa et finagio suburbii dicti Vorbuorg de Telsperg. – Eine nicht überall korrekte Transkription findet sich auch bei BAUMER, Pèlerinages jurassiens. Le Vorbourg, S. 30 Anm. 18.

[8] F. 97v: Hec sunt census capelle in castro. Anno ⟨...⟩. Petrus de Vorburg dat quolibet anno septem penalia spelte super unum casale, jacens in dicto castro via publica ex una parte et Clewinus ibidem ex alia. Alia casale jacet ibidem inter duas vias, de quibus Clewinus ibidem dat de suo casale quinque penalia spelte. Item unam falcem prati sitam in monte Clewinus Rantze (?) ex una. Item adhuc unam aliam falcem prati sitam in dicto monte, dictus Farrer habet superius ex una versus Vorburg, Riat Journat colit ex alia.

[9] Vgl. MOSER, Delémont, S. 858. Möglicherweise besteht ein Zusammenhang mit dem im Codex Gressly wahrscheinlich schon im 14. Jahrhundert nachgetragenen Formular des Otmarfestes (f. 85r, B 331).

[10] Zur Dedicatio vgl. BARTH, Die Kirchweihtage der Münster von Strassburg und Basel sowie der Abteikirche von Weissenburg, S. 134–136.

identifizieren[11], dessen Todestag auf den 16. Januar 1249 fällt; als Bischof ist er vorzeitig zurückgetreten, weil ihm Papst Innozenz IV. mit Propst Berthold von Pfirt vom Stift Moutier-Grandval einen Koadjutor zur Seite gestellt hatte, der dann auch sein Nachfolger wurde[12]. – Wie im Kalendar vermerkt, fällt das Todesdatum Bischof Ortliebs von Froburg (ca. 1137–1164) auf den 18. August[13]. Dieser für Reich und Kirche gleichermassen bedeutende Prälat, der in seiner Basler Diözese insbesondere junge klösterliche Gemeinschaften wie Lützel, Bellelay oder Schöntal förderte, war auch – gleich wie seine Vorgänger seit 999 – Eigenherr der schon vor seiner Amtszeit vom Benediktinerkloster zu einem weltlichen Chorherrenstift umgewandelten Propstei Moutier-Grandval[14]; diese Eigentumsrechte liess er sich sowohl von Papst Eugen III. (1146) als auch von Kaiser Friedrich I. (1160) und vom Gegenpapst Viktor IV. (1160) bestätigen[15].

Mit der Hervorhebung der Beziehungen dieser beiden Bischöfe zu Moutier-Grandval[16] wird bewusst an die oben vermerkte Vermutung angeknüpft, der Codex könnte aus dem Bücherbesitz dieses Chorherrenstiftes stammen, woran sich die Frage anschliesst, ob er nicht auch dort entstanden sei.

---

[11] Zu Bischof Lütold II. vgl. Gössi, Das Urkundenwesen der Bischöfe von Basel im 13. Jahrhundert, S. 27–29; Bruckner, in: HS I/1, S. 177f.

[12] Zu Berthold von Pfirt vgl. Gössi, Das Urkundenwesen der Bischöfe von Basel im 13. Jahrhundert, S. 29–31; Wildermann, in: HS II/2, S. 373 (als Propst) und Bruckner, in: HS I/1, S. 178–180 (als Bischof).

[13] Zu Bischof Ortlieb von Froburg vgl. Rück, Die Urkunden der Bischöfe von Basel bis 1213, S. 76–111; Bruckner, in: HS I/1, S. 172f.

[14] Vgl. Wildermann, in: HS III/1, S. 283–288; Wildermann, in: HS II/2, S. 362–391, bes. S. 363.

[15] Bestätigung Eugens IV.: Trouillat, Monuments 1, Nr. 194; Brackmann, Helvetia pontificia, S. 225 Nr. 16; Bestätigung Friedrichs I.: Trouillat, Monuments 1, Nr. 219; MGH Dipl. Frid.I., Nr. 303; Bestätigung Viktors IV.: Trouillat, Monuments 1, Nr. 220.

[16] Auch weitere Beziehungen könnten erwähnt werden: Der Nachfolger Bischof Bertholds II. von Pfirt, Heinrich III. von Neuenburg, war 1249–1256 Propst von Moutier-Grandval (vgl. Wildermann, in: HS II/2, S. 373f.; HS I/1, 180) und ebenso Bischof Lütold III. von Röteln, der 1286–1316 der Propstei vorstand (vgl. Wildermann, in: HS II/2, S. 374f.; Bruckner, in: HS I/1, S. 185). Ausserdem waren viele Domherren der Bischofskirche von Basel in Moutier-Grandval bepfründet, vgl. Wildermann, in: HS II/2, S. 364; Duft, Die Geschichte, S. 26.

Vom Inhalt der Handschrift her gesehen, ist dies keineswegs auszuschliessen, denn tatsächlich legt die Analyse der in diesem Missale zusammengestellten Texte nahe, dass es im süddeutschen-oberrheinischen-elsässischen Raum entstanden sein muss. Besonders die Texte der im weiteren Sinn als «Eigenfeste» zu wertenden Heiligenfeste wie etwa der Margaretha, der Fides, des Remigius oder des Arnulf weisen in diese Gegend[17]; weiter ist festzustellen, dass das Sakramentar weder für eine Pfarrei- noch für eine Bischofskirche bestimmt war, sondern mit grösster Wahrscheinlichkeit für eine klösterliche Gemeinschaft geschaffen wurde[18], was auch Hinweise im Rituale bestätigen[19], und nicht zuletzt fällt die starke Verwandtschaft des Ordo Missae mit demjenigen von Aosta auf[20]: Moutier-Grandval und Aosta liegen beide an einer alten Strasse, die vom Elsass über Basel und den Pierre Pertuis-Pass zum Grossen St. Bernhard nach Italien führt. Eine präzisere Eingrenzung mittels inhaltlichen Kriterien ist freilich ausgeschlossen.

Noch weniger ist es gelungen, den Codex Gressly aufgrund von Schriftmerkmalen einem bestimmten Skriptorium zuzuweisen. Gründe dafür sind einerseits die grossteils trümmerhafte Handschriftenüberlieferung im umschriebenen Raum und anderseits das weitgehende Fehlen von entsprechenden Untersuchungen[21]. Als mögliche Entstehungsorte sind zunächst – neben andern Skriptorien[22] – vor allem Murbach im Elsass[23] und St. Gallen[24] in Erwägung gezogen worden, doch liessen sich diese Zuweisungen nicht aufrecht erhalten, da Murbach ein viel zu geringes paläographisches Vergleichsmaterial bietet und sich die im Missale Basileense vorkom-

---

[17] Vgl. unten S. 110–114, 160.

[18] Vgl. unten S. 162; auch das Kalendar bestätigt diese Ansicht, vgl. S. 110.

[19] Vgl. unten S. 182.

[20] Vgl. unten S. 119.

[21] Dazu BRUCKNER, Scriptoria Medii Aevi Helvetica XII, Das alte Bistum Basel.

[22] Beispielsweise die Reichenau: HOFFMANN, Buchkunst und Königtum im ottonischen und frühsalischen Reich, S. 303–355; Einsiedeln: BRUCKNER, Scriptoria Medii Aevi Helvetica V, S. 11–118.

[23] Vgl. GARAND, in: Catalogue des manuscrits en écriture latine 5, S. XXV.

[24] Vgl. BRUCKNER, Scriptoria Medii Aevi Helvetica III; DANIEL, Handschriften des zehnten Jahrhundrts aus der Freisinger Bibliothek, S. 3, 29–33; HOFFMANN, Buchkunst und Königtum im ottonischen und frühsalischen Reich, S. 366–402.

menden Schreiberhände, trotz gewisser Verwandtschaften, in St.Galler Handschriften nicht finden. Auch die oben aufgeworfene Frage nach Moutier-Grandval als Herstellungsort lässt sich mit paläographischen Kriterien nicht beantworten, denn es haben sich weder Handschriften noch sonst welche Nachrichten aus dem dort zweifellos vorhanden gewesenen Skriptorium erhalten[25]; vor dem Hintergrund jedoch der skizzierten Konstellation von Basler Bischöfen, klösterlicher Gemeinschaft und vor allem der Nähe zu Delsberg/Le Vorbourg ist die Entstehung im Jura-Kloster nicht auszuschliessen; möglicherweise besteht auch ein Zusammenhang zwischen der Herstellung der Handschrift und der Verlegung der alten, karolingischen Kirche zum Standort des heutigen Temple St-Germain et Randoald, welche ihrerseits mit der Umwandlung des Benediktinerklosters zum Chorherrenstift in Verbindung gebracht werden könnte[26]; erstaunlich ist dann freilich, dass nirgends des Gründungsabtes Germanus gedacht wird.

Kodikologische Beschreibung

Noch vor der Übereignung der Handschrift an das Bistum Basel ist der Codex in den Monaten November und Dezember 1985 in der Bibliotherapeutischen Werkstatt des Franziskanerklosters zu Freiburg/Schweiz restauriert worden. Es handelt sich dabei nicht um den ersten Eingriff, denn schon im 19. Jahrhundert erhielt der Codex einen neuen Einband[27], wobei der Buchblock an allen drei

---

[25] Es sei daran erinnert, dass im 9. Jahrhundert der berühmte Lehrer und Mönchsarzt Iso aus St.Gallen in Moutier-Grandval gewirkt hat; über ihn mögen gewisse sangallensische Schreibgewohnheiten nach Moutier-Grandval gekommen sein; vgl. DUFT, Die Geschichte, S. 22f.; DUFT, Notker der Arzt. Klostermedizin und Mönchsarzt im frühmittelalterlichen St.Gallen, S. 23f.; vgl auch MUNDING, Das Verzeichnis der St. Galler Heiligenleben, S. 182 (Reg.: Grandval).

[26] DUFT, Die Geschichte, S. 18; MOSER, Delémont, S. 639.

[27] Mit dunklem Leder überzogener Pappband ohne Schliessen mit goldverzierter Bordüre, auf dem Rücken in Goldprägung: MISSALE ROMANUM. Im Rücken fand sich ein Fragment einer Druckschrift: Hermann von Keyserlingk, Denkwürdigkeiten eines Philosophen, oder Erinnerungen und Begegnisse aus meinem seitherigen Leben. Altona 1839, wobei es sich höchstwahrscheinlich um das Fragment eines Prospektes des Verlages Hammerich in Altona um 1839 handelt.

Seiten um wenigstens um 1 cm beschnitten[28] und der Schnitt rötlich eingefärbt worden ist; gleichzeitig wurden damals schadhafte Folien mit aufgeklebten Papierstreifen ergänzt, die jedoch anlässlich der neuerlichen, viel gründlicheren Restaurierung durch entsprechende Pergamentstücke ersetzt worden sind[29]. Ausgewechselt wurde auch der Einband: Er besteht heute aus zwei Holzplatten, die mit braunem Ziegenleder überzogen und mit zwei schlichten Messingschliessen versehen sind; der Buchrücken weist drei Doppelbünde auf.

Der Band umfasst 380 alte, mit moderner Bleistiftfoliierung versehene Blätter aus feinem bis mittelstarkem, leicht gelblichem Pergament guter Qualität[30] (Format: 28x20,5 cm), die vorne und hinten von je zwei neuen pergamenenen Vorsatzblättern eingefasst sind. Vom ursprünglichen Blattbestand fehlen zwei Folien, nämlich in der 1. Lage das dritte Blatt (zwischen f. 2 und 3) und in der 45. Lage das erste Blatt (zwischen f. 341 und 342); an diesen Stellen weist der Codex Textverluste auf[31]. – Ohne die modernen Vorsatzblätter besteht der Buchblock aus 50 weder mit Kustoden noch mit Reklamanten bezeichneten Lagen[31a] und zwar, von wenigen Fällen abgesehen, aus Quaternionen. Ausnahmen stellen die Lagen 7 und 8 (f. 48–51, 52–55) dar mit je einem Binio, welche den Schluss des Graduale und das Kalendar samt komputistischen Texten enthalten, ausserdem die Lage 45, ein unvollständiges Ternio (f. 342–346),

---

[28] Dies ergibt sich aus den z.T. abgeschnittenen Marginalzusätzen, insbesondere aus den für den Rubrikator bestimmten Angaben (vgl. Anm. 36).

[29] Siehe f. 1, 2, 3, 4, 5, 6, 7, 9, 13, 17, 34, 42, 52,,54, 55, 59, 60, 61, 62, 75, 84, 85, 97, 100, 101, 102, 103, 116, 118, 121, 123, 124, 127, 128, 131, 132, 133, 144, 145, 146, 147, 148, 149, 150, 151, 153, 156, 174, 176, 177, 197, 252, 273, 305, 307, 309, 318, 331, 332, 333, 335, 336, 337, 338, 339, 340, 342, 343, 344, 345, 346, 347, 349, 350, 351, 352, 353, 354, 357,, 370, 373, 379, 380.

[30] Ursprüngliche Löcher im Pergament f. 7, 8, 12, 14, 26, 27, 36, 45, 49, 54, 61, 69, 70, 104, 129, 131, 132, 134, 136, 138, 155, 156, 157, 180, 181, 184, 186, 199, 201, 203, 207, 219, 224, 229, 230, 231, 232, 234, 236, 256, 258, 260, 271, 275, 276, 284, 296, 318, 322, 324, 327, 344, 354, 360, 364, 368, 375, 376, 378. – Vermutlich ursprünglich vernähte Löcher finden sich f. 4, 5, 49, 52, 60, 97, 118, 119, 136, 137, 140, 148, 154, 174, 184, 227, 268, 293, 319, 355, 376.

[31] Vgl. Edition nach Nr. 4 und Nr. 831.

[31a] Möglicherweise sind ursprünglich vorhandene Kustoden oder Reklamanten beim Beschneiden des Buchblocks verloren gegangen.

sowie die Schlusslage 50, wiederum ein Binio mit einem fehlenden Blatt (f. 378–380), während die verstümmelten Lagen 1 (f. 1–7), 12 (f. 80–85) und 46 (f. 347–353) ehemals ebenfalls Quaternionen waren. Somit ergibt sich für den ganzen Codex folgende Lagenformel: $(3^{-3}+4)$, 5IV, 2II, 3IV, $(4+2^{-6,-8})$, 32IV, $(2^{-1}+3)$, $(4+3^{-8})$, 3IV, $(2+1^{-3})$ [32].

Vor der Beschriftung sind die Lagen sorgfältig vorbereitet worden: Zur seitlichen Schriftspiegelbegrenzung wurden links und rechts über die ganze Seite doppelte Blindlinien angebracht, wobei das Spatium beim linken Paar sehr häufig zur Aufnahme von Initialen diente. Ausserdem wurde mittels oft noch am äusseren Rand erkennbaren Zirkelstichen das Schriftfeld mit einer Blindliniierung versehen. Die Gestaltung des Schriftspiegels (rund 21x13,5 cm) sowie die Zeilenzahl sind dem Text angepasst; während das Kalendar samt den komputistischen Texten (f. 52r–55v) zweispaltig mit im Prinzip 36 oder 37 Zeilen angelegt ist, weist der ganze übrige Codex Langzeilen auf, und zwar im Gradualeteil (f. 1r–50v) zunächst 17 Textzeilen mit Notation (f.1r–7v) und in der Folge, d.h. von der 2. Lage an, 21 Textzeilen mit Notation, in den Teilen mit dem Sakramentar (f. 56r–149v), dem Lektionar (f. 151r–353v) und dem Rituale (f. 354r–380v) mit grosser Regelmässigkeit 26 Textzeilen.

Abgesehen von späteren Nachträgen ist der Grundtext des Missale Basileense samt frühen Ergänzungen in karolingischer Minuskel aus der zweiten Hälfte des 11. Jahrhunderts geschrieben, die einerseits je nach Schreiber archaische Elemente aufweist, anderseits aber auch zum Teil vom damals zeitgenössischen schrägovalen Stil geprägt ist. Ich meine, dass zwölf Schreiber an der Herstellung des Codex beteiligt waren, von denen die meisten untereinander grosse Schriftverwandtschaft zeigen, sodass Sakramentar, Lektionar und Rituale – Graduale und Kalendar fallen hier wegen ihrer andersartigen Gestaltung mit Noten bzw. in Spaltenaufteilung ausser Betracht – ein recht homogenes Schriftbild darbieten. Dies zeugt, wie übrigens schon die ganze Vorbereitung des Pergaments zur Beschrif-

---

[32] Hinweis zur Entschlüsselung der Lagenformel: Die römische Ziffer bedeutet die Anzahl der eine Lage bildenden Doppelblätter; die davorstehende arabische Ziffer gibt die Anzahl der sich folgenden gleichen Lagen an; zwei mit Pluszeichen verbundene arabische Ziffern geben die Anzahl der Blätter der beiden Lagenhälften an; mit Minuszeichen versehene Exponenten bezeichnen die fehlenden Blätter.

tung, von einem gut organisierten Skriptorium. Der Anteil der einzelnen Hände sowie deren Charakteristika, die neben den gängigen Buchstabenformen häufig auftreten, lassen sich wie folgt kurz umschreiben:

Hand 1: f. 1r–50v; wegen der Notation kleine Schrift; halbunziales a; ae-Ligatur in Form von kleinem Bogen am a-Schaft.

Hand 2: f. 52r–54v (Kalendar); kleine Schrift, die stark mit Hand 1 verwandt ist, jedoch ohne deren Eigenheiten.

Hand 3: f. 56r–71v, 86r–94r, 102r–109v, 129r–144v; halbunziales a; ae-Ligatur in Form von kleinem Köpfchen am karolingischen a-Schaft; verwandt mit Hand 1.

Hand 4: f. 72r–79v; vereinzelt vorkommend: rundes d, N in Minuskelkontext, rt-Ligatur mit hochragendem, lang-s-förmigem r.

Hand 5: f. 80r–85v; vereinzelt vorkommend: ae-Ligatur wie Hand 3, N in Minuskelkontext und rt-Ligatur wie Hand 4.

Hand 6: f. 94v–101v; vereinzelt vorkommend: halbunziales a, ae-Ligatur wie Hand 3.

Hand 7: f. 110r–128v; halbunziales a; ae-Ligatur wie Hand 3, rt-Ligatur wie Hand 4.

Hand 8: f. 145r–149v, 192r–199v; rundes d; vereinzelt N in Minuskelkontext.

Hand 9: f. 151r–191v, 200r–253v; rundes d; et-Ligatur in Form von Alpha mit Strichlein nach oben rechts am Bauch; vereinzelt vorkommende ee mit übergeschriebenen ss für esse.

Hand 10: f. 254r–346v; langes s; us-Ligatur am Wortende aus v mit verlängerter und oben nach rechts umgebogener rechten Haste.

Hand 11: f. 347r–353r Z.1–5; birnenförmiges O und Q.

Hand 12: f. 354r–377v; halbunziales a; ae-Ligatur wie Hand 3; überstrichenes ee für esse und überstrichenes e mit folgendem Punkt oder die Sigle Strich mit je einem Punkt oben und unten für est.

Was die Nachträge betrifft, so ist ein bedeutender Teil derselben noch im ausgehenden 11. Jahrhundert zugefügt worden[33]; andere

---

[33] Nachträge aus dem ausgehenden 11.Jahrhundert finden sich auf folgenden Folien: 11r (B 27,4),13v (B 36,6), 16v (B 44,5), 17v (B 48,3; 49,5.6), 18v (B 50), 32v–33r (B 95; 96,2), 42v (B 169,4), 43r (B 178,4), 47v (B 210,2), 48v (B 211,26), 50v (B 217), 51r (B 218; 219), 51r/v (B 220), 67r (B 251), 68v (B 261), 68v (B 260),

dürften dem 12. Jahrhundert angehören[34] und nur verhältnismässig wenige stammen aus noch späterer Zeit[35].

Hinsichtlich der künstlerischen Ausstattung fallen besonders auf die mit mennigroter, heute teilweise bis zur Unlesbarkeit verblasster Tinte geschriebenen Rubriken[36] – vor allem Tages- und Festbezeichnungen meist in Majuskelschrift oder Angaben wie PS, Rͻ, SECR und dergleichen – sowie die zahlreichen in derselben Farbe gehaltenen, etwas vergrösserten Initialen zu einzelnen Formeln. Stärker hervorgehoben sind einige wenige Initialen im Flechtwerkstil: f. 59r: ᵫ (Vere dignum), f. 62r: D(eus), f. 86r: D(eus), f. 251r: P(rimum), f. 251v: I(n), f. 253v: C(um); nicht ausgeführt wurde die Initiale C(um) f. 253r.

Ausserdem enthält der Codex drei Federzeichnungen[37]. Während die Darstellung eines katzenartigen Tieres auf f. 1r oben sehr klein und überdies infolge von Abnützung des Pergamentes nur schwer zu erkennen ist[38], sind die beiden übrigen von stattlichem Ausmass und recht gut erhalten.

69v (B 266), 72v (B 283), 85v (B 332), 92r (B 350), 103r (B 391), 103v (B 393; 395), 125r (B 500), 150r (B 577; 578), 262v (B 700; 702), 263v–265r (B 704), 297v–298r (B 768,2.5.7.10.12), 353r (B 877).

[34] Nachträge aus dem 12.Jahrhundert finden sich auf folgenden Folien: 39r (B 133,4), 39v (B 140), 51v (B 221), 58v (B 229,23), 59r (B 230,2a), 353r (B 877), 353v (B 878; 879; 880), 378v–380v (B 919–933).

[35] Spätere Nachträge: 59r (B 230,2b: 14./15.Jh.), 63v (B 237; 238: 13./14.Jh.), 84v (B 329), 85r (B 330; 331: 14./15.Jh.), 110v (B 425,2: 13.Jh.), 119v (B 467,3: 13./14.Jh.), 131v (B 524,9: 13./14.Jh.), 144v (B 560: 14.Jh.), 146v (B 566: 14.Jh.), 149r/v (576: 14.Jh.), 319r (B 814: 14.Jh.).

[36] Innerhalb des Lektionars finden sich am Seitenrand und deshalb häufig teilweise weggeschnitten auf folgenden Blättern Anweisungen für den Rubrikator: f. 228v, 239v, 240v 243r, 244v, 245v, 249v, 252v, 254v, 255r, 257v, 258v, 259r, 259v, 260v, 262v, 270v, 272v, 273r, 273v, 274v, 275v, 276v, 277r, 277v, 280r, 280v, 281v, 282v, 283r, 283v, 284r, 284v, 285r, 285v, 286v, 287v, 289v, 290r, 291r, 291v, 292v, 293r, 293v, 294r, 294v, 295r, 295v, 296v, 297r, 297v, 298r, 299r, 300r, 300v, 301v, 302r, 302v, 303r, 304r, 308r, 308v, 309v, 310v, 311v, 312v, 313r, 313v, 315r, 315vv, 316r, 317v, 319r, 321r, 323r, 324r, 324v, 325r, 325v, 328v, 329v, 330r, 330v, 332r, 333r, 333v, 334v, 337v, 338v, 339v, 340v, 341r, 341v, 342r, 342v, 343v.

[37] F. 97v mit dem Anfang der Gebete zum Pfingstsonntag ist zum grössten Teil leer geblieben; vermutlich war dieser Raum ebenfalls für eine Zeichnung vorgesehen.

[38] Vgl. Tafelband.

Ikonologisch bedeutsam scheint das Kanonbild (f. 59v, 12,2 cm hoch, 15,5 cm breit) zu sein, eine Kreuzigungsdarstellung mit der ehernen Schlange auf einer Säule[39]. Dazu wurde orange Tinte verwendet für den Bildrahmen, das Kreuz, den Nimbus Christi, die Zunge der Schlange, das Säulenkapitell sowie zur Markierung einiger Kleidersäume und des Schlangenschwanzes; alles andere ist mit bräunlicher Tinte gezeichnet. Die Bildmitte ist beherrscht vom Crucifixus, wobei das Kreuz zwei Querbalken aufweist und gleichzeitig den Buchstaben T zum nachfolgenden (T)e igitur bildet; links vom Kreuz stehen drei nimbierte Apostelfiguren in langen Tuniken, von denen der sich am nächsten beim Kreuz befindliche mit dem einen Schlüssel haltenden Petrus identifiziert werden kann; rechts ist eine Gruppe von vier Männern in kurzen Tuniken dargestellt, die zur Säule mit der Schlange am rechten Bildrand blicken. Die eherne Schlange selbst, die eher einem mit Flügeln versehenen Monstrum gleicht, hält mit ihrem Schwanz die Säule umschlungen. Das Eigenartige an dieser Darstellung besteht darin, dass die beiden wohl bekannten Motive – Crucifixus und eherne Schlage – in Verbindung gebracht sind.

Schliesslich ist die ganzseitige Zeichnung zu Beginn des Lektionars (f. 150v) zu nennen[40], die in ähnlicher Manier wie das Kanonbild ausgeführt ist. Hier ist die Darstellung in zwei übereinanderstehenden Feldern untergebracht. Unten links sitzt der Apostel Paulus auf einem Sessel, die Füsse auf einen Schemel gestellt, und erhält von zwei himmlischen Figuren im oberen Feld Pergamentrolle, Tintenhorn und Gänsekiel als Schreibutensilien. Neben Paulus, gewissermassen zur Trennung des unteren Feldes, steht die Haste der mennigroten Initiale P, gefolgt von den Buchstaben AULUS (Paulus) in gleicher Farbe, aber von wesentlich kleinerem Format.

Inhaltsübersicht

1. (f. 1r–50v) GRADUALE: ⟨Dominica I adventus. Intr.⟩ Ad te levavi (B 1) – ⟨Versus Alleluiatici⟩ ... de lapide precioso (B 216). Daran als Nachträge: a) (50v–51r) ⟨Missa de requiem⟩ Requiem

---

[39] Vgl. PALAZZO, L'illustration du codex Gressly, missel bâlois du XIᵉ siècle, S. 15–22; vgl. auch Tafelband.

[40] Vgl. Tafelband.

eternam dona – quietas mansiones (B 217). b) (51r) 〈Canticum Benedictus〉 Benedictus es domine – Laudabilis (B 218). c) (51r) 〈Versus〉 Audi filia – in templum regis (B 219). d) (51r–51v) 〈Versus Alleluiatici〉 Alleluia. Letamini in domino – tibi laus et gloria (B 220). e) 〈Sequentia de s. trinitate〉 Benedicta semper – gloria (B 221).

2. (f. 52r–55v) KALENDAR mit komputistischen Notizen: a) Incipit martyrologium per circulum anni, Januar-Dezember (B 222). b) 〈Varia computistica〉 (B 223). c) (55v) 〈Cantus ordinarii missae〉 Kyrie ... Gloria ... Credo ... Gloria ... (B 224). d) (55v) 〈Sequentia〉 s. Mariae. Fecundo verbo – salvando (B 225).

3. (f. 56r–149v) SAKRAMENTAR: a) (56r–62r) 〈Ordo missae〉 〈Prae-paratio ad missam〉 Cum episcopus (B 226) – 〈Gratiarum actio post missam〉 Expletis omnibus – sanctarum virtutum.Per. (B 233). b) (62r–149r) 〈Liber sacramentorum per anni circulum〉 In vigilia natalis domini ad nonam (B 234) – Missa pro sacerdote defuncto. Presta ... consortem (B 575).
Daran als Nachträge: a) (149r–149v) Missa pro inimicis vel angustiis (B 576). b) (150r) In oct. domini. Lectio (B 577). c) (150r) In vig. Theophanie. Lectio (B 578).

4. (f. 150v–353v) LEKTIONAR: In vig. domini (B 579) – In vig. s. Iacobi ap. (B 876).
Daran als Nachtrag: a) (353r) 〈De s. Maria virg.〉 Lectio (B 877). b) (353v) Ad Kathedram s. Petri ap. Lectio (B 878). c) (353v) In nat. s. Mathie ap. Lectio (B 879). d) (353v) 〈Sequentia de s. Maria Mag-dalena〉 Laus tibi Christe – spes et gloria (B 880).

5. (f. 354r–378v) RITUALE: Incipit minor benedictio aquae (B 881) – Incipiunt orationes ad visitandum infirmum. Omnipotens et mise-ricors deus ... nominis tui. Per dominum (B 918).
Daran als Nachträge: a) (378v–379r) Missa generalis (B 919). b) (379r) Pro episcopo (B 920). c) (379v) 〈Missa pro peccatis (?)〉 (B 921). d) (379v) Missa cottidiana de omnibus sanctis (B 922). e) (379v) Alia 〈missa〉 (B 923). f) (379v) Missa pro pastoribus (B 924). g) (379v) Missa pro episcopo (B 925). h) (380r) Missa 〈tempori belli (?)〉 (B 926). i) (380r) Missa pro pace (B 927). k) (380r) Missa de

quacumque tribulatione (B 928). l) (380r) Missa pro salute vivorum (B 929). m) (380v) ⟨Pro compunctione cordis (?)⟩ (B 930). n) (380v) Benedictio casei (B 931). o) Benedictio carnis (B 932). p) (380v) Missa pro tribulatione (B 933).

INHALT DES CODEX GRESSLY

Das Missale Basileense (B) des Codex Gressly enthält die Texte für die Feier der Messe und für einige mit der Eucharistie mehr oder weniger im Zusammenhang stehenden Sakramente und Sakramentalien, Weihen und Segnungen, mit andern Worten: Die Texte für die Feier dessen, was Christus seinen Jüngern als Erbe und Auftrag anvertraut hat: «Tut dies zu meinem Gedächtnis». Im Rahmen des traditionellen Paschamahles feierte Jesus mit den Seinen das «Abendmahl», in dem er sich selber als das Osterlamm des Neuen Bundes dargebracht hat: «Pascha nostrum immolatus est Christus».

Zur jüdischen Paschafeier gehören Schriftlesung, Psalmengesang, Gebet und Essen des Osterlammes. Die christliche Feier übernahm diese wesentlichen Teile. Sie werden von den verschiedenen Teilnehmern und Mitfeiernden als «Rollenträgern» aufgeführt, «gespielt», für die sich im Verlauf der Zeit je eigene «Rollenbücher» entwickelt haben:

Für die Gesangsteile des Sängers das «Gesangsbuch»: (nebst dem überlieferten Psalterium) das Graduale.

Für das Gebet des Vorstehers das «Gebetsbuch»: das Sacramentarium.

Für die Schrifttexte des Vorlesers das «Lesebuch»: das Lectionarium.

Im Missale Basileense – wie in vielen vergleichbaren Handschriften – folgen sich die einzelnen Teile (Bücher) in der Reihenfolge, die dem Ablauf der Feier entspricht, d.h. in der Abfolge, nach der die verschiedenen «Mitspieler» auftreten:

Zum Beginn wird das Eingangslied (Introitus) gesungen, das mit den andern Prozessions- und Meditationsgesängen nach der Lesung im Graduale (Teil I) enthalten ist.

Dann spricht oder singt der Bischof oder Priester die Oration, die sich im Sakramentar (Teil III) findet.

Hierauf werden die Texte der Heiligen Schrift vorgetragen (Altes Testament, Apostelbriefe, Apostelgeschichte oder Apokalypse: Epistolar – und Evangelium: Evangeliar), die das Lektionar (Teil IV) bietet.

Zwischen dem Graduale und dem Sakramentar ist im Missale Basileense das Kalendar – hier «Martyrologium» genannt (Teil II) – eingeschoben und nach dem Lektionar folgt der Teil mit den Texten für nicht-eucharistische Feiern, das Rituale (Teil V).

TEIL I

DAS GRADUALE

Das Graduale enthält die Gesänge der römischen Messliturgie: Introitus (Intr.), Gradual-Responsorium (℟, ℟G), Alleluia (All.), Tractus (Tract.), Offertorium (OF.) und Communio (COM.), das «Proprium Missae»; im Missale Basileense sind in späterer Zeit vom «Ordinarium Missae» das Kyrie, das Gloria und das Credo beigefügt worden[1].

Das Frühchristentum übernahm vom alttestamentlichen Gottesdienst die Psalmodie, den Text und die Gesangsweise der Psalmen. Der Psalm wird von der Antiphon, einem gewöhnlich kurzen, einen oder zwei Verse umfassenden Text der Hl. Schrift, eingerahmt[2]. Diese hinsichtlich des Textes und der Melodie vorerst einfachen Antiphonen wurden mündlich überliefert; später begann man, sie aufzuzeichnen. Die Sammlung solcher Antiphonen wurde «Antiphonarium» und nach der Unterscheidung von Antiphonen für die Messe und für das Stundengebet «Antiphonarium (Antiphonale) Missae» bzw. «Antiphonarium Officii» genannt.

---

[1] B +224: Nachtrag Ende 11. Jh.; zum Ordinarium missae vgl. WAGNER, Einführung in die gregorianischen Melodien I, S. 71–76 (Kyrie); S. 76–79 (Gloria); 102–105 (Credo); S. 113–115 (Sanctus); S. 115–116 (Agnus Dei); neuere Literatur: MELINCKI, Das einstimmige Kyrie des lateinischen Mittelalters; BOSSE, Untersuchung zum Gloria in excelsis deo; MIAZGA, Die Melodien des einstimmigen Credo der römisch-katholischen lateinischen Kirche; THANNABAUR, Das einstimmige Sanctus der römischen Messe in der handschriftlichen Überlieferung des 11. bis 16. Jahrhunderts; SCHILDBACH, Das einstimmige Agnus Dei und seine handschriftliche Überlieferung vom 10. bis zum 16. Jahrhundert. – Diese Literaturangaben hat Prof. Max Lütolf, Zürich, zur Verfügung gestellt. Dafür und für manche weitere Hinweise und Anregungen zum Graduale des Missale Basileense sei ihm aufrichtiger Dank gesagt. Vgl. auch unten S. 70. – Neueste Publikation: SPINKS, The Sanctus in the Eucharistic Prayer.

[2] HUGLO, S. 23.

Nebst der «Antiphona ad introitum» (Introitus), der «Antiphona ad offertorium» (Offertorium) und der «Antiphona ad communionem» (Communio) nimmt das Responsorium (℟), «un chant mélismatique ... qui habituellement fait suite à une lecture»[3], eine wichtige Stellung ein. Vom Gradual-Responsorium nach der Lesung ging der Name «Graduale» auf das ganze Buch über; heute wird immer häufiger die Bezeichnung «Antiphonar» für das Offizium und «Graduale» für das Buch mit den Messgesängen verwendet[4].

Die frühesten Gradualien enthalten nur die Texte, spätere auch die mittels Neumen überlieferten Melodien. Die ältesten und wichtigsten dieser Bücher hat René-Jean Hesbert in seinem Werk «Antiphonale Missarum sextuplex» (Bruxelles-Paris 1935) (in der Folge nur mit «Sextuplex» bezeichnet) publiziert. In einer Synopse wird der Text der folgenden sechs Gradualien wiedergegeben:

1. Modoetiensis (Monza = Mz) 8./9. Jh. (CLLA 1336, Graduel 77).
2. Rhenaugiensis (Rheinau = R) 8./9. Jh. (CLLA 1325, Graduel 155).
3. Blandiniensis (Mont Blandin = Bl) 8./9. Jh. (CLLA 1320, Graduel 37).
4. Compendiensis (Compiègne = C) 9. Jh. (CLLA 1330, Graduel 109–110).
5. Corbiensis (Corbie = K) nach 853 (CLLA 1335, Graduel 105).
6. Silvanectensis (Senlis = Sl) 877–882 (CLLA 1322, Graduel 113).

DAS GRADUALE IM MISSALE BASILEENSE

Der Vergleich des Missale Basileense mit den angeführten Gradualien ergibt eine weitgehende Übereinstimmung sowohl der Formulare des Temporale als auch des Sanctorale, wie aus folgender Übersicht zu erkennen ist:

---

[3] HUGLO, S. 25.
[4] HUGLO, S. 80–81: «... devrait faire écarter de l' usage l'emploi du mot Antiphonale pour les chants de la messe, ... alors que le terme Graduale convient mieux...».

Übereinstimmung Temporale	Zusätze in B	Übereinstimmung Sanctorale
B 1–2		B 3
B 4–11		B 12–16
B 17–20		B 21
B 22		B 23–26
B 27		B 28–32
	B 33: Cathedra Petri	B 34–36
B 37–96		B 97–106
B 107–109		B 110–111
B 112–118	B 119–121: Pfingstquatember	B 122–138
	B 139–140: Vig., Nat. Jacobi	B 141–158
	B 159: Nativitas Mariae	B 160–172
	B 173–174: Omnium Sanctorum	B 175–177
	B 178: Martini	B 179–182
	B 183: Pro defunctis	
B 184–209	B 210: De s. Trinitate	
Total 112	12	86

Diese 210 Formulare des Graduale (B 1–210) stimmen also in 198 Fällen mit den im Sextuplex publizierten Gradualien (das Graduale von Rheinau R ausgenommen) im grossen und ganzen überein.

Das Graduale von Compiègne weist deutlich mehr voll ausgeschriebene Texte (Einzelformeln) auf als die übrigen. In ungefähr achtzig Fällen, inbegriffen die Verweise auf die anderswo im vollem Wortlaut wiedergegebenen Stellen, bietet es mehr Offertoriumsverse als der Codex von Corbie (K), der je nur einen einzigen Vers verzeichnet, und gelegentlich auch mehr als jener von Mont-Blandin (Bl), der jeweils nur die Anfänge anführt. Aus diesem Grund wurde das Graduale von Compiègne (C) und, wo dieses Lücken aufweist, jenes von Corbie, als Grundlage verwendet und genau mit dem Text des Missale Basileense verglichen. Im Formelbestand (Anzahl der einzelnen Texte) stimmt B am meisten mit C, in den Lesarten jedoch mit K überein; in den Formularen 4–137 (die übrigen fehlen in C) finden sich gegen 150 Varianten, wo Basel mit Corbie gegen Compiègne übereinstimmt; es handelt sich dabei nicht nur um eher zufällige Unterschiede, sondern um auffällige Varianten, wie einige Beispiele belegen können:

16,1	induant B,K	induam C
23,5	quia B,K	quam C
24,5	iniquitatis B,K	iniquam C
27,2	sua B,K	tua C
32,3	super caput B,K	in capite C
48,5	conturbentur B,K	confundentur C
66,1	contristatus B,K	conturbatus C
76,4	quia B,K	quoniam C
79,4	adversum B,K	super C
82,2	dedit B,K	donavit C
84,1	nomen est illi B,K	est nomen eius C
84,2	sicut ... invocabo B,K	quae ... invocavi C
90,5	docete B,K	dicite C
118,1	inhabitantem B,K	habitantes C
125,5	praeparatum B,K	paratum C
131,1	esset B,K	est C

In zwei Dutzend Fällen fügen B und K die gleichen Worte an,
während in einem Dutzend Fällen B und K die gleichen Worte
auslassen.

Die Texte des Graduale B, die mit C resp. K übereinstimmen,
werden in der Edition nur mit Incipit und Explicit, die übrigen im
vollen Wortlaut wiedergegeben, wobei in der Regel nur die Unterschiede von B gegenüber C resp. K im Variantenapparat vermerkt
werden.

QUELLE DES GRADUALE

Kann aufgrund der Verwandtschaft mit C (Compiègne: Formelbestand) und K (Corbie: Varianten) etwas über die Quelle (Ort und
Zeit) des Graduale im Missale Basileense bzw. seiner Vorlage aus-
gesagt werden?

Das Graduale von Compiègne (C), das sog. Antiphonar Karls des
Kahlen, enthält das Antiphonar für die Messe und für das Offizium
und wurde in den Jahren 860–880 geschrieben[5]. Ursprünglich setzte

---

[5] Paris, BN lat.17436.; Beschreibung samt Faksimile bei HESBERT, Sextuplex,
S. XIX–XX; FROGER, Le lieu de destination et de provenance du «Compendiensis»,
S. 338–353; der Autor kommt zum Ergebnis, dass dieses Graduale in der zweiten
Hälfte, näherhin im letzten Viertel des 9. Jahrhunderts in Soissons geschrieben

es mit dem 1. Adventssonntag ein; da jedoch am Anfang ein Blatt fehlt, sind die Formulare B 1–3 mit K verglichen worden; ebenso fehlt der ganze Teil vom Fest des hl. Apollinaris (23. Juli) bis zum Ende des Kirchenjahres, einschliesslich der Sonntage nach Pfingsten (B 138–209 = K 128–198); den Abschluss bilden (wie in B) Alleluia-Listen und Prozessionsantiphonen. Dieses Graduale «est celui qui trahit le plus de souci de fixer une fois pour toutes maints détails primitivement indéterminés … nommément les versets d'alléluias dans la plupart des messes où leur choix avait été primitivement laissé libre, en particulier pendant l'octave de Pâques et celle de la Pentecôte, ainsi que dans la série des Dimanches qui suivaient ces deux fêtes»[6].

Das Graduale von Corbie (K)[7], kurz nach 853 von einem Priester namens Rodradus geschrieben, ist dem nach diesem Schreiber benannten Sakramentar[8] vorangesetzt. Die Gesangstexte stimmen im Wesentlichen mit C überein, im Offertorium fehlen freilich die Verse. Im Anhang hat auch K Alleluia- und Antiphon-Listen (Sextuplex 199–212). Das Graduale von Corbie weist verschiedene Archaismen auf: Keine Messe für den Sonntag nach dem Quatember-Samstag («Dominica vacat»), – dies im Gegensatz zu C, R, Sl und B; keine Messe für die Vigil von Ascensio, wogegen in C, R, Sl und B 107 eine solche vorhanden ist; die Alleluia-Verse fehlen an den Sonntagen nach Ostern und Pfingsten.

Die Ähnlichkeit des Graduale im Missale Basileense mit jenen von Compiègne und Corbie, aber auch mit dem aus der gleichen Gegend stammenden Graduale von Senlis und mit dem im Codex Blandiniensis überlieferten lässt für sich allein nicht darauf schliessen, dass die Quelle für das Graduale im Missale Basileense eindeutig aus dieser Region stammt: weder C noch K noch Sl können seine unmittelbaren Quellen gewesen sein, wohl aber ein altes, mit diesen verwandtes Graduale.

wurde und für St-Médard bestimmt war; es kam schliesslich in die nahe gelegene Abtei St-Corneille von Compiègne, wo es bis zur Französischen Revolution aufbewahrt wurde.

[6] HESBERT, Sextuplex, S. XX.

[7] Paris BN lat. 12050; Beschreibung samt Faksimile bei HESBERT, Sextuplex, S. XXI–XXII; die Hs. befand sich bis 1638 in Corbie.

[8] CLLA 742.

Auch die Tatsache, dass bei der Abfassung des Graduale des Missale Basileense oder seiner Quelle einzelne Formulare, die sich im Sextuplex noch nicht finden, in den Grundbestand des B aufgenommen wurden, führt nicht zu einer bestimmten Lokalisierung.

DIE NEUEN, IM SEXTUPLEX
NICHT VORKOMMENDEN FORMULARE

1. *Temporale*

Die Einfügung B 119–121[9] zwischen C (K, Sl) 111 und 112 zeugt von einer Unsicherheit oder von einer Änderung in der Festlegung der Pfingst-Quatember[10]. Nach B 116–118 wird diese, wie übrigens auch in C, K, Sl und Bl, in der Woche nach Pfingsten gehalten. Weil aber wegen des frühen Ostertermins in gewissen Jahren – wenn nämlich Ostern in die Zeit vom 22. März bis zum 6. April fällt – einerseits das «ieiunium mensis IV» (QT in der Nähe von Pfingsten) in den Monat Mai (mensis III) fällt und weil sich anderseits das QT-Fasten mit seinem Busscharakter und die Feier der Pfingstoktav schlecht vertragen, ergaben sich Schwankungen bis zu drei Wochen[11]; deswegen sieht B eine Variante mit andern Formularen für die Zeit nach der Pfingstoktav vor («Si ieiunium Quatuor Temporum post octabas Pentecosten evenerit»).

2. *Sanctorale*

Im Graduale des Missale Basileense fehlen folgende Feste, die im Sakramentar vorkommen:

K 151 Cornelius und Cyprian, 14. Sept. (Sakr. B 425).
K 161 Caesarius, 1. Nov. (Sakr. B 449–450).
K 167 Chrysogonus, 24. Nov. (Sakr. B 460).

Das überrascht nicht besonders, weil am 14. Sept. Kreuzerhöhung und am 1. November Allerheiligen gefeiert wird, und weil das Fest des hl. Chrysogonus kein eigenes Proprium hat.

---

[9] Vgl. auch B 699–703.
[10] Vgl. dazu unten S. 138–141.
[11] FISCHER, Quatember in: LThK 8, Sp. 929.

Folgende Feste sind im vorliegenden Zusammenhang wichtig:

1. Cathedra Petri (22. Febr.). Das Fest findet sich im Grad. B 33, im Sakr. B 265 und als Nachtrag auch im Lekt. B +878. Schon im 3. Jahrhundert wurde die heidnische Totenmahlfeier vom 22. Februar, bei der man zum Gedächtnis der Verstorbenen einen Stuhl (cathedra) freihielt, zum Fest der Kathedra-Besteigung («Petri Stuhlfeier») umgedeutet und gefeiert. Das Sacramentarium Gregorianum kennt dieses Fest nicht, wohl aber kommt es in den Gelasiana des 8. Jahrhunderts (Gel VIII) vor.

2. Nat. s. Benedicti (21. März) (B 35). Im Sakr. werden sowohl das Fest vom 21. März (B 268: «Depositio») wie auch jenes vom 11. Juli (B 389: «Natale» = Translatio), im Lekt. nur jenes vom 21. März (B 860) aufgeführt. Das Formular B 268 ist einem Reichenauer Sakramentar aus der Mitte des 9. Jahrhunderts entnommen[12], jenes vom 11. Juli scheint Alkuin zum Autor zu haben[13] und stammt aus einem Sakramentar von Saint-Amand aus der zweiten Hälfte des 9. Jahrhunderts[14].

3. Vigil und Fest des Apostels Jakobus (24./25. Juli). Die Vigil findet sich weder im Kal. noch im Sakr., jedoch ausser im Grad. (B 139) auch im Lekt. (B 876). Das Fest selbst (25. Juli) ist im Grad. (B +140) als Nachtrag verzeichnet; im Sakr. (B 392) und im Lekt. (B 736) hingegen gehört es zum Grundbestand.

4. Nativitas Mariae (8. Sept.). Die im Sextuplex publizierten Gradualien kennen das Fest Mariae Geburt nicht, sondern nur das Fest Adrians, das nach Grotefend allgemein am 4. März, in Süddeutschland und in Frankreich jedoch am 8. September (eigentlich als Translation) gefeiert wurde. Die Sakramentare hingegen (B 422 ist dem Gregorianum entnommen) führen das Fest mit oder ohne Nat. Adriani auf. Ausser dem Offertorium Ave Maria (wie am Fest Mariä Verkündigung B 36) findet sich keine der Formeln im Sextuplex.

5. Vigil und Fest Allerheiligen (31. Okt./1. Nov.). Die Gradualien des Sextuplex kennen nur das Fest des Caesarius vom 1. November. Im Missale Basileense sind Vigil und Fest von Allerheiligen

---

[12] DESHUSSES, Le sacramentaire grégorien I, S. 43; CLLA 736.
[13] DESHUSSES, Le sacramentaire grégorien II, S. 28.
[14] CLLA 925.

sowohl im Grad. (B 173–174), als auch im Kal., im Sakr. (B 447–448)
und im Lekt. (B 786–787) bezeugt. Bei der Einführung und Propa-
gierung des Allerheiligenfestes scheint Alkuin eine wichtige Rolle
gespielt zu haben[15]. Die neun Handschriften, die Deshusses als
Quelle für die Sakramentar-Formulare anführt, stammen aus der
zweiten Hälfte des 9. Jahrhunderts.

6. Allerseelen (Commemoratio Omnium Defunctorum)
(2. Nov.). Dieser Totengedenktag «geht auf eine Anordnung des
Abtes Odilo von Cluny (994–1048) zurück»[16]; dass dieser Tag im
Missale Basileense nirgends erwähnt wird, ist besonders bemerkenswert.

Aufgrund des vorliegenden Textbestandes darf wohl der Schluss
gezogen werden: Das Graduale des Missale Basileense oder seiner
Vorlage wurde in der Zeit von 850 bis 1050, näherhin um die Mitte
des 11. Jahrhunderts, auf der Basis eines der im Sextuplex edierten
oder ihnen verwandten Gradualien verfasst.

EINZELFRAGEN

1. *Gradual-Gesänge und Alleluia-Verse*

Der Gesang zwischen den einzelnen Lesungen besteht nach der
ersten Lesung aus dem Responsorium, auch «Responsorium
grad(u)ale»[17] (R/G) oder kurz «Graduale» genannt, und nach der
zweiten Lesung aus dem Alleluia mit einem oder mehreren Versen,
resp. an Tagen mit Busscharakter aus dem «Tractus»[18]. Nachdem

---

[15] DESHUSSES, Le sacramentaire grégorien II, S. 28: «Nous pensons pouvoir faire
sans hésitation cette attribution pour les deux messes de la Toussaint, nn. 385 et 386,
qui ont la même diffusion que les messes votives d'Alcuin; et on sait, par ailleurs,
que celui-ci joua un rôle important sinon primordial dans l'institution de cette fête
autour de l'an 800»; dazu vgl. auch unten S. 155.

[16] PASCHER, Das liturgische Jahr, S. 719; dazu vgl. auch unten S. 156.

[17] So in den im Sextuplex publizierten Gradualien und selten (z.B. in den Votivmessen) im Missale Basileense.

[18] Zu den verschiedenen Gesängen vgl. HABERL, Der responsoriale Gesang des
gregorianischen Graduale; JAMMERS, Das Alleluia in der gregorianischen Messe.

eine der beiden Lesungen vor dem Evangelium entfallen war, wurden ℟ und Alleluia mit Vers (bzw. ℟ und Tractus) zu einem einzigen «Zwischengesang» zwischen Lesung und Evangelium zusammengezogen.

a. Gradualresponsorium

In der Frühzeit wurde, wie etwa aus den Predigten des hl. Augustinus ersichtlich ist[19], ein ganzer Psalm gesungen, der nach und nach auf einen Vers reduziert wurde.

Das Graduale des Missale Basileense weist die gleichen Gradualverse auf wie die im Sextuplex publizierten Gradualien, doch mit folgenden Ausnahmen:

B 36	Annuntiatio Mariae (B hat das gleiche Formular wie Sl mit Ausnahme des Tractus).
B 92–94	1.–3. Sonntag nach Ostern; der 4. und 5. Sonntag (B 95–96) sowie die einfallenden Feste (B 97–98; 100) haben kein ℟ und kein Alleluia.
B 101	Philipp und Jacobus.
B 102	Alexander, Eventius und Theodul.
B 104	Kreuzauffindung.
B 105	Nereus, Achilleus und Pancratius.
B 109	1. Sonntag nach Ascensio.
B 110	Pudentiana.
B 114	Pfingstmontag; für Dienstag, Mittwoch und Donnerstag wird kein ℟ und kein Alleluia angegeben.
B 125	Marcus und Marcellianus.
B 143	Papst Stephanus.
B 144	Papst Sixtus.
B 153	Oktav von Laurentius.
B 154	Agapit.
B 158	Felix und Adauctus.
B 160	Adrian.
B 162	Protus und Jacinctus.
B 164	Nicomedes.
B 165	Eufemia.
B 177	Mennas.
B 178	Martin (das ganze Formular ist verschieden).
B 181–182	Vigil und Fest von Andreas.

---

[19] Belegstellen bei WAGNER, Einführung in die gregorianischen Melodien I, S. 81–82.

B 184–209 Die Sonntage nach Pfingsten haben die gleichen ℞ mit Ausnahme vom
           17. Sonntag (B 200): B: Beata gens, K: Unam petii. Bl bietet für diese
           Sonntage gewöhnlich zwei ℞: das erste ist meistens identisch mit der
           Reihe von Monza, das zweite mit jener von Rheinau[20].

b. Alleluiaverse.

Der Gesang des Alleluia in der Messe war zuerst auf den Ostertag
beschränkt, und wurde dann auf die Osterzeit und schliesslich auf
das ganze Kirchenjahr ausgedehnt[21], ausgenommen die Tage mit
Busscharakter (Fastenzeit, Advent, Quatember, Vigilien).

Die Alleluia-Gesänge mit ihren Versen waren lange Zeit nicht
einzelnen Messen zugeordnet, sondern sie wurden in Listen am
Ende der Handschriften beigefügt, so in den Codices Bl, C und K. Im
Graduale des Missale Basileense ist dies zum Teil auch der Fall (im
«Anhang»), teilweise finden sie sich in den Formularen. Die Aus-
wahl war weitgehend freigestellt. So hat das Rheinauer Graduale
(Sextuplex 8) für die Weihnachtsvigil die Rubrik: «Alleluia de
Adventu quale volueris»; im Graduale von Monza findet sich dieser
Hinweis am Fest des hl. Vitalis (Sextuplex 95) und in jenem von
Mont-Blandin gar 13 Mal (Sextuplex 82, 83, 85, 87–91, 107–110,
120).

Mit der Zuweisung des Alleluia und seines Verses auf bestimmte
Tage, sowie aufgrund der Reihenfolge der Alleluia-Gesänge in der
Oktav von Ostern und Pfingsten und an den Sonntagen nach Ostern
und nach Pfingsten, entstanden für die verschiedenen Kirchen (Bi-
stümer, Kapitel, Orden) je eigene Traditionen, mit Hilfe derer die
Herkunft vieler Handschriften bestimmt werden kann. Ein Vergleich der Alleluiaverse des Missale Basileense mit jenen, die Gabriel Beyssac gesammelt hat, ergab folgendes Ergebnis[22]:

---

[20] Vgl. HESBERT, Sextuplex p. LXXVI–LXXIX und LE ROUX, Les Graduels des
dimanches après la Pentecôte, S. 122–123.

[21] Zum Problem vgl. WAGNER, Einführung in die gregorianischen Melodien I,
S. 92–98 (Alleluia), S. 98–101 (Tractus); III, S. 397–417; hier: I, S. 92; JAMMERS, Das
Alleluia in der gregorianischen Messe, S. 9.

[22] Diese Methode wurde von G. Beyssac (+1965) begründet. Leider ist sein
ausserordentlich reichhaltiger Nachlass, der im Benediktinerkloster Le Bouveret in
der Schweiz aufbewahrt wird, noch nicht genügend erschlossen. Für das Missale
Basileense hat der Betreuer dieses wertvollen Materials, P. François Huot OSB, die
Alleluiaverse des Graduale mit dem von Beyssac im Verlaufe von Jahrzehnten

Keine der von Beyssac dokumentierten Traditionen ist identisch mit B. Dieses steht der St.-Galler-Tradition nahe, besonders der Alleluia-Liste des Codex Sg 340 (f. 187r), der zwischen 1035 und 1042 geschrieben worden ist. Wie in dieser Handschrift finden sich auch in B die Verse «Redemptionem» (Ps. 110,9; B 211,9) und «Confitebor» (Ps. 137,1; B 211,17) und besonders «Confiteantur» (Ps. 106,8; B, 211,7). Während die beiden ersten zwar öfters vorkommen, aber nicht zum allgemeinen Grundstock gehören, ist der dritte («Confiteantur») in den Listen von Beyssac (ausser in Sg. 340) nur noch in vier Quellen des 10.-12. Jahrhunderts belegt[23]. – Diese seltenen Verse der 1. Alleluia-Reihe (B 211): Vers 7: «Confiteantur», 15:«Qui confidunt» (Ps. 124,1) und 18: «Voce mea» (Ps. 141,2) sind nicht neumiert (ein Zeichen, dass der Schreiber ihre Melodie nicht kannte?). Der Vers «Voce mea» findet sich in den Listen von Beyssac überhaupt nicht.

Von den 120 im Graduale des Missale Basileense (ohne die Alleluia-Listen) verzeichneten Alleluiaversen haben 75 in den Gradualien des Sextuplex keine Entsprechung.

Die Alleluiaverse der ersten neun Sonntage nach Pfingsten (B 184–192) sind verschieden von jenen, die in Bl, C, Mz, R und Sl

---

zusammengetragenen Dossier verglichen; das Ergebnis seiner Untersuchung ist hier in Übersetzung wiedergegeben. Ich danke François Huot herzlich für diese und viele andere gute Dienste.

[23] «Diese vier Quellen sind (so F. Huot):
Bamberg, lit. 6 = Antiph. Emmeracense, c. 1000 (vgl. CLLA/S S. 128)
Bamberg, lit. 8 = Gradualia, Alleluia et Tractus, s. XI in. (vgl. CLLA/S S. 1228)
München, Clm 3008 = Graduale et Sacramentarium (S. Nikolaus von Andechs), s. XI–XIII
München, Clm 6428 = Graduale Augustanum (Augsburg), s. XI in.» (vgl. CLLA 1475). – SCHLAGER, Thematischer Katalog der ältesten Alleluia-Melodien aus Handschriften des 10. und 11. Jahrhunderts, S. 194–195 erwähnt ferner:
Berlin, Staatsbibl. Preuss. Kulturbesitz, Ms. theol. lat. 4⁰ 15, f. 212v
München; Bayerische Staatsbibl., Clm 14o83, f. 80
St. Gallen, Stiftsbibl., cod. 338, p. 209
St. Gallen, Stiftsbibl., cod. 339, p. 94
St. Gallen, Stiftsbibl., cod. 340, p. 191
St. Gallen, Stiftsbibl., cod. 342, p. 26o
St. Gallen, Stiftsbibl., cod. 374, p. 122
Wolfenbüttel, Herzog-August-Bibl., cod. 1110 (olim Helmst. 1008), f. 167v.
(Freundliche Mitteilung von Prof. M. Lütolf, Zürich).

(K bietet keine All. ℣) verzeichnet sind. Die Messformulare vom 10. bis 23. Sonntag nach Pfingsten (B 193–209) bieten keine Alleluia-verse; sie sind der Alleluia-Liste B 211 zu entnehmen.

Das Alleluia wird an Fast-, Buss- und Trauertagen durch den Tractus ersetzt. Ein solcher findet sich in B 31 (Agatha), B 32 (Valentin), B 33 (Cathedra Petri), B 34 (Gregorius), B 36 (Annuntiatio), B 37 (Septuagesima), B 38 (Sexagesima), B 39 (Quinquagesima), B 43 (1. Fastensonntag), B 44 (Feria II: Nachtrag), B 46 (Feria IV), B 49 (Samstag), B +50 (2. Fastensonntag: Nachtrag), B 57, B 64, B 71 (3.-5. Fastensonntag), B 78 (Palmsonntag), B 81 (Mittwoch der Karwoche), B 83 (Karfreitag), B 84 (Karsamstag) und B 118 (Quatember-Samstag der Pfingstwoche, überdies im Ritualteil in der Sterbemesse (B 915).

2. Offertorium

Augustinus berichtet, er habe in der afrikanischen Kirche den Brauch eingeführt, bei der Darbringung wie auch bei der Ausspendung der Gaben Psalmen zu singen, etwas, das sich seit dem frühen Mittelalter in allen römischen Liturgien nachweisen lässt[24]. Dieser Gesang wurde Offertorium, Offerenda, Antiphona ad offerendam oder Antiphona ad offertorium genannt. Er wurde vorerst von der Schola und später vom Solisten vorgetragen, wobei der Chor die Antiphon oder einzelne Teile davon wiederholte, die «Repetenda»[25]. Die Länge des Gesanges, d. h. die Anzahl der zu singenden Psalmverse und der Repetendae, hing von der Dauer der Gabenprozession (des Opferganges) ab[26]. Mit der Verkürzung und schliesslich mit dem Wegfall dieses Ganges reduzierte sich der Gesang immer mehr, schliesslich bis auf einen einzigen Vers. Dieser Schrumpfungsprozess erklärt die unterschiedliche Anzahl der Verse in den verschiedenen Quellen.

Das Graduale im Missale Basileense bietet im Vergleich zu den im Sextuplex publizierten Gradualien die meisten Offertoriumsverse und Repetendae. Die Gradualien von Compiègne und Mont-Blan-

---

[24] Vgl. WAGNER, Einführung in die gregorianischen Melodien I, S. 106–113 (bes. 106–107).

[25] Literatur zu dieser Frage in: CLLA, S. 505 Anm. 1.

[26] Näheres dazu bei JUNGMANN, MS II, S. 34–40.

din weisen ihrerseits eine mit Abstand grössere Zahl solcher Gesänge auf als die übrigen, wobei C jeweils den ganzen Text, Bl nur das Incipit wiedergibt.

Das Graduale (B 1–210) verzeichnet 204 Offertoria, wovon bei der Hälfte nur das Incipit angegeben ist; in diesen Fällen ist der vollständige Text an anderer Stelle des Graduale zu finden. In den übrigen Fällen werden insgesamt 211 Verse aufgeführt (12 mit einem Vers, 66 mit zwei, 21 mit drei und in einem Fall gar mit vier Versen), davon 38 «eigene», d. h. solche, die in C und K nicht vorkommen[27]. Gegenüber dem Blandiniensis weist B 15 Verse mehr auf. Zusätzlich verzeichnet es 50 Repetendae, die im Sextuplex nicht aufgeführt sind.

3. Die Sonntage nach Pfingsten

Nach dem Fest des Apostels Andreas (B 182) folgt im Missale Basileense die Totenmesse «Requiem aeternam», die sich in den im Sextuplex publizierten Gradualien weder als Ganzes noch in den Einzelteilen findet. Auf die Totenmesse folgen (wie in K) die Formulare für die 23 Sonntage nach Pfingsten (B 184–209), die einzig durch die Quatembertage (B 201–203) unterbrochen werden.

Die Messe «Omnes gentes» (Introitus vom 7. Sonntag), die in der älteren römischen Tradition (deren Zeugnis Mz, das Graduale von Monza, darstellt), fehlt[28], findet sich im Missale Basileense (B 190) wie auch in den übrigen Gradualien des Sextuplex[29].

Im Anschluss an diesen Block der nachpfingstlichen Sonntagsmessen wird im Missale Basileense das «Officium de s. Trinitate» (B 210) aufgeführt. Nur im Graduale von Senlis (Sextuplex 172 bis) findet sich, mit einigen Varianten, ein Gegenstück; es wird dort nach den Votivmessen eingefügt.

---

[27] Deshalb wird in diesen Fällen in der Edition des Missale Basileense jeweils der ganze Text abgedruckt.

[28] Vgl. die Rubrik im Graduale von Mont-Blandin (Sextuplex 179): «Ista ebdomata non est in antefonarios Romanos».

[29] Vgl. HESBERT, La messe «Omnes gentes» du VIIe dimanche après la Pentecôte et l'antiphonale missarum romain, S. 81–89; vgl. auch HESBERT, L'antiphonale de Pamelius et les graduels des dimanches après la Pentecôte, S. 348–359; LE ROUX, Les graduels des dimanches après la Pentecôte, S. 119–130.

4. Die Alleluia-Listen

Wie schon gesagt, konnte man das Alleluia mit seinem Vers nach
Belieben («quale volueris») aus entsprechenden Listen auswählen.
Dies galt besonders für die Sonntage nach Pfingsten. Es gab zwei
Arten solcher Listen, einerseits jene, die den 23 Sonntagen zuge-
schrieben waren, und anderseits die älteren «listes non-attri-
buées»[30].

Das Missale Basileense besitzt zwei solcher Listen:

1. Die Liste B 211: «⟨Alleluia⟩ Dominicis diebus»

Die Liste ist völlig verschieden von den Listen von C und K (Sextuplex 199) und verzeichnet 25 Alleluia sowie den gegen Ende des
11. Jahrhunderts nachgetragenen Alleluiavers für das Fest der hl.
Maria Magdalena «Alleluia. Maria haec est». Die Liste kann am
ehesten mit jener des Graduale von Senlis verglichen werden, das
ebenfalls 25 Alleluia aufweist; doch sind nur deren neun beiden
gemeinsam[31].

   Da im Missale Basileense den ersten neun Sonntagen nach
Pfingsten ein Alleluiavers zugeteilt ist und die drei letzten Alleluia
des ursprünglichen Textes (B 211,23–25) für einen Bekenner resp.
für den hl. Martin[32] bestimmt sind, zählt das Missale Basileense
31 Alleluiaverse (9 der ersten Sonntage nach Pfingsten und 22 der
Liste) für die Sonntage nach Pfingsten, was eine verhältnismässig
grosse Auswahl ermöglichte[33].

2. Die Liste B 216

Diese Liste trägt keinen Titel. Von den sieben Alleluiaversen kommen nur die beiden letzten an anderer Stelle des Missale Basileense
vor:

---

[30] HUGLO, Les listes alléluiatiques dans les témoins du graduel grégorien, S. 225;
vgl. auch HESBERT, Sextuplex, S. CXIX–CXX.
   [31] B 4 = Bl 3; B 5 = Bl 14 (in lateinischer und griechischer Sprache); B 6 = Bl 25; B
14 = Bl 16; B 15 = Bl 23; B 19 = Bl 20; B 20 = Bl 9; B 21 = Bl 10; B 22 = Bl
21.
   [32] Der Alleluiavers «Sancte Martine qui in celis» ist ein Centon (das Ganze ist aus
verschiedenen Quellen zusammengestellt), der auch für andere Heilige verwendet
wird, z.B. für den hl. Benedikt (Hinweis von F. Huot).
   [33] Vgl. oben Anm. 22.

℣6 Veni sancte spiritus in B 704,12: Quatember-Samstag nach Pfingsten (Nachtrag Ende 11. Jh.).

℣7 Posuisti: B 151,3: Eusebius; B 164,3: Nicomedes; B 180,3: Clemens.

Diese Liste führt die erste weiter; beide Listen ergänzen sich somit gegenseitig[34].

5. Die Prozessions-Antiphonen

Zwischen den beiden Alleluia-Listen finden sich vier Gruppen von Antiphonen (B 212–215), deren letzte den Titel «Antiphonae in die sancto Paschae ad processionem» trägt, was bestätigt, dass es sich um Prozessions-Antiphonen handelt und zwar

B 212 für den 25. April: «Litania maior»
B 213 in Notzeiten, in C (Sextuplex 202) betitelt: «De quacumque necessitate»; in Sl: «De misericordia»
B 214 in Zeiten der Trockenheit: «Ad pluviam postulandam», C und K (Sextuplex 204): «De siccitate»
B 215 am Ostertag.

C und Sl bieten zwölf nicht ganz identische Gruppen solcher Antiphonen (Sextuplex 201–214), K nur einige wenige, C alle mit dem vollen Wortlaut, Sl ab 204 nur mit Incipit.

Zwar werden solche zu den verschiedenen Prozessionen gesungenen Antiphonen erst in Handschriften aus der zweiten Hälfte des 9. Jahrhunderts, also verhältnismässig spät, bezeugt, doch sie scheinen wenigstens teilweise älter zu sein. So weist Hesbert am Beispiel der Antiphon «Deprecamur» (B 213,6 = C und Sl 202,8) nach, dass sie auf Gregor den Grossen oder in eine noch frühere Zeit zurückgeht[35].

---

[34] F. Huot in einem Brief vom 22. Okt. 1984: «J'attire l'attention sur la complémentarité des deux listes d'Alleluia, la seconde poursuivant la première qui s'achève au IXe dimanche après la Pentecôte (il y a en marge l'incipit de quelques dimanches suivants, qui concorde avec la seconde liste). Les caractères archaiques qui se décèlent renforcent l'intérêt de ce manuscrit».

[35] Vgl. HESBERT, S. CXXI–CXXII.

Von der in C aus 18 Antiphonen zur Litania maior bestehenden Gruppe (Sextuplex 201) bietet B 212 nur die ersten acht[36].

Die folgende Gruppe B 213 umfasst wie C (Sextuplex 202: «De quacumque tribulatione») 13 Antiphonen, wobei B 1–10 mit C 1–5 und 8–12 identisch sind.

B 213,11 und 12 wie auch B 214,4 und 5 und B 215,1–6 sind im Sextuplex nicht aufgeführt und kommen als Antiphonen auch sonst im Missale Basileense nicht vor.

Von den sechs Antiphonen zur Palmprozession in C (Sextuplex 213: «De passione domini») führt das Missale Basileense deren vier (die Ant. C 3–6) am Palmsonntag selber (B 77,1) auf und fügt vier weitere an (B 77,2).

6. Neue Gesänge[37]

Es überrascht, dass im Graduale des Missale Basileense (von einem Nachtrag abgesehen) keine der seit dem 9. Jahrhundert entstandenen und in der Folgzeit weit verbreiteten neuen Formen von Messgesängen (Sequenzen, Tropen)[38] zu finden sind, was wohl als Indiz verstanden werden muss, dass man ein möglichst traditionelles, von neueren Zusätzen freies Graduale schaffen wollte. Auch in den übrigen Teilen des Missale finden sich diese neuen Gesänge nicht: Die Sequenzen (B 221: de s. Trinitate, und B 880: de s. Maria Magdalena) sind Nachträge aus dem 12./13. Jahrhundert.

---

[36] Zu beachten die Reihenfolge von 7 und 8.

[37] Zu musikalischen Fragen vgl. vorerst Max LÜTOLF, A New Source for the Antiphonale Missarum, in: Songs of the Dove and the Nightingale: Sacred and Secular Music c. 900 – c. 1600, edited by Greta Mary Hair and Robyn Smith: Australian Studies in the History, Philosophy an Social Science of Music 3 (Sydney 1994). – Vgl. auch Faksimile.

[38] Vgl. HUGLO, S. 29–35 (Chapitre II: «Les formes nouvelles créées au IXᵉ siècle»).

TEIL II

DAS KALENDAR

Nicht wie üblich am Anfang einer liturgischen Handschrift findet sich das Kalendar (B 222) im Codex Gressly erst an zweiter Stelle, nach dem Graduale[1]. Ihm zugeordnet ist eine Reihe komputistischer Texte und Tabellen (B 223), die ein kalenderwissenschaftliches Interesse der beiden an diesem Faszikel der Handschrift beteiligten Hauptschreiber verraten. Schliesslich wurden schon früh auf leergebliebene Stellen Kyrie, Gloria und Credo (B 224) sowie etwas später der Mariensequenz «Fecunda verbo tu virginum» (B 225) beigefügt.

Das Kalendar, das sich selber als «Martyrologium» bezeichnet[2], setzt sich zusammen aus dem kalendarischen Rahmen und dem ihn ausfüllenden Inhalt. Der Rahmen seinerseits besteht aus einem mit roter Tinte geschriebenen Römischen Kalender, der Reihe von Tagesbuchstaben, die am 1. Januar beginnend in regelmässig sich wiederholender Abfolge von A bis G das ganze Jahr in Gruppen von sieben Tagen einteilt[3], sowie der ebenfalls in Rot gehaltenen, die

---

[1] Da das Kalendar eine kodikologische Einheit darstellt (Lage 8, f. 52–55), wäre allenfalls denkbar, dass ursprünglich eine andere Reihenfolge geplant oder gar vorhanden war. – Zu dieser zweispaltig angelegten Lage mit der lückenlosen Abfolge der Monate, innerhalb welchen jedem Tag im Prinzip eine Zeile vorbehalten ist, vgl. oben S. 46 und das Faksimile.

[2] Zu den Begriffen «Kalendarium» und «Martyrologium»: «Nach dem Sprachgebrauch der heutigen Forschung (die Terminologie des Mittelalters ist eher vage) kann eine Sammlung dann als Martyrologium gelten, wenn sie zumindest einige topographische Angaben aufweist, während das reine Kalendarium sich auf die blossen Angaben der Heiligenfeste beschränkt», DUBOIS, in: LexMA 6, Sp. 358; 360 Lit.; vgl. auch DUBOIS, Les martyrologes, S. 13–17. – Topographischen Angaben finden sich im vorliegenden Falle nur bei: Rome Marcelli pp. et m. (16. Jan.), in Bobio Attale (10. März), Mediolanensis Ambrosii ep. (4. April), Mediolanensis Victoris m. (8. Mai), Rome Gordiani et Epimachi (10. Mai) und Nicholai ep., Miraeae ep. (6. Dez.).

[3] Die Tagesbuchstaben sind ein Hilfsmittel zur Osterberechnung, vgl. GROTEFEND, Zeitrechnung 1, S. 179f. (Sonntagsbuchstabe).

jeweiligen Monatseinträge einleitenden Zeile mit Angaben zur Anzahl der Sonnen- und Mondtage des betreffenden Monats samt einem Vers zum entsprechenden Monats- oder Tierkreiszeichen[4]; diesem Gerüst hat die zweiten Hand überdies die Reihe der Goldenen Zahlen[5] und einen zu jedem Monat gehörenden Vers zur Bestimmung der Dies egyptiaci[6] beigefügt.

Dieser klare kalendarische Rahmen ist ausgefüllt mit Einträgen sehr verschiedenen Inhalts: Den Hauptbestandteil bildet erwartungsgemäss der kirchliche Festkalender; daneben finden sich neben

---

[4] Diese Verse finden sich bei Ausonius, Eclogae 9 (MGH Auct. Ant. V/2, S. 13); Beda, De temporibus ratione, ed. JONES, S. 213 (CC 123B, VI/2, S. 333); vgl. auch MGH, Poetae VI, S. 151 Nr. XXIII; sie geben an, von welchem Sternbild der jeweilige Monat hauptsächlich beherrscht wird: *Jan.*: Steinbock (capricornus), in welches Zeichen die Sonne am vorangehenden 18. Dez. eintritt, vgl. dort im Kalender; *Febr.*: Wassermann (aquarius), vgl. 18. Jan.; *März*: Fische (pisces), vgl. 15. Febr.; *April*: Widder (aries), vgl. 18. März; *Mai*: Stier (taurus), vgl. 17. April; *Juni*: Zwillinge (gemini), vgl. 18. Mai; *Juli*: Krebs (cancer), vgl. 17. Juni; *Aug.*: Löwe (leo), vgl. 18. Juli; *Sept.*: Jungfrau (virgo), vgl. 18. Aug.; *Okt.*: Waage (libra), vgl. 17. Sept.; *Nov.*: Skorpion (scorpio), vgl. 18. Nov.; *Dez.*: Schütze (sagittarius), vgl. 17. Nov.

[5] Die Goldene Zahl (numerus aureus) ist der kalendarische Vertreter des Jahres im 19-jährigen Mondzyklus, der zur Bestimmung des Mondalters (Neumond, Vollmond) wichtig ist. Die Ziffer I findet sich beim 23. Jan., weil auf dieses Datum der Neumond fällt (das 1. Jahr eines 19-jährigen Zyklus ist ein Jahr, bei welchem Neumond und Wintersolstitium auf den vorangegangenen 24. Dez. fallen; der 1. Mondmonat vom 24. Dez. bis zum 22. Jan. umfasst 30 Tage, der 2. Mondmonat vom 23. Jan. bis zum 20. Febr. 29 Tage und in der Folge in dieser Weise abwechselnd). Auf den Tag, bei welchem die Goldene Zahl steht, fällt jeweils der Neumond; zählt man zu den mit den Goldenen Zahlen gegebenen Neumondstagen (luna prima) 14 Tage dazu, so erhält man den Vollmond (luna quartadecima).

[6] Diese Verse zur Bestimmung der Unglückstage waren weit verbreitet (vgl. GROTEFEND, Zeitrechnung, S. 36); sie enthalten Zahlenangaben, deren erste sich auf den Anfang, die zweite auf das Ende des Monats, rückläufig zu zählen, bezieht. Im Kalendar selbst sind die Dies egyptiaci mit der Sigle in Form eines waagrecht durchgestrichenen D oder eines Theta Θ bezeichnet. Die Angaben in den Versen (in der folgenden Zusammenstellung die Daten vor dem Schrägstrich) und im Kalender des Missale Basileense (Daten nach dem Schrägstrich) stimmen nicht immer überein; fehlerhaft sind sie im letzteren: Jan.: 1., 25. / 2., 25; Febr.: 4., 26. / 6., 26.; März: 1., 28. / 2., –; April: 10., 20. / 10., 20.; Mai: 3., 25. / 4., 25.; Juni: 10., 16. / 11., 17; Juli: 13., 22. / 13., 21.; Aug.: 1., 30. / 1., 31.; Sept.: 3., 21. / 3., 21.; Okt.: 3., 22. / 4., 23.; Nov.: 5., 28. / 5., 28.; Dez.: 7., 22. / –, –. Vgl. auch JUNGBAUER, Ägyptische Tage.

liturgisch beeinflussten[7] und astronomischen (komputistischen)[8] auch nekrologische Angaben sowie Hinweise auf Dedikationen[9], die alle in die Edition aufgenommen worden sind. Im vorliegenden Zusammenhang ist jedoch allein auf den Festkalender einzugehen, der in zwei Schritten folgendermassen hergestellt wurde: Zunächst

---

[7] Dazu sind zu zählen:

– 8. Febr.: gemeint ist wohl «dominica initii quadragesime», d.h. Sonntag «Invocavit», der frühestens auf dieses Datum fallen kann; vgl. 14. März; GROTEFEND, Zeitrechnung 1, S. 160 (Quadragesima).

– 8. März: Datum des Neumondes beim frühesten Ostertermin (22. März); vgl. 5. April: Datum des Neumondes beim spätesten Ostertermin (25. April).

– 14. März: gemeint ist wohl «quadragesima ultima», auf welchen Tag zuletzt (d.h. bei Ostern am 25. April) der Sonntag «Invocavit» fallen kann; vgl. 8. Febr.

– 18. März: vgl. Beda, De temporum ratione, ed. JONES, S. 190ff. (CC 123B, VI/2, S. 290ff.).

– 25. März: Tag der Kreuzigung in Verbindung mit der auf den 27. März angesetzten «resurrectio», vgl.

– 5. April: vgl. 8. März.

– 5. Mai: 40 Tage nach der am 27. März eingetragenen «resurrectio».

– 15. Mai: 50 Tage nach der am 27. März eingetragenen «resurrectio».

[8] Dazu gehören:

– Die oben (Anm. 4) aufgeführten Daten des Eintritts der Sonne in ein neues Sternzeichen.

– Die Angaben zum Beginn der Jahreszeiten: 7. Febr.: Frühling; 9. (22.) Mai: Sommer; 7. Aug.: Herbst; 7. (25.) Nov.: Winter; vgl. Beda, De temporum ratione, ed. JONES, S. 246ff. (CC 123B, VI/2, S. 393).

– 24. Febr.: Schalttag.

– 5. und 6. März: vgl. GROTEFEND, Abriss, S. 9 Anm. 29.

– 21. März: Frühlingsäquinoktium.

– 22. März: Epaktensitz: Angabe des Mondalters am frühesten Ostertermin in verflossenen Tagen, d.h. vom Neumond an gerechnet.

– 24. März: zu den Konkurrenten oder Sonnenepakten vgl. GROTEFEND, Zeitrechnung 1, S. 27f.

– Die Angaben der Tages- und Nachtstunden: 31. März, 30. April, 30. Juni, 31. Juli; vgl. GROTEFEND, Zeitrechnung 1, S. 183, bes. 184 linke Spalte unten.

– 14. Juli: Angabe der Hundstage; vgl. GROTEFEND, Zeitrechnung 1, S. 86f.

– 2. Aug., 2. Sept., 2. Nov., 3. Dez.: vgl. 5. März.

– 24. Sept.: Herbstäquinoktium.

– 21. Dez.: Wintersolstitium.

[9] 11. Okt.: Dedicatio Basiliensis ecclesie (Nachtrag 12. Jh.), vgl. oben S. 41. – 16. Nov.: Dedicatio huius capelle (Nachtrag 15. Jh.), vgl. oben S. 41. – 17. Dez.: Dedicatio s. N⟨icolai conf.⟩ (?) (von Hand A, die zweite Hälfte des Textes ausradiert): unter den verglichenen Quellen weist nur das Kalendar des heute in Oxford

hat der erste Schreiber eine Reihe von Festen über das ganze Jahr hindurch eingetragen, die dann kurz darauf vom zweiten Schreiber bis und mit dem Monat August ergänzt worden ist[10].

Als Vorlage dienten beiden Schreibern Kalendarien, die nicht nur einen Grundbestand von Heiligenfesten aus dem gregorianisch-gelasianischen Repertoire aufwiesen[11], sondern auch schon später eingeführte Heiligenfeste verzeichneten. So lassen sich denn viele im Kalendar des Codex Gressly ausserhalb des gregorianisch-gelasianischen Bereichs stehende Feste sowohl in Martyrologien[12] als auch in manch andern vowiegend aus dem elsässisch-schweizerisch-süddeutschen Raum stammenden und zum Vergleich herangezogenen Kalendarien nachweisen[13]. Aber es findet sich auch eine Anzahl

aufbewahrten Reichenau-Sakramentars (Re3) eine solche Dedicatio auf; vgl. TURNER, The 'Reichenau' Sacramentaries at Zurich and Oxford, S. 239; zu der dortigen St. Nikolauskapelle vgl. BEYERLE, Aus dem liturgischen Leben der Reichenau, S. 394.

[10] In der Edition und auch in den folgenden Ausführungen sind die beiden Hände mittels nichtkursiver (Hand A) bzw. kursiver (Hand B) Schrift unterschieden.

[11] Vgl. die Zusammenstellung des gregorianisch-gelasianischen Kalendars des beginnenden 9. Jahrhunderts bei LEROQUAIS, Les Sacramentaires et les Missels manuscrits des Bibliothèques publiques de France, S. XLIV–XLVI.

[12] Zum Vergleich wurden folgende Martyrologien herangezogen: MartH: Hieronymianum, ed. DE ROSSI-DUCHESNE; – MartB: Beda, Anfang 8. Jh., ed. DUBOIS-RENAUD; – MartG: aus dem Sakramentar von Gellone, um 800, ed. DUMAS, Liber Sacramentorum Gellonense, S. 490–513; – MartPh: aus dem Philipps-Sakramentar, um 800, ed. HEIMING, Liber Sacramentorum Augustodunensis, S. 262–283; – MartAL: Anonymus von Lyon, Anfang 9. Jh., ed. DUBOIS-RENAUD; – MartF: 1. Hälfte 9. Jh., ed. DUBOIS-RENAUD; – Mart A: Ado, Mitte 9. Jh., ed. DUBOIS-RENAUD; – MartU: Usuard, 2. Hälfte 9. Jh., ed. DUBOIS; – MartHM: Hrabanus Maurus, Mitte 9. Jh., ed. McCULLOH; – MartN: Notker Balbulus, 2. Hälfte 9. Jh., ed. in: PL 131, Sp. 1029–1164 (nur unvollständig überliefert; MartN weist zwischen dem 13.–18. Juni, 2.–6. Juli, 18.–27. Aug. Lücken auf und bricht innerhalb des 26. Okt. ab).

[13] SG: Kalendarien von St. Gallen, 9.–11.Jh., MUNDING, Die Kalendarien von St. Gallen. Untersuchungen, S. 23–144.

Re1: Kalendar der Abtei Reichenau, Mitte 9. Jh., Bestand: 1. Jan.–31. Dez., MUNDING, Das älteste Kalendar der Reichenau, S. 237–240.

E1: Kalendar der Abtei Einsiedeln (Cod. 356 [609]), 10. Jh., Bestand: 1. Jan.–31. Dez., HENGGELER, Die mittelalterlichen Kalendarien von Einsiedeln, S. 32–56, dort Sigle A.

E2: Kalendar der Abtei Einsiedeln (Cod. 319 [645]), Ende 10./Anfang 11. Jh., Bestand: 1. Jan.–31. Dez., HENGGELER, Die mittelalterlichen Kalendarien von Einsiedeln, S. 32–56, dort Sigle B.

von Festen im Missale Basileense, die in den verglichenen Kalendarien fehlen. Insbesondere die im urprünglichen Bestand der gregorianischen und gelasianischen Sakramentarien nicht vorkommenden Feste sind im folgenden zusammengestellt.

S1: Kalendar der Strassburger Domkirche, 1. Drittel 11. Jh., Bestand: 1. Jan.–31. Aug., Barth, Elsässische Kalendare, S. 7–17, dort Sigle A.

ST: Kalendar der Abtei St. Thomas in Strassburg, Anfang 11. Jh., Bestand: 1. Jan.–31. Dez., Barth, Kalendare des 11. Jahrhunderts aus den Abteien St. Thomas in Strassburg und Gengenbach in Baden, S. 41–53.

Ho: Kalendar der Abtei Honau, Mitte 11. Jh., Bestand: 1. Jan.–27. Juni, Barth, Elsässische Kalendare, S. 7–17, dort Sigle B.

E3: Kalendar der Abtei Einsiedeln (heute: St. Paul im Lavantal), 11. Jh., Bestand: 1. Jan.–31. Dez., Henggeler, Die mittelalterlichen Kalendarien von Einsiedeln, S. 32–56, dort Sigle C.

S2: Kalendar der Strassburger Domkirche, 2. Hälfte 11. Jh., Bestand: 18. Jan.–31. Dez. Barth, Elsässische Kalendare, S. 8–21, dort Sigle C.

Mu: Kalendar der Abtei Murbach, 2. Hälfte 11. Jh., Bestand: 1. Jan.–31. Dez., Barth, Aus dem liturgischen Leben der Abtei Murbach, S. 63–66.

Ge: Kalendar der Abtei Gengenbach, um 1076, Bestand: 1. Jan.– 31. Dez., Barth, Kalendare des 11. Jahrhunderts, S. 41–53. Dieser Kalender findet sich in der Handschrift Würzburg m.p.h.f. 1; er stellt eine ziemlich genaue Abschrift des von Bernold von St.Blasien zusammengestellten Kalenders dar (München, Clm 432), vgl. Kuithan-Wollasch, Der Kalender des Chronisten Bernold, S. 478–513, bes. 488ff.

E4: Kalendar der Abtei Einsiedeln (Cod. 114 [523]), Ende 11. Jh., Bestand: 1. Jan.–31. Dez., Henggeler, Die mittelalterlichen Kalendarien von Einsiedeln, S. 32–56, dort Sigle D.

Re2: Kalendar der Abtei Reichenau (Zentralbibliothek Zürich Cod. Rh 71), 11. Jh., Bestand: 1. Jan.–31. Dez., Turner, The 'Reichenau' Sacramentaries, S. 242–245.

Re3: Kalendar der Abtei Reichenau (Oxford, ms. Canonici liturg. 319), 11. Jh., Bestand: 1. Jan.–31. Dez., Turner, The 'Reichenau' Sacramentaries, S. 256–259.

We: Kalendar der Abtei Weissenburg, 1. Drittel 12. Jh., Bestand: 1. Jan.–31. Dez., Barth, Heiligenkalender des alten Benediktinerklöster des Elsass, S. 90–92.

Mü: Kalendar der Abtei Münster im Gregoriental, Mitte 12. Jh., Bestand: 1. Jan.–31. Aug.; 1. Nov.–17. Nov.; 1. Dez.–20. Dez., Barth, Elsässische Kalendare, S. 7–21, dort Sigle D.

SP: Kalendar der Abtei St. Paul in Kärnten, 1. Hälfte 12. Jh., Bestand: 1. Jan.–31. Dez., Irtenkauf, Eine St. Pauler Handschrift aus dem Jahre 1136, S. 255–258.

S3: Kalendar der Strassburger Domkirche, um 1175. Bestand: 1. Jan.–31. Dez., Barth, Elsässische Kalendare, S. 7–21, dort Sigle E.

EW: Elsässisch-westschweizerisches Kalendar, 12. Jh. bis 1200. Bestand: 1. Jan.–31. Dez., Müller, Ein elsässisch-westschweizerisches Kalendar in Cod. Sang. 403 aus dem 12. Jahrhundert, S. 334–336.

Januar

7. *Erhardus conf.*: Vermutlich aus Südfrankreich, angeblich Bruder Hidulfs, des Gründers der Abtei Moyenmoutier (Dép. Voges); soll in den Vogesen sieben Klöster gegründet und die hl. Odilia getauft haben; um 680/690 Bischof von Regensburg. Gest. um 700. Seine Gebeine wurden durch Papst Leo IX. erhoben. Verehrung besonders im süddeutschen Raum; u.a. wurde ein Kult wahrscheinlich über den hl. Wolfgang in Einsiedeln eingeführt; im ausgehenden 11. Jh. besass auch Hirsau Reliquien.

Vgl. BAUERREISS, in: LThK 3, Sp. 988f.; SCHMID, in: LexMA 3, Sp. 2138f.; CLAUSS, Die Heiligen des Elsass, S. 153; TÜCHLE, Dedicationes, S. 103; MÜLLER, Pfäfers, S. 92.
In den verglichenen Martyrologien nicht belegt. – Richtig 8. Jan.: E2 (etwas späterer Nachtrag); Ho; E3; Ge; E4.

8. *Anastasius et Maximianus m.*: Die beiden Martyrer, der Mönch Anastasius aus Antiochien und Maximianus wahrscheinlich aus der Gegend von Beauvaix, gehören nicht zusammen.

Anastasius: MartH (Cod. Eptern.); MartAL: 6. Jan.; MartA: 6. Jan.; MartU: 9. Jan., unter Diokletian und Maximianus. Maximianus: MartH (Cod. Eptern., Excerpta); MartA: Maxianus; MartU: Maxianus. – In den verglichenen Kalendarien nicht belegt.

9. *Epictetus et Iucundus*: Afrikanische Martyrer.

MartH; MartG: nur Epictetus; MartPh: nur Epictetus; MartHM. – Ho: nur Iocundus.

10. Paulus primus eremita: «Ureinsiedler», aus der Thebais, hat sich in der Verfolgung unter Decius in die Einsamkeit zurückgezogen. Gest. um 341. Sein Kult ist noch im 12. Jh. in Frankreich und Italien wenig verbreitet.

Vgl. KÖTTING, in LThK 8, Sp. 214; JOUNEL, S. 212.
MartF; MartA; MartU; MartHM; MartM. – SG; Re1; E1; E2; S1; ST; Mu; Ge; E4; Re3; Mü; SP; S3; EW.

11. Eductio Christi de Aegypto (rot): Vermutlich über Irland eingedrungenes Fest.

Vgl. MUNDING, Untersuchungen, S. 25f.
SG; ST; Mu: 10. Jan.; Re3.

12. *Zoticus m. et Quiriacus (Cyriacus)*: Die beiden Martyrer, Zoticus aus Afrika und Cyriacus aus dem griechischen Achaia, gehören nicht zusammen.

MartH; MartG; MartPh; MartHM: nur Cyriacus; MartN: nur Cyriacus. – Ho.

13. Hilarius conf.: Vgl. unten S. 143f.

17. Sulpicius ep.: Bischof von Bourges (615–647); er hat sich besonders für die Bekehrung der Juden und Häretiker eingesetzt.

Vgl. Brouette, in: LThK 9, Sp. 1160f.; Dubois, Le martyrologe d'Usuard, S. 163.
MartH; MartG; MartPh; MartA; MartU. – ST; Ho; S3.

19. Marius et Martha[14]: Mit Audifax und Abacus erlitten sie wahrscheinlich das Martyrium während der Diokletianischen Verfolgung.

Vgl. Frutaz, in: LThK 7, Sp. 89; Jounel, S. 215; unten S. 142.
MartB. – 20. Jan.: MartA; MartU; MartHM; MartN. – SG; ST; S2; Mu; Ge; We; Mü; S3.

20. Fabianus et Sebastianus: Vgl. unten S. 144.

22. Vincentius et Anastasius: Die ursprünglich von einander unabhängigen Feste des zusammen mit Bischof Valerus von Saragossa um 304/305 hingerichteten Diakons Vincentius und des um 628 zu Tode gefolterten persischen Mönchs Anastasius wurden erst im Verlaufe des 11./12. Jh. allgemein vereint.

Zu Vincentius: er ist in die gregorianischen und gelasianischen Sakramentarien aufgenommen worden; vgl. Schmidt, LThK 10, Sp. 802f.; Tüchle, Dedicationes, S. 143f.; zu Anastasius: Volk, in: LThK 1, Sp. 492.
Anastasius: MartH; MartA; MartU; MartHM; MartN. – SG; Re1; ST; Re3.

25. Conversio Pauli: Vgl. unten S. 143.

---

[14] Hinzuweisen ist auf die Tatsache, dass der ursprüngliche Eintrag Marie wahrscheinlich von der gleichen Hand durch ein übergeschriebenes i zu Marii verändert worden ist. Maria und Martha, die Schwestern des Lazarus (vgl. Michl, LThK 7, Sp. 36: Maria von Bethanien), sind laut MartH und in der Folge laut MartG, MartPh, MartHM und MartN, die alle Marius et Martha nicht kennen, auch am 19. Jan. verehrt worden; MartA, welches beide Paare aufführt, hat deshalb eine Verschiebung von Marius et Martha auf den 20. Jan. vorgenommen.

27. *Iohannes Chrysostomus*: Bischof und Patriarch von Konstantinopel. Gest. 407.

MartH (Cod. Wissenburg. add.); MartF; MartA; MartU; MartN. – SG; ST; Ho; S2; Mu; Ge; Mü; S3.

28. Octava Agnetis: Vgl. unten S. 143.

29. *Valerius ep. et conf.*: Bischof von Trier. 3. Jh. Zusammen mit Eucharius und Maternus soll er im Elsass und am Niederrhein bis Köln als Missionar tätig gewesen sein. Förderung der Verehrung seit dem 10. Jh. zu Trier; Verbreitung des Kultes weist auf den Reformkreis von Gorze-Trier hin.

Vgl. CLAUSS, Die Heiligen des Elsass, S. 135f. MÜLLER, Disentis, S. 81.
MartH; MartG; MartPh; MartAL; MartA; MartU; MartHM; MartN. – SG; E1; E2 (etwas späterer Nachtrag); S1; ST; Ho; E3; S2; Mu; Ge; E4; We; Mü; SP; S3; EW.

30. Adelgundis v.: Gründerin und erste Äbtissin von Maubeuge (Dép. Nord). Gest. 695/700.

Vgl. ZIMMERMANN, in: LThK 1, Sp. 141; UYTFANGHE, in: LexMA 1, Sp. 344.
MartA; MartU; MartHM; MartN. – SG; S1; ST; Ho; S2; Ge; Re3; We; S3.

Februar

1. Polycarpus pp.: Vielleicht Bischof in Griechenland.

Vgl. MUNDING, Untersuchungen, S. 33.
MartH; MartG; MartPh; MartHM; MartN. – SG; Re1; Ho; Re3.

1. Brigida v.: Gründerin und Äbtissin des Klosters Kildare in Irland. Gest. 523. Schnelle und weit verbreitete Verehrung; im 8. Jh. kamen Reliquien von ihr in das Kloster Honau.

Vgl. HENNIG, in LThK 2, Sp. 694; HENNIG, in: LexMA 2, Sp. 689; CLAUSS, Die Heiligen des Elsass, S. 142–144; GOUGAUD, S. 16–45; MÜLLER, Disentis, S. 277; MÜLLER, Pfäfers, S. 93.
MartH; MartB; MartG; MartPh; MartAL; MartF; MartA; MartU; MartHM; MartN. – SG; E1; E2; ST; Ho; E3; Mu; Ge; E4; Re2; We; Mü; SP; EW.

2. Purificatio s. Mariae: Vgl. unten S. 144.

3. Blasius ep. et m.: Bischof von Sebaste in Armenien. Vielleicht um 316 enthauptet. Sein Kult hat sich seit dem 9. Jh. verbreitet; 855 erhielt das Kloster Rheinau Gebeine und von dort kamen wahrscheinlich Reliquien nach St. Blasien und Einsiedeln; seine Verehrung ist in der Reichenau um 900 belegt.

Vgl. WIERTZ, in: LThK 2, Sp. 525; TÜCHLE, Dedicationes, S. 95; MÜLLER, Pfäfers, S. 93f.; JOUNEL, S. 223.
MartHM; MartN. – SG; E1; E2; S1; ST; Ho; E3; S2; Mu; Ge; E4; Re2; We; Mü; SP; S3; EW.

6. Vedastus: Bischof von Arras. Gest. 540.

Vgl. GOLDINI, in: LThK 10, Sp. 649; TÜCHLE, Dedicationes, S. 142; MÜLLER, Ein elsässisch-westschweizerisches Kalendar, S. 339.
MartH; MartG; MartPh; MartA; MartU; MartHM; MartN. – SG; S1; ST; S2; Mu; Ge; Re3; We; S3.

10. Scholastica v.: Schwester Benedikts von Nursia. Gest. um 547. Seit dem 9. Jh. im elsässisch-alemannischen Raum belegt; im 10. Jh. kamen Reliquien aus Frankreich in süddeutsche Klöster.

Vgl. GORDONI, in: LThK 9, Sp. 445; MÜLLER, Disentis, S. 277; MÜLLER, Pfäfers, S. 94; JOUNEL, S. 224.
MartA; MartU; MartHM; MartN. – SG; S1; ST; S2; Mu; Ge; Mü; Re3; SP; S3; EW.

11. *Desiderius ep.*: Bischof von Langres. Martyrium bei einem Vandaleneinfall zu Beginn des 5. Jh.

Vgl. BAADER, in: LThK 3, Sp. 250f.
In den verglichenen Martyrologien nicht belegt (nur Desiderius von Vienne, vgl. 23. Mai). – ST; Ho; Mu; Mü; S3.

12. *Damianus m.*: Afrikanischer Martyrer.

MartH; MartG; MartF; MartA; MartHM; MartN. – In den verglichenen Kalendarien nicht belegt.

15. Faustinus et Iovitta m.: Brüder; Martyrium um 120 in Brescia. Vom dortigen Leo-Kloster verbreitete sich der Kult u.a. über die seit Beginn des 9. Jh. verbrüderte Reichenau.

Vgl. MÜLLER, Pfäfers, S. 122; DUBOIS, Le martyrologe d'Usuard, S. 181.
MartH: Faustinianus, Ioventia 16. Febr.; MartU; MartN. – SG; E1: 16. Febr; E2; S2; Mu; Ge; S3; Ho: nur Faustinus; E4; Re2.

16. Iuliana: Von Nicomedia; Martyrium zur Zeit Maximians; begraben in Cuma bei Neapel. 3. Jh. Reliquien sind um 930 in der Reichenau und 1019 im Basler Münster[15] belegt.

Vgl. Tüchle, Dedicationes, S. 116; Munding, Untersuchungen, S. 38.
MartB; MartA; MartU; MartHM; MartN. – S1; E1; E2; ST; Ho; E3; S2; Mu; Ge; E4; Re2; We; SP; S3; EW.

17. Pimenius.

In den verglichenen Martyrologien nicht belegt. – S2: Pigmenius 24. März; R2: 18. Febr.; R3; S3: 18. Febr.

18. *Chrisantus m.*

In keinem Vergleichstext belegt.

19. *Publius conf.*: Afrikanischer Martyrer.

MartH; MartG; MartPh; MartU; MartHM; MartN. – Ho; S2; S3.

20. *Gaius ep. et m.*: Papst. Gest. 295 (296?).

Vgl. Schwaiger, in: LThK 2, Sp. 877.
MartH (Cod. Bern.): Gagnus; MartG; MartHM; MartN. – SG; Ho; Ge.

22. Cathedra s. Petri: Vgl. oben S. 61, unten S. 142, 144.

24. Matthias ap.: Vgl. unten S. 143.

---

[15] Anlässlich der Weihe des Münsterneubaus in Basel am 11. Oktober 1019 hat der damals anwesende Kaiser Heinrich II. neben andern wertvollen Stücken eine Anzahl von Reliquien gestiftet gemäss dem glaubwürdigen Bericht von Niklaus Gerung gen. Blauenstein, Cronica episcoporum Basiliensium, S. 113: «Quo tempore ... ecclesia Basiliensis, per prescriptum sanctum Heinricum restaurata et preciosis reliquiis et ornamentis dotata, per predictum Adalberum episcopum est dedicata in honore sancte resurrectionis Ihesu Christi, sancte crucis, sancte deigenitricis Marie, sancti Iohannis Baptiste, apostolorum Petri et Pauli, Andree, Thome et omnium apostolorum et omnium sanctorum, ipsi episcopo et imperatore astantibus ... Sunt autem in ipso summo altari reliquie imposite et incluse, quas predictus imperator Heinricus magna devocione donavit, videlicet de sanguine domini miraculoso, de ligno sancte crucis, de vestimentis sancte Marie, de sepulcro domini, reliquie apostolorum Petri et Pauli, Andree, Thome, Iohannis Baptiste, Mauricii, Clementis pape, Sebastiani, Ciriaci, Bonifacii, Meinradi, Cosme et Damiani, Silvestri, Willibaldi, Felicitatis, Iuliane, Helene, Cecilie, Agathe et Gertrudis cum pluribus aliis reliquiis».

25. *Alexander ep.*: Patriarch von Alexandrien. Gest. 328.

Vgl. CAMELOT, in: LThK 1, Sp. 313.
MartH; MartG; MartF; MartA; MartA; MartU; MartHM; MartN: überall richtig
26. Febr. – Ho: 26. Febr.; S2 und Mü: 27. Febr.

27. *Leander ep.*: Erzbischof von Sevilla. Gest. 600.

Vgl. VEGA, in: LThK 6, Sp. 847f.; PRELOG, in: LexMA 5, Sp. 1176.
MartG; MartF; MartA; MartU; MartN. – S3: 28. Febr.

März

1. Donatus m.: Afrikanischer Martyrer.

Vgl. MUNDING, Untersuchungen, S. 41.
MartH; MartG; MartPh; MartA; MartU. – SG; S1; ST; Ho; S2; Re3; S3.

1. Albinus ep.: Mönch und Abt im Kloster Tincillacense (nicht identifiziert), dann Bischof von Angers. Gest. 550/560.

Vgl. ALLEMANG, in: LThK 1, Sp. 289; OEXLE, in: LexMA 1, Sp. 307.
MartH; MartG; MartPh; MartA; MartU; MartHM; MartN. – SG; S2; Mu; S3.

2. *Lucius ep.*: Bischof von Caesarea in Kappadozien.

MartH; MartG; MartPh; MartHM. – In den verglichenen Kalendarien nicht belegt.

3. *Fortunatus ep.*

MartH; MartHM. – Ho: 2. März.

7. Perpetua v. et Felicitas: Vgl. unten S. 142.

10. Attala conf.: Aus Burgund, Mönch in Lérins, dann in Luxeuil; als Abt in Bobbio Nachfolger Columbans. Gest. 627.

Vgl. MUNDING, Untersuchungen, S. 42.
MartH (Cod. Eptern.); MartU; MartN. – SG; S3; Mu: Atala v.; Re3.

11. *Eraclus et Zosimus*: Martyrer.

MartH; MartG; MartPh; MartHM: 10. März; MartN: 10. März. – Ho.

12. Depositio s. Gregorii pp.: Vgl. unten S. 145.

15. *Longinus et Lucius*: Longinus: Soldat, der die Seite Jesu mit einer Lanze durchstach, bzw. Hauptmann, der die Kreuzigung überwachte. – Lucius: Bischof und Martyrer in Nikomedia.

Vgl. MICHL, in: LThK 6, Sp. 1138.
Longinus: MartH; MartG; MartPh; MartU; MartHM; MartN. – Lucius: MartH; MartG; MartPh; MartN. – S3: nur Longinus.

16. *Cyriacus diac.*: Martyrer zu Rom unter Maximian. Reliquien von ihm hat Leo IX. 1049 dem elsässischen Kloster Altorf geschenkt.

Vgl. TÜCHLE, Dedicationes, S. 101.
MartH; MartB; MartA; MartU; MartHM; MartN. – SG; ST; Ho; S2; Mu; S3.

17. Patricius ep.: Apostel Irlands im 5. Jh., Nachfolger des ersten Irenbischofs Palladius. Verehrung seit dem 7. Jh. auch auf dem Kontinent verbreitet.

Vgl. BIELER, in: LThK 8, Sp. 177ff.; Ó CRÓINÍN, in: LexMA 6, Sp. 1791f.; GOUGAUD, S. 142–158.
MartH; MartB; MartG; MartPh; MartAL; MartA; MartU; MartHM; MartN. – SG; S1; ST; Ho; S2; Mu; Re3; S3; EW.

19. *Theodorus pr.*: Martyrer zu Caesarea in Kappadozien.

MartH; MartG; MartPh; MartN. – Ho.

20. Cuntpertus ep. (Cuthbertus): Mönch in Melrose (Schottland), dann in Ripon und Lindisfarne; 684–686 Bischof von Lindisfarne. Gest. 687.

Vgl. HENNIG, in: LThK 3, Sp. 112; ROLLASON, in: LexMA 3, Sp. 397.
MartB; MartF; MartA; MartU; MartHM; MartN. – SG; Re1; Ho; S2; S3; ST und Ge: Gumbertus ep. (et conf.); Re3.

21. Benedictus abb.: Vgl. oben S. 61, unten S. 142, 145, 147.

25. Annuntiatio s. Mariae: Vgl. unten S. 145.

29. *Nazanzenus conf.* (Gregorius): Kirchenlehrer; Verwalter des Bischofsamtes in Nazianz. Gest. 390.

Vgl. WERHAHN, in: LThK 4, Sp. 1209ff.; FRANK, in: LexMA 4, Sp. 1684.
In den verglichenen Martyrologien nicht belegt. – SG; Ge; S3.

April

2. *Nicetius ep. et conf.*: Bischof von Lyon. Gest. 573.

Vgl. Böhne, in: LThK 7, Sp. 941; Heinzelmann, in: LexMA 6, Sp. 1127.
MartH; MartG; MartAL; MartA; MartU; MartN. – SG; Ho.

4. Ambrosius ep.: Vgl. unten S. 145.

6. *Celestinus ep.*: Papst. Gest. 432.

Vgl. Gross, in: LThK 2, Sp. 1254; Jounel, S. 230: 7. April.
MartA: 7. April; MartN: 8. April. – ST; S2; S3.

8. *Macharius m.*: Ägyptischer Einsiedler, Martyrer.

Vgl. Tüchle, Dedicationes, S. 121.
MartH; MartG; MartHM; MartN. – Ho.

9. *Maria Aegyptiaca*. Einsiedlerin in Palästina.

Vgl. Baus, in: LThK 7, Sp. 36; zu Maria Cleophae, eine der Zeuginnen bei der
Kreuzigung Christi: Erhart, in: LThK 7, Sp. 37.
In den verglichenen Martyrologien nicht belegt. – SG; E2; S2; Ge; Mü; S3.

10. *Apollonius pr.*: Presyter in Alexandrien.

MartH; MartG; MartPh; MartU; MartN. – Ho.

10. *Ezechiel proph.*

MartB; MartA; MartU; MartHM; MartN. SG; ST; Ho; S2; S3.

11. *Hilarius*: Martyrer in Mauretanien.

9. oder 10. April: MartH; MartG; MartPh. – Ho: 9. April.

11. *Leo pp.*: Vgl. unten S. 145.

12. *Carpus ep.*: Martyrer in Pergamo.

12. April: MartH; MartG; MartPh; 13. April: MartF; MartA; MartU; MartN. –
Ho.

13. *Euphemia v.*: Vgl. unten S. 142, 145f., 152.

15. *Olympiadis m.* Martyrer im 3. Jh.

MartH (Cod. Eptern., Excerpta); MartB; MartA; MartHM; MartN. – Ho.

16. *Calistus m.*: Martyrer zu Korinth.

MartH; MartG; MartPh; MartF; MartA; MartU; MartHM; MartN. – Ho.

17. *Petrus diac.*: Martyrer.

MartH; MartG; MartPh; MartF; MartA; MartHM; MartN. – SG; Ho; S3:
16. April.

18. *Eleutherius ep.*

MartH, MartG; MartPh; MartF; MartA; MartU; MartHM; MartN. – Ho; S3.

19. *Antonius conf.*[16]

In keinem Vergleichstext belegt.

20. Senesius m. (Genesius): Unbekannter Martyrer, von welchem
um 800 Reliquien aus Jerusalem in eine Marienkapelle auf dem
Schiener Berg und in die Reichenau kamen; aus diesem Wallfahrts-
mittelpunkt entstand die Abtei Schienen bei Öhningen am Bodensee.

Vgl. MÜLLER, in: LThK 4, Sp. 671.
MartH (Cod. Eptern., Excerpta). – E1; E2; ST; E3; Mu; Ge; E4; Re2.

20. *Victor*: Römischer Martyrer.

Vgl. MUNDING, Untersuchungen, S. 51.
MartH; MartG; MartPh; MartF; MartA; MartU; MartN. – SG; Ho; S2; Ge;
S3.

21. *Sother pp.*: Papst. Gest. 174 (?).

Vgl. SCHWAIGER, in: LThK 9, Sp. 893 und JOUNEL, S. 232: 22. April.
MartA; MartN. – In den verglichenen Kalendarien nicht belegt.

21. *Maximus m.*: Wahrscheinlich Mönch, der mit Liberatus und
andern unter dem Vandalenkönig Hunerich 483 erschlagen wurde.

Vgl. ZIMMERMANN, in: LThK 6, Sp. 1012.
MartH; MartG; MartPh; MartHM; MartN. – Ho: Maximinus.

---

[16] Vielleicht Verschrieb für Aristonicus, vgl. MartH; MartAL; MartA; MartF;
MartN; in den verglichenen Kalendarien nicht belegt.

22. *Gaius pp.*

Vgl. JOUNEL, S. 232.
MartH: Gagus; MartB; MartG: Gagus; MartPh: Gagus; MartF MartA; MartA;
MartU; MartHM; MartN. – ST; Ho; Ge.

23. Adalbertus m.: Bischof von Prag. 997 Martyrium bei der Missionierung der Preussen. Otto III. einerseits und die Translation der Gebeine von Gnesen nach Prag 1039 anderseits haben seinen Kult gefördert.

Vgl. STASIEWSKI, in: LThK 1, Sp. 122f.; LABUDA, in: LexMA 1, Sp. 101f.; TÜCHLE,
Dedicationes, S. 87.
SG; Ho; E3; S2; Mu; Ge; E4; Re2; S3; SP: 24. April.

24. *Mellitus ep.*: Abt des Andreasklosters in Rom; 601 von Gregor d.Gr. nach England gesandt; Bischof der Ostsachsen; Erzbischof von Canterbury. Gest. 624.

Vgl. BÖHNE, in: LThK 7, Sp. 261.
MartB; MartA; MartU; MartHM; MartN. – Ho.

25. Marcus ev.: Vgl. unten S. 142, 146.

26. *Marcellinus pp.*: Papst. Gest. 304.

Vgl. STUIBER, in: LThK 7, Sp. 1; JOUNEL, S. 234.
MartB; MartA; MartU; MartHM; MartN. – SG; Ho; Mu.

26. *Cletus*: Vgl. 29. April

27. Ingressus Noe in archam (rot).

Vgl. MUNDING, Untersuchungen, S. 54. – SG.

29. *Cletus pp.* (Anacletus): Papst. Gest. 90 (?).

Vgl. SCHWAIGER, in: LThK 1, Sp. 524; JOUNEL, S. 233: 26. April.
MartB: 26. April; MartHM; Anacletus 26. April: MartG; MartPh; MartA; MartU;
MartN. – Ge.

29. *Germanus pr.*: Von Alexandrien.

MartH; MartG; MartPh; MartN. – SG.

Mai

1. **Walburga v.**: Aus England, Schwester Willibalds von Eichstätt und Wunibalds; Missionshelferin in Germanien; Äbtissin in Heidenheim, wo sie am 25. Febr. 779 oder 780 gestorben ist. Translation nach Eichstätt am 1. Mai 880. Wallfahrts- und Verehrungsstätten u.a.: Walburg im Hl. Forst (Elsass), Sandweier (Erzb. Freiburg). Um 1000 Reliquien in Einsiedeln.

Vgl. BANG, in: LThK 10, Sp. 928; TÜCHLE, Dedicationes, S. 145.
In den verglichenen Martyrologien nicht belegt. – SG; E1; E2; S1; ST; Ho; S2; Mu; Ge; E4; Re2; Mü; S3.

1. **Sigismundus rex**: König der Burgunder; stellte das Kloster St-Maurice im Wallis wieder her; 534 vom Frankenkönig Chlodomir bei Orléans ertränkt. Rückführung der Gebeine nach St-Maurice 535/536; Hirnschale nach St-Sigismond bei Rufach im Elsass 676; um 1030 soll Bischof Hartmann I. von Chur Sigismund-Reliquien nach Einsiedeln gebracht haben.

Vgl. BANG, in: LThK 10, Sp. 928; CLAUSS, Die Heiligen des Elsass, S. 117–123; TÜCHLE, Dedicationes S. 136; SALZGEBER, Einsiedeln, S. 517.
MartH; MartG; MartPh; MartAL; MartF; MartA; MartA; MartU; MartHM; MartN. – SG; E3; Mu; Ge; E4; Re3.

2. *Waltpertus m.*: Zweiter Nachfolger Columbans als Abt von Luxeuil; sandte Germanus, Senatorensohn aus Trier, Mönch in Luxeuil, in den jurassischen Teil des Basler Bistums zur Gründung des Klosters Moutier-Grandval. Gest. 670. Sein Kult blieb begrenzt auf Meaux, Besançon, Burgund und die Westschweiz[17].

Vgl. BÖHNE, in: LThK 10, Sp. 932.
In den verglichenen Martyrologien nicht belegt. – Mu; Re3.

3. **Inventio s. crucis**: Vgl. unten S. 142, 146.

5. *Nicetius ep.*: Von Vienne.

MartH; MartG: Nicerus; MartPh; MartF; MartA; MartU; MartN. – Ho: Nicerus; S3.

---

[17] Im dritten Viertel des 13. Jahrhunderts ist für den Hochaltar des Basler Münsters das Armreliquiar des hl. Walpert angefertigt worden, das heute in der Ermitage zu St. Petersburg (Leningrad) aufbewahrt wird, vgl. BURCKHARDT, Der Basler Münsterschatz, bes. S. 68–76; ob die Reliquie schon früher in Basel war, entzieht sich meiner Kenntnis.

7. *Iuvenalis m.*

MartA; MartU; MartN. – We.

8. Victor: Maurischer Soldat, der 303 in Mailand das Martyrium erlitt.

Vgl. Kötting, in: LThK 10, Sp. 771f.; Müller, Disentis, S. 296; Müller, Pfäfers, S. 99.
MartH; MartG; MartPh; MartF; MartF; MartA; MartU; MartHM; MartN. – SG; E2 (Nachtrag); S1; ST; Ho; S2; Mu: 7. Mai; Ge; E4; Re3: 7. Mai; Mü; S3.

9. *Macharius abb.*

In den verglichenen Martyrologien nicht belegt. – SG; Ge.

11. *Anthemus m.*: Wahrscheinlich Anthimos, Bischof von Nikomedia. Gest. 303.

Vgl. Rahner, in: LThK 1, Sp. 603: 27. April.
MartH; MartG; MartPh; MartF; MartA; MartU; MartHM; MartN. – In den verglichenen Kalendarien nicht belegt.

11. *Mammertus ep.*: Bischof von Vienne (um 461–477?).

Vgl. Griffe, in: LThK 6, Sp. 1338f.
MartH; MartG; MartPh; MartF; MartA; MartU; MartN. – Sg; S2; Mü; S3.

12. Pancratius, Nereus, Achilleus: Vgl. oben S. 63, unten S. 142, 146f.

13. Gangulfus m.: Wohl identisch mit dem zwischen 716 und 731 als Besitzer eines Eigenklosters zu Varennes-sur-Amance bei Langres erwähnten Gangolf[18]. Sein Kult verbreitete sich über das Elsass; in Einsiedeln hat Abt Embrich 1034 eine Kapelle zu Ehren des hl. Gangolf eingeweiht.

Vgl. Dressler, in: LThK 4, Sp. 513; Tüchle, Dedicationes, S. 109; Müller, Pfäfers, S. 100; Salzgeber, Einsiedeln, S. 552.
In den verglichenen Martyrologien nicht belegt. – SG; ST; Ho; Ge; SP; EW; Mu: 11.Mai.

---

[18] Unter Berufung auf Doyé, Heilige und Selige der römisch-katholischen Kirche I, S. 429, bezeichnet Henggeler, Die mittelalterlichen Kalendarien von Einsiedeln, S. 52 den aus Burgund stammenden Gangulf als Krieger, der auf Anstiften seiner ungetreuen Gattin um 760 ermordet worden ist.

13. Servatius ep.: Bischof von Tongern. Gest. Ende 4.Jh. zu Maastricht.

Vgl. BROUETTE, in: LThK 9, Sp. 693.
MartB; MartF; MartA; MartU; MartHM; MartM. – ST; S2; Re3; S3.

13. *Maria ad martyres*: Eingeführt von Bonifatius IV. zwischen 608 und 615; vgl. unten S. 155.

MartB; MartA; MartU; MartHM; MartN. – SG; E2; ST; E3; S2; Mu; We; Ge; EW.

14. Pachomius abb.: Begründer des Koinobitentums; Abt von Tabennisi (Aegypten). Gest. 347.

Vgl. GRIBOMONT, in: LThK 7, Sp. 1330f.; FRANK, in: LexMA 6, Sp. 1607.
MartB; MartA; MartU; MartHM; MartN. – SG; Ge; Re3; Mü.

14. Victor et Corona m.: Ägyptische oder syrische Martyrer.

Vgl. KÖTTING, in: LThK 3, Sp. 61.
MartH; MartB; MartG und MartPh.: nur Victor. MartA, MartU; MartHM; MartN. – S2; Re3; S3.

15. *Timotheus m.*

MartH; MartG; MartPh; MartHM; – ST; Ho; S2; S3.

16. *Aquilinus*: Isaurischer Martyrer.
MartH; MartG; MartPh; MartF; MartA; MartU; MartN. – Ho.

17. *Heraclius*: Aus Soisson (Nivedunum, Noviodunum) (?).
MartH; MartG; MartPh; MartU; MartN. – Ge; Ho.

18. *Dioscorus*
MartH; MartG; MartPh, MartHM. – ST; Ho; S2; S3.

19. *Potentiana v.*: Historisch ungesichert; auch als Pudentiana bezeichnet. Ausbreitung des Kultes fand vor allem seit dem 11. Jh. in Frankreich statt. Vgl. 21. Juli (Praxedis).

Vgl. BÖHNE, in LThK 8, Sp. 897; JOUNEL, S. 239f.
MartH (Cod. Eptern., Excerpta); MartG; MartPh: Pudentiana; MartA: Pudentiana vel P.; MartHM: Pudentiana; MartN: Pudentiana. – SG; E1; E2; S1; ST; E3; S2; Mu; Ge; E4; Re2; Re3; We; S3; EW.

20. Valens m.: Bischof von Auxerre: Vgl. 21. Mai (richtiges Datum).

20. *Basilla v.*: Römische Martyrerin. Reliquien von ihr sind 1064 in Allerheiligen zu Schaffhausen bezeugt.

Vgl. TÜCHLE, Dedicationens S. 94.
MartH; MartG; MartPh; MartF; MartA; MartU; MartN. – ST.

21. *Timotheus diac.*
MartH; MartF; MartA; MartA; MartU; MartHM; MartN. – ST; S2; S3.

21. *Valens m.*: Wahrscheinlich als Korrektur des Eintrags am 20. Mai. – Seit 830 Reliquien auf der Reichenau, von wo aus sich sein Kult besonders in die von der Reform aus Gorze-Trier beeinflussten Klöster verbreitet hat. – Am gleichen Tag wird auch der Presbyter Valens von Auxerre verehrt.

Vgl. MÜLLER, Pfäfers, S. 124; 136; HENGGELER, Die mittelalterlichen Kalendarien von Einsiedeln, S. 52; KLÜPPEL, Reichenauer Hagiographie, S. 43f.
MartH; MartG; MartPh; MartF; MartA; MartHM; MartN: Valis = Valens. – SG; ST; Ho; S2; Mu; Ge; Re2; S3.

22. *Iulia v.*: Patronin von Korsika.

Vgl. FRUTAZ, in: LThK 5, Sp. 1195.
MartH; MartG; MartPh; MartAL; MartA; MartU; MartN. – In den verglichenen Kalendarien nicht belegt.

23. Desiderius ep. et m.[19]: Bischof von Vienne; wurde nach Auseinandersetzungen mit der Königin Brunhilde um 606/607 in St-Didier-sur-Chalaronne (Dép. Ain) getötet; Freund der kolumbanischen Mission. Der hl. Gallus soll Reliquien von ihm in seinem Oratorium aufbewahrt haben. Rasche Verbreitung des Kultes, auch nach der Reichenau und Einsiedeln.

Vgl. BAADER, in: LThK 3, Sp. 251; POULIN, in: LexMA 3, Sp. 727; MÜLLER, Disentis, S. 298; MÜLLER, Pfäfers, S. 100, 133, 137.
MartH: 25. Mai; MartG; MartPh; MartA; MartN. – SG; E1; E2; S1; Ho; E3; S2; Mü; S3; Mu; ST; Ge; E4; Re3.

---

[19] Auf den gleichen Tag fällt auch das Fest des hl. Desiderius, Bischofs von Langres, gest. 411; vgl. HENGGELER, Die mittelalterlichen Kalendarien von Einsiedeln, S. 52.

24. *Donatianus m.*: Laut der späten Passio zusammen mit seinem Bruder Rogatianus Martyrium unter Diokletian und Maximian (um 303/305) in Nantes.

Vgl. ALLEMANG, in: LThK 3, Sp. 504.
MartH; MartG; MartPh; MartF; MartA; MartU; MartHM; MartN. – SG; Ho; S2; S3.

24. *Ephrem ep.*

In keinem Vergleichstext belegt.

26. Augustinus ep.: Prior des Andreasklosters in Rom; von Gregor d.Gr. zur Bekehrung der Angelsachsen nach England gesandt; Erzbischof von Canterbury. Gest. 605 (?).

Vgl. BRECHTER, in: LThK 1, Sp. 1102; MEYVAERT, in: LexMA 1, Sp. 1229f.
MartH (Cod. Eptern., Excerpta); MartB; MartG; MartPh; MartA; MartU; MartHM; MartN. – SG; E1; e2; S1; ST; S2; Mu; Ge; Re3; Mü.

27. *Iulius m.*: Martyrium unter Diokletian wahrscheinlich in Durostorum.

Vgl. BAUS, in: LThK 5, Sp. 1206.
MartH; MartG; MartPh; MartF; MartA; MartU; MartN. – S2; S3.

28. Germanus conf.: Abt von St-Symphorien zu Autun. 555 Bischof von Paris. Gest. 576 in Paris. Förderer der Heiligenkulte besonders von Martin von·Tours, Hilarius von Poitiers, Symphorien von Autun, Marcellus von Paris. Seine eigene Verehrung setzte unmittelbar nach seinem Tode ein. Schutzpatron von Paris.

Vgl. RODENWYK, in: LThK 4, Sp. 756f.; POULIN, in: LexMA 4, Sp. 1346f.
MartH; MartB; MartG; MartPh; MartF; MartA; MartU; MartN. – SG; E2; S1; ST; Ho; S2; Mu; Ge; Re3; Mü; SP; S3.

28. *Johannes pp.*: Papst 523–526.

Vgl. SCHWAIGER, in: LThK 5, Sp. 986; SCHWAIGER, in: LexMA 5, Sp. 538.
MartB; MartA; MartU; MartHM; MartN. – S3.

29. Maximinus ep.: Bischof von Trier. Gest. 346. Im elsässischen Kloster Weissenburg um 1072 als Mitpatron der Abtskapelle bezeugt.

Vgl. KREUZ, in: LThK 7, Sp. 207f.; TÜCHLE, Dedicationes, S. 125.
MartH; MartB; MartG; MartPh; MartF; MartA; MartU; MartHM; MartN. – SG; E2; S1; ST; Ho, S2; Mu; Ge; Re3; We; Mü; SP; S3; EW.

30. *Felix pp.*: Papst. Gest. 273 (274?).

Vgl. Schwaiger, in: LThK 4, Sp. 67; Jounel, S. 241.
MartF; MartA; MartU; MartN. – SG; ST; S2; Mu; Ge; Re2; S3.

31. Marcellus et Exuperantius diac.

MartH (Cod. Eptern., Excerpta). – In den übrigen Vergleichstexten nicht belegt.

Juni

3. *Marcellus m.*

Vgl. Munding, Untersuchungen, S. 64 betr. Marcellus/Marcellinus.
MartH; MartG; MartPh; MartN. – SG: 2. Juni.

3. *Erasmus m.*: Gest. unter Diokletian. Seine Gebeine wurden 842 nach Gaeta überführt. Seine Verehrung ist um 900 auf der Reichenau bezeugt.

Vgl. Tüchle, Dedicationes, S. 103.
MartF; MartA; MartU; MartN. – S1; ST; Ho; S2; S3; SG: 2. Juni.

4. Cirinus m. (Quirinus): Bischof von Sissek (Jugoslawien); Martyrium 308/309 anlässlich der Diokletianischen Verfolgung.

Vgl. Oswald, in: LThK 8, Sp. 948.
MartH; MartG; MartPh; MartAL, MartF; MartA; MartU; MartN. – SG; S1, Ho; Re3; S3.

5. *Bonifatius ep.*: Angelsächsischer Mönch; Apostel Deutschlands; Gründer des Klosters Fulda; Erzbischof von Mainz. Gest. 754. Reliquien im Basler Münster[20].

Vgl. Iserloh, in: LThK 2, Sp. 591ff.; Semmler, in: LexMA 2, Sp. 417ff.; Müller, Pfäfers, S. 101.
MartB; MartAL; MartA; MartU; MartHM; MartN. – SG; S1; ST; Ho; S2; Mu; Ge; Re2; We; Mü; SP; S3; EW.

6. *Lucius m. et Saturninus ep.*

Lucius: MartH; MartG; MartPh; MartHM; MartN. Sarurnius: MartH; MartG, MartPh: alle 4. Juni; MartN: 5. Juni. – In den verglichenen Kalendarien nicht belegt.

---

[20] Vgl. oben Anm. 15.

7. *Fortunatianus.*

MartH; MartG; MartPh; MartN: alle Fortunatus. – Ho: Fortunatus.

7. *Lucianus m.*

MartH; MartG; MartPh; MartF; MartA; MartHM; MartN. – S3.

8. Medardus ep.: Von Remigius von Reims zum Bischof von Noyon konsekriert; weihte die Königin Radegundis zur Nonne. Nach seinem Tod um 560 wurde er von Chlothar I. vor Soissons (später Abtei St-Médard) begraben. Fränkischer Königsheiliger. Frühe Ausstrahlung seines Kultes; seit Anfang des 9. Jh. Verbrüderung zwischen St-Médard und der Reichenau.

Vgl. Böhne, in: LThK 7, Sp. 228f.; Krüger, in: LexMA 6, Sp. 443f.; Müller, Pfäfers, S. 101.
MartH; MartB; MartG; MartPh; MartA; MartU; MartHM; MartN. – SG; S1; ST; Ho; S2, Mu; Ge; Re2, We; Mü; S3.

9. Primus et Felicianus: Vgl. unten S. 142, 147.

9. Columba abb.: Ire; Gründer u.a. der Klöster Derry, Durrow, Kells und Hy. Gest. 597.

Vgl. Bieler, in: LThK 6, Sp. 403; Rollason, in LexMA 3, Sp. 63.
MartA; MartU; MartN. – SG; Re3.

10. Rogatus: Wahrscheinlich Mönch, der mit Liberatus und andern unter dem Vandalenkönig Hunerich 483 erschlagen wurde.

Vgl. 21. April; Zimmermann, in: LThK 6, Sp. 1012.
MartH; MartG; MartPh; MartHM. – Ho; S3.

11. Barnabas ap.: Mit Paulus im weiteren Sinn als Apostel bezeichnet.

Vgl. Kraft, in: LThK 1, Sp. 1255; Jounel, S. 244f.; unten S. 142.
MartH (Cod. Eptern.); MartB; MartF; MartA; MartU; MartHM; MartN. – SG; E1; E2; S1; ST; Ho; E3; S2; Mu; Ge; E4; Re2, We; Mü; SP; S3; EW.

12. Basilides, Cirinus, Nabor, Nazarius: Vgl. unten S. 142.

13. *Lucianus et Fortunatianus*

MartH; MartG; MartHM. – Ho.

14. Valerius, Rufinus: Martyrer in der Gegend von Soissons zur Zeit Maximians.

Vgl. GORDINI, in: LThK 9, Sp. 93.
MartH (Cod. Eptern., Rich.); MartG; MartPh; MartAL; MartF; MartA; MartU; MartHM. – SG; S1; ST; Ho; S2; Re3; S3.

15. Victus, Modestus et Crescentia: Vgl. unten S. 142.

16. Aureus et Iustina: Aureus, Bischof von Mainz, gest. 451, und seine Schwester.

MartHM. – SG; S1; ST; S2; Ge; Re2; SP; S3.

17. *Avitus pr.* Mönch und später Abt in Micy. Gest. um 527.

Vgl. FISCHER, in: LThK 1, Sp. 1154.
MartH; MartG; MartPh; MartA; MartU; MartHM. – Ho; S2; S3.

20. *Vitalis m.*

MartH; MartG; MartPh; MartF. – Ho.

20. *Paulus et Cyriacus.*

MartH; MartG; MartPh. – Ho: Paula.

21. Albanus m.: Aus Mainz. Patron des St. Albanklosters in Basel[21].

Vgl. BRÜCK, in: LThK 1, Sp. 269f.
MartH (Cod. Eptern., Excerpta); MartPh; MartHM, MartN. – SG; E1; E2; S1; ST; Ho; E3; S2; Mu; Ge; Mü; E4; Re3; We; SP; S3; EW.

22. Paulinus: Bischof von Nola. Gest. 431. Gründete am Grab des hl. Felix eine «fraternitas monacha».

Vgl. BÜRKE, in: LThK 8, Sp. 208f.; MÜLLER, Pfäfers, S. 124; JOUNEL, S. 247: 21. Juni.
MartH; MartG; MartPh; MartAL; MartF; MartA; MartU; MartHM, MartN. – SG; S1; Ho; S2; Mu; Ge; Re3; Mü; SP; S3; EW.

---

[21] Zu diesem im Jahre 1083 vom Basler Bischof Burkhard von Fenis gegründeten und zu Beginn des 12. Jh. Cluny unterstellten Klosters vgl. LADNER, Das St. Albankloster; GILOMEN, St. Alban in Basel, wo S. 147 auf den Patroziniumswechsel vom englischen Martyrer Albinus (22. Juni) zum Mainzer Heiligen (21. Juni) anlässlich der Gründung des Klosters an Stelle einer schon bestehenden Kirche eingegangen wird.

22. *Albinus m.*: Protomartyrer von England während einer römischen Verfolgung wohl um die Mitte des 3. Jh. Verehrung seit
428/429 belegt.

Vgl. Turck, in: LThK 1, Sp. 269; Bullough, 1, LexMA, Sp. 273.
MartH; MartB; MartG; MartPh; MartF; MartA; MartU; MartHM; MartN. – SG;
Mu; Mü.

25. *Sosipater.* Aus Beroia; Begleiter des Apostels Paulus auf der
dritten Missionsreise von Griechenland nach Jerusalem.

Vgl. Wikenhauser, in: LThK 9, Sp. 893.
MartA; MartU. – In den verglichenen Kalendarien nicht belegt.

27. *Septem germanorum*: Siebenschläfer (Septem dormientium) aus
Ephesus.

Vgl. Oswald, in: LThK 9, Sp. 737f.
MartH; MartHM; MartN. – ST; S2; Ge; Re3; Mü; S3.

27. *Chrispinus m.*

MartH; MartG und MartPh: Crispinianus. – In den verglichenen Kalendarien
nicht belegt.

Juli

1. *Gaius ep.*

MartH: Gagus; MartG: Gaia; MartN. – Mu.

1. *Aaron proph.*: Erster Hohepriester des Alten Bundes.
MartH; MartG; MartPh; MartA; MartU; MartHM; MartN. – SG.

2. Monegunda v.: Nach dem Tod ihrer Töchter Rekluse in Chartres,
dann in Tours, wo sie später ein Nonnenkloster leitete. Gest. um
570.

Vgl. Böhne, in: LThK 7, Sp. 549.
MartG; MartPh; MartA: 1. Juli; MartU; MartHM. – SG; Re3.

3. *Cyrillus ep.*: Von Alexandrien (?).

MartH. – In allen übrigen Vergleichstexten nicht belegt.

3. *Translatio s. Thome ap.*: Überführung des grössten Teils der Reliquien nach Edessa im 3. Jh.

Vgl. STAAB, in: LThK 10, Sp. 118f.
MartH; MartB; MartG; MartPh; MartF; MartA; MartU; MartHM. – SG; ST; S2; S3.

4. Udalricus ep.: Alemannischer Adliger, in St.Gallen ausgebildet; Bischof von Augsburg 923. Gest. 973. Starke Verbreitung des Kultes seit dem 11. Jh. im süddeutsch-schweizerisch-elsässischen Raum.

Vgl. ZOEPFL, in: LThK 10, Sp. 454ff.; TÜCHLE, Dedicationes, S. 140; MÜLLER, Pfäfers, S. 104f.
SG; E2; S1; E3; S2; Mu; Ge; E4; Re2; We; Mü; SP; S3; EW.

4. *Ordinatio s. Martini ep.*: Das Fest gehört in den Zusammenhang des Neubaus einer Martins-Basilika in Tours.

Vgl. FONTAINE, in: LThK 7, Sp. 118f.; NAHMER, in: LexMA 6, Sp. 344f.; MÜLLER, Disentis, S. 293; unten S. 156.
MartH; MartB; MartG; MartPh; MartF; MartA; MartU; MartHM. – SG; ST; Ge; Mü; S3.

6. *Goar conf.*: Aus Aquitanien; gründete unterhalb Oberwesel am Rhein eine nach ihm benannte Zelle. Gest. Mitte 6. Jh. Im süddeutschen Raum blieb sein Kult eher beschränkt.

Vgl. GRUNDHÖFER, in: LThK 4, Sp. 1032; TÜCHLE, Dedicationes, S. 111; MÜLLER, Pfäfers, S. 105.
MartH (Cod. Wissenburg.); MartU; MartHM; MartN. – ST; S2; E3; Mu; Ge; Mü; SP; S3; EW.

7. *Heraclius m.*: Aus Alexandrien.

MartH; MartG; MartPh; MartHM; MartN. – In den verglichenen Kalendarien nicht belegt.

8. *Kilian m.*: Irischer Wanderbischof; Apostel der Franken. Gest. in Würzburg um 689. Die Verbreitung des Kultes ist besonders nach der Auffindung seiner Gebeine 752 zu beobachten.

Vgl. WENDEHORST, in: LThK 6, Sp. 143f.; DERS., in: LexMA 5, Sp. 1136f.; TÜCHLE, Dedicationes, S. 1ı7; MÜLLER, Pfäfers, S. 105f.
MartU; MartHM; MartN. – SG; E1; E2; S1; ST; E3; S2; Mu; Ge; E4; Re2; We; Mü; SP; S3; EW.

9. *Anatholia v.*: Martyrerin. Gest. in der Gegend von Tora (Sabina) um 253.

Vgl. Frutaz, in: LThK 1, Sp. 497.
MartH; MartB; MartG: Anatulius; MartPh; MartA; MartHM; MartN. – In den verglichenen Kalendarien nicht belegt.

10. Septem Fratres: Vgl. unten S. 147.

11. Translatio s. Benedicti: Vgl. unten S. 147.

13. *Serapion m.*: Aus Alexandrien.
MartH; MartN. – S2; S3.

14. *Iustus et Amatus epp.*: Vgl. unten S. 113.
Iustus: MartH (Cod. Wissemburg.); MartG; MartPh; MartN. Amatus: MartH; MartG; MartPh; MartN: alle Amicus. – In den verglichenen Kalendarien nicht belegt.

15. *Margareta v.*: Jungfrau und Martyrerin in Antiochien. Keine historischen Nachrichten. Ihre Verehrung im alemannisch-elsässischen Raum ist seit dem 9. Jh. bezeugt. Ihr ist u.a. die Pfarrkirche in Binningen bei Basel (9.–11. Jh.) geweiht[22].
Vgl. Baus, in: LThK 7, Sp. 19; Wimmer, in: LexMA 6, Sp. 231f.; Tüchle, Dedicationes, S. 123; Müller, Pfäfers, S. 106f.; unten S. 143, 148.
MartA; MartHM; MartN: alle 13. Juli. – SG; E1; E2; S1; ST; E3; S2; Mu; Ge; E4; Re2; We; Mü; SP; S3, EW.

17. *Marcellus conf.*: Von Mailand.
MartH; MartB; MartPh; MartN. – In den verglichenen Kalendarien nicht belegt.

19. Christina v.: Wahrscheinlich identisch mit der Martyrerin von Bolsena, deren Fest auf den 24. Juli fällt.
Vgl. Frutaz, in: LThK 2, Sp. 1128; Tüchle, Dedicationes, S. 98f.; Jounel, S. 260: 24. Juli.
24. Juli: MartH; MartB; MartG; MartPh; MartAL; MartA; MartU; MartHM; MartN. – SG; 24. Juli: SG; S1; ST; S2; Mu; Ge; Mü; SP; S3; EW.

20. *Lucianus et Petrus m.*
MartH; MartHM. – In den verglichenen Kalendarien nicht belegt.

---

[22] Vgl. Heyer, Die Kunstdenkmäler des Kantons Basel-Landschaft 1, S. 214.

21. Praxedis v.: Aus Rom. Nach der legendarischen Vita ist sie die Schwester der Pudentiana (Potentiana). Vgl. 19. Mai.

Vgl. Böhne, in: LThK 8, Sp. 702; Jounel, S. 257f.
MartH (Cod. Eptern., Rich.); MartB; MartG; MartPh; MartA; MartU, MartHM; MartN. – SG; E1; E2; S1; ST; E3; S2; Mu; Ge; E4; Re2; Re3; We; Mü; SP; S3; EW.

21. *Arbogastus conf.*: Wohl aus fränkischem Adel; Bischof von Strassburg. Gest. 6. Jh. Patron des Bistums Strassburg. Eine ihm geweihte Kirche findet sich in Muttenz bei Basel[23]. Reliquien seit Mitte des 10. Jh. in der unterelsässischen Abtei Surburg und Einsiedeln.

Vgl. Burg, in: LThK 1, Sp. 821; Clauss, Die Heilgen des Elsass, S. 32ff.; Müller, Ein elsässisch-westschweizerisches Kalendar, S. 338.
In den verglichenen Martyrologien nicht belegt. – S1; ST; S2; Mu; Ge; Mü; S3; Ew.

22. *Maria Magdalena*: Eine der bei Christi Tod und Auferstehung anwesenden Frauen. Kult zunächst in Ephesos und Konstantinopel; seit dem 8. Jh. im Westen; Hochblüte in Vézelay seit 1037.

Vgl. Michl, in: LThK 7, Sp. 39f.; Saxer, in: LexMA 6, Sp. 282f.; Müller, Disentis, S. 88; Saxer, Le culte de Marie-Madeleine, S. 180; Jounel, S. 258; unten S. 143.
MartB; MartA; MartU; MartHM; MartN. – SG; E1; E2; ST; E3; S2; Mu; Ge; E4; Mü; SP; S3; EW.

23. Apollinaris m.: Vgl. unten S. 142.

24. *Christina v.*: Vgl. 19. Juli.

24. *Glodesinda v.*: Äbtissin eines Klosters in Metz. Gest. Anfang 7. Jh. Verehrung besonders in Metz und Trier. Die von Abt Johannes von Gorze (gest. 974) verfasste Vita dürfte von dessen Nachfolger Immo, der 1006–1008 Abt der Reichenau war, in das Bodenseekloster gebracht worden sein.

Vgl. Grundhöfer, in: LThK 4, Sp. 966; Tüchle, Dedicationes, S. 111.
In den verglichenen Martyrologien nicht belegt. – SG: 26. Juli; S1 und S3: 25. Juli.

25. Iacobus ap.: Vgl. oben S. 61, unten S. 142f.

---

[23] Vgl. Heyer, Die Kunstdenkmäler des Kantons Basel-Landschaft 1, S. 327.

25. Christophorus m.: Martyrer unbekannter Zeit und Herkunft. Verehrung seit der Spätantike; Verbreitung des Kultes in England und durch Cluny und die Reichenau seit dem 10./11. Jh.

Vgl. Kötting, in: LThK 2, Sp. 1167f.; Szövérffy, in: LexMA 2, Sp. 1938ff.; Tüchle, Dedicationes, S. 99; Müller, Pfäfers, S. 108; Jounel, S. 261f.; unten S. 143.
MartH; MartG; MartPh; MartAL; MartA; MartU; MartHM; MartN. – SG; E1; E2; S1; ST; S2; Mu; Ge; E4; Re2; Mü; SP; S3; EW.

26. *Iovianus et Iulianus m.*

MartH; MartG: Iovinianus, Iuliana; MartPh: Iuliana; MartHM, MartN. – In den verglichenen Kalendarien nicht belegt.

27. *Symeon mon.*: Wahrscheinlich der syrische Asket, der erste und berühmteste Stylit. Gest. 459.

Vgl. Ware, in: LThK 9, Sp. 1216.
MartH; MartB; MartF; MartA; MartU; MartHM; MartN. – SG; S3.

28. *Pantaleon m.*: Sichere Nachrichten fehlen. Martyrium wahrscheinlich um 305 in Nikomedien. Kult schon um die Mitte des 4. Jh. verbreitet. Wichtiges Kultzentrum wurde Köln, besondere Verehrung erlangte er im Raum Basel und St. Gallen.

Vgl. Oswald, in: LThK 8, Sp. 24f.; Wimmer, in: LexMA 6, Sp. 1658; Tüchle, Dedicationes, S. 129; Munding, Untersuchungen, S. 82; Jounel, S. 263.
MartG; MartPh. – SG; E1; E2; S1; ST; E3; S2; Mu; Ge; E4; Re2; Re3; We; Mü; SP; S3; EW.

29. Felix, Simplicius, Faustinus et Beatrix: Vgl. unten S. 143.

August

1. Septem Fratres Machabaeorum: Vgl. unten S. 142, 147.

3. Inventio s. Stephani: Vgl. unten S. 142.

4. Iustinus conf. (Iustus): Bischof von Lyon; hat resigniert und sich als Mönch in die Thebais zusrückgezogen. Gest. um 390 in Ägypten.

Vgl. Brouette, in: LThK 5, Sp. 1230; Munding, Untersuchungen, S. 85f.; Jounel, S. 267.
MartH; MartG; MartF; MartA; MartHM; MartN. – SG; S2; Re3; We; Mü; S3.

5. *Oswald rex*: König von Northumbrien; betrieb mit Hilfe des Bischofs Aidan die Christianisierung seines Landes; Mitbegründer des Klosters Lindisfarne. Gest. 642. Sein Kult wurde besonders von iroschottischen Mönchen verbreitet.

Vgl. Oswald, in: LThK 7, Sp. 1296; Tüchle, Dedicationes, S. 128f.
MartA; MartU. – SG; E1; E2; S2; Mu; Ge; E4; SP; S3.

7. Afra m.: Martyrerin, hingerichtet in Augsburg wohl 304 zur Zeit der Diokletianischen Verfolgung. Verehrung seit dem 8./9. Jh. bezeugt. Patronin von Augsburg. Der hl. Ulrich schenkte Reliquien von ihr nach Einsiedeln.

Vgl. Bigelmair, in LThK 1, Sp. 169f.; Zender, in LexMA 1, Sp. 196; Tüchle, Dedicationes, S. 88; Müller, Disentis, S. 275; Müller, Pfäfers, S. 109.
MartH; MartG; MartPh; MartN. – SG; E1; E2; S1; ST; E3; Ge; E4; Re2; Re3; We; Mü; SP; S3; EW.

7. *Donatus ep.*: Am selben Tag Feier von zwei gleichnamigen Heiligen: Donatus, Bischof und Patriarch von Arezzo aus dem 4.Jh., sowie Donatus, Bischof von Besançon (Ca. 625/626–660), von Columban in Luxeuil erzogen, Gründer des Klosters St-Paul in Besançon. Aus dem Eintrag im Kalendar lässt sich nicht entscheiden, um welchen der beiden es sich handelt[24].

Donatus von Arezzo: Vgl. Frutaz, in: LThK 3, Sp. 506f.; Baumeister, in: LexMA 3, Sp. 1236f.; Jounel, S. 270. – Donatus von Besançon: Vgl: Engelmann, in: LThK 3, 507; Heinzelmann, in: LexMA 3, 1237f.; unten S. 142.
Arezzo: MartH; MartB; MartF; MartA; MartU; MartHM; MartN. Ohne nähere Bezeichnung: MartG; MartPh. – SG; E1; S1; ST; Mu; Ge; Re3; S3; EW.

8. Secundus: Gest. zu Rom.

Vgl. Munding, Untersuchungen, S. 87f.
MartH; MartG; MartPh: alle Secundinus. – SG; ST; Re3.

9. *Romanus m.*: Martyrer in Rom; vom hl. Laurentius getauft.

Vgl. Böhne, in: LThK 9, Sp. 25; Jounel, S. 271.
MartH (Cod. Eptern.); MartB; MartA; MartU; MartHM; MartN. – SG; E1; E2; ST; E3; S2; Mu; Ge; E4; We; Mü; SP; S3; EW.

10. Laurentius: Vgl. unten S. 148.

---

[24] Nach Tüchle, Dedicationes, S. 102, hat St. Gallen Kenntnis vom hl. Donatus von Arezzo im 10. Jh. vielleicht über Moutier-Grandval erhalten; vgl. auch Munding, Das Verzeichnis der St. Galler Heiligenleben, S. 9, 113.

11. Susanna v.: Wahrscheinlich Martyrium zu Rom Ende des 3. Jh.

Vgl. AMORE, in LThK 9, Sp. 1196; JOUNEL, S. 272.
MartH; MartB; MartG; MartPh; MartF; MartA; MartA; MartU; MartMH; MartN. – SG; S1; ST; Mu; Ge; Re3; Mü; S3.

11. Radegundis regina: Frankenkönigin; Gründerin des Klosters Ste-Croix in Poitiers. Gest. 587. Reliquien sind im 10. Jh. auf der Reichenau bezeugt.

Vgl. WENDEHORST, in: LThK 8, Sp. 963; TÜCHLE, Dedicationes, S. 133.
MartG; MartPh. 13. Aug.: MartH; MartG; MartPh; MartA; MartU; MartHM; MartN. – In den verglichenen Kalendarien nicht belegt.

12. *Euplus diac.*: Martyrium in Catania 304.

Vgl. ZIMMERMANN, in: LThK 1, Sp. 901; HLAWITSCHKA, in: LexMA 1, Sp. 1018; unten S. 143, 148f.
MartU. – SG; S1; ST; S2; Mu; Ge; We; Mü; S3. 18. Juli: E1; E2; E3; E4.

13. Concordia: Römische Martyrerin.

Vgl. JOUNEL, S. 274.
MartB; MartF; MartA; MartU; MartHM; MartN. – SG; E1; S3.

16. *Arnulfus conf.*: Aus austrasischem Adel; Mitbegründer des Karolingerhauses; Bischof von Metz. Gest. um 640.

Vgl. ZIMMERMANN, in: LThK 1, Sp. 901; HLAWITSCHKA, in: LexMA 1, Sp. 1018; unten S. 143, 148f.
MartU. – SG; S1; ST; S2; Mu; Ge; We; Mü; S3. 18. Juli: E1; E2; E3; E4.

17. Mammes m.: Martyrer in Caesarea (Kappadozien). Im 9. bzw. 10. Jh. ist seine Verehrung auf der Reichenau bzw. in St. Gallen bezeugt. Reliquien gelangten um 1075 nach Langres.

Vgl. VOLK, in: LThK 6, Sp. 1339; TÜCHLE, Dedicationes, S. 122.
MartH; MartG; MartPh; MartAL; MartF; MartU; MartHM; MartN. – SG; Re2; S3.

17. Oct. s. Laurentii: Vgl. unten S. 142.

18. Helena: Mutter Kaiser Konstantins. Gest. 330. Reliquien im Basler Münster[25].

---

[25] Vgl. oben Anm. 15.

Vgl. Homeyer, in: LThK 5, Sp. 208f.; Klein-Sigal, in: LexMA 4, Sp. 2117f.; unten
S. 143, 149.
MartU. – Re3.

19. **Bertolfus abb.**: Mönch von Luxeuil; später Abt von Bobbio.
Gest. 640.
In den verglichenen Martyrologien nicht belegt. – SG.

19. **Magnus m.**: Vgl. unten S. 142, 150.

20. **Samuel proph.**
MartB; MartF; MartA; MartU; MartHM. – SG; ST; Ge; S3.

21. **Privatus m.**: Bischof der civitas Gabalorum (Mende, Dép.
Lozère); Martyrium um die Mitte des 3. oder Anfang des 4. Jh.
Vgl. Böhne, in: LThK 8, Sp. 775.
MartH; MartG; MartPh; MartAL; MartF; MartA; MartU; MartHM. – SG; S1; ST;
S2; Re3; We; Mü; S3.

22. **Timotheus**: Vgl. unten S. 150.

22. **Symphorianus**: Martyrer in Autun wahrscheinlich zur Zeit
Aurelians (270–275). Verbreitung des Kultes seit dem 6. Jh., Aus-
gangspunkt war das Kloster St. Symphorian in Metz.
Vgl. Gordini, in: LThK 9, Sp. 1219; Tüchle, Dedicationes, S. 140; Jounel,
S. 277f.; unten S. 20.
MartH; MartB; MartG; MartPh; MartAL; MartA; MartU; MartHM. – SG; E1; E2;
S1; ST; E3; S2; Mu; Ge; E4; We; Mü; SP; S3; EW.

24. **Bartholomaeus ap.**: Vgl. unten S. 142, 150.

25. *Geneseus m.*: Am selben Tag Feier von zwei gleichnamigen Heiligen: Genesius, Martyrium unter Diokletian in Arles, und Genesius, Martyrer in Rom. Reliquien kamen zu Beginn des 9. Jh. in das
Kloster Schienen am Bodensee und von dort um 830 auf die Reichenau.
Vgl. Baader, in: LThK 4, Sp. 671; Tüchle, Dedicationes, S. 110; Klüppel, Reichenauer Hagiographie, S. 18–25.
Arles: MartH, MartAL; MartA; MartU. Rom: MartG; MartPh; MartA, MartU;
MartHM. – SG; S1; ST; Mu; Ge; We; Mü; SP.

26. Alexander m.: Martyrer von Bergamo. Gest. um 287.
MartH; MartA, MartU. – SG; S1; ST; S2; Re3; Mü; S3.

26. *Habundius, Hereneus* (Abundius, Irenaeus): Aus Rom; Martyrium zur Zeit der Valerianischen Verfolgung. Das Haupt des Abundius, der zu den Gefährten des hl. Laurentius gehörte, soll Bischof Ulrich von Augsburg 947/948 in Rom erhalten haben.
Vgl. FRUTAZ, in: LThK 1, Sp. 102; TÜCHLE, Dedicationes, S. 87. MUNDING, Untersuchungen, S. 95.
MartB; MartG; MartPh; MartA; MartU; MartHM. – SG; S1; ST; S2; Mu; Ge; Re3; Mü; S3.

27. *Rufus m.*: Vgl. unten S. 142.

28. Augustinus ep.: Vgl. unten S. 142f., 150.

28. Iulianus: Martyrium in Brioude (Auvergne) um 304, wo ein bedeutendes Kultzentrum entstand.
Vgl. KÖTTING, in: LThK 5, Sp. 1196.
MartH; MartG; MartPh; MartAL; MartA; MartU; MartN. – SG; ST; EW.

28. Pelagius m.: Laut Passio Martyrum unter Numerianus um 283 in Istrien. Bischof Salomon III. brachte 904 seinen Leib nach Konstanz. Sein Kult verbreitete sich seit dem 10. Jh. im alemannischen Gebiet.
Vgl. TÜCHLE, in: LThK 8, Sp. 250f.; TÜCHLE, Dedicationes, S. 130f.; unten S. 142, 143, 151.
MartN. – SG; E1; E2; S1; ST; E3; S2; Mu; Ge; E4; Re2; Re3; SP; S3; EW.

29. Decollatio s. Iohannis Bapt.: Vgl. unten S. 142, 151.

31. Paulus ep. (Paulinus): Bischof von Trier; von Konstantius II. verbannt. Gest. 358 in Phrygien.
Vgl. RIES, in: LThK 8, Sp. 210; MUNDING, Untersuchungen, S. 98; JOUNEL, S. 283f.
MartH; MartG; MartPh; MartAL, MartF; MartA; MartU; MartHM; MartN: – SG; S1; ST; S2; Mu; Ge; Re3; Mü; S3.

31. Ferrucius, Ferreolus: Martyrer; als Missionare der Sequaner zu Beginn des 5. Jh. in Besançon hingerichtet; Patrone u.a. von Saint Ferjeux bei Besançon und Damphreux bei Porrentruy.

Vgl. CLAUSS, Die Heiligen des Elsass, S. 63f., ohne Erwähnung des Festtages am 31. August.
5. Sept.: MartH; MartG; MartPh; MartHM. – Re3: 5. Sept.

September

1. Verena v.: Legendäre Zugehörigkeit zur Thebaischen Legion; Kultzentrum in Zurzach. Ihr Kult verbreitet sich vor allem im 10. Jh.

Vgl. HEER, in: LThK 10, Sp. 693; TÜCHLE, Dedicationes, S. 142f.; REINLE, Die heilige Verena von Zurzach, bes. S. 71–94; MÜLLER, Pfäfers, S. 111; KLÜPPEL, Reichenauer Hagiographie, S. 60–81; MARCHAL, in: HS III/1,1, S. 352f.
MartH (Cod. Eptern., Excerpta); MartN. – SG; E1; Re3; ST; S2; Mu; Ge; SP; S3; EW.

1. Petrus ep. et m.

Vgl. MUNDING, Untersuchungen, S. 99.
MartH (Cod. Eptern., Excerpta); MartG; MartPh. – SG; S2; Re3; S3.

5. Quintinus ep. (Quintus): Martyrer von Capua.

Vgl. MUNDING, Untersuchungen, S. 102.
MartH; MartG; MartPh; MartF; MartA; MartU; MartHM; MartN. – SG; ST; Mu; Re3; S3.

6. Magnus conf.: Wahrscheinlich Rätoromane; Mönch in St.Gallen; Missionierung des Allgäu; Gründer des Klosters Füssen. Gest. um 772. Sein Kult verbreitet sich im 10. und besonders im 11. Jh.

Vgl. ZOEPFL, in: LThK 6, Sp. 1286; FRIED, in: LexMA 6, Sp. 96f.; TÜCHLE, Dedicationes, S. 121; MÜLLER, Disentis, S. 289.
MartH (Cod. Eptern., Excerpta); MartN. – SG; E1; E2; ST; E3; S2; Mu; Ge; E4; Re2; We; SP; S3; EW.

8. Nativitas s. Mariae: Vgl. unten S. 152.

8. Adrianus m.: Vgl. unten S. 142, 152.

9. Gorgonius m.: Vgl. unten S. 142, 152.

11. Felix et Regula: Geschwister, die zur Thebaischen Legion gehörten und zur Zeit Maximians in Zürich hingerichtet wurden.

Verbreitung des Kultes vor allem seit der Gründung des Fraumünsters in Zürich 853.

Vgl. BONER, in: LThK 4, Sp. 72; TÜCHLE, Dedicationes, S. 107; MÜLLER, Pfäfers, S. 112.
MartH (Cod. Eptern., Excerpta); MartG; MartPh; MartN. – SG; Re1; E1; E2; ST; E3; S2; Mu; Ge; E4; Re2; Re3; SP; S3; EW.

14. Exaltatio s. Crucis: Vgl. unten S. 152.

14. Cornelius et Cyprianus: Vgl. unten S. 152.

16. Euphemia: Vgl. unten S. 145f., 152.

21 Matthaeus ap.: Vgl. unten S. 142.

22. Mauritius et socii: Führer der Thebaischen Legion. Martyrium gegen Ende des 3. Jh. bei Agaunum (St-Maurice im Wallis). Rasche Ausbreitung des Kultes. Reliquien im Basler Münster[26].

Vgl. HERGOTT, in: LThK 7, Sp. 195; KRÜGER, in: LexMA 6, Sp. 411; TÜCHLE, Dedicationes, S. 124f.; JOUNEL, S. 290; unten S. 142, 152f.
MartH; MartB; MartG; MartPh; MartF; MartA; MartU; MartHM; MartN. – SG; Re1; E1; E2; E3; S2; Mu; Ge; E4; R2; R3; We; Mü; SP; S3; EW.

22. Hemmerammus (Emmeram): Nach Arbeo von Freising Bischof von Poitiers; Missionstätigkeit in Regensburg. Martyrium Anfang des 8. Jh.

Vgl. BAUERREISS, in: LThK 3, Sp. 850; STOLZ, in: LexMA 3, Sp. 1888f.; unten S. 110.
MartA; MartU; MartHM. – SG; E1; E2; E3; S2; Mu; Ge; E4; Re2; We; SP; S3; EW.

30. Hieronymus pr.: Vgl. unten S. 142, 153.

Oktober

1. Remigius conf.: Bischof von Reims; als solcher hat er 498/499 Chlodwig I. getauft. Gest. 533 (?). Ausbreitung des Kultes seit dem 9. Jh., verstärkt durch die Erhebung seiner Gebeine 1049 durch Leo IX.

---

[26] Vgl. oben Anm. 15.

Vgl. BROUETTE, in: LThK 8, Sp. 1226f.; TÜCHLE, Dedicationes, S. 134; JOUNEL, S. 295; unten S. 142, 153f.
MartH; MartB; MartG; MartPh; MartF; MartA; MartU; MartHM; MartN. – SG; Re1; E1; E2; ST; E3; S2; Mu; Ge; E4; Re2; We; SP; S3; EW.

2. **Leodegarius ep. et m.**: Archidiakon von Poitiers; Abt von St-Maixent in Poitiers; Bischof von Autun; nach Luxeuil verbannt. Enthauptet 677 (?). Patron von Murbach, von wo aus Reliquien u.a. nach Luzern, Pfäfers, Einsiedeln und Schaffhausen gelangten. Mitpatron der Kirche in Schönenwerd (Kt. Solothurn)[27].

Vgl. CAMBELL, in: LThK 6, Sp. 958; POULIN, in: LexMA 5, Sp. 1883; CLAUSS, Die Heiligen des Elsass, S. 163–166; TÜCHLE, Dedicationes, S. 119; MÜLLER, Disentis, S. 295; MÜLLER, Pfäfers, S. 115.
MartH (Cod. Eptern., Excerpta); MartG: 3. Okt.; MartPh: 3. Okt.; MartA; MartU; MartHM; MartN. – SG; E1; E2; ST; E3; S2; Mu; E4; Re3; We; Ge; SP; S3; EW.

3. **+Fides**: Vgl. unten S. 154.

7. **Sergius et Bacchus**: Martyrer des 3. Jh. Reliquien kamen im 9. Jh. von Rom in die Abtei Weissenburg. Förderung des Kultes vor allem durch die Reformbewegungen von Cluny und Gorze.

Vgl. TÜCHLE, Dedicationes, S. 135; MÜLLER, Ein elsässisch-westschweizerisches Kalendar, S. 349; JOUNEL, S. 296
MartH; MartAL; MartF; MartA; MartU; MartHM; MartN. – SG; Re1; E1; ST; S2; E4; Re2; Ge; SP; S3; EW.

9. **Dionysius, Rusticus et Eleutherius**: Vgl. unten S. 142, 155.

16. **Gallus**: Begleiter des hl. Columban; Missionstätigkeit am Bodensee; Einsiedler an der oberen Steinach. Gest. um 650 in Arbon.

Vgl. KILGER, in: LThK 4, Sp. 507f.; ZOTZ, in: LexMA 4, Sp. 1098; GOUGAUD, S. 114–119; DUFT, in: HS III/1,2, S. 1186.
MartH (Cod. Eptern., Rich.); MartHM; MartN. – SG; Re1; E1; ST; S2; Mu; Ge; Re2; Re3; We; SP; S3; EW.

18. **Lucas ev.**: Vgl. unten S. 142, 155.

---

[27] Vgl. ARNOLD, St. Leodegar in Schönenwerd, in: HS II/2, S. 462.

19. Ianuarius et socii eius: Martyrer zur Zeit der Diokletianischen Verfolgung. 853 erhielt die Reichenau Reliquien. Liturgische Verehrung in St. Gallen seit dem 10. Jh.

Vgl. FRUTAZ, in: LThK 5, Sp. 872f. (19. Sept.); TÜCHLE, Dedicationes, S. 115; MUNDING, Untersuchungen, S. 123; MÜLLER, Pfäfers, S. 116; KLÜPPEL, Reichenauer Hagiographie, S. 57–59.
MartH; MartG; MartPh. – Sg; Re1; E1; E2; E3; S2; Mu; Ge; E4; Re2; Re3; SP; S3; EW.

23. Oct. s. Galli.
SG.

25. Crispinus et Crispinianus: Römischer Herkunft; Martyrium zur Zeit Diokletians in Soissons. Verehrung in St. Gallen seit dem 9./10. Jh.

Vgl. KÖTTING, in: LThK 3, Sp. 96; KÖTTING, in: LexMA 3, Sp. 347f.; MUNDING, Untersuchungen, S. 126.
MartH; MartG; MartPh; MartAL; MartA; MartHM; Martn. – SG; E1; E2; ST; E3; S2; Mu; Ge; E4; Re2; We; SP; S3; EW.

27. Vig. ap. Simonis et Iudae: Vgl. unten S. 142.

31. Vig. Omnium sanctorum: Vgl. unten S. 142, 155.

31. Quintinus: Glaubensbote in der Gegend von Amiens; unter Maximian in Augusta Veromandorum (später St-Quentin) enthauptet.

Vgl. GORDINI, in: LThK 8, Sp. 945; TÜCHLE, Dedicationes, S. 133; JOUNEL, S. 301.
MartH; MartB; MartG; MartPh; MartA; MartU; MartHM. – SG; E1; E2; ST; S2; Mu; Ge; E4; Re3; SP; S3; EW.

November

1. Omnes Sancti: Vgl. unten S. 142, 155.

3. Pirminus ep.: Aquitanische oder spanische Herkunft unsicher; als Klosterbischof Wirkungsfeld am Oberrhein; Gründung der Klöster Reichenau, Murbach, Hornbach, Mitwirkung bei Gengenbach u.a. Gest. in Hornbach 753. Liturgische Verehrung seit dem 9. Jh.

Vgl. ENGELMANN, in: LThK 8, Sp. 517f.; CLAUSS, Die Heiligen des Elsass, S. 169; MÜLLER, Disentis, S. 298; MÜLLER, Pfäfers, S. 129.
MartH; MartG; MartPh; MartHM. – SG; Re1; E1; E2; ST; E3; S2; Mu; E4; Re2; Re3; We;Ge; Mü; SP; S3; EW.

10. Mennas: Vgl. unten S. 156.

11. Nov.: MartB; MartG; MartPh; MartF; MartA; MartU; MartHM. – SG; Re2.
11. Nov.: SG; E1; E2; ST; E3; S2; Mu; Ge; E4; Re3; Mü; SP; S3; EW.

11. Martinus: Vgl. unten S. 156.

13. Brictius conf.: Nachfolger des hl. Martin als Bischof von Tours (397–444).

Vgl. BÖHNE, in: LThK 2, Sp. 685; JOUNEL, S. 310.
MartH; MartB; MartG; MartPh; MartF; MartA; MartU; MartHM. – SG; ST; S2; Mu; Ge; Re2; Re3; We; Mü; SP; S3; EW.

16. Otmarus abb.: Alemanne, der nach seiner Ausbildung in Chur nach St.Gallen zur Einführung des regulären Klosterlebens, später nach der Benediktinerregel, berufen wurde. Verbreitung des Kultes seit der zweiten Hälfte des 9. Jh.

Vgl. HEER, in: LThK 7, Sp. 1299f; MÜLLER, Disentis, S. 288; DUFT, in: HS III/1,2, S. 1188ff.; unten S. 143, 156.
MartH (Cod. Eptern., Excerpta); MartHM (Add.). – SG; E1;ST; S2; Mu; Ge; Re2; We; Mü; Ge; SP; S3; EW.

17. Anianus: Bischof von Orléans im 5. Jh. Er soll einen wesentlichen Anteil an der Errettung der Stadt vor Attila (451) gehabt haben. Verehrung zusammen mit Augustinus (vgl. unten Augustinus) im elsässisch-alemannischen Raum seit dem 9. Jh.[28]

Vgl. EWIG, in LThK 1, Sp. 561f.; POULIN, in LexMA 1, Sp. 644; MÜLLER, Disentis, S. 280; MÜLLER, Pfäfers, S. 131.
MartH; MartB; MartG; MartPh; MartA; MartU; MartHM: – SG; E1; E2; ST; E3; S2; Mu; E4; Ge; Re3; Mü.

17. Augustinus ep.: Bischof von Capua. Gest. um 250. Er soll durch sein Gebet Orléans befreit haben; vgl. oben Anianus.

MartH; MartG; MartPh; MartHM: 16. Nov. – SG; E1; E2.

---

[28] MÜLLER, Disentis, S. 280: «Die Verehrung des hl. Anianus ... ist nur durch das Trierer Junggelasianum 8./9. Jh. belegt, indes durch Kalendarien des 9. und 10. Jh. gut bezeugt».

22. Caecilia v.: Historisch ungesicherte Martyrerin. Sie ist in die gregorianischen und gelasianischen Sakramentare aufgenommen worden. Ihr Kult im elsässisch-alemannischen Raum wurde durch die Übertragung von Reliquien nach dem elsässischen Frauenkloster Erstein um 850 gefördert. Reliquien im Basler Münster[29].

Vgl. Kötting, in: LThK 2, Sp. 866f.; Saxer, in: LexMA 2, Sp. 1343f.; Tüchle, Dedicationes, S. 96; Jounel, S. 313f.; unten S. 143, 157.

29. Vig. s. Andreae: Vgl. unten S. 157.

29. Saturninus: Vgl. unten S. 157.

30. Andreas ap.: Vgl. unten S. 157.

Dezember

3. Vig. s. Barbarae.
In keinem Vergleichstext belegt.

3. Lucius conf.: Aus Churrätien; Missionstätigkeit in der Umgebung von Chur im 5./6. Jh., von wo aus sich sein Kult schnell verbreitet hat.
Vgl. Müller, in: LThK 6, Sp. 1177; Müller, Pfäfers, S. 120.
In den verglichenen Martyrologien nicht belegt. – SG; E1; E2; ST; E3; Mu; E4; Re3; S3.

4. Barbara v.: Historisch ungesichert; ihr Martyrertod wird üblicherweise um 306 in Nikomedien angesetzt. Ihr Kult hat sich nach der Reliquientranslation nach Venedig um 1000 verbreitet.
Vgl. Gross, in: LThK 1, Sp. 1235; Jounel, S. 319.
MartG; MartPh; MartHM. – SG; E3; S2; Mu; Ge; Re2; We; Mü.

6. Nicolaus ep.: Bischof von Myra, wahrscheinlich erste Hälfte 4. Jh. Sein Kult wurde vor allem durch Kaiser Ottos II. Gattin Theophanu gefördert; weitere Verbreitung hat seine Verehrung nach der Übertragung seiner Gebeine nach Bari 1087 erfahren[30].

---

[29] Vgl. oben Anm. 15.
[30] Hingewiesen sei auf die Weihen von Niklauskapellen in Eichstetten bei Emmendingen (Bad.-Württ.) um 1057–1072, in Altenburg bei Reutlingen um

Vgl. MÜLLER, Disentis, S. 85; MÜLLER, Pfäfers, S. 120; JOUNEL, 320f.; unten S. 157f.

MartF; MartA; MArtU; MartHM. – SG; ST; E3; S2; Mu; Ge; Re2; We; Mü; SP; S3; EW.

7. Oct. s. Andreae ap.: Vgl. unten S. 142, 158.

11. Damasus pp.: Vgl. unten S. 142.

12. Walericus ep.

Bei GROTEFEND, Zeitrechnung 2, S. 179 als Abt und Confessor bezeichnet; Utrecht, Amiens, Arras, Noyon; vgl. MartA und MartU.

MartA; MartU. – Mü.

13. Otilia v.: Tochter des elsässischen Herzogs Attich, mit dem zusammen sie auf der Hohenburg um 680 das Kloster Odilienberg gründete; später Gründung von Niedermünster. Ihre Verehrung hat spätestens im 9. Jh. eingesetzt.

Vgl. BIELER, in: LThK 7, Sp. 1096; CLAUSS, Die Heiligen des Elsass, S. 100–106; TÜCHLE, Dedicationes, S. 128.

In den verglichenen Martyrologien nicht belegt. – SG; ST; E3; S2; Mu; Ge; Re2; S3.

21. Thomas ap.: Vgl. unten S. 142.

Allein schon die Tatsache, dass ein zweiter Schreiber den ursprünglichen Festkalender für die Monate Januar bis und mit August nicht unwesentlich bereichert hat, lässt ein markantes hagiographisches Interesse erkennen, das bei der Herstellung des Codex vorhanden gewesen sein muss. Dabei können aus der vorstehenden Übersicht deutliche Hinweise auf die Interessensrichtung vor allem mittels der aussergelasianischen Heiligenfeste gewonnen werden.

1065–1075 und in St. Blasien um 1092; schon 973 hat Bischof Ulrich von Augsburg die Kirche von Kempten den Heiligen Erasmus und Niklaus geweiht; vgl. TÜCHLE, Dedicationes, S. 21 (Nr. 36, 37), 24 (Nr. 47), 12 (Nr. 11), 127. – Die St. Nikolaus-Kapelle im Kreuzgang des Basler Münsters dagegen ist quellenmässig erst seit dem 13. Jh. belegt, vgl. HIERONIMUS, Das Hochstift Basel, S. 437f.; die 1219 erneuerte ältere St. Brandankapelle (bei der heutigen Einmündung der Spiegelgasse in den Blumenrain) ist damals auch dem hl. Nikolaus geweiht worden, vgl. BAER, Die Kunstdenkmäler des Kantons Basel-Stadt 3, S. 283f.; in Kleinbasel ist 1255 bei der Rheinbrücke eine St. Niklauskapelle errichtet worden, vgl. MAURER, Die Kunstdenkmäler des Kantons Basel-Stadt 4, S. 373–377; vgl. auch oben Anm. 9.

Als erstes fällt das monastische Element auf: Abgesehen von den Vätern des Mönchtums Pachomius (14. Mai) und Benedikt (21. März) sowie einer Reihe von Einsiedlern[31] oder Mönchen und Nonnen[32], sind als Heilige verehrte Männer und Frauen aufgeführt, die Klöster gegründet oder als Äbte bzw. Äbtissinnen gewirkt haben. Unter ihnen finden sich die mit dem Kolumbankloster Luxeuil in Verbindung stehende Attala (10. März), Bertolf (19. August) – beide später Äbte in Bobbio – sowie Waltpert (2. Mai) oder die beiden aus dem Andreaskloster in Rom stammenden Augustinus (26. Mai) und Mellitus (24. April), die von Gregor d.Gr. nach England zur Bekehrung der Angelsachsen geschickt wurden und als Erzbischöfe von Canterbury gestorben sind. Zu dieser insularen Gruppe von Heiligen gehören auch der Apostel Irlands Patricius (17. März), der grosse irische Klostergründer Columba von Iona (9. Juni), König Oswald (5. August), welcher bei der Klostergründung von Lindisfarne mitgewirkt hat, der spätere Bischof von Lindisfarne Cuthbert (20. März), Brigida (1. Februar) und der als Apostel Deutschlands bekannt gewordene angelsächsische Mönch Bonifatius (5. Juni).

Ebenfalls aus dem monastischen Bereich sind zu nennen Adelgund (30. Januar), Gangulf (13. Mai), Avitus (17. Juni), Monegunda (2. Juli), Glodeslinda (24. Juli), Radegunda (11. August) und der in Murbach als Patron verehrte Bischof Leodegar von Autun (2. Oktober), deren Wirkungsstätten in Frankreich (Maubeuge, Langres, Micy, Chartres, Metz, Poitiers, Autun) zu suchen sind. Besonders hinzuweisen ist auf den Klostergründer und späteren Bischof von Regensburg Erhard (7. Januar), auf Walburga (1. Mai), Odilia (13. Dezember), Gallus (16. November), Otmar (16. November) Magnus (6. September) und Pirmin (3. November), die alle in den elsässischen, schweizerischen und süddeutschen Raum gehören. Diesen letztgenannten sind aus dem nichtmonastischen Kreis König Sigismund (1. Mai), der Strassburger Bischof Arbogast (21. Juli), der Augsburger Bischof Ulrich (4. Juli) und die hl. Verena (1. September) beizufügen[33].

---

[31] Paulus erem. (10. Jan.); Macharius (8. April); Maria aegyptiaca (9. April); Goar (6. Juli); Symeon Stylites d. Ä. (27. Juli).

[32] Anastasius (22. Jan.); Scholastica (10. Febr.); Albinus (1. März); Maximus (21. April); Rogatus (10. Juni).

[33] Weiter sind dazu zu zählen: Adalbertus m. (23. April); Bonifatius ep.(5. Juni); *Goar conf.* (6. Juli); *Kilian m.* (8. Juli); *Arnulfus conf.* (16. Aug.); Emmeram (22. Sept.); Walericus ep.(12. Dez.); siehe dazu oben unter den angegebenen Daten.

Auffällig ist zum andern, dass trotz dem offenkundigen Interesse an Heiligen aus dem Elsass im Kalender des Missale Basileense die Namen des Maternus, des Amandus und der Attala fehlen[34]. Maternus (14. September) missionierte zusammen mit Eucharius und Valens (29. Januar) um die Wende vom 3. zum 4. Jahrhundert das Elsass und den Niederrhein bis Köln, wo er als Bischof erscheint[35]; Amandus (26. Oktober), der in der ersten Hälfte des 4. Jahrhunderts lebte, gilt als erster Bischof von Strassburg[36]; die hl. Attala (3., 5. Dezember) schliesslich, die Nichte der Odilia, leitete während vielen Jahren bis zu ihrem Tode im Jahre 741 das Frauenkloster St. Stephan in Strassburg[37]. Ebenfalls nicht aufgenommen worden sind in das Kalender des Missale Basileense folgende in diesem Zusammenhang besonders erwähnenswerte Heilige[38]: Germanus von Auxerre (31. Juli)[39]; Amatus (13. September), der Gründer und erste Abt von Remiremont in den Vogesen[40]; Kolumban (21. November), der Gründer u.a. der Klöster Luxeuil und Bobbio[41], zu dessen Gefährten Gallus gehörte; Germanus und Randoaldus (21.

---

[34] Da ihre Feste in die zweite Jahreshälfte fallen, die vom zweiten Schreiber nicht mehr ergänzt worden ist, könnte möglicherweise ihr Fehlen aus diesem äusseren Umstand erklärt werden.

[35] Deshalb auch «Apostel des Elsass» genannt, CLAUSS, Die Heiligen des Elsass, S. 91; vgl. oben 29. Jan.: Valerius; TÜCHLE, Dedicationes, S. 124, wo jedoch von einem Bischof von Mailand bzw. von Köln die Rede ist; dazu auch MUNDING, Untersuchungen, S. 80; FRANZEN, in: LThK 7, Sp. 165f.

[36] Vgl. CLAUSS, Die Heiligen des Elsass, S. 30; TÜCHLE, Dedicationes, S. 124; BURG, in: LThK 1, Sp. 417. Zum gleichnamigen Bischof von Worms vgl. PRINZ, in: LexMA 1, Sp. 510.

[37] Vgl. CLAUSS, Die Heiligen des Elsass, S. 37; BURG, in: LThK 1, Sp. 1015.

[38] Im Kalender des Missale Basileense kommen u.a. ebenfalls nicht vor: Nabor und Felix (12. Juli); Aurelius, Mitpatron von Hirsau (13. Sept.); Nicomedes (15. Sept.); Lambert, Bischof von Maastricht (17. Sept./31. Mai); Adalbert, Gründer der Klöster Honau und St. Stephan in Strassburg.

[39] Seit 418 Bischof von Auxerre. Gest. 448. Er ist einer der Begründer des gallischen Mönchtums und gilt als einer der am meisten verehrten Heiligen des Frankenreichs. Seine Reliquien wurden 859 erhoben. Vgl. KÖTTING, in: LThK 4, Sp. 755f.; LexMA 4, 1345f.; TÜCHLE, Dedicationes, S. 110f.

[40] Zunächst Mönch in St-Maurice und später in Luxeuil; um 620 hat er zusammen mit Romarich das Doppelkloster Remiremont gegründet. Gest. nach 628. Vgl. EWIG, in: LThK 1, Sp. 429f.; TÜCHLE, Dedicationes, S. 91.

[41] Vgl. HAUPT, in LexMA, Sp. 65–67; CLAUSS, Die Heiligen des Elsass, S. 149; GOUDAUD, S. 51–62, TÜCHLE, Dedicationes, S. 99.

Februar) aus dem Kloster Moutier-Grandval[42]; Ursicinus (24. Juli)[43]; Himerius (12. November)[44]; Ursus und Victor (30. September)[45] sowie Fintan (15. November)[46]. Das Nichtvorhandensein von Heiligen im Kalendar kann aber auch mit einer erst verhältnismässig späten Verbreitung ihres Kultes zusammenhängen; zu solchen Heiligen gehören etwa der Schüler Benedikts, Maurus (15. Januar)[47], der ägyptische Mönchsvater Antonius (17. Januar)[48] oder Meinrad (21. Januar)[49], Fridolin (6. März)[50], Wiborada (2. Mai)[51] und Bischof

---

[42] Vgl. oben S. 42; Tüchle, Dedicationes, S. 110f.

[43] Einsiedler des 6. Jh. beim späteren Städtchen St-Ursanne (Kt. Jura), wo nach seinem Tode ein kleines Kloster entstand (Wildermann, in: HS III/1,1, S. 321–323; Zaeslin, in: HS II/2, S. 442f.). Der Ursicinus-Kult ist seit dem 8. Jh. bezeugt, doch ganz lokal begrenzt. Vgl. Chèvre, in: LThK 10, Sp. 570f.

[44] Er hat im 7. Jh. das Suze-Tal missioniert; über seinem Grab entstand eine cella (später St-Imier, Kt. Bern), die von Karl III. 884 an Moutier-Grandval übertragen wurde. Vgl. Heer, in: LThK 5, Sp. 351.

[45] Wahrscheinlich Angehörige der Thebaischen Legion; sie erlitten um 302 in Solothurn das Martyrium; über der Kultstätte entwickelte sich das St. Ursus-Stift (Arnold, in: HS II/2, S. 493). Reliquien von Ursus und Victor gelangten um 500 auch nach Genf. Vgl. Jeker, in: LThK 10, Sp. 578f.; Tüchle, Dedicationes, S. 141.

[46] Irischer Einsiedler beim Kloster Rheinau (Kt. Zürich). Gest. 878. Sein Kult blieb lokal begrenzt. Vgl. Hennig, in: LThK 4, Sp. 137f.; Gougaud, S. 95f.; Tüchle, Dedicationes, S. 108.

[47] Wahrscheinlich Nachfolger Benedikts als Abt von Subiaco, 6. Jh. Vgl. Bauerreiss, in: LThK 7, Sp. 198f.; Dell'Omo, in: LexMA 6, Sp. 416; Munding, Untersuchungen, S. 20; Müller, Pfäfers, S. 136; Jounel, S. 214.

[48] Gest. Mitte 4. Jh. Vgl. Klaus, in: LThK 1, Sp. 667ff.; Frank, LexMA 1, Sp. 713f.; Jounel, S. 214f.

[49] Mönch im Kloster Reichenau, später Einsiedler auf dem Etzelpass, wo er 861 erschlagen wurde (später Kloster Einsiedeln); Bestattung auf der Reichenau. Übertragung der Gebeine 1039 nach Einsiedeln, von wo aus dann der eigentliche Kult ausging. Vgl. Tschudi, in: LThK 7, Sp. 242; Tüchle, Dedicationes, S. 125f.

[50] Irischer Missionar (umstrittene Lebenszeit: zwischen 500 und Mitte 7. Jh.), der über Poitiers, Strassburg, Konstanz und Chur schliesslich auf einer heute abgegangenen Rheininsel bei Säckingen ein Kloster gründete. Vgl. Hennig, in: LThK 4, Sp. 366; Goudaud, S. 104–107; Tüchle, Dedicationes, S. 108; Schnyder, in: HS III/1,1, S. 324.

[51] Die 926 gestorbene Rekluse bei St. Gallen wurde um 1047 durch Clemens II. heiliggesprochen. Vgl. Duft, in: LThK 10, Sp. 1088f.; Tüchle, Dedicationes, S. 145.

Wolfgang von Regensburg (31. Oktober)[52], deren Kult sich kaum vor der Mitte des 11. Jahrhunderts ausgebreitet hat[53].

Auch eine genauere Lokalisierung der Entstehung dieses Festkalenders innerhalb des angesprochenen Raumes ist vorerst nicht möglich. Wenn seine Verwandtschaft mit dem Kalender aus dem elsässischen Kloster Honau auch grösser ist als mit dem von Munding vorgelegten Material aus St. Gallen, so ist doch keine völlige Übereinstimmung zu erkennen[54]. Selbst weder die mit Vigil oder Oktav ausgestatten noch mit roter Tinte hervorgehobenen Feste bieten diesbezüglich Hilfe: Rot geschrieben sind einzig das Gedächtnis der «Eductio Christi de Aegypto» (11. Januar), des «Ingressus Noae in archam» (27. April) sowie der «Ascensio domini» (5. Mai)[55].

---

[52] Er erhielt seine Ausbildung auf der Reichenau, trat später in das Kloster Einsiedeln ein und wurde 972 Bischof von Regensburg. Gest. 994. Leo IX. hat 1052 seine Gebeine in St. Emmeram erhoben; danach rasche Verbreitung des Kultes. Vgl. KELLER, in: LThK 10, Sp. 1214f.; TÜCHLE, Dedicationes, S. 146.

[53] Zu dem im Kalender ebenfalls nicht verzeichneten Fest Allerseelen (Omnium defunctorum) vgl. unten S. 156.

[54] Heiligenfeste, die im Kalender des Missale Basileense sowie teilweise in dem des Klosters Honau (Ho, bis 27. Juni) vorkommen, jedoch im Material von St. Gallen fehlen: Januar: 7. *Erhard conf.* (Ho); 8. *Anastasius et Maximianus m.* 9. *Epictetus, Iocundus* (Ho); 12. *Zoticus m.* (Ho), *Cyriacus* (Ho); 17. *Sulpicius ep.* (Ho). – Februar: 11. *Desiderius ep.* (Ho); 12. *Damianus m.* (Ho); 17. Pimenius (Ho: 24. Febr.); 18. *Chrisantus*; 19. *Publius conf.* (Ho); 25. Alexander ep. (Ho: 26. Februar); 27. Leander ep. – März: 2. *Lucius ep.*; 3. *Fortunatus ep.* (Ho: 2. März); 11. *Heraclius* (Ho), *Zosimus* (Ho); 13. Macedonius pr. (Ho); 15. *Longinus, Lucius*; 19. *Theodorus pr.* (Ho). – April: 6. *Celestinus ep.*; 8. *Macharius m.* (Ho); 10. *Apollonius pr.* (Ho); 11. *Hilarius* (Ho); 12. *Carpus ep.* (Ho), *Iulius ep.* (Ho); 15. *Olypiadis m.* (Ho); 16. *Calistus m.* (Ho); 18. *Eleutherius ep.* (Ho); 19. *Antonius cf.*; 21. *Sother pp., Maximus m.* (Ho); 22. *Gaius pp.* (Ho); *Mellitus ep.* (Ho); 29. *Cletus pp.* – Mai: 2. *Waltpertus m.*; 5. *Nichetus ep.* (Ho); 7. *Iuvenalis m.*; 11. *Anthemus m.*; 14. *Victor, Corona m.*; 15. *Timotheus m.* (Ho); 16. *Aquilinus* (Ho); 17. *Heraclius* (Ho); 18. *Dioscorus*; 20. *Basilla v.*; 21. *Timotheus diac.* (Ho: 22.Mai); 22. *Iulia v.*; 24. *Effrem ep.*; 27. *Iulius m.*; 28. *Iohannes pp.*; 31. *Marcellus et Exuperantius diac.* – Juni: 3. *Marcellus m.*; 6. *Lucius m., Saturnius ep.*; 7. *Fortunatianus* (Ho), *Lactianus m.*; 10. Rogatus (Ho); 13. *Lucianus* (Ho), *Fortunatianus* (Ho); 14. Valerius (Ho), Rufinus (Ho); 17. *Avitus pr.* (Ho); 20. *Vitalis m.* (Ho), *Paulus* (Ho), *Cyprianus* (Ho); 25. *Sosipater*; 27. *Septem germanorum, Crispinus m.* – Juli: 1. *Gaius ep.*; 3. *Cyrillus ep.*; 7. *Heraclius m.*; 9. *Anatholis v.*; 13. *Serapio m.*; 14. *Iustus et Amatus epp.*; 17. *Marcellus conf.*; 20. *Lucianus et Petrus m.*; 21. *Arbogast conf.*; 24. *Glodesinda v.* (SG: 26. Juli); 26. *Iovianus et Iulianus m.* – August: 11. Radegundis; 12. *Euplus diac.*; 18. Helena; 31. Ferrucius, Ferreolus. – Dezember: 3. Vig. s. Barbarae; 12. Walericus ep.

[55] Vgl. oben Anm. 7.

Vigilien finden sich bei den Apostelfesten Johannes d. T. (23. Juni), Peter und Paul (28. Juni), Bartholomäus (23. August), Simon et Iudas (27. Oktober) und Andreas (29. November), aber auch bei Laurentius (9. August), Allerheiligen (31. Oktober) und bei der mit dieser Auszeichnung unter den verglichenen Kalendarien allein stehenden hl. Barbara (3. Dezember). Unter den Festen schliesslich, denen eine Oktav nachfolgt – es handelt sich um die Oktaven von Weihnachten (1. Januar), Stephan (2. Januar), Johannes Ev. (3. Januar), von den Unschuldigen Kindern (4. Januar), von Epiphanie (13. Januar), Agnes (28. Januar), Peter und Paul (6. Juli), Laurentius (17. August) sowie Andreas (7. Dezember) – verdient nur die Gallus-Oktav (23. Oktober) einer besonderen Erwähnung, weil kein anderer Lokalheiliger im vorliegenden Kalendar damit ausgestattet ist. Trotz diesem offensichtlich st. gallischen Element sind jedoch auch die oben aufgeführten Unterschiede zwischen dem Kalendar im Codex Gressly und denjenigen der Steinach-Abtei[56] nicht zu übersehen. Und somit dürfte der Schluss naheliegen, dass die Redaktoren der vorliegenden Reihe von Heiligenfesten selbständig ihre Quellen benützt haben.

---

[56] Vgl. oben Anm. 54.

TEIL III

DAS SAKRAMENTAR

In der Frühzeit des Christentums formulierte der Vorsteher der Eucharistiefeier (Bischof oder Priester) seine Gebete mehr oder weniger frei. Das geht beispielsweise aus der um das Jahr 200 entstandenen Schrift «Traditio Apostolica»[1] hervor, wo gesagt wird, dass der Zelebrant sich nicht an den Wortlaut des dort aufgezeichneten Eucharistiegebetes halten müsse, sondern dass er nach seinen Fähigkeiten mit eigenen Worten beten könne, vorausgesetzt das Gebet entspreche der «gesunden Orthodoxie»[2].

Solche Gebetstexte wurden schriftlich vorbereitet und für eine spätere Wiederverwendung gesammelt und aufbewahrt[3]. Eine derartige Sammlung ist im «Sacramentarium Leonianum» oder «Sacramentarium Veronense»[4] überliefert.

Als Karl der Grosse gegen Ende des 8. Jahrhunderts die Liturgie in seinem Reich zu reformieren gedachte, erbat er vom Papst ein römisches «Messbuch». Hadrian I. (772–795) sandte ihm das sog. Sacramentarium Gregorianum (Gr)[5], und zwar in der Fassung, die zu seiner Zeit im Lateran im Gebrauch war und deshalb «Sacramentarium Hadrianum» (GrH)[6] genannt wird. In der Folge hat man dieses Sakramentar einerseits ergänzt und fränkischen Traditionen

---

[1] Ed. Botte, La Tradition Apostolique de Saint Hippolyte. Bisher wurde das Werk fast allgemein Hippolyt von Rom (+235) zugeschrieben; in neuerer Zeit wird dessen Autorschaft bestritten; vgl. Metzger, Nouvelles perspectives pour la prétendue «Tradition Apostolique», S. 241–259.

[2] Botte, La Tradition Apostolique de Saint Hippolyte, S. 28–29.

[3] Etwa in den päpstlichen Archiven (scrinia) des Laterans; einen Überblick über die Entstehung der Sakramentare bietet Chavasse, Évangéliaire, S. 189–230, 239–249.

[4] Ed. Mohlberg, Sacramentarium Veronense (Cod. Bibl. Capit. Veron. LXXX). – Sigle: L.

[5] Grundlegende Edition: Deshusses, Le sacramentaire grégorien. – Sigle: D.

[6] D 1–1018.

angepasst, anderseits mit einem «Supplementum» erweitert, welches nach den Forschungen von P. Jean Deshusses OSB nicht Alkuin, sondern Benedikt von Aniane zum Autor hat; dieses enthält Sonntags- und Votivmessen, das Commune, Präfationen und Benedictiones episcopales[7].

Daneben gab es das «Sacramentarium Gelasianum» (V), das «sacramentaire presbytéral en usage dans les titres romains au VIe siècle»[8], ein «Messbuch» für die Seelsorger der römischen «Pfarreien», im Unterschied zum päpstlichen Sacramentarium Gregorianum.

Ein neuer Typ des Sakramentars bildete sich wahrscheinlich unter Pipin (751–768) durch eine geschickte Verbindung[9] einer «gelasianischen» und einer vorhadrianischen «gregorianischen» Quelle: das «Gelasianum saeculi octavi» (Gel VIII)[10]. Ausserdem entstanden auch Mischformen, etwa das «gelasianisierte Sacramentarium Gregorianum», das eine durch Zusätze aus dem Gel VIII veränderte Fassung des Sacramentarium Gregorianum darstellt.

Ausser den gleichbleibenden Texten, die der Priester singt oder spricht («Ordo Missae»: OM), enthalten die Sakramentare die veränderlichen Teile des Herrenjahres (Temporale) und der Heiligenfeste (Sanktorale).

1. DER ORDO MISSAE

Das Sakramentar mit dem feststehenden Kanon und den je nach Kirchenjahr und Festfeier wechselnden Gebeten, die der Zelebrant (Bischof oder Priester) zu singen oder laut zu sprechen hatte, genügte nicht, um die Liturgie Roms im fränkischen Reich einzuführen und «modo Romano» zu feiern. Jeder Mitwirkende, vor allem der Vorsteher, benötigte entsprechende Anweisungen, wann und wie er seine «Rolle» zu «spielen» hatte. Diesem Bedürfnis entsprachen die «Ordines Romani»[11]. Der wichtigste Ordo I vom Ende des 7./An-

---

[7] D 1019–1804.

[8] So der Untertitel des massgebenden Werkes von CHAVASSE, Le sacramentaire gélasien (zit. Chavasse, Gél.). – Sigle des Alt-Gelasianum: V.

[9] CHAVASSE, Évangéliaire, S. 243: «mixage réfléchi, soigneux et minutieux».

[10] Die verschiedenen verwandten Redaktionen des Gel VIII sind unter den Siglen A, G, Ph, Rh, S verzeichnet.

[11] Hg. von ANDRIEU; vgl. Verzeichnis der Siglen: OR.

fang 8. Jahrhunderts beschreibt in allen Einzelheiten den ganzen Ablauf der überaus feierlichen Papstmesse. Den ganz andern Verhältnissen und Bedürfnissen nördlich der Alpen freilich musste er angepasst werden, wovon die Ordines Romani III–X zeugen. «Seit Ende des 8. Jahrhunderts zirkulieren Sammlungen solcher Ordines. Sie sind bestimmt, die römischen Sakramentare zu begleiten, deren unverzichtbare Ergänzung sie sind»[12]. Gegen Mitte des 10. Jahrhunderts entstand im Kloster St. Alban in Mainz die in der Folgezeit für die ganze Kirche ausserordentlich wichtig gewordene Kompilation, das «Römisch-deutsche Pontifikale»[13], das direkt von Sammlungen aus St. Gallen abhängig ist.

Das Sakramentar selber enthält keine Hinweise darauf, was der Priester bei der Vorbereitung und zum Beginn der Messe, bei der Gabenbereitung, bei der Brotbrechung, beim Empfang und bei der Ausspendung der eucharistischen Gaben, zum Abschluss und nach der Messfeier zu tun und zu beten hat. Überdies verlangten «die Sensibilität eines frommen Gemütes» und das «transalpine Bedürfnis frommer Vertiefung und persönlichen Erlebens» – gegenüber der «Starrheit und Nüchternheit» (rigiditas et sobrietas)[14] der vom Hofzeremoniell stark beeinflussten römischen Liturgie – eine Gebetsordnung für die persönliche Andacht des Zelebranten. Diese Tendenz kommt durch die Beifügung von privaten Gebeten in den Messablauf zum Ausdruck. Als erstes festes Gebet wird die (frühere) Postkommunion «Quod ore sumpsimus» (D 1219) an den unveränderlichen Kanon angefügt. «Um die Mitte des 9. Jahrhunderts tauchen zwei Serien von Gebeten auf, die die Funktion haben, die zwei wichtigsten äusseren Handlungen durch persönliche Überlegungen herauszuheben, nämlich die Opferung und die Kommunion»[15].

Aus der Verbindung der Ordines Romani mit den neuen, persönlichen Frömmigkeitsgebeten entstand das, was später mit «Ordo Missae» (OM) bezeichnet wurde und dessen Geschichte noch nicht endgültig erforscht ist[16].

---

[12] ANDRIEU, OR I, S. 546.

[13] Hg. von VOGEL-ELZE; vgl. Verzeichnis der Siglen: PRG.

[14] BRINKHOFF, S. 14.

[15] LUYKX, S. 80.

[16] Wichtige Vorarbeiten haben geleistet Lukas Brinkhoff OFM mit seiner Dissertation 1951 (Maschinenschrift) und Bonifaas Luykx OPraem. In den letzten zwanzig Jahren wurden viele solcher Ordines ediert; besonders Ferdinando

In einer langsamen Entwicklung bildeten sich (nach Luykx) drei Ordo-Missae-Typen heraus:

1. Der Apologien-Typus[17] mit den privaten Vorbereitungsgebeten, Apologien[18], vor und zu Beginn der Messe, den Offertoriumsgebeten («Suscipe sancta trinitas») und den Kommuniongebeten.

2. Der Fränkische Typus[19], der «ein echt menschliches und gleichzeitig liturgisches Frömmigkeitselement» dadurch zum Ausdruck bringt, «dass der Kanon durch Gebärden, Kreuzzeichen und Verneigungen belebt wurde»[20]. Er bietet Gebete zur Vorbereitung in der Sakristei, zum Anziehen der liturgischen Gewänder, zum Offertorium und zur Brotbrechung.

3. Der Rheinische Ordo Missae[21], der zu Beginn des 11. Jahrhunderts in St.Gallen entstand[22]. Er ist zuerst teilweise und als Nachtrag im Sacramentarium Gel VIII aus St.Gallen[23] und dann als Ganzes in den sanktgallischen Sakramentarien Cod. 338 (kurz nach Mitte 11. Jh.), 339 (Beginn 11. Jh.) und 340 (vor Mitte 11. Jh.)[24] überliefert. Dieser schon reich ausgestattete OM hat sich sehr rasch rheinabwärts (daher die Bezeichnung «Rheinischer OM») nach Mainz verbreitet[25]. Der bekannteste Vertreter ist der OM von Min-

---

dell'Oro und Bonifacio Baroffio haben sich auf diesem Gebiet verdient gemacht; vgl. Verzeichnis der Siglen sowie Verzeichnis der Quellen und Literatur: OM, Lemarié, Odermatt; überdies Rasmussen, An early «ordo missae», S. 198–211. Baroffio hat 1988 einen weiteren Ordo publiziert, 32 Ordines damit verglichen und die 112 Formeln in einer Synopse aufgelistet; vgl. Verzeichnis der Siglen: OM Narni.

[17] Luykx, S. 83–86.

[18] Vgl. Apologies, in: DACL I, Sp. 2591–2601; Nocent, Les apologies dans la célébration eucharistique, S. 179–186.

[19] Luykx, S. 86–91.

[20] Luykx, S. 86; vgl. OR VII aus St.Gallen in: Andrieu, OR II, S. 253–305.

[21] Luykx, S. 91–116.

[22] Luykx, S. 101: Es «ist kein Zweifel mehr möglich; wir müssen den Ursprung des rheinischen Ordo Missae in St.Gallen suchen».

[23] S (Sakramentar aus St. Gallen), S. 247.

[24] J. Duft, Sankt-Galler Buchmalerei im 11. Jahrhundert, S. 108. – Guido Muff, Freiburg/Schweiz, hat 1993 in seiner Lizentiats-Arbeit eingehend Entstehung und Geschichte des OM von St. Gallen untersucht.

[25] Luykx, S. 103; auf S. 104 zeigt eine Skizze die Verbreitung nach Magdeburg, Minden, Köln, Lothringen, Elsass (Murbach).

den, um 1030 für die dortige Bischofskirche verfasst[26], der offenbar möglichst viele der damals verwendeten Gebete aufnahm und der 1557 von einem der Magdeburger Zenturiatoren, M. Flacius Illyricus[27], unter dem Titel «Missa latina» als vermeintlich alte römische Messordnung herausgegeben wurde.

Dieser Rheinische Ordo «ist ein typischer Zeuge ... der Versöhnung zwischen objektiv liturgischem Geschehen und subjektivem Erleben»; er bietet ein «ausführliches Repertorium», aus dem der Zelebrant «eine Auswahl je nach dem augenblicklichen Bedürfnis seiner eigenen persönlichen Frömmigkeit oder nach dem, was am besten zu dem zu feiernden Fest passt, treffen» konnte[28]. In der Folgezeit hat dieser Ordo (wie das Römisch-germanische Pontifikale) Italien und besonders Rom erobert[29] und in das sich bildende Plenarmissale und schliesslich (mit Änderungen) in das Missale Romanum Eingang gefunden.

Dem Sakramentar des Missale Basileense ist ein Ordo Missae vorangestellt, in welchen das Eucharistische Hochgebet (Kanon) organisch integriert ist.

Der Ordo ist eindeutig ein Vertreter des «Rheinischen Typus», im Wesentlichen mit gleicher Struktur und vielen identischen oder ähnlichen Gebeten, aber auch mit einzelnen originellen Teilen. Er ist besonders mit den Ordines von St. Gallen und Minden verwandt (je gegen dreissig gleiche oder ähnliche Formeln), am meisten aber mit dem Ordo von Aosta (34 Formeln)[30]. Verwandtschaft besteht auch mit dem Ordo von Besançon[31] und Colmar[32].

---

[26] Bischof Sigebert von Minden bestellte zu Beginn des 11. Jahrhunderts. seine liturgischen Bücher von seinem Metropoliten in Mainz, der sie auf der Reichenau abschreiben liess; vgl. LUYKX, S. 103.

[27] Daher auch «Missa Illyrica» genannt; Text in PL 138, Sp. 1305–1336; Neuausgabe: PIERCE, Sacerdotal spirituality at mass: text and study of the prayerbook of Sigebert of Minden(1022–1036); vgl. CLLA 990; BOURQUE II, Nr. 418, S. 333–335.

[28] LUYKX, S. 100; 105.

[29] LUYKX, S. 112–115.

[30] Die älteste Quelle ist die von Amiet mit A bezeichnete Handschrift Aosta, Archives Historiques Régionales, cod. 7: Missale aus Brusson, Ende 11. Jh., vgl. AMIET, OM Aosta, S. 89.

[31] Vgl. Verzeichnis der Quellen und Literatur: LEMARIÉ.

[32] Missale aus Murbach, 11. Jh.: Colmar, Bibl. municipale ms. 443 (Winterteil), f. 13r–15v und 444 (Sommerteil), f. 15r–18r; vgl. LEROQUAIS, Les sacramentaires et les missels manuscrits des bibliothèques publiques de France I, S. 131–133.

Als eigene Formeln oder wenigstens als solche, die in den bekannten Editionen nicht veröffentlicht sind, können genannt werden:
«Largire mihi domine caritatem» (B 227,7) und «Deo omnipotenti
sit acceptum sacrificium» «(229,15). Bezeichnend sind Ähnlichkei-
ten mit Ordines aus den Diözesen Genf, Lausanne und Sitten (dem
Ursprungsbistum des OM Aosta) sowie aus der Diözese Tarentaise.
«Das gilt vor allem für die Gebete, welche die Bekleidung begleiten,
für welche das Missale Basileense der älteste Zeuge ist»[33]; das gilt
aber auch für die Gebete zur Kommunion, zum Abschluss der Messe
und zur Danksagung (B 231,5–9; 232; 233,1–5), die sich auch im
OM von Aosta finden. Dieser Ordo scheint von jenem des Missale
Basileense abhängig zu sein.

Wie ganz allgemein das Missale Basileense, so weist auch der
Ordo Missae sehr wenige Rubriken auf; die Ordines Romani haben
also textmässig nur in sehr beschränktem Umfang Eingang gefunden. Die Angaben über den Ort und den Zeitpunkt, wann das
betreffende Gebet zu sprechen ist, sind äusserst knapp: «Cum … se ad
missam paret» (B 226,1).

Zur Vorbereitung (B 226)[34]

Der Ordo beginnt – wie fast allgemein üblich – mit Psalmengebet[35],
dem einige Versikel und Gebete folgen. Auswahl und Anzahl der
Psalmen sind in den einzelnen Ordines verschieden: Wie im OM

---

[33] Der zur Zeit beste Kenner des OM, Bonifacio Baroffio OSB, schrieb in einem
Brief vom 2. April 1987: «Vi sono alcuni pezzi propri o, almeno, pezzi che non si
trovano in altre collezioni note o publicate: 227,7 e 229,15. – Relazioni con altri
Ordo Missae: insignificanti con Reichenau (ed. BRAGANÇA); interessanti con alcune
testimonianza dell'Italia centrale: 227,6, 229,5 (ma c'è anche a Minden), 224,18; tra
le fonti più antiche, le relazioni più strette sembrano esserci con l'Ordo Missae di
Besançon (Ugo di Salins: ed. LEMARIÉ); communque le relazioni più significative
sono stabilite chiaramente con altri Ordo Missae svizzeri (Genf, Lausanne, Tarentaise, Sion) e, di riflesso, con Aosta, ciò vale soprattutto per le orazioni che
accompagnano la vestizione di cui Basel saec. XI è probabilmente il più antico
testimone: 226,3; 227,3–5; 231,9». – Herrn Prof. Baroffio sei für diese Angaben
und für weitere Hinweise herzlich gedankt.
[34] BRINKHOFF, S. 39–44.
[35] «cantare» bedeutet auch rezitieren, psalmodieren; vgl. Mittellateinisches Wörterbuch 2, Sp.193, Z. 21f.

von Minden[36] sind hier deren sieben vorgesehen, im OM von St.Gallen und im OM von Aosta finden sich nur drei. Eine Litanei, wie sie anderswo üblich ist, kommt nicht vor.

Zum Anziehen der liturgischen Gewänder (B 227)[37]

Die Gebete zur Bekleidung bilden eine Gruppe, die «Eigengut» des Missale Basileense zu sein scheint. Sie finden sich teilweise im OM von St.Gallen und vor allem in jenem von Aosta.

Zum Messbeginn (B 228)[38]

Zum Eingang und zur Verehrung des Altars steht im Missale Basileense nichts. Der Zelebrant spricht das Confiteor[39], das Misereatur, Psalm 42 und die sich anschliessenden Gebete (B 228,4–7).

Zur Evangeliumsprozession

Auch zu dieser Handlung ist im Missale Basileense, – im Gegensatz zu den Ordines von Minden, St. Gallen, Aosta und andern, – nichts vorgesehen[40].

Zur Gabenbereitung (B 229)[41]

Der Ritus der Gabenbereitung nach dem Missale Basileense ist nur verständlich, wenn die fehlenden Hinweise nach dem OM von Minden ergänzt werden. Am Altar empfängt der Zelebrant (zum Volk hin gewendet) von den Priestern und vom Volk[42] die Gaben, worauf er eines der Oblationsgebete (B 229,1;3–10;12) spricht[43].

---

[36] «flexis genibus coram altare cantet VII psalmos poenitentiales» (OM Minden 1305A).

[37] BRINKHOFF, S. 44–48; AMIET, OM Aosta, S. 107–110.

[38] BRINKHOFF, S. 50–59; AMIET, OM Aosta, S. 111–129.

[39] Die Formulierung der sog. Apologien ist in den einzelnen Ordines verschieden.

[40] BRINKHOFF, S. 60–66; AMIET, OM Aosta, S. 130–134.

[41] BRINKHOFF, S. 67–96; AMIET, OM Aosta, S. 135–152; vgl. TIROT, Histoire des prières d'offertoire dans la liturgie romaine du VIIe au XVIe siècle.

[42] OM Minden 1324 D («presbyterorum aliorumque»).

[43] OM Minden 1325 D: «Istae orationes, cum oblationes offeruntur, ad altare dicendae sunt».

Diese Gebete werden an die Dreifaltigkeit gerichtet, sind folglich nicht römischen, sondern fränkischen Ursprungs und drücken die «Messintention» aus, d. h. sie geben an, für wen oder für was die Eucharistie gefeiert wird. Der OM von Minden besitzt 14 solcher «Suscipe-sancta-trinitas»-Gebete, das Missale Basileense deren elf[44], wobei in B 229,6 zwei Formeln des OM von Minden zu einem einzigen Gebet zusammenfasst sind[45].

Nach der Inzensation der Gaben und des Altares[46] folgen das «Orate fratres» des Priesters und die sich von Ordo zu Ordo (zusammen mit der Gebetseinladung des Zelebranten) wechselnden Gebete des Volkes, worauf die Kleriker Psalmen und Versikel rezitieren, bis der Priester die Worte «Per omnia saecula» (offenbar als Abschluss der still gebeteten Sekret) spricht[47].

Von einer Handwaschung ist an dieser Stelle nicht die Rede, wogegen am Schluss der Messe ein entsprechendes Gebet vorgesehen ist[48], das im OM von St.Gallen[49] nach der Bekleidung mit der Rubrik «sive ante missam sive postea» steht; die Ordines Missae von Minden und Aosta sehen das Waschen der Hände zu Beginn des Anziehens der Paramente vor[50].

Der Kanon

Das Sacramentarium Leonianum (Veronense) bietet den Text des eigentlichen Eucharistischen Hochgebetes (Kanon) nicht. Das Gregorianum (GrH) überliefert ihn zu Beginn des Buches (D 3–16), das

---

[44] B 229,1: «Memoria domini nostri Iesu Christi et sanctorum eius»; B 229,3: «Pro salute vivorum»; B 229,4: «Pro se ipso et caeteris»; B 229,5: «Pro semetipso»; B 229,6: «Pro omni congregatione»; B 229,7: «Pro infirmis»; B 229,8.9: «Pro uno defuncto»; B 229,10: «Pro omnibus defunctis». B 229,12 (ohne Bezeichnung) – Colmar hat sechs solcher Gebete, Aosta deren fünf, Adelpret drei, Narni zwei.

[45] Mit diesen «Suscipe-sancta-trinitas»-Gebeten ist zu vergleichen, was unten S. 130–133 bei der Besprechung der Votivmessen gesagt wird.

[46] OM Minden 1328 C–D; in B keine näheren Angaben.

[47] Demgegenüber heisst es erstaunlicherweise in OM Minden 1330 A: «Deinde (sacerdos) incipiat Te igitur et ministri … cantent istos psalmos, usque dum Te igitur finiatur»; vgl. dazu AMIET, OM Aosta, S. 149.

[48] B 233,5: «Quando sacerdos manus suas lavat, dicit has orationes»; in Wirklichkeit folgt nur ein Gebet.

[49] OM Sg 339, S. 182.

[50] OM Minden 1307 A; AMIET, OM Aosta 14.

Gelasianum im 3. Buch unter dem Titel «Orationes et preces cum canone per dominicis diebus» (!) nach der 16. Messe unter der Überschrift «Incipit canon missae»[51]. Die Gel VIII führen ihn nach dem Commune Sanctorum im Teil der Missae quotidianae[52] an. Im 9. Jahrhundert ist eine Änderung eingetreten, insofern er an den Anfang des Sakramentars gestellt wurde[53], wo er auch im Basler Missale steht.

Der Kanontext ist mit jenem des GrH identisch, allerdings mit dem Unterschied, dass das dort fehlende Memento mortuorum hier vorhanden ist[54].

Die Präfation[55] eröffnet das Eucharistiegebet. Im Gregorianum werden mit diesem Namen alle wechselnden Einschübe im Kanon (neben der Präfation auch das «Communicantes» und das «Hanc igitur») bezeichnet, in den fränkischen Liturgien jedoch nur das preisende Dankgebet bis zum Sanctus. Das Leonianum weist 276, das Gregorianum nur 14 Präfationen auf.

Im Missale Basileense wird in 64 Fällen eine Präfation angegeben; vier werden zweimal genannt, so dass 60 Präfationen vorkommen, wovon eine im Rituale (B 915,9: Sterbemesse) und sechs als Nachträge: Drei vom Ende des 11. Jahrhunderts[56], die andern aus dem 13./14.Jahrhundert[57].

Neben den Präfationen der Hauptfeste des Kirchenjahres[58] finden sich im Grundbestand des Sakramentars zwei Marienpräfationen[59],

---

[51] V 1242–1255.

[52] A 1752; G 1930–1951; Ph 1280–1299; Rh 1075–1094; S 1548–1568.

[53] EBNER, S. 369.

[54] B 230, 13–14; dazu vgl. unten S. 125f.

[55] Prae-fatio, ursprünglich Vor-Rede, dann Gebetseinladung, Verkündigung, laut vorgetragenes Gebet (praedicatio); in nichtrömischen Liturgien auch contestatio, immolatio, illatio genannt; vgl. JUNGMANN, in: LThK 8, Sp. 675–676.

[56] B +230,2a De beata Maria; B +311, 3 Sabbato ⟨post Dom. IV Quadragesimae⟩; B +467,3 s. Thomae apostoli.

[57] B +230,2b De apostolis; B +237,2 Benedictio sponsae; B +524,9 Sabbato de s. Maria.

[58] Weihnachten (B 234; 236; 239; 247), Epiphanie (B 249), Ostern (B 327; 333; 340), Ascensio (B 349) und Pfingsten (B 362, 363).

[59] Annuntiatio (B 269), Assumptio (B 410).

sechs Apostelpräfationen[60], sieben für die Commune-Sanctorum-Messen[61], 14 für Votiv[62]- und drei für Totenmessen[63]. Ausser den Aposteln haben folgende sieben Heiligenfeste eine eigene Präfation:

> Johannes der Täufer (B 377)
> Laurentius (B 404)
> Mauritius (B 430)
> Michael (B 438)
> Allerheiligen (B 448)
> Caecilia (B 456)
> Clemens (B 458)

Überdies ist an folgenden fünf Tagen eine eigene Präfation vorgesehen:

> Freitag nach Aschermittwoch (B 282)
> 1. Fastensonntag (B 284)
> Letania Maior (25. April) (B 347)
> Kirchweihe (B 478)
> 1. Adventsonntag («Dominica V ante nat. domini») (B 509).

«Communicantes» (B 230,6), eine Weiterführung und Verstärkung des Memento für die Lebenden[64], wird im Missale Basileense zwölfmal eigens vermerkt (im Kanon, an Weihnachten, Epiphanie, Donnerstag der Karwoche, Ostern und Pfingsten). Der Wortlaut ist jeweils der gleiche wie im GrH.

Die Formel «Hanc igitur» (B 230,7)[65] nennt das besondere Anliegen, das mit der betreffenden Messfeier verbunden ist. Das Leonianum weist zehn, das Gregorianum 41 solcher Formeln auf. Im Missale Basileense wird an 27 Stellen ein besonderes «Hanc igitur» vermerkt, wobei achtmal die gleiche Oster- und zweimal dieselbe

---

[60] Philippus und Jacobus (B 352), Petrus und Paulus (B 382), Jacobus (B 392), Bartholomaeus (B 417), Simon und Judas (B 446), Andreas (B 463).

[61] B 469–476.

[62] B 518–523; 526; 538; 540; 541; 544; 550; 554; 559.

[63] B 563; 569; 573. Überdies besitzt die Messe für Sterbende (B 915: «Si vita infirmi desperatur») eine eigene Präfation.

[64] JUNGMANN, MS II, S. 213–225.

[65] JUNGMANN, MS II, S. 225–234: «vielleicht das allerschwierigste Gebet der ganzen Messe» (S. 226).

Pfingstformel genannt wird, die alle, wie auch jene des Kanons und des Hohen Donnerstags, mit dem Text des GrH übereinstimmen. Die Formel für «Pascha annotina» findet sich unter den «Aliae orationes ⟨paschales⟩» (B 341,24). Die übrigen 14, die im GrH fehlen, gehören zu Votiv-[66] und Totenmessen[67].

Das «Memento mortuorum» (B 230,13–14). Im Gregorianum, dem Festtags- und Stationssakramentar des Papstes, fehlt das Gedächtnis für die Verstorbenen[68]. An Sonn- und Feiertagen wurde nämlich im Kanon nicht besonders der Toten gedacht, sondern nur in den Toten- und Ferial-(Wochentags-)Messen. Für diesen Fall wurde nach dem «Supplices te rogamus» die Formel «Memento etiam dne eorum, qui nos praecesserunt» eingefügt, während welcher die Namen der Verstorbenen verlesen wurden, derer man eigens gedachte. Diese waren auf Diptychen verzeichnet[69]. – Das sogenannte Bobbio-Missale (8. Jahrhundert aus Oberitalien)[70] enthält bereits dieses Memento mit der Zwischenüberschrift «Commemoratio defunctorum»[71]. Alkuin hat das «Totengedächtnis in das Hadrianische Sakramentar als festen Bestandteil (in den Kanon) hineingenommen»[72]. Das Sakramentar von Amiens des 10. Jahrhunderts hat (in diesem nach Gamber[73] «wohl ältesten Text eines Ordo Missae, der bereits grosse Verwandtschaft mit der heutigen

[66] Pro salute vivorum (B 526,9); pro congregatione (B 532,8); pro susceptis in confessionem (B 534,8); contra temptationes (B 535,6); missa sacerdotis propria (B 536,8); pro peccatis (B 550,4).

[67] In agenda mortuorum (B 562,6); pro defunctis (B 563,4; 564,3; 567,3); in die III, VII vel XXX (B 569,4); in anniversario (B 570,3); pro femina defuncta (B 573,4); pro sacerdote (B 575,3).

[68] JUNGMANN, MS II, S. 295–308; vgl. STUIBER, Die Diptychon-Formel für die Nomina offerentium im römischen Messkanon, S. 127–146; BOTTE, Le canon de la messe romaine. Ed. critique, S. 67–69.

[69] Diptychon («zwei-gefaltet») Doppeltäfelchen, bestehend aus zwei miteinander verbundenen und mit Gips oder Wachs beschichteten Deckeln, allgemein als «Notizbüchlein» verwendet.

[70] CLLA 220.

[71] LOWE, The Bobbio Missal. A Gallican Mass-Book (Paris ms. lat. 13246), Nr. 16–17, S. 12–13.

[72] JUNGMANN, MS II, S. 304.

[73] Paris, BN. ms. lat. 9432 (CLLA 910).

Fassung zeigt») eine erweiterte Form des Memento mortuorum[74].
Von den Gel VIII hat beispielsweise das Sakramentar von Rheinau[75]
den gleichen Text wie B, während er in A, Ph und S fehlt; G hat
lediglich das Wort «Memento». Das Sakramentar von Monza bringt
den gleichen Text wie Rh unter der Überschrift «Hic recitantur
nomina mortuorum»[76]. In B 230 ist durch den Zwischentitel «Super
dipticia» die eine Formel in zwei Teile aufgeteilt, d. h. durch das
Verlesen der Namen der Verstorbenen, derer man gedenken
wollte, unterbrochen. Diese Worte finden sich nach Ebner auch
im Codex Vat. lat. 3806 (kurz vor 1000)[77]. Wenn aber Ebner meint,
das Plenarmissale von Florenz (Bibl. Laur. Aedil. 111, «wohl noch
10. Jh.») sei «eines der spätesten Zeugnisse für die Rezitation
diptychenartiger Namensreihen im Canon»[78], so muss das aufgrund
der archaischen Fassung im Missale Basileense aus dem ausgehenden 11. Jahrhundert (B 930,14) nuanciert werden.

Die Gebete des Kommunions– (B 231, 5–9)[79] und des Schluss-
teiles (B 232) sowie der Danksagung nach der Messe (B 233)[80] sind
weitgehend die gleichen wie in den Ordines Missae von St. Gallen,
Minden und vor allem von Aosta.

---

[74] LEROQUAIS, L'ordo missae du sacramentaire d'Amiens. Paris, Bibl. nat. ms. lat.
9432 (IX s.), S. 443.

[75] Rh 1086 («Memento etiam domine et eorum nomina, qui nos ...»); das Wort
«nomina» war wohl ursprünglich eine Rubrik und bedeutet: «Hic recitentur
nomina defunctorum»; A 1765 hat ein ganz anderes Memento (memento mei);
G 1942 lediglich «memento»; in Ph und S ist nichts vermerkt.

[76] DOLD-GAMBER, Das Sakramentar von Monza (im Cod. F 1/101 der dortigen
Kapitelbibliothek). Ein aus Einzel-Libelli redigiertes Jahresmessbuch, Nr. 882,
S. 67*; CLLA 801.

[77] EBNER, S. 212–213.

[78] EBNER, S. 27.

[79] BRINKHOFF, S. 107–115.

[80] BRINKHOFF, S. 116–119.

2. DAS SACRAMENTARIUM GREGORIANUM
DES MISSALE BASILEENSE

Ein Vergleich des Sakramentars im Missale Basileense mit den genannten Sakramentaren[81] ergibt eindeutig eine Übereinstimmung mit dem «gelasianisierten Gregorianum».

Wie die folgende Übersicht zeigt, entspricht es in seinem Grundbestand dem Gregorianum, näherhin dem Hadrianum[82]; die Zusätze in B stammen zum grössten Teil aus den Gel VIII[83].

B		D
230–231,4		3–20
234–245,1		33–79
246	Oct. Nat. domini	
247		82–84
248	Vig. Epiphaniae	
249–255		90–107
256	Marius et Martha	
257–264		108–136
265–268	Cathedra Petri, Gregorius, Benedictus	
269–308		140–272; (1093–1113)
309	Fer. V. post Dom. IV Quadrag.	
310–315		277–299
316	Fer. V. post Dom. Passionis	
317–327		304–382
333–341,20		383–457
342–343	Leo, Eufemia	
344–347		460–475
348	Vigilia Ascensionis	
349–353		497–503; 476–484
354	Inventio crucis	
355–387		485–519; 1023–1049; 520–615

---

[81] Leonianum, Gelasianum und Gregorianum. Diese Sakramentare wurden den Päpsten Leo I. (440–461), Gelasius I. (492–496) und Gregor I. (590–604) zugeschrieben; das kann sich aber nur auf relativ wenige Gebete beziehen.

[82] Um die in der Edition des Sakramentars im Missale Basileense nur mit Incipit und Explicit angegebenen Texte mit einem einzigen Werk rekonstruieren zu können, wird unter Angabe allfälliger Varianten auf die Edition von DESHUSSES (vgl. Verzeichnis der Siglen: D) verwiesen; alle in D nicht enthaltenen Texte, aber auch solche mit zahlreichen Varianten, sind im vollen Wortlaut wiedergegeben.

[83] Vgl. unten S. 129f.

388–392	Machabaei, Benedictus, Margaretha, Iacobus	
394–398		616–627
399	Inventio corporis Stephani	
400		628–635
401	Donatus	
402–410		636–664
411–412	Arnolfus, Octava Laurentii	
413		665–667
414–415	Helena, Magnus	
416		668–670
417–420	Bartholomaeus, Rufus, Augustinus, Pelagius, Daniel, Decollatio Iohannis Bapt.	
419,1;5;9		671–673
420,2;4;6		674–683
423	Gorgonius	
424–427		684–701
428–430	Vig. et nat. Matthaei, Mauricius	
431–439		702–731
440–442	Marcellus et Apuleius, Remedius (Remigius), Dionysius, Rusticus et Eleutherius	
443		732–734
444–448	Lucas, vig. et nat. Symonis et Iudae, vig. et fest. Omnium Sanctorum	
449–454		735–750
455–456	Vig. et nat. Caeciliae	
457–463		751–777
464–465	Nicolaus, Damasus	
466		784–786
467–471	Thomas, Commune apostolorum, martyrum	
472–517		1230–1264; 1114–1200; 781–813 (1266–1860)
518–558	Votivmessen[84]	

Abgesehen von den erwähnten Zusätzen hat das Missale Basileense die gleiche Struktur wie GrH. Von den ungefähr 1350 euchologischen Formeln (d. h. Gebete zur Eucharistiefeier) im Missale Basileense stammen über tausend aus dem Gregorianum und rund 130 aus den Gelasiana des 8. Jahrhunderts (Gel VIII); der Rest ist andern Quellen entnommen.

Während weder das Gregorianum noch das Gelasianum das erste Messgebet mit einem Titel versehen haben, sind im Gregorianum die übrigen Orationen bezeichnet mit «Super oblata», «Ad complen-

---

[84] Vgl. unten S. 130–133.

dam» («Ad completa») und «Super populum», im Gelasianum hingegen mit «Secreta», «Post communionem» und «Ad populum». Das Sakramentar im Missale Basileense gebraucht für das Gabengebet in neun von zehn Fällen die Bezeichnung «Secreta» und nur für den Rest das gregorianische «Super oblata», in 260 Fällen dagegen die gregorianische Bezeichnung «Ad complendam» und wiederum nur für die restlichen Fälle den dem Gelasianum eigenen Titel «Post communionem». Das Segensgebet am Schluss der Messe in der Fastenzeit wird 36 Mal «Super populum» genannt. Die an das Messformular gelegentlich sich anschliessenden Gebete «Ad vesperas», «Ad fontes», «Ad s. Andream»[85] sind gregorianischen Ursprungs und erinnern an die Prozession in der dem hl. Johannes geweihten Lateranbasilika[86].

Schliesslich weist auch die Tatsache, dass das Sakramentar im Missale Basileense – anders als das Graduale und das Lektionar – in der Fastenzeit und an den Quatembertagen den Ort des römischen Stationsgottesdienstes angibt, auf den gregorianischen Ursprung hin; das Gelasianum kennt das System der Stationskirchen nicht.

3. ANDERE NICHT-GREGORIANISCHE ELEMENTE IM MISSALE BASILEENSE

Ausser dem stark erweiterten Ordo Missae[87] und den bei der oben gegebenen Übersicht erwähnten Zusätzen[88] wurde bei der Abfassung des im Missale Basileense vorliegenden Sakramentars folgende Gebete vor allem aus den Gelasiana des 8. Jahrhunderts (Gel VIII) übernommen[89]:

234,3	Vig. Nat. domini: Alia oratio
241,6	Nat. Stephani: Alia oratio
242,9	Nat. Iohannis: Alia oratio
244,2	Nat. Innocentum: Alia oratio

---

[85] An Ostern und in der Osterwoche; «Ad Vesp.» findet sich auch an einigen andern Tagen wie z. B. Iohannes ev., Iohannes Bapt.

[86] Vgl. dazu OR XXVII: ANDRIEU, OR III, S. 342; 362–371.

[87] Vgl. oben S. 116–126.

[88] Oben S. 127–129.

[89] Zu den Nachträgen unten S. 202–204.

245,3	Nat. Silvestri: Ad compl.
254,3	Oct. Theophaniae: Secreta
309,1.2.3	Fer. V post IV dom. Quadr: Or., Secr., Ad compl.
324,4	Fer. VI in Parasceve: Oratio
340,3	Oct. Paschae: Praefatio
341,21–25	Orationes paschales (= Pascha annotina)

4. VOTIVMESSEN

Das Gregorianum (GrH = D 1–1018) bietet im Wesentlichen die Formulare für die Messen des Temporale und des Sanctorale «de circulo anni», d.h. des Kirchenjahres. Mit der Zunahme der Priestermönche, mit dem Aufkommen der «Privatmessen» und dem Anwachsen der Messverpflichtungen infolge von Gebetsverbrüderungen (confraternitates), Schenkungen, Lehen und Gaben aller Art[90] entstanden neue Messformulare für bestimmte Anliegen, für Lebende und Verstorbene, welche unter der Bezeichnung «Votivmessen» bekannt sind. Das Gelasianum bietet im 3. Buch ein halbes Hundert solcher Messen[91].

a) Die «Alkuinischen Messen»

Um das Jahr 800 verfasste Alkuin eine grössere Anzahl von Votivmessen, die zum Teil den einzelnen Wochentagen zugeordnet wurden[92]. Von den 278 von Deshusses publizierten «Missae votivae et pro defunctis» weist der Editor deren 21 Alkuin zu. Sie haben alle die gleiche Struktur, einen ähnlichen Stil, eine verwandte Wortwahl, eine «Oratio super populum» und in den meisten Fällen eine eigene Präfation.

Von diesen 21 «Alkuinischen Messen» finden sich im Missale Basileense deren 15[93], freilich mit dem bedeutungsvollen Unterschied: Das Missale Basileense bietet nicht nur die Priestergebete,

---

[90] Vgl. etwa HÄUSSLING, Mönchskonvent und Eucharistiefeier; ANGENENDT, Missa specialis, S. 152–221; VOGEL, Medieval Liturgy. An introduction to the sources, S. 156–159 (Exkurs über die «Privatmesse»).

[91] Vgl. CHAVASSE, Gél., S. 433–521.

[92] Vgl. DESHUSSES II, S. 25–26; III, S. 75.

[93] 1. Dominica De Trinitate (B 518 = D 1806–1810); 2. Feria II De sapientia (B 519 = D 1814–1818); 3. Feria III De dono s. spiritus postulando (B 520 = D

wie die Alkuinischen Formulare, sondern in acht Fällen auch die Texte des Graduale und des Lektionars und zwar an dem ihnen zustehenden Ort; hier findet sich also das vollständige Messformular mit Introitus, 1. Oration, Lesung, Gradualgesänge, Evangelium, Gabengebet, Präfation, Kommunionsgesang, Postcommunio und Oratio super populum. Ein Grund für diese Änderung könnte im Bedürfnis gelegen haben, dem Priester für die Einzel-(«Privat»-) Messe alle Texte in übersichtlicher Weise zur Verfügung zu stellen[94].

b) Die übrigen Votivmessen

Von den insgesamt 56 Formularen von Votivmessen (die späteren Nachträge nicht mitberechnet), welche das Missale Basileense enthält, bieten

20 ein vollständiges Messformular,
5 neben den Orationen noch einzelne andere Teile,
31 nur die Orationen, die dem Supplementum des Benedikt von Aniane (D 1019–1805) entnommen sind.

Folgende Votivmessen sind im Missale Basileense einerseits sowie im Sacramentarium Hadrianum (GrH) und dem Supplementum anderseits enthalten:

2325–2329); 4. Feria IV Ad angelica suffragia postulanda (B 521 = D 1856–1860); 5. Feria V De caritate (B 522 = D 2302–2305: keine Präfation in D); 6. Feria VI De s. cruce (B 523 = D 1835–1838); 7. Sabbato De s. Maria (B 524 = D 1841–1844); 8. Missa cottidiana de omnibus sanctis (B 525 [nur Orationen] = D 1865–1869); 9. Pro amicis viventibus (B 527 [nur Orationen] = D 1304–1307; 2420–2424); 10. Missa specialis pro congregatione (B 533 [nur Orationen] = D 2255–2259 [Pro ipsa familia]); 11. Contra temptationes et cogitationes impuras carnis (B 535 = D 2340–2344 [Pro petitione lacrimarum]); 12. Alia Missa (= Missa sacerdotis propria wie B 536) (B 537 = D 2100–2103); 13. Item missa pro defunctis (B 563 [nur Orationen] = D 3056–3061); 14. Item alia ⟨pro defunctis⟩ (B 564 [nur Orationen] = D 3051, 3054); 15. Pro fratribus defunctis (B 567 [nur Orationen] = D 2862–2865).

[94] Da es weder möglich noch nötig war, jedem einzelnen Zelebranten alle für die Messen des ganzen Jahreskreises nötigen Bücher zur Verfügung zu stellen, wurden wohl die am meisten benötigten Ganz-Formulare in schmalen Bändchen («Libelli») zusammengestellt; vgl. dazu unten S. 207, 210, 214.

B		D
527	Pro amicis viventibus	1304–1307
529	Missa communis	1448–1450
546	Missa pro peccatis	1346–1348
550	Missa pro peccatis	1323–1327
552	Missa ad postulandam pluviam	1366–1369

Im Votivmessen-Teil des Missale Basileense lassen sich weitere Gruppen von Messen unterscheiden, die gelegentlich Entsprechungen zu ähnlichen Offertorialgebeten (OM: B 229) aufweisen:

1. Allgemeine Messen für Lebende und Verstorbene:

De omnibus sanctis: B 525
Pro salute vivorum: B 526 (vgl. B 229,3)
Missa communis: B 529
Missa universalis: B 530
Missa communis: B 531

2. Messen für die Gemeinschaft (vgl. B 222,6):

Pro congregatione: B 532; 533

3. Messen des Priesters für sich selbst (vgl. B 229,4–5):

Missa sacerdotis (propria): B 536–539
Contra temptationes: B 535; 541; 544
Pro peccatis: B 546; 547; 550
Ad postulandam humilitatem: B 548
Pro caritate B 549

4. Messen für bestimmte Personen:

Missa votiva (allgemein): B 540
Pro susceptis in confessionem: B 534
Pro iter agente: B 543
Pro rege: B 557, 558
Pro infirmis, pro febricitantibus: B 542; 559
In agenda mortuorum: B 562 = D 1403; 1405; 1411
Contra paganos: B 556

5. Messen für allgemeine Anliegen:

Pro pace: B 545
In tempore belli: B 555
Quod absit mortalitas: B 551
Ad postulandam pluviam: B 552
Pro serenitate: B 553
Pro peste animalium: B 554

6. Messen für Verstorbene (vgl. B 222,8–10):

Pro defunctis: B 563; 567; 572–573
Pro episcopo defuncto: B 574
Pro sacerdoto defuncto: B 575
In die tercia, septima, tricesima: B 569
In anniversario: B 570
In coemeterio: B 571

Die Votivmessen – wie übrigens auch die Ausgestaltung des Ordo Missae besonders in bezug auf die Gruppe der neun «Suscipe-sancta-trinitas»-Gebete (B 229,1;3–10)[95] – zeigen die bekannte Entwicklung im Messverständnis des Mittelalters: Übergang vom Objektiven der früheren Liturgie zum Subjektiven, Persönlich-Privaten, Konkreten; es kommt ein immer grösseres Gefühl für die menschliche Unzulänglichkeit, Sündhaftigkeit sowie Vergänglichkeit und, damit verbunden, auch eine stärkere Betonung des Totengedächtnisses zum Ausdruck.

5. DAS TEMPORALE DES MISSALE BASILEENSE

Auf einige Fragen, die mit einem knappen Hinweis in den Anmerkungen zum Text der Edition nicht ausreichend beantwortet werden können, soll an dieser Stelle näher eingegangen werden, gegebenfalls mit Berücksichtigung des Graduale und des Lektionars.

a. Beginn des liturgischen Jahres

Wie in Gr und V beginnt das Kirchenjahr im Sakramentar (B 234) und im Lektionar (B 579) des Missale Basileense mit der Weihnachtsvigil, im Graduale jedoch, wie in den von Hesbert edierten Sextuplex veröffentlichten Gradualien, mit dem 1. Adventsonntag.

b. Advent

Die Formulare für den Advent sind im Sakramentar im Anschluss an die Sonntage nach Pfingsten und vor den Votivmessen eingefügt:

---

[95] Zum Ordo Missae vgl. oben S. 116–126.

B 509	Dom. V ante Nat. domini
B 510	Dom. IV ante Nat. domini
B 511	Dom. III ante Nat. domini
B 512–514	Quattuor Tempora
B 515	⟨Dom. vacat⟩ = Dom. II ante Nat. domini
B 516	Dom. I ante Nat. domini: D 805–807: Dom. vacat

Das Lektionar folgt dem gleichen System, jedoch mit dem Unterschied, dass sich die Quattuor Tempora (QT) nach «Dom. II ante Nat. domini» finden.

Das Graduale hingegen führt ausdrücklich nur drei Sonntage an, wozu die nicht genannte «Dominica vacat» zu rechnen ist, sodass der Advent vier Sonntage umfasst. Die Zählung unterscheidet sich von jener des Sakramentars und des Lektionars.

Graduale	Sacramentarium	Lectionarium
1 ⟨Dom. I adventus⟩	509 Dom. V ante Nat.	803 ⟨Dom. V ante Nat.⟩
2 Dom. II ante Nat.	510 Dom. IV ante Nat.	806 Dom. IV ante Nat.
4 Dom. III ante Nat.	511 Dom. III ante Nat.	809 Dom. III ante Nat.
(deest folium)		812 Dom. II ante Nat.
5–7 QT	512–514	813–816
(Dom. vacat?)	515 Ad missam	817 Dom. proxima Nat.

Zur Erklärung der Verschiedenheit in der Zählung der Adventsonntage in den verschiedenen Büchern des Missale Basileense lässt sich eine Arbeit von A. Chavasse[96] heranziehen, in welcher er aufzeigt, dass bei der Einführung in Rom in der zweiten Hälfte des 6. Jahrhunderts der Advent (wie übrigens auch in Mailand und in Gallien) sechs Sonntage umfasste, «y compris le 'dominica vacat' des Quatre-Temps de décembre», also fünf Sonntagsmessen und jene vom Quatembersamstag, die erst gegen Morgen gefeiert wurde und die Messe vom Sonntag ersetzte (deshalb: «Dominica vacat»); der Grund für die Reduktion auf vier Adventsonntage ist nicht genau bekannt. – In der Folgezeit erhielten die Sonntage nach dem Quatembersamstag «des 1., 4., 7. und 10. Monats» (März, Juni, September, Dezember) bei gleichbleibender Benennung («Dominica vacat») eigene Messformulare, sodass (je nachdem man die Quatember-Samstagsmesse als Sonntagsmesse betrachtete oder nicht) vier oder fünf Adventsonntage gezählt wurden.

---

[96] CHAVASSE, L'Avent romain du Ve au VIIIe siècle, S. 297–298.

c. Weihnachten - Epiphanie

Wie zu andern Zeiten des Kirchenjahres sind auch in der Weihnachts- und Epiphaniezeit Unterschiede betreffend Bezeichnung, Anzahl der Sonntage usw. in den einzelnen Teilen des Missale Basileense festzustellen:

Graduale	Sacramentarium	Lectionarium
9 In nocte	235 In Nat. de nocte	580 In nocte Nat. dni
10 Officium in luce	236 Mane primo	581 In primo mane
11 In die	239 Nat. ad s. Petrum	582 In die Nat. dni
17 Statio ad s. Mariam	246 Octava. dni	587 In oct. dni
18 Dom.I post Nat.	270 Dom. I post Nat.	588 Dom. I post Nat.
	248 Vig. Theophaniae[97]	589 Vig. Epiphaniae
19 Theophania	249 Epiphania	590 Theophania
	254 Oct. Theophaniae[98]	592 Oct. Theophaniae
20 Dom. II post Nat.	271 Dom. II post Nat.	591 Dom. I post Theophaniam
22 Dom. III ⟨post Nat.⟩	272 Dom. II post Theophiam	593 Dom. II post Theophaniam
27 Dom. IV ⟨post Nat.⟩	273 Dom. III post Theophaniam	595 Dom. III post Theophaniam
	274 Dom. IV post Theophaniam	598 Dom. IV ⟨post Theophaniam⟩
	275 Dom. V post Theophaniam	601 Dom. V post Theophaniam

d. Fastenzeit

1. Donnerstage

Papst Gregor II. ordnete an, dass die bisher liturgielosen Donnerstage der Fastenzeit eine eigene Messe erhielten[99]. Graduale (B 41; 47; 54; 61; 68; 75) und Lektionar (B 610; 617; 624; 631; 638; 645) führen alle Donnerstage auf, im Sakramentar (B 302; 309; 316) ist die Messe teilweise aus Gel VIII ergänzt.

---

[97] CHAVASSE, Évangéliaire, S. 201: «Addition propre à GrP» (Paduense)... «emprunte ses pièces au gélasien».

[98] Das zum Fest Gesagte gilt ähnlich für die Oktav. Man beachte ferner den Unterschied in der Bezeichnung: Epiphania – Theophania.

[99] CHAVASSE, Cantatorium et Antiphonale Missarum, S. 20.

Die Messe des GrH vom Donnerstag der 3. Woche bezieht sich auf die Stationsheiligen Cosmas und Damianus; B 302 verbindet mit je einer Alia-Oration die Fastenmesse der Gel VIII mit der GrH-Messe zu einem einzigen Formular.

2. Karwoche

Die Texte für die Karwoche sind im Missale Basileense erstaunlich spärlich: Am Hohen Donnerstag ist lediglich die Messe vorgesehen (B 82; 323; 652), ohne Ölweihe und Mandatum. – Für den Karfreitag sind im Graduale und im Lektionar die Lesungen sowie die Gesänge zu den Lesungen und zur Kreuzverehrung (B 83; 653), im Sakramentar die Lesungen und die Orationes maiores, die Grossen Fürbitten, (B324; 325) angegeben. – Zum Karsamstag (Ostervigil) bieten das Graduale und das Lektionar die Lesungen und die entsprechenden Gesänge (Cantica, bzw. Tractus) (B 84; 654–655), das Sakramentar nur die Orationen zu den Lesungen und die Vigilmesse (B 326–327), – also keine Weihe des Feuers, der Osterkerze und des Wassers sowie auch keine Taufe.

e. Osterzeit

1. Osterwoche

Die Osterwoche («Hebdomada in albis»)[100] endete früher mit dem Ostersamstag. Der 1. Sonntag wurde «Dominica post albas» (d. h. «post vestes albas depositas»), «Sonntag nach der Ablegung der weissen Gewänder», mit welchen die Neugetauften in der Osternacht bekleidet waren, genannt, – eine Bezeichnung, die das Missale Basileense im Graduale für den 3. Ostersonntag (B 96) noch kennt. Der 1. Sonntag nach Ostern wird in allen drei Teilen des Missale Basileense «Octava Paschae» genannt, gehört also zur Osterwoche, während welcher die Tradition des Gregorianum mit den täglichen Prozessionen «Ad fontes» und «Ad s. Andream»[101] genau eingehalten ist.

---

[100] Vgl. CHAVASSE, Gél., S. 235–241.
[101] Vgl. oben S. 129.

2. Pascha annotina

Das römische Jahresgedächtnis für die Neugetauften des vergangenen Jahres, «Pascha annotina» genannt[102], dessen Formular sich im GrP, im V und in den Gel VIII findet, ist im Lektionar des Missale Basileense (B 672) nach dem Freitag der 3. Osterwoche ausdrücklich erwähnt, aber nicht im Graduale und im Sakramentar. Letzteres bietet die entsprechenden Orationen nicht in einem eigenen Formular, sondern in der Liste der «Aliae orationes ⟨paschales⟩» (B 341,21–25), wobei der Einschub im Kanon (B 341,24) und der Titel «Ad compl.» (B 341,25) stehen geblieben sind.

3. Sonntage nach Ostern

Die Sonntage nach Ostern werden im Sakramentar des Missale Basileense nicht gleich nach der Osteroktav, sondern erst nach dem Commune sanctorum und der Kirchweihe aufgeführt (B 479–482); sie sind «nach Oktav von Ostern» (nicht «nach Ostern») benannt wie im Graduale und Lektionar. Der 6. Sonntag (Dominica post Ascensionem) fehlte offenbar in der Vorlage und wurde ein erstes Mal kurz nach der Niederschrift des Codex gegen Ende des 11. Jahrhunderts nach der Ascensio (B +350) und ein zweites Mal rund ein Jahrhundert später in der Reihe der Sonntagsmessen (B +483) nachgetragen:

Graduale	Sacramentarium	Lectionarium
92 Dom. oct. Paschae	340 Dom. oct. Paschae	663 Dom. oct. Paschae
93 Dom. II (=I) post oct. Paschae	479 Dom. post oct. Paschae	666 Dom. I post oct. Paschae
94 Dom. II post	480 Dom. II	669 Dom. II post oct. Paschae
	(341,21–25)	672 Pascha annotina
95 Dom. III ⟨post oct. Paschae⟩	481 Dom. III	673 Dom. III
96 Dom. IV post albas	482 Dom. IV post oct. ⟨Paschae⟩	676 Dom. IV
109 Dom. I post Ascensionem	+350; +483 Dom. post Ascensionem	682 Dom. I post Ascensionem

---

[102] CHAVASSE, Évangéliaire, S. 221; CHAVASSE, Gél., S. 171.

4. Bittage

Das Missale Basileense kennt sowohl im Sakramentar wie auch im Graduale und Lektionar die Letania maior vom 25. April (B 346; 99; 677), hingegen fehlen die fränkischen Rogationes an den drei Tagen vor Christi Himmelfahrt vollständig. Der Freitag nach Ascensio findet sich nur im Lektionar im Anschluss an die Votivmessen (B 845) und vor der «prior missa» vom Fest des hl. Johannes des Täufers.

f. Pfingstzeit

1. Pfingsten

Mit Pfingsten wird die Osterzeit abgeschlossen; deshalb hatte dieses Fest vorerst keine Oktav. Ähnlich wie vor Ostern wurde in der Nacht vor Pfingsten ein Vigilgottesdienst mit Lesungen, Gebeten, Wasserweihe und Taufe gefeiert. Das Missale Basileense sieht im Graduale, wie auch im Sakramentar und im Lektionar, zwar einen solchen Gottesdienst vor (B 112; 360–362; 684), jedoch gleich wie an Ostern ohne Wasserweihe und Taufe.

2. Pfingstwoche– Pfingstoktav

Das Gelasianum kennt keine «Pfingstwoche» und keine Pfingstoktav, wohl aber das Gregorianum[103]. In die Woche nach Pfingsten fiel das «ieiunium mensis IV». Aus den schon dargelegten Gründen[104] ist die Quatember verschoben worden; so sehen die dafür in Frage kommenden Teile im Missale Basileense drei verschiedene Termine vor: Das Graduale in der Pfingstwoche und in der Woche nach der Pfingstoktav (B 116–118; 119–121), das Sakramentar in der Pfingstwoche (B 366–369) und das Lektionar in der Woche nach dem 3. Pfingstsonntag (B 699; 701; 703), wobei ein Nachtrag vom Ende des 11. Jahrhunderts zusätzlich die Orationen vom Mittwoch und Freitag (B +700; +702) sowie das ganze Messformular vom Samstag bietet (B 704).

---

[103] CHAVASSE, Évangéliaire, S. 223; CHAVASSE, Gél., S. 246–252, 595–604.
[104] Vgl. S. 60, 134, 140f.

Graduale	Sacramentarium	Lectionarium
113 In die s. Pent.	363 Die dom. s. Pent.	685 In die Pent.
116–118 QT	366–369 QT	
184 Dom. I post Pent.	370 Die dom. vacat[105] (= Oct.Pent.)	692 Dom. oct. Pent.
119–122 QT(si ieiunium... evenerit)		
185 Dom. II	484 Dom. I post oct. Pent.	695 Dom. II
186 Dom. III	485 Dom.II post oct. Pent.	698 Dom. III
		699,701,703 QT

3. Sonntage nach Pfingsten – Ieiunium mensis VII

Im Sakramentar des Missale Basileense sind die Sonntage nach Pfingsten innerhalb der Gruppe der Sonntage nach Ostern bis Weihnachten (B 479–508) aufgeführt und als « Dominica I–XXIII (=XXIV) post octavam (!) Pentecosten» bezeichnet.

Die Quatember «des 7. Monats» (September) finden sich als Ganzes innerhalb des Sanktorale-Teiles vom 1. Juni (Nicomedes) (B 371) bis 21. Dezember (Thomas ap.) (B 467). Unter der Rubrik «Mense VII» (B 431) werden folgende Formulare aufgeführt: Mittwoch, Freitag, Samstag («Sabbato in XII lectionibus») und der sich anschliessende Sonntag («Die dominica vacat») (B 432–436)[105]. Überdies wurde innerhalb der Reihe der Sonntage nach Pfingsten, nach der Dominica XVI post oct. Pentecosten (= Dom. XVII post Pentecosten: D 1177–1179) kurz nach der Niederschrift des Missale (B +500) ein Verweis auf den Quatember-Mittwoch des Graduale (B 201,1) und des Sakramentar (B 432,1) nachgetragen.

Im Lektionar finden sich die Quatember-Lesungen des Monats September (B 766–768) nach der Dominica XVIII (B 764) und dem Matthäus-Fest (B 765) unter der eindeutig falschen Überschrift «Feria IV mensis quarti».

Graduale	Sacramentarium	Lectionarium
200 Dom. XVII	499 Dom. XVI post oct. Pent.	760 Dom. XVII
	431 Mense VII die dom.	
201–203 QT	432–435 QT	
	(+500)	
	436 Die dom. vacat[105]	

---

[105] Trotz dieser Überschrift finden sich auch hier die Texte für eine eigene Sonntagsmesse.

Graduale	Sacramentarium	Lectionarium
204 Dom. XVIII Pent.	501 Dom. XVI (= XVII) post oct. Pent.	764 Dom.XVIII post oct. Pent. 766–768 QT

g. Quattuor Tempora– Sabbatum XII lectionum

«Quatember (ieiunia quattuor temporum, angariae, Fronfasten) sind vier vom Naturjahr bestimmte, ursprünglich durch Fasten, Gebet und Almosen ausgezeichnete Busswochen im Kirchenjahr, in denen jeweils der Mittwoch, Freitag und Samstag (bis zum 7. Jahrhundert die Nacht vom Samstag zum Sonntag) durch eigene Quatembermessen ausgezeichnet sind, denen in der Schlussnacht eine Quatembervigil vorausging»[106]. Diese Wochen waren in den Monaten März, Juni, September und Dezember angesiedelt, weshalb sie «ieiunium mensis I, IV, VII, X» genannt wurden.

Im Missale Basileense weist gewöhnlich nur die Bezeichnung des Samstags auf den besonderen Charakter dieser Tage hin: «Sabbatum XII lectiones» (B 49; 203) oder «Sabbatum XII lectionum» (B 7; 816), «Sabbatum in XII lectionibus» (B 368; 434; 514; 619; 703; 768) oder auch nur «Sabbatum ad s. Petrum» (nach der Stationskirche der Quatember-Samstagsmesse) (B 290); im Lektionar finden sich schon Hinweise am Mittwoch: «Incipiunt lectiones mensis IV» (B 699) oder «Feria IV mensis IV (= VII)» (B 766) und «Feria IV mensis decimi» (B 813); nur ein einziges Mal kommt der Ausdruck «Ieiunium Quatuor Temporum» vor (im Graduale B 119).

Obwohl die Bezeichnung «Sabbatum in XII lectionibus» (oder ähnlich) üblich ist, sind tatsächlich nirgendwo zwölf Lesungen mit den dazugehörenden zwölf Responsorien und Orationen zu finden. Das Lektionar bietet immer fünf alttestamentliche Lesungen und eine Epistel, das Sakramentar einmal acht (B 290), sonst sechs Orationen (einschliesslich jene der Messe), das Graduale schliesslich sechs Responsorien (B 49 und 118, wenn die späteren Nachträge eines Responsorium und eines Tractus mitgezählt werden) bzw. vier Responsorien und einen Tractus (B 7)[107]. Die Zwölfzahl stammt

---

[106] FISCHER, in: LThK 8, Sp. 928–929; über den Ursprung: VERSTREPEN, Origines et instauration des Quatre-Temps à Rome.
[107] Vgl. CHAVASSE, Gél., S. 110–113.

wahrscheinlich aus der Zeit, als in Rom wegen der Gläubigen lateinischer und griechischer Zunge die sechs Lesungen je in diesen beiden Sprachen vorgetragen wurden[108].

Da dieser Lese- und Gebetsgottesdienst mit anschliessender Eucharistie bis zum Morgen dauerte, wurde am Sonntag nicht noch zusätzlich eine Messe gefeiert; das ist der Grund für die Bezeichnung «Dominica vacat», der an gewissen Stellen beibehalten wurde, auch als der Sonntag ein eigenes Messformular erhielt, so im Sakramentar des Missale Basileense an den Sonntagen nach dem Quatember-Samstag der Fasten- und Pfingstzeit sowie des Septembers.

6. DAS SANKTORALE DES MISSALE BASILEENSE

A. ALLGEMEINES

E. Bourque hat dargestellt, welche Bereicherung das Sanctorale durch die «Grégoriens gélasianisés» erfahren hat[109]. In knapper Form führt er die Heiligenfeste auf, die im 10. und 11. Jahrhundert allgemein in den liturgischen Büchern Eingang gefunden haben[110]. Diese Feste sind zum grössten Teil im Missale Basileense vorhanden, entweder innerhalb des Erstbestandes oder als Nachträge aus dem ausgehenden 11. Jahrhundert. Auch wenn viele davon schon beim Vergleich zwischen dem Missale Basileense und dem Gregorianum[111] erwähnt wurden, dürfte es nützlich sein, sie hier unter Berücksichtigung des Graduale und des Lektionars in übersichtlicher Form aufzuführen.

Heiligenfeste, die im Erstbestand des Missale Basileense, nicht aber im Gregorianum (D 1–1804), vorkommen:

---

[108] Vgl. HESBERT, Sextuplex, S. XXXIX–XLIV.

[109] BOURQUE II, 2, S. 473–483; auf diese Zusammenstellung wird im Folgenden mit «Bourque» verwiesen.

[110] Für eine eingehendere Untersuchung vgl. BAUMSTARK, S. 208–238. Hauptsächlich auf BOURQUE und BAUMSTARK gestützt, hat F. Huot den Grundstock («Fond commun»), den allgemeinen Bestand der Heiligenfeste im Sanktorale um 1100, zusammengestellt: HUOT, Les manuscrits liturgiques du Canton de Genève, S. 43–47. Im Folgenden wird darauf mit «Grundstock» verwiesen.

[111] Vgl. oben S. 127f.

Januar	19	Marius und Martha (Sakr. 256)
Februar	22	Cathedra Petri (Sakr. 265; Grad. 33; Lect. +878)
März	7	Perpetua (nur im KL und in den Litaneien)[112]
	21	Benedikt (Sakr. 268; Grad. 35; Lekt. 860)
April	13	Eufemia (Sakr. 343)
	25	Markus (nur im KL und in den Litaneien)
Mai	3	Inventio crucis (Sakr. 354; Grad. 104; Lekt. 867)
	12	Nereus, Achilleus, Pancratius (Grad. 105; Lekt. 869)
Juni	9	Primus, Felicianus (Grad. 123; KL)
	11	Barnabas (nur im KL und in den Litaneien)
	12	Basilides (Grad. 124)
	15	Vitus (nur im KL als Victus)
Juli	23	Apollinaris (Grad. 138)
	24	Vigil von Jacobus (Grad. 139; Lekt. 876)
	25	Iacobus (Sakr. 392; Grad. +140; Lekt. 736)
August	1	Machabaei (Sakr. 388 unter dem 10. Juli)
	3	Inventio corporis Stephani (Sakr. 399)
	7	Donatus (Sakr. 401)
	17	Oktav von Laurentius (Sakr. 412; Grad. 153)
	19	Magnus (Sakr. 415; KL)
	24	Bartholomäus (Sakr. 417; Lekt. 748)
	27	Rufus (Sakr. 418)
	28	Augustinus (Sakr. 419)
		Pelagius (Sakr. 419)
		Daniel (Sakr. 419)
	29	Decollatio Iohannis Bapt. (Sakr. 420; Lekt. 749)
September	8	Adrian (Sakr. 422 mit Mariä Geburt; Grad. 160)
	9	Gorgonius (Sakr. 423; Grad. 161)
	20	Vigil von Matthaeus (Sakr. 428; Grad. 166)
	21	Matthaeus (Sakr. 429; Grad. 167; Lekt. 765)
	22	Mauritius (Sakr. .430)
	30	Hieronymus (nur im KL)
Oktober	1	Remedius (Remigius) (Sakr. 441)
	7	Marcellus, Apuleus (Sakr. 440)
	9	Dionysius (Sakr. 442)
	18	Lukas (Sakr. 444)
	27	Vigil von Simon und Judas (Sakr. 445; Grad. 171)
	28	Simon und Judas (Sakr. 446; Grad. 172; Lekt. 782)
	31	Vig. Allerheiligen (Sakr. 447; Grad. 173; Lekt. 786)
November	1	Allerheiligen (Sakr. 448; Grad. 174; Lekt. 787)
Dezember	7	Oktav von Andreas (nur im KL)
	11	Damasus (Sakr. 465)
	21	Thomas ap. (Sakr. 467)

---

[112] BOURQUE, S. 475.

Heiligenfeste in B als Nachträge aus dem ausgehenden 11. Jahrhundert (wenn nichts anderes vermerkt):

Januar	13	Hilarius (Sakr. +251)
	25	Conversio Pauli (Sakr. +260; +329)
	28	Oktav von Agnes (Grad. 29; Sakr. +261; Lekt. 854)[113]
Februar	24	Matthias (Sakr. +266; Lekt. +879: 12./13. Jh.)
Juli	22	Maria Magdalena (Sakr. +391; Grad. 211,+26; Lekt. +880: Hymnus, 12./13. Jh.)
	25	Christophorus (Sakr. +393)
	29	Simplicius, Faustinus, Beatrix (Sakr. +395)[114]
November	16	Othmar (Sakr. +331: 14./15. Jh.)

Dazu kommen folgende zehn Feste, die zum Erstbestand des Missale Basileense gehören, bei Bourque jedoch nicht vermerkt sind. Diese müssen zur Identifizierung des Missale Basileense besonders berücksichtigt werden. Acht von ihnen können als Eigen- oder Sonderfeste (im weiteren Sinn) des Missale Basileense oder seiner Vorlage angesehen werden; sie werden in der folgenden Übersicht mit Majuskeln wiedergegeben:

Juli	15	MARGARETHA (Sakr. 390)
	24	Vigilia s. Iacobi (Grad. 139; Lekt. 876)
August	16	ARNULF, Bischof von Metz (Sakr. 411)
	18	HELENA, Kaiserin, Trier (Sakr. 414)
	28	Augustinus (Sakr. 419)
	28	PELAGIUS, Patron von Konstanz (Sakr. 419)
	28	DANIEL (Sakr. 419)
November	21	VIGIL von CAECILIA (Sakr. 455)
	29	OKTAV von CAECILIA (Sakr. 457)

B. HINWEISE ZU EINZELNEN HEILIGENFESTEN

Januar

1. Januar: Oktav von Weihnachten. Der Tag ist in verschiedenen Handschriften mit «In natale s. Mariae» bezeichnet (z. B. in den Gradualien von Monza, Mont-Blandin und Compiègne: Sextuplex 16bis), in andern hingegen mit «Octava domini. Statio ad s. Mari-

---

[113] Vgl. HESBERT, Sextuplex, S. LXXXVI–LXXXVII.

[114] Zum Grundstock gehörend, aber von BOURQUE nicht erwähnt.

am». Während das Graduale im Missale Basileense nur den zweiten Teil des eben genannten Titels behalten hat (B 17), bietet das Sakramentar die beiden Messen «Octava domini» (B 246, den Gel VIII entnommen) und «Eodem die» (B 247, entspricht dem GrH und kommt auch in den Gel VIII vor)[115].

13. Januar: Hilarius. Obwohl zum Grundstock gehörend, fehlt dieses Fest im Erstbestand des Missale Basileense; möglicherweise handelt es sich um eine bewusste Auslassung wegen der auf diesen Tag fallende Oktav von Epiphanie; es ist als Nachtrag (B +251) dem Sakramentar beigefügt worden.

20. Januar: Fabian und Sebastian. Das GrH bietet für jeden dieser Heiligen eine besondere Messe, die im Sakramentar (B 257) und im Graduale (B 25) zu einem einzigen Formular vereinigt sind; im Lektionar (B 851) ist nur Sebastian genannt.

25. Januar: Conversio Pauli. Das zum Grundstock gehörende und auch von Bourque verzeichnete Fest findet sich im Sakramentar des Missale Basileense (B +260) nur als Nachtrag.

Februar

2. Februar: Purificatio Mariae. Diese Bezeichnung des ebenfalls zum Grundstock gehörenden Festes findet sich sowohl im Graduale (B 30) als auch im Lektionar (B 600); das Sakramentar (B 262) verwendet den (in der gallikanischen Liturgie üblichen) Namen «Ypapante». Dieser griechische Begriff ist dem Gregorianum eigen und bedeutet «Begegnung»: Bei der Darstellung im Tempel «begegnen» sich Jesus und der greise Simeon, was auch zur Festbezeichnung «In s. Simeonis» (Murbach und Gel VIII) oder «Nat. s. Simeonis» (Bl, K, Sl) geführt hat. Es handelt sich um ein griechisches Fest, das in der Zeit zwischen den Päpsten Bonifaz IV. (608–615) und Theodor (642–645) in das Gregorianum aufgenommen wurde[116].

22. Februar: Cathedra Petri. Das Formular des zum Grundstock gehörenden und auch bei Bourque aufgeführten Festes[117] findet sich in den Gel VIII; die 1. Oration ist der Messe von Peter und Paul (B 382,5) entnommen.

---

[115] Vgl. HESBERT, Sextuplex, S. LXXXI–LXXXII; CHAVASSE, Gél., S. 381–383.

[116] CHAVASSE, Évangéliaire, S. 206; CHAVASSE, Gél., S. 375–402, bes. 390; vgl. auch HESBERT, Sextuplex, S. LXXXVII–LXXXIX.

[117] Vgl. oben S. 61.

März

12. März: Gregor d. Gr. (Grundstock). Das Formular dieses Festes (B 267)[118] ist jenes der Gel VIII und unterscheidet sich vollständig vom Festformular, das im Hadrianum (GrH) überliefert ist (D 137–139).

21. März: Depositio Benedicti. Das Fest zum Sterbetag des hl. Benedikt (B 268) gehört wohl zum Grundstock und ist auch von Bourque aufgeführt[119]; im Hadrianum jedoch kommt weder die Depositio noch das Fest vom 11. Juli vor. Das Formular des Missale Basileense entspricht jenem, das in einem aus der Reichenau stammenden Sakramentar (Mitte 9. Jh.)[120] überliefert ist.

25. März: Annuntiatio Mariae (Grundbestand, Bourque; Sakr. B 269; Grad. B 36; Lekt. B 859). Nach dem Liber Pontificalis soll Papst Sergius I. (687–701) an den vier Marienfesten Annuntiatio, Assumptio, Nativitas und Purificatio einen Bittgang (Letania) eingeführt haben[121].

April

4. April: Ambrosius. Obwohl dieses Fest zum Grundstock gehört und spätestens von 1100 an allgemein bezeugt ist, wird es im Missale Basileense nur im Kalendar und in einer Litanei erwähnt (B L2,57).

11. April: Papst Leo d. Gr.(Grundstock, Bourque)[122]. Das Formular des Missale Basileense (B 342) ist vollständig verschieden von jenem des Hadrianum (D 586–588); es ist den Gel VIII entnommen.

13. April: Eufemia (Grundstock, Bourque; B 343)[123] Es handelt sich um ein «neues Fest» des 10./11. Jahrhunderts[124], das sich im

---

[118] Vgl. oben S. 127.

[119] Vgl. oben S. 61; das Missale Basileense kennt auch das Fest vom 11. Juli (B 389), vgl unten S. 147.

[120] Wien, Österreichische Nationalbibliothek. Cod. lat. 1815: vgl. CLLA 736.

[121] CHAVASSE, Gél., S. 376; zu den vier Festen ebd. 375–400; 651–656; vgl. auch HESBERT, Sextuplex, S. XC–XCI; GAMBER, Die ältesten Messformulare für Mariä Verkündigung. Ein kleines Kapitel frühmittelalterlicher Sakramentargeschichte, S. 121–150.

[122] Vgl. oben S. 127.

[123] Vgl. unten S. 152.

[124] BOURQUE, S. 475.

Gelasianum und in dessen Gefolge in den Gel VIII unter diesem Datum findet. Es ist von jenem des 16. Septembers (B 165; 427) zu unterscheiden, unter welchem Datum es sowohl im Orient als auch in Rom gefeiert wurde und im Gregorianum Eingang fand. Diese «dualité liturgique qui oppose gélasien et grégorien»[125], lässt sich nach Chavasse mit dem Kult in zwei der Heiligen geweihten Kirchen Roms erklären.

25. April: Die Letania maior, der Grosse Bittgang[126] (Grundstock, Bourque); (Sakr. B 346–347; Grad. B 99 [Messe] und B 212 [Antiphonae ad processionem]; Lekt. B 677) verzeichnet auch Alia-Orationen (B 346), die gemäss GrH (D 467–471) Gebete zur Prozession darstellen; dort sind auch die verschiedenen Stationen angegeben: «Ad s. Valentinum», «Ad pontem Olbi», «Ad crucem», «In atrio». – Erstaunlicherweise ist das auf den gleichen Tag fallende Fest des Apostels Markus im Missale Basileense nur im Kalendar und in den beiden Litaneien erwähnt.

Mai

3. Mai: Inventio crucis (Grundstock, Bourque; B 354)[127]. Das nur in den Gelasiana (V und Gel VIII) vorkommende Fest, das auch im Comes von Murbach figuriert, ist orientalischen Ursprungs: es ist in Rom seit dem ersten Viertel des 6. Jahrhunderts belegt[128]. Die beiden ersten Orationen sind der Alkuin-Messe «De s. cruce» entnommen, Secreta und Postcommunio stammen aus den Gel VIII.

12. Mai: Nereus, Achilleus und Pancratius (Grundstock, Bourque)[129]. Im Sakr. (B 357) wird (wie im Hadrianum) nur Pancratius genannt, im Grad. (B 105) und im Lekt. (B 869) dagegen sind alle drei Martyrer (wie in den Gel VIII und im Comes von Murbach) aufgeführt. Die Feier der drei Heiligen ist ein im 10./11. Jahrhun-

---

[125] CHAVASSE, Gél., S. 364–369, hier 369.

[126] Vgl. B 212; HESBERT, Sextuplex, S. XCI–XCII und oben S. 69f.

[127] Vgl. oben S. 63.

[128] Vgl. HESBERT, Sextuplex, S. LXXXII–LXXXIII; XCII–XCIII; CHAVASSE, Gél., S. 350–364, hier 364.

[129] Vgl. oben S. 63.

dert allgemein eingeführtes Fest, welches das Formular für Pancratius schliesslich verdrängt hat[130], was im Sakramentar des Missale Basileense noch nicht der Fall ist.

Juni

9. Juni: Primus und Felicianus (Grundstock, Bourque)[131]. Obwohl dieses Fest in den Gel VIII vorkommt und um 1100 allgemein verbreitet war, ist es im Missale Basileense nur im Graduale (B 123) und im Kalendar verzeichnet.

Juli

10. Juli: Septem Fratres (Grundstock) – Machabaei (Grundstock, Bourque). Das Fest der Sieben Brüder (B 387; 135) wird allgemein am 10. Juli gefeiert[132]. Das darauffolgende Formular (B 388: «Eodem die») jedoch betrifft die Sieben Makkabäer-Brüder, wie ein Vergleich mit den Gel VIII zeigt; dieses Fest, für welches das Supplementum zum Hadrianum eine Präfation vorgesehen hat, ist üblicherweise auf den 1. August angesetzt (so auch im Lekt. B 737 und im Kalendar) und gehört zu den «neuen Heiligenfesten» des 10./11. Jahrhunderts[133]. Ein Grund für die Vorverlegung der Machabäer im Missale Basileense könnte, abgesehen von der vielleicht irrtümlichen Identifizierung der Makkabäer mit den Septem Fratres, die Absicht gewesen sein, den 1. August für das Fest Vincula Petri freizuhalten.

11. Juli: Nat. Benedicti. Neben dem Sterbetag (21. März) bringt das Missale Basileense, doch nur im Sakramentar (B 389), das Fest «Natale», wie es auch in den Gel VIII zu finden ist. Es handelt sich, wie andere Quellen bezeugen[134], um die «Translatio Benedicti», d. h. um die Überführung der Reliquien nach Fleury um 672–674[135]. Die einzelnen Orationen (D 3541–3544) finden sich in den Gel VIII.

---

[130] Bourque, S. 476

[131] Vgl. oben S. 92, 142.

[132] Vgl. Munding, Untersuchungen, S. 77–78.

[133] Bourque, S. 478.

[134] So z. B. B. W 28, f.66r.

[135] Vgl. Munding, Untersuchungen, S. 78; Vidier, L'historiographie à Saint-Benoît-sur-Loire et les miracles de Saint Benoît.

15. Juli: Margaretha[136]. An diesem Tag wird das Fest der Jungfrau und Martyrerin von Antiochien, eine der Vierzehn Nothelfern, in den Diözesen Basel, Chur, Konstanz und Strassburg[137] gefeiert, anderswo am 13., 19. oder 20. Juli. In Basel wurde sie besonders verehrt, die Margaretha-Kapelle auf dem «Margarethen-Hügel» zeugt davon. Das Formular stellt eine Nachbildung aus Texten anderer Feste (z. B. aus jenem der hl. Prisca), dar, hat sich aber bisher in andern Missalien nicht nachweisen lassen und darf deshalb als «Eigenfest» im weiteren Sinn bezeichnet werden.

August

10. August: Laurentius. Es handelt sich um eines der wenigen Feste[138], das mit Vigil (9. Aug.: B 147; 403; 741), Fest (B 148; 404 [prima missa]; 405 [ad missam]; 742) und Oktav (17. Aug.: B 153; 412 aus Gel VIII; Grundstock, Bourque) ausgezeichnet war.

14. August: Vigil von Assumptio – Eusebius (beide gehören zum Grundstock). Die Vigil kommt nur im Sakramentar (B 408) und Lektionar (B 743), Eusebius dagegen nur im Graduale (B 151) und Sakramentar (B 408) vor. GrH verzeichnet je eine Messe für Eusebius (D 655–657) und für die Vigil (D 658–660); im Missale Basileense sind die beiden Feste zu einem einzigen Formular verbunden.

16. August: Arnulf, Stammvater der Karolinger und Bischof von Metz (+18. Juli 640; Translatio 16. Aug.)[139] scheint in den von Deshusses publizierten Texten lediglich in Litaneien auf[140]. Das in B

---

[136] Vgl. oben S. 96.

[137] GROTEFEND, Taschenbuch, S. 77; MUNDING, Untersuchungen, S. 79; zum Kult der hl. Margaretha in Basel vgl. oben S .

[138] Vgl. Cäcilia: 10., 11. und 17. November

[139] Vgl. MUNDING, Untersuchungen, S. 92; oben S. 100.

[140] DESHUSSES III, S. 143; 287; 294.

[141] Dank der Hilfe von F. Dell'Oro konnte das Formular in Ms. 2547 der Universitätsbibliothek Bologna (11. Jh., aus dem Benediktinerkloster S. Salvatore in Brescia) gefunden werden. – Das aus Reims stammende, unvollständige Sakramentar W 28 der Walters Art Gallery bietet folgende, vom Missale Basileense verschiedene Orationen, allerdings unter einem andern, nicht näher bestimmten Datum zwischen der Translatio s. Benedicti (11. Juli) und Praxedis (21. Juli), also wahrscheinlich zum 16. Juli (Todestag):

411 vorliegende Formular entspricht fast wörtlich jenem aus einer heute in Bologna aufbewahrten Handschrift[141].

18. August: Helena virg.(!), Mutter des Kaisers Konstantin d. Gr.[142] ist in D (gleich wie Arnulf) nur in Litaneien erwähnt[143] und ihr Fest scheint äusserst selten belegt zu sein[144]. Eine gewisse Parallele liegt in einem um 1070–1080 geschriebenen Sakramentar aus Köln vor, wo sich (ausser den in B 414 aufgezeichneten Texten) noch weitere Orationen finden[145].

(f.66r) ARNULFI EPISCOPI ET MARTYRIS.
Exaudi domine quaesumus preces nostras et interveniente beato [beato] Arnulfo martyre tuo atque pontifice supplicationes nostras placatus intende. Per.

(66v) SECR. In tuo conspectu domine quaesumus talia nostra sint munera, que intercedente beato Arnulfo martyre tuo atque pontifice et placare te valeant et nos tibi placere perficiant. Per.

POSTCOM. Conservent nos domine quaesumus munera tua et intercedente beato Arnulfo martyre tuo atque pontifice vitam nobis tribuant postulantibus. Per.

[142] Vgl. oben S. 100f.; HOMEYER, in: LThK 5, Sp. 208–209; KLEIN-SIGAL, in: LexMA 4, Sp. 2117.

[143] DESHUSSES III, S. 144, 295.

[144] In einem Brief vom 2. Dezember 1991 hat Robert Amiet Folgendes mitgeteilt: «Les saints Arnulf (16 août), Magne (19 août) et Pélage (28 août) se trouvent dans tous les diocèses voisins de Bâle. ... Par contre sainte Hélène et le prophète Daniel (28 août) sont très rares. Je possède les calendriers de tous les diocèses français et germaniques, plus une centaine de calendriers italiens, plus divers calendriers anglais et espagnols, et voici le résultat de mon examen: Sainte Hélène ne se trouve que dans les quatre témoins suivants: Breviarium Antwerpiense 1496; Breviarium Maurianense 1512; Missale Coloniense 1525; Missale Trevirense 1547 (à l'encre rouge)». Ihm wie auch Prof. Dell'Oro sei für ihre Mithilfe herzlich gedankt.

[145] Freiburg i. Br., Universitätsbibliothek, Hs. 360a, f.112v–113r (vgl. Kataloge der Universitätsbibliotheken Freiburg im Breisgau, hg. W. KEHR, Bd. 1, Teil 3 [Wiesbaden 1980] S. 94–96; Herrn Dr. Winfried Hagenmeier danke ich für die Überlassung eines Mikrofilmes): Dieses Sakramentar bietet zuerst eine Oration, die im Missale Basileense nicht vorkommt:

Deus qui omnes sanctos et electos tuos pro suis quosque mentis honorare disponis, praesta quaesumus, ut sancte Helene regine, cuius religionem et studium in sancte crucis manifestatione veneramur, apud tuam misericordiam meritis et precibus adiuvemur. Per.

Die zweite Oration (Alia) entspricht B 414,1; Sekret und Postcommunio sind in beiden Codices gleich. Zusätzlich bringt das Kölner Sakramentar am Schluss eine weitere Alia-Oration:

19. August: Magnus (Grundstock, Bourque)[146]. Das im Missale Basileense erhaltene Formular (B 415) unterscheidet sich von jenem, das Turner veröffentlicht hat[147].

22. August: Timotheus und Symphorianus (Grundstock). Während das Hadrianum für diesen Tag allein Timotheus vorsieht (D 668–670), werden im Grad. B 155 und Sakr. B 416 sowie im Kalendar beide Heiligen kommemoriert, im Sakr. (B 416,2;5) je durch eine Alia-Formel, die den Gel VIII vom Fest des Vincentius entnommen ist; es ist nicht ersichtlich, weshalb dies nicht auch für die Sekret geschehen ist.

24. August: Apostel Bartholomäus (Grundstock, Bourque; B 417)[148]. Das Formular (B 417) entstammt den Gel VIII. Im Kalendar ist auch die Vigil verzeichnet.

28. August: Hermes, Augustinus, Pelagius und Daniel (B 419). Hier liegt das komplexeste Formular des Missale Basileense vor, indem vier verschiedene Heiligenfeste zu einer einzigen Messe zusammengefasst sind; alle, ausser Daniel, sind auch im Kalendar aufgeführt.

a) Hermes (Grundstock) kommt im Grad. (B 156) und im Sakr. (B 419,1;5;9) vor.

b) Augustinus (Grundstock, Bourque) ist im Kalendar, in den beiden Litaneien und im Sakr. (B 419,2;6;10) erwähnt; das Formular stammt aus den Gel VIII.

Quaesumus omnipotens deus, vota hodiernae festivitatis clementer intende et presta, ut quae tua sint pura devotione iugiter exequentes, beate Helene pio interveniente patrocinio, tuo numquam destituamur auxilio. Per.

Der Hinweis auf diese Handschrift stammt von Prof. Balthasar Fischer, Trier, der sie mir aufgrund einer Mitteilung seines Nachfolgers, Prof. Andreas Heinz, in einem Brief vom 20. Juni 1991 bekanntgab; beiden Herren sei der beste Dank ausgesprochen. – Der Liber Ordinarius von Trier bezeugt wohl den Helena-Kult, bietet jedoch nichts zu unserer Frage, da er die Messliturgie nicht beschreibt; Hg. Kurzeja, Der älteste Liber ordinarius der Trierer Domkirche, London Brit.Mus., Harley 2958, Anfang 14. Jh. – Das gleiche Formular wie das des Missale Basileense findet sich auch in W 28, f.50v.

[146] Vgl. oben S. 142. Die Verehrung dieses Bischofs von Trani, des Patrons von Anagni, soll über England nach St.Gallen gekommen sein, vgl. Munding, Untersuchungen, S. 92; Bourque, S. 479.

[147] Turner, Sacramentaries of Saint Gall in the tenth and eleventh centuries, S. 213.

[148] Vgl. oben S. 142.

c) Pelagius, Patron von Konstanz[149], figuriert nur im Sakr. B 419,3;7;11 mit Texten aus den Gel VIII für andere Feste.

d) Daniel wurde von Beda unter dem 21. Juli in das Martyrologium aufgenommen[150]; unter dem 20. Juli findet er sich auch in St.Gallen[151]. In den von Deshusses publizierten Texten wird er nur in den Litaneien erwähnt[152]. Der im Sakramentar des Missale Basileense vorliegende Text (B 419,4;8;12) hat eine Parallele im «Missale Ogerii episcopi Eporediensis» der Kapitelsbibliothek von Ivrea[153].

29. August: Decollatio s. Iohannis Bapt. (Grundstock, Bourque)[154] – Sabina (Grundstock). Das Hadrianum bringt nur das Fest der hl. Sabina (D 674–676). Im Missale Basileense sind beide Feste zu einem einzigen Formular verbunden (Sakr. B 420); Grad. B 157 kennnt nur Sabina. Die Texte für das Fest des hl. Johannes sind dem V[155] (und den Gel VIII) entnommen, wo das Fest mit «Passio Iohannis Bapt.» überschrieben ist.

September

1. September: Priscus. Dieser zu den «neuen Heiligen» (Bourque) und zum Grundstock gehörende Martyrer findet im Missale Basileense keine Erwähnung, auch nicht im Kalendar.

---

[149] MUNDING, Untersuchungen, S 96.

[150] DANIÉLOU, in: RAC 3, Sp. 583.

[151] MUNDING, Untersuchungen, S. 80, nr. 485.

[152] DESHUSSES III, S. 137, 288.

[153] Freundliche Mitteilung von Robert Amiet (vgl. oben Anm. 144): «Quant à saint Daniel, je n'ai que deux témoins: Sacramentaire de l'évêque Oger d'Ivrea vers 1080 (Ivrea Bibl. Capitolare, cod. 56); Sacramentaire de l'abbaye Sainte-Euphémie de Brescia, où il figure en addition du XIIe siècle (Bologna, Bibl. Universitarià, cod. 2547)». Ferdinando Dell'Oro hat verdankenswerterweise den Text im Cod. 56, f. 4v der Kapitelsbibliothek von Ivrea («Missale Ogerii episcopi Eporediensis», in Wirklichkeit ein Sakramentar) mitgeteilt: «V kl. sept. s. Hermen mar. et s. Augustini epi et Danihelis prophete». Der Text des Cod. 56 von Ivrea ist, von kleineren Varianten abgesehen, mit jenem des Missale Basileense identisch. – Prof. Dell'Oro hat auch den Text des Sakramentars aus Brescia zur Verfügung gestellt; am 28. August werden hier ebenfalls Augustinus, Hermes und Daniel kommemoriert werden; er verweist auf ZANA, Il sacramentario benedettino-bresciano del secolo XI. Ricerche sul ms. 2547 della Bibliotece dell'Università di Bologna, S. 76.

[154] Vgl. oben S. 128.

[155] V 1009–1012; zum Fest.vgl. HESBERT, Sextuplex, S. CIV–CV; CHAVASSE, Gél., S. 369–375.

8. September: Nativitas Mariae (Grundstock) – Adrianus (Grundstock, Bourque)[156]. Während das Hadrianum allein das Fest der Nativitas (D 680–683 = B 422,1;2;4;6) kennt und in den im Sextuplex publizierten Texten nur Adrian vorkommt[157], führt B 422 beide Feste in einem einzigen Formular auf. Für die Adrian-Gebete wurden Texte vom Messformular für Pancratius (B 357) adaptiert.

9. September: Gorgonius (Grundstock, Bourque)[158]. Das Formular stammt aus den Gel VIII.

14. September: Exaltatio crucis – Cornelius und Cyprianus (alle Grundstock). Das Kreuzfest[159] findet sich sowohl im Graduale (B 163) als auch im Sakramentar (B 425) und Lektionar (B 763), das Heiligenfest jedoch nur im Sakramentar (B 425); der Text stammt aus dem Hadrianum, wo beide Heiligen je ein eigenes Formular besitzen. Später wurde in B eine 2. Kreuz-Oration aus den Gel VIII nachgetragen (B 425,2).

15. September: Nicomedes (Grundstock) – Oktav von Mariä Geburt (Sakr. B 426). Der letztgenannte Gedenktag fehlt im Missale Basileense, obwohl er zu den Grundstock-Festen gehört. In St. Gallen scheint es erst Ende des 11. Jahrhunderts eingeführt worden zu sein[160].

16. September: Eufemia (Grundstock, Bourque) – Lucia und Geminianus (Grundstock). Das Septemberfest der hl. Eufemia[161] findet sich im Missale Basileense sowohl im Graduale (B 165) als auch im Sakramentar (B 427), das Fest von Lucia und Geminianus nur im Sakramentar (B 427). Im Hadrianum besitzen beide Feste je eine eigene Messe, die im Basler Missale zu einem einzigen Formular vereinigt sind.

22. September: Mauritius und Gefährten (Grundstock, Bourque). Das Formular (nur Sakr. B 430) für das Fest dieser Martyrer aus der

---

[156] Vgl. oben S. 61.

[157] Vgl. HESBERT, Sextuplex, S. CV–CVI; CHAVASSE, Gél, S. 375–402 (bes. S,394); CHAVASSE, Évangéliaire, S. 206.

[158] Vgl. oben S. 61.

[159] Vgl. oben zum 3. Mai; CHAVASSE, Gél, S. 360–364.

[160] MUNDING, Untersuchungen, S. 106–107.

[161] Zum Fest am 13. April vgl. oben S. 145f.

Thebäischen Legion[162] findet sich in einigen Gel VIII[163] und ist mit wenigen Varianten dasselbe, das noch heute in St-Maurice verwendet wird[164].

30. September: Hieronymus. Obwohl dieser Heilige zum Grundstock gehört und auch von Bourque verzeichnet ist, kommt er im Missale Basileense nur im Kalendar vor.

Oktober

Die fehlerhafte Reihenfolge der Feste Marcus (B 439; 7. Okt.; vgl. D 729–731: «Nonis octobris, id est VII die mensis octobris») sowie Marcellus und Apuleius (B 440) einerseits und Remedius (B 441 und Kalendar: «KL. Oct.») anderseits dürfte zu Lasten des Schreibers gehen.

1. Oktober: Remedius (Remigius) (Grundbestand, Bourque)[165]. Im Kalendar steht dieser heilige Bischof von Reims[166] unter der üblichen Bezeichnung «Depositio Remigii cf.»; ausser im Sakramentar (B 441) kommt er noch in der 1. Litanei (L1,55) vor. Das vorliegende Formular konnte bisher nicht nachgewiesen werden[167]; die

---

[162] MUNDING, Untersuchungen, S. 109–110.

[163] DESHUSSES II, S. 322, Apparat.

[164] Missae propriae Abbatiae Agauniensis, approbiert am 8. Dez. 1963.

[165] Vgl. BOURQUE, S. 480–481 Anm.27.

[166] MUNDING, Untersuchungen, S. 114.

[167] In Wa 28, f. 44r/v findet sich ein Formular, das auf den 13. Januar (Todestag) datiert werden kann, weil sich unmittelbar daran anschliesst: Eodem die natale sci Hilarii epi et conf.; dieses Remigius-Formular unterscheidet sich vollständig von jenem des Missale Basileense. Voraus geht eine Oration zur Vigil:

IN VIGILIA SANCTI REMIGII.
Concede nobis quesumus omnipotens deus venturam beati Remigii confessoris tui atque pontificis sollempnitatem congruo prevenire honore venientem digna celebrare devotione. Per dominum.

NATALE SANCTI REMIGII
Deus qui beati Remigii documento Francorum tibi colla subdidisti ferocia, largire supplicibus tuis, ut per iter salutis, quo idem pastor incessit, dono tue pietatis gradiamur. Per.

SECR. Placeat tibi domine quesumus nostre servitutis oblatio et munera, que tibi fideliter obtulimus, beatissimi Remigii obsecrationibus reddantur accepta. Per dominum nostrum.

BENEDICTIO. Omnipotens dominus det vobis copiam sue benedictionis, qui beatum Remigium adscivit sibi virtute confessionis. Amen. Et qui eum fecit

einzelnen Orationen sind andern Messen aus den Gel VIII entnommen und adaptiert worden; die zwei Formulare im Sacramentarium Adelpretianum[168] und im sog. Sacramentarium Gregorianum Ottonianum in Trient[169] sind für Remigius, Germanus und Vedastus bestimmt und von jenen des Missale Basileense verschieden. Auch dieses Fest kann somit als «Eigenfest» bezeichnet werden.

3. Oktober: Fides. Sowohl im Kalendar (unter dem angegebenen Datum) als auch im Sakramentar des Missale Basileense (B +477: nur eine Oration) ist dieses Fest nachgetragen. Dabei muss es sich um die vor allem auch im elsässischen Schlettstadt und in St. Gallen[170] verehrte Fides von Agen handeln, deren Festtag aber auf den 6. Oktober fällt. Möglicherweise gibt auch dieser Nachtrag einen Hinweis auf die Gegend, in welcher das Missale Basileense im Gebrauch war.

7. Oktober: Marcus (Grundstock) – Marcellus und Apuleius (Grundstock, Bourque). Das Formular für das Fest des Papstes Marcus (Sakr. B 439: conf.; vgl. Grad. B 170: episcopus)[171] ist dem Hadrianum entnommen, dasjenige für Marcellus und Apuleius[172] den Gelasiana (V und Gel VIII); in B haben sie je ein eigenes Formular.

───────

choruscare miraculis, vos exornet bonorum operum incrementis. Amen. Quo eius exempli eruditi et intercessione muniti illi possitis in celesti regione adiungi. Amen. Quod ipse prestare.

POSTCOM. Reparationis nostre mysteriis recreati quesumus domine deus noster, ut beati Remigii Francorum apostoli orationibus fulciamur et visitationis tue gloria perfruamur. Per.

AD VESPEROS. Celesti benedictione omnipotens pater populum tuum sanctifica et beati Remigii confessoris tui atque pontificis festivitate gaudentem per intercessionem eiusdem protectoris nostri fac nos in eterna cum sanctis tuis gloria gaudere. Per.

Robert Maloy, Dallas/Texas, hat auf diese Handschrift aufmerksam gemacht und einen Mikrofilm besorgt; dafür sei ihm bestens gedankt.

[168] DELL'ORO-ROGGER, Monumenta liturgica Ecclesiae Tridentinae saeculo XII antiquiora II/B, Nr. 1132.

[169] DELL'ORO-ROGGER, Monumenta liturgica Ecclesiae Tridentinae saeculo XII antiquiora III, Nr. 74–75.; vgl. auch Ph 923–927: «Translatio s. Germani et depositio Remedii episcopi et confessoris»; im Register, S. 414: «ep. Rom.»

[170] MUNDING, Untersuchungen, S. 74, 115; CASUTT, in: LThK 4, Sp. 119.

[171] Nicht «Marcus ev.», wie in einigen Quellen zu lesen ist: vgl. MUNDING, Untersuchungen S. 117.

[172] Vgl. oben S. 128.

9. Oktober: Dionysius, Rusticus und Eleutherius (Grundstock, Bourque; B 442)[173]. Dieses Fest kommt in keinem älteren Sakramentar oder Lektionar vor[174]; nach Bourque handelt es sich um «une authentique fête romaine, établie à l'occasion de la dédicace de l'église de ces saints à Rome sous Hadrien (795)»[175]. Die Texte im Missale Basileense sind andern Messen der Gel VIII entnommen und angepasst worden.

18. Oktober: Lucas ev. (Grundstock, Bourque)[176]. Das aus den Gel VIII stammende Formular (Sakr. B 444) findet sich in den früheren liturgischen Büchern nicht.

31. Oktober: Vigil von Allerheiligen (Grundstock, Bourque)[177]. Die Orationen sind einer auf Gel VIII-Texten beruhenden Alkuin-Messe entnommen[178].

November

1. November: Festum Omnium Sanctorum (Grundstock, Bourque) – Caesarius (Grundstock). Das im Missale Basileense vorliegende Formular zu dem aus verschiedenen Wurzeln gewachsenen Fest von Allerheiligen[179] (Grad. B 174; Sakr. B 448; Lekt. B 787) gehört zu den Alkuin-Messen[180]. Caesarius kommt im Missale Basileense nur im Sakramentar (B 449–450) vor; im Sextuplex 161 ist für Caesarius eine eigene Messe vorgesehen.

---

[173] Vgl. oben S. 128.

[174] HESBERT, Sextuplex, S. CVIII; nach diesem Hinweis scheint auch C dieses Formular gekannt zu haben.

[175] BOURQUE, S. 481 Anm. 26.

[176] Vgl. oben S. 128.

[177] Vgl. oben S. 161f.

[178] DESHUSSES II, S. 330 (D 3647, 3648, 3650).

[179] BOURQUE, S. 481 Anm. 28; MUNDING, Untersuchungen, S. 128; SCHNITZLER, in: LexMA 1, Sp. 428. – Gewöhnlich wird gesagt, das Fest Allerheiligen sei unter Ludwig d. Fr. im Jahre 835 nach der neuen Dedicatio des Pantheon, (später allen Martyrern geweiht), allgemein eingeführt worden, «mais ceci repose sur une attestation tardive ... sujette à caution. Les origines véritables de la nouvelle fête restent obscures» (BOURQUE). – 798 hat Bischof Arn von Salzburg Allerheiligen als verpflichtendes Fest vorgeschrieben. Im Jahre 800 schrieb Alkuin in einem Brief an Arn von diesem Feiertag. Damals wohl hat Alkuin die Messe verfasst.

[180] D 3652–3656; vgl oben S. 130f.

2. November: Allerseelen (Commemoratio Omnium Defuncto-rum) (Grundstock). Dieses von Abt Odilo von Cluny (994–1048) zunächst für seine Klöster eingeführte Totengedächtnis, dem der aus dem Elsass (ehemals Bistum Basel) stammende Papst Leo IX. (1049–1054) eine gesamtkirchliche Verbreitung verschaffte[181], fehlt im Missale Basileense vollständig[182].

8. November: Octava Omnium Sanctorum (Grundstock). Ob-wohl die Oktav von Allerheiligen um 1100 allgemein gefeiert wur-de, fehlt sie im Missale Basileense, auch im Kalendar.

11. November: Mennas (Mennen) (Grundstock) – Martinus (Grundstock). Mennas steht im Kalendar am 10. November, im Graduale (B 177) ohne Datumsangabe und im Sakramentar (B 453) am 11. November, Martin im Kalendar und im Sakramentar (B 454) am 11. November, im Graduale (B 178) ohne Datumsangabe. Beide Feste werden mit einem je eigenen Formular gefeiert[183]. Martin ist zudem im Kalendar am 4. Juli unter der Bezeichnung «Ordinatio s. Martini ep.» und in den beiden Litaneien (L1,43; L2,48) erwähnt. Die Vorverlegung des hl. Mennas auf den 10. November, die sich etwa auch in liturgischen Büchern von St. Gallen nachweisen lässt, dürfte mit der Bedeutung des fränkischen Hauptheiligen, der zu den ersten heiligen Nichtmartyrer zählt, zu erklären sein[184].

16. November: Othmar. Der Name dieses zweiten Gründers des Klosters St.Gallen (+ 759)[185] ist im Kalendar von erster Hand ein-getragen; das ganze Messformular zum Fest findet sich als Nachtrag des 14./15. Jahrhunderts im Sakramentar (B + 331)[186]. Othmar war Mit-Patron der Kapelle von Vorbourg, wo das Missale Basileense sich später befand und die nach Ausweis des Kalendars (Nachtrag) am Othmarstag geweiht wurde: «Dedicatio huius capellae»[187].

---

[181] MUNDING, Untersuchungen, S. 129; FRANK, in: LThK 1, Sp. 349; JOUNEL, in: A. G. MARTIMORT, L'Eglise en prière, éd. nouv. t. IV (Paris 1983), S. 133.

[182] Diese Tatsache könnte auf die Entstehungszeit des Missale Basileense hin-weisen: kurz nach der Mitte des 11. Jahrhunderts.

[183] Vgl. HESBERT, Sextuplex, S. CIX–CX.

[184] MUNDING, Untersuchungen S. 132–133.

[185] MUNDING, Untersuchungen S. 134; DUFT, in: HS III/1, S. 1187–1190, 1266–1268.

[186] Nur die 1.Oration (mit der Variante: effectum] augmentum) findet sich im Formular, das TURNER (vgl. oben Anm. 147) S. 213 veröffentlicht hat.

[187] Vgl. oben S. 107.

21., 22, 29. November: Vigil, Fest (Grundstock) und Oktav von Caecilia. Ausser den Hochfesten des Kirchenjahres und dem Fest des Laurentius wird im Missale Basileense nur das Fest der Caecilia mit Vigil und Oktav gefeiert, freilich nur im Sakramentar (B 455; 456; 457); das Graduale (B 179) kennt nur das Fest, im Lektionar fehlt auch dieses. Die Orationen für die Vigil und das Fest (mit Ausnahme der Sekret, die mit jener der Oktav identisch ist) sind den Gel VIII entnommen[188]; für die Oktav findet sich das Formular, das im Hadrianum (D 751–753) für den Festtag vorgesehen ist. Ein anderer Beleg für die Oktavfeier konnte bisher nicht gefunden werden, sodass wohl von einem «Eigenfest» des Missale Basileense gesprochen werden darf[189].

29. November: Oktav von Caecilia – Saturninus – Vigil von Andreas. Hinzuweisen ist auf die Tatsache, dass für diesen Tag drei verschiedene Messen vorgesehen sind. Saturninus kommt ausser im Sakramentar (B 461) noch im Kalendar vor, die Vigil von Andreas im Kalendar, im Sakramentar (B 462) und im Lektionar (B 801)[190].

30. November: Andreas ap. (Grundstock). Für das (im Gegensatz zu andern Apostelfesten) in der ganzen Tradition bezeugte Fest des hl. Andreas bietet das Basler Missale (Grad. B 182; Sakr. B 463; Lekt. B 802) ein vollständiges Formular. Die Orationen sind dem Hadrianum (D 770–775, 777) entnommen, mit Ausnahme der 3. Alia-Oration, die aus den Gel VIII stammt.

Dezember

6. Dezember: Nicolaus. Das Fest des Bischofs von Myra (4. Jh.), dessen Gebeine 1087 nach Bari überführt worden sind, fehlt sowohl im Grundstock der seit 1100 allgemein verehrten Heiligen als auch

---

[188] Vgl. CHAVASSE, Gél., S. 278, 282, 287, 292, 302, 310, 317, 319, 326, 667.

[189] Wenn es gelänge festzustellen, wo Cäcilia einen solchen aussergewöhnlichen Kult genossen hat, liesse sich vielleicht etwas Näheres zum Entstehungs- bzw. Bestimmungsort des Missale Basileense aussagen; vgl. oben S. 108.

[190] Die Auszeichnung des Festes von Andreas mit Vigil und Oktav (die Oktav ist in B nur im Kalendar vermerkt) sieht CHAVASSE, Gél., S. 338–339 (vgl. auch S. 310, 319, 668–671) in der Tatsache begründet, dass Papst Symmachus (498–514), der sich 501–506 gezwungenermassen («séjour forcé») in St. Peter im Vatikan aufhielt, hier eine Andreaskapelle (wie im Lateran) erbauen liess. Ähnliches gilt auch für den Apostel Thomas (21. Dezember).

in den frühen liturgischen Büchern. In Basel genoss er eine besondere Verehrung. Die Eintragung im Kalendar von erster Hand
sowie die Texte im Sakramentar (B 464) des Missale Basileense
könnten nach dem Urteil von N. Bux, einem ausgezeichneten Kenner des Nikolaus-Kultes, eines der frühesten Zeugnisse für diese
Feier sein[191].

7. Dezember: Oktav von Andreas (Grundstock, Bourque). Obwohl die Oktav von Andreas im Gelasianum und in den Gel VIII
(nicht aber im Gregorianum) vorkommt, und obwohl sie im
10./11. Jahrhundert allgemein in das Sanktorale aufgenommen
wurde und seit ungefähr 1100 zum festen Bestand der Feste gehört,
ist sie im Missale Basileense nur im Kalendar verzeichnet.

---

[191] Prof. Nicolaus Bux, Bari, hat in einem Brief vom 7. Nov. 1987 Folgendes
mitgeteilt: «Mi sembra che il formulario della Messa di S. Nicola nel Messale di
Basilea ... possa essere tra i più antichi, magari anteriore al 1087, data della tras-
lazione delle Reliquie a Bari ... Posso dire quanto segue:

1) (= B 464,1) è la colletta presente in tutti i manoscritti da me elencati nello
studio (d. h. in: N. Bux, La liturgia di san Nicola. Testi medievali e moderni. Bari
1986), e nella forma originale breve.

2) La Secreta mi sembra che richiami la II da me riportata, secondo una struttura
commune a vari formulari del santorale. Ma non ricordo d'averla incontrata nel mio
studio pag. 21; (vgl. die Einleitung, S. 7–11; dazu: CIOFFARI, S. Nicola nella critica
storica: Hier wird, vor allem auf S. 97–100, dargelegt, wie Bischof Reginold von
Eichstätt dazu kam, das Offizium des Nikolaus zu verfassen) potrebbe essere una
novità. La II da me riportata è riscontrabile in Ms Cotton Vitellius A XVIII, dei
Propri della Messa in Londra (cfr. conparazione testuale in mio studio).

3) L' orazione «Ad Compl.» mi sembra simile alla seguente:

Deus bonitatis auctor et bonorum omnium dispensator, concede propicius,
ut qui beati Nicholai confessoris tui atque pontificis solemnitatem veneramur, eius patrociniis atque suffragiis maiestatis tue propiciacionem consequamur. Per Christum.

L' orazione riportata ... non c'è nel dossier; ma, anche in questo caso, mi sembra
che l'orazione del Messale di Basilea sia più antica.

(Il Messale die Basilea) potrebbe aver recepito e trattenuto più di altri l'originale
composizione di Reginold di Eichstätt (966–991), sia per la vicinanza geografica, sia
per la prossimità temporale. Perciò il Missale Basileense potrebbe essere stesso una
fonte della liturgia nicolaiana».

In einem Brief vom 30. März 1989 bestätigte Prof. Bux sein Urteil von 1987: «Il
materiale inviatomi conferma gli studi sulla liturgia nicolaiana, composta da Reginold di Eichstätt. Mi sembra ... che ne dipenda». – Herrn Prof. Bux sei für seine
wertvolle Hilfe herzlich gedankt. – Zum Kult des hl. Nikolaus in Basel vgl. oben
S. 108 f.

C. ERGEBNIS

Von den 46 Heiligenfesten, die nach Bourque im Verlaufe des 10. und des 11. Jahrhunderts allgemein Eingang in das Sanktorale fanden, fehlen deren acht in den entsprechenden Büchern (Graduale, Sakramentar, Lektionar) des Missale Basileense: Sechs von ihnen werden im Kalendar verzeichnet, nämlich: Perpetua und Felicitas (7. März), Markus (25. April), Barnabas (11. Juni), Vitus (Victus) (15. Juni), Hieronymus (30. September), Oktav von Andreas (7. Dezember); die restlichen zwei: Praeiectus (Prix; 25. Januar) und Priscus (1. September) fehlen auch im Kalendar.

Von den 157 Festen, die François Huot als zum «Grundstock» (Fond commun) des Sanktorale um 1100 gehörend aufführt, finden sich im Missale Basileense:

53 in allem drei Büchern (Grad.,Sakr. Lekt.),
32 im Graduale und Sakramentar,
 1 im Graduale und Lektionar,
 9 im Sakramentar und Lektionar,
 5 nur im Graduale,
29 nur im Sakramentar,
 1 nur im Lektionar,
19 nur im Kalendar
 8 werden nirgendwo erwähnt.

Im Erstbestand des Missale Basileense fehlen zwanzig von ihnen, sieben davon wurden kurz nach der Niederschrift des Missale als Nachträge beigefügt[192].

Die Tatsache, dass acht von den nach Bourque im 11. und 12. Jahrhundert eingeführten Heiligenfesten (ungefähr 1/6) und zwanzig von den 157 nach Huot zum «Grundstock» gehörenden Feste (ungefähr 1/8) im Erstbestand des Missale Basileense fehlen und dass von diesen zwanzig deren sieben (ungefähr 1/3) vor Ende des 11. Jahrhunderts nachgetragen wurden, scheint zu beweisen, dass zur Zeit der Niederschrift des Codex Gressly die Integration dieser Heiligenfeste noch nicht abgeschlossen war, und dies legt die Annahme nahe, dass das Sakramentar des Missale Basileense nicht lange nach der Mitte des 11. Jahrhunderts geschrieben wurde.

---

[192] Othmar (16. Nov., B 331) ist ein Nachtrag des 14. Jh.; das Fest gehört nicht zum «Grundstock»; vgl. dazu oben S. 107, 156.

Hingegen enthält das Missale ein Dutzend Heiligenfeste, die nicht zum «Grundstock» von 1100 gehören, die also als «Eigenfeste» des Missale Basileense im weitern Sinn bezeichnet werden können. Es sind dies folgende Feste:

> 11. Juli Benedikt (B 389): Von Fleury ausgehend.
> 15. Juli Margaretha (B 390): Basel, Konstanz, Strassburg.
> 24. Juli Vigil von Jacobus (B 139).
> 16. August Arnulfus (B 411): Metz.
> 18. August Helena (B 414): Trier, Reliquien in Basel.
> 28. August Pelagius (B 419): Konstanz.
> 28. August Daniel (B 419): selten
> 21. November Vigil von Caecilia (B 455): weist auf Hochfest.
> 29. November Oktav von Caecilia (B 457): weist auf Hochfest.
> 6. Dezember Nikolaus (B 464): eines der ersten Zeugnisse.

Dieser «Eigenbestand» beweist, dass der Ursprungsort des Missale Basileense im Gebiet des Oberrheins – Süddeutschland – Nordostfrankreich – Elsass – Basel zu suchen ist, d. h. in der Region St. Gallen – Konstanz (Pelagius) – Reims (Remigius)-Metz (Arnulf) – Basel (Margaretha, Helena, Nicolaus).

7. EINZELFRAGEN

1. Herkunft und Verwandtschaft des Sakramentars

Bisher war es nicht möglich, eine Handschrift zu finden, die mit einiger Wahrscheinlichkeit als Vorlage oder als Parallele des im Missale Basileense überlieferten Sakramentars bezeichnet werden könnte.

Wenn man die Textvarianten von B gegenüber GrH, die im 1. Apparat des D verzeichnet sind, vergleicht, so kann man folgendes feststellen: Eine Anzahl signifikanter Varianten stimmen mit der Lesart des Sakramentars von Reichenau (Mitte 9. Jh.)[193] oder jenes von Tours (9./10. Jh.) überein[194]. Doppelt so viele gleiche Varianten

---

[193] Wien, Österreichische Nationalbibliothek, ms. lat. 1815; D I, S. 43 (Sigle in D: C1); CLLA 736.

[194] Tours, Bibliothèque Municipale, ms. 184 und Paris, BN. ms. lat. 9430; D I, S. 47 (Sigle in D: Tu); CLLA 1385.

finden sich im Sakramentar von Trient[195]. Besonders zahlreich sind die Varianten, die B mit den beiden Handschriften gemeinsam hat, die Deshusses mit S (Sakramentar aus Nordfrankreich, heute Cambrai, 2. Hälfte 9. Jh.)[196] und P (Sakramentar für die Kathedrale von Paris, 3. Viertel 9. Jh.)[197] bezeichnet. Ein eingehender Vergleich mit dem Sakramentar P ergab, dass es nebst den vielen identischen Varianten die nachpfingstlichen Sonntage konsequent nach der Pfingstoktav («Post octavam Pentecosten») zählt, wie es auch in B der Fall ist, eine Benennung, die im Sakramentar von Trient (dreimal) und jenem von Cambrai (zehnmal), sonst nur gelegentlich vorkommt[198].

2. Zur Struktur einzelner Messformulare

Wo GrH (D 1–1018) für Heilige, deren Fest am gleichen Tag gefeiert werden, zwei verschiedene Formulare hat, werden diese im Missale Basileense zu einem einzigen vereint, so:

> B 257: Fabian; Sebastian
> B 400: Sixtus; Felicissimus und Agapitus
> B 408: Vigilia s. Mariae (Assumptio); Eusebius
> B 425: Exultatio s. crucis; Cornelius und Cyprianus
> B 427: Eufemia; Lucia und Geminianus.

Oder B verbindet eine neue Messe mit der einzigen des GrH:

> B 302: Cosmas und Damian (Heilige der Stationskirche) und Messe der Feria
> V post dom. III Quadrag.
> B 419: Hermes, Augustinus, Pelagius und Daniel.
> B 420: Sabina und Decollatio Iohannis Bapt.
> B 422: Nativitas Mariae und Adrianus.

In einigen Fällen hingegen wird die neue Messe als verschiedenes Formular getrennt beigefügt, so in:

---

[195] Trento, Castello del Buonconsiglio, cod. 1590; Ed.: F. DELL'ORO, Sacramentarium Tridentium, in DELL'ORO-ROGGRER, Monumenta Liturgica Ecclesiae Tridentinae saeculo XIII antiquiora, Vol. II/A; D I, S. 42 (Sigle: Omega); CLLA/S 709*.

[196] Cambrai, Bibliothèque Municipale, ms. 162 und 163; D I, S. 35; CLLA 761.

[197] Bibl. Vat., ms. Ottoboni lat. 313; D I, S. 42; (Sigle in D: P); CLLA 740.

[198] Auch die Sonntage nach Ostern werden in P (Ottoboni 313) wie in B (479–482) mit «Dominicae post octavam Paschae» bezeichnet.

B 439–440: Marcus; Marcellus und Apuleus
B 448–450: Caesarius; Allerheiligen

Teile von Formularen, die im GrH nicht enthalten sind, werden bisweilen andern Messen entnommen und angepasst:

B 390: Margaretha
B 416: Timotheus und Symphorianus
B 441: Remigius
B 442: Dionysius, Rusticus und Eleutherius
B 455: Vigil von Caecilia

8. ZUM SAKRAMENTAR ALS GANZEM

1. Ausser Caecilia (mit Vigil, Fest und Oktav)[199] scheint der Apostel Paulus einen besondern Kult genossen zu haben. So wird sein Fest vom 30. Juni im Sakramentar (B 384) und im Lektionar (B 719) mit «Festivitas» überschrieben, eine Auszeichnung, die sich sonst im Missale Basileense (ausser im Lektionar für das Fest von Allerheiligen: B 787) nicht findet. Zudem ist die (neben dem «Te-igitur»-Kreuzbild zu Beginn des Kanons) einzige ganzseitige Miniatur[200] ihm gewidmet und die beiden Nachträge B +260 (Conversio Pauli) und B +329 (Gesänge zu diesem Fest: Antiphon zur Laudes und Vesper sowie zur Kirchweihe-Prozession) weisen in die gleiche Richtung.

2. Das Sakramentar war nicht für eine Pfarrei bestimmt, weil es im Grundbestand keine Taufwasserweihe, keine Taufspendung und keine Trauung (B +237 ist ein Nachtrag des 13./14. Jh.; lediglich die Lesungen sind im Lektionar B 831 wiedergegeben) vorsieht.

3. Es ist auch kein Sakramentar für einen Bischof oder eine Bischofskirche, denn es enthält keine Orationen für spezifische Pontifikalfunktionen, für die Ölweihe am Hohen Donnerstag, für Diakon- und Priesterweihe (im Lektionar sind die Lesungen für die Weihe des Diakons, des Priesters und des Bischofs angegeben: B

---

[199] Vgl. oben S. 157.
[200] Vgl. oben S. 49.

828–830); ebenso fehlen vollständig die seit dem 8. Jahrhundert bekannten und in den Sakramentaren vorhandenen Benedictiones episcopales[201].

4. Wahrscheinlich wurde der Codex für eine klösterliche Gemeinschaft verfasst; das legen verschiedene Gebete des Ordo Missae nahe, besonders einige «Suscipe-sancta-trinitas»-Formeln[202] und einzelne Votivmessen[203].

5. Wie die Untersuchung des Sanktorale zeigt, scheint das Sakramentar des Missale Basileense (und damit der ganze Codex) «nicht lange nach der Mitte des 11. Jahrhunderts geschrieben» worden zu sein[204].

6. Als Ursprungsort muss die Region des Oberrheins, näherhin (wie es auch das Ergebnis der übrigen Untersuchungen, besonders jenes der Geschichte der Handschrift nahelegt) das Gebiet des alten Bistums Basel, bezeichnet werden[205].

---

[201] Dazu vgl. D II, S. 29.

[202] Z. B.: B 229,6: «pro abbate et nostrae congregationis salute»; B 229,10: «in nostro consortio»; «haec domus».

[203] Z. B: B 532–533: pro congregatione; auch das Rituale (z. B: B 890–894; 914,2) lässt daselbe vermuten. Vgl. unten S. 182.

[204] Vgl. oben S. 159.

[205] Vgl. oben S. 40–44, 111 f., 160.

TEIL IV

DAS LEKTIONAR

Das im Codex Gressly grösstenteils ausgeschriebene Voll-Lektionar weist inhaltlich folgende Grobgliederung auf[1]: Nach dem grossen Perikopenkomplex für die Wochen des Jahreskreises von der Weihnachtsvigil bis zum Freitag der 26. Woche nach Pfingsten (B 579–793), in welchen auch einige ausgewählte Heiligenfeste integriert sind, und – unterbrochen durch die sog. Alkuinischen Messen für die Wochentage (B 794–800) – von der Vigil des Andreasfestes bis zum 4. Adventsonntag (B 801–817) folgen Lesungen und Evangelien für das Commune sanctorum (B 818–826) samt Kirchweihfest (B 827), für Ritual-(B 828–831)[2] und für Votivmessen (B 832–844)[3] sowie als Anhang für zwei Messen des Jahreskreises (B 845, 846)[4]; daran schliessen sich ein hauptsächlich nur aus den Textanfängen bestehendes, als «Abbreviatio» bezeichnetes Perikopenverzeichnis für eine Reihe von Tagesheiligen von Silvester bis einschliesslich der Vigil des Jacobusfestes (B 847–876) sowie drei im 12. Jahrhundert zugefügte Nachträge (B +877– +879).

---

[1] Abgesehen von der das Lektionar einleitenden Federzeichnung (f. 150v, vgl. oben S. 49) ist dieser Teil in kodikologischer Hinsicht kaum gegliedert; nur gerade das Sanktorale ist mit «Abbreviatio lectionum et evangeliorum de singulis festivitatibus sanctorum» (vor B 847) überschrieben. Allenfalls können die etwas vergrösserten Initialen bei der Epistel vom Karsamstag (f. 236v: B 655,1), an Ostern (fehlend f. 236v: B 656,1), an Auffahrt (f. 251r: B 680,1), bei der neutestamentlichen Lesung der Pfingsvigil (fehlend f. 253r: B 684,7) sowie am Pfingstsonntag (f. 253v: B 685,1) genannt werden.

[2] Messen für Diakons-, Priester- und Bischofsweihen sowie Brautmesse.

[3] Messen bei Kriegszeit, Regenmangel, Regenüberfluss, bei Zusammenkunft von Richtern, gegen schlechte Richter, für Reisende, beim Gang zum König, für das Heil der Lebenden, für Almosenspender, für sich selber, für einen Kranken und schliesslich bei der Vigil von Verstorbenen.

[4] B 845: Freitag nach Christi Himmelfahrt; B 846: Erste Messe von Johannes Bapt.

Bekanntlich hat sich in ottonischer Zeit, zunächst nördlich der Alpen und in Norditalien, ein Perikopensystem durchgesetzt, das als römisch-fränkische Mischform bezeichnet wird[5]. Ihre um einiges älteren handschriftlichen Zeugnisse gehören gemäss der Klassierung von Antoine Chavasse der Familie B des dritten Typs an[6], die insbesondere von dem heute in St. Petersburg (Leningrad) liegenden Liber Comitis aus Corbie (CoL)[7], der unter Abt Maurdramnus (772–780) verfasst wurde, dem im 8. Jahrhundert entstandenen Murbacher Doppelcomes (M)[8] sowie den beiden um 800 bzw. 850 geschriebenen Plenarlektionarien aus Oberitalien (CoP, CoV)[9] repräsentiert ist und zu der die von Theodor Klauser unter dem Typus Δ zusammengestellten Handschriften[10] eine Variante darstellen. Da der Comes von Murbach nicht nur als das älteste erhaltene Dokument mit Perikopenangaben sowohl für die Lesungen als auch für die Evangelien zum ganzen Jahreszyklus dieser römisch-fränkischen Mischform gilt, sondern weil überdies das Lektionar im Missale Basileense unter den eben angeführten Quellen am konsequentesten mit ihm übereinstimmt, ist vor allem der Murbacher Text zum Vergleich herangezogen worden; bei Abweichungen freilich wurde – wie der Quellenapparat zeigt – das Vergleichsmaterial über die erwähnten Zeugnisse hinaus erweitert durch den Einbezug des Evangeliars im Paul Getty-Museum zu Malibu (um 800, Lu)[11], des Evangeliars im Codex Egberti (um 970, Eg)[12], des Perikopenbuches

---

[5] Vgl. den vorzüglichen Überblick bei VOGEL, Introduction, S. 239–327, bes. S. 320–327; auch MORTIMER, Les lectures liturgiques et leurs livres.

[6] CHAVASSE, Les plus anciens types du lectionnaire et de l'antiphonaire romains de la messe; klarer: LEISIBACH, Die liturgischen Handschriften des Kapitelsarchivs in Sitten, S. 39–41.

[7] FRERE, Studies in early Roman liturgy III. The Roman Epistle-Lectionary, S. 1–24.

[8] WILMART, Le Comes de Murbach; vgl. VOGEL, Contribution des abbayes de Murbach et de Wissembourg à l'élaboration de la liturgie chrétienne durant le Haut Moyen Age, S. 37f.; CLLA 1226.

[9] AMIET, Un «Comes» carolingien inédit de la Haute-Italie; vgl. CLLA 1210. – REHLE, Lectionarium Plenarium Veronese (Bibl. Cap., Cod. LXXXII); vgl. CLLA 1253.

[10] KLAUSER, Das Römische Capitulare Evangeliorum.

[11] BÖHNE, Ein neuer Zeuge stadtrömischer Liturgie aus der Mitte des 7. Jahrhunderts.

[12] SCHIEL, Textband zu: Codex Egberti der Stadtbibliothek Trier. Voll-Faksimile-Ausgabe, S. 153–170.

Kaiser Heinrichs II. (Po)[13], eines Fuldaer Perikopenbuches (1. Drittel 11. Jh., Fu)[14] sowie des Lektionars von Pfäfers (Mitte 11. Jh., Pf)[15]; selbstverständlich wurde auch das von Walter H. Frere veröffentlichte Material mitberücksichtigt[16].

1. Per circulum anni

Abgesehen von den gegenüber M fehlenden Heiligenfesten weist das Missale Basileense für die Zeit von der Weihnachtsvigil bis zum Beginn der Fastenzeit (B 579–608) insofern einen Unterschied auf, als bei den dem 1. Sonntag nach Epiphanie folgenden Wochen mit Ausnahme von zwei Fällen (B 597, 605) die Angabe der Evangelienperikope – nur sie ist in M verzeichnet – für die Freitage fehlt[17]. Im übrigen sind folgende Textabweichungen zu vermerken:

584   Fest des Johannes Ev.: M 6 verzeichnet gleich wie CoL 6a zusätzlich eine neutestamentliche Lesung (Eph 1,3–7), und ähnlich wie CoP 15 (Eph 2,19–22).

591A   Mittwoch nach dem Sonntag nach Epiphanie: Dass hier keine Lesung (M 12[2]: Rom 3,19–20) vorhanden ist, mag auf eine Unachtsamkeit des Schreibers – möglicherweise schon desjenigen der Vorlage – zurückzuführen sein; auch die sonst übliche Rubrik Feria IIII fehlt.

---

[13] Böhne, Das Perikopenbuch Kaiser Heinrichs II. in der Gräflich Schönbornschen Bibliothek zu Pommersfelden.

[14] Böhne, Ein Fuldaer Perikopenbuch des 11. Jahrhunderts.

[15] Streiter, Das Lektionar von Pfäfers. Untersuchung von Ms. III des Stiftsarchivs St.Gallen (Fonds Pfäfers).

[16] Frere, Studies in early Roman liturgy III. The Roman Epistle-Lectionary, vor allem S. 29–115.

[17] Schon in M ist gegenüber CoP und Klauser eine Reduktion zu beobachten, weil diese zusätzlich zu den Perikopen für den Mittwoch und Freitag noch eine Evangelienperikope für den Samstag (feria VII) bringen. In CoL dagegen fehlen mit Ausnahme der Woche nach Quinquagesima die Ferialtage. Im Codex Egberti (vgl. Schiel, Textband zu: Codex Egberti der Stadtbibliothek Trier. Voll-Faksimile-Ausgabe, S. 155f.) ist die in anderen Quellen allein aufgeführte Evangelienperikope für die Freitage der Vorfastenzeit nicht regelmässig, im Perikopenbuch Kaiser Heinrichs II. (vgl. Böhne, Das Perikopenbuch Kaiser Heinrichs II. in der Gräflich Schönbornschen Bibliothek zu Pommersfelden, S. 17) und im Lektionar von Pfäfers (vgl. Streiter, Das Lektionar von Pfäfers. Untersuchung von Ms. III des Stiftsarchivs St.Gallen (Fonds Pfäfers), S. 58f.) beispielsweise überhaupt nicht verzeichnet.

596,2   Mittwoch in der 3. Woche nach Epiphanie: Die in B aufgezeichnete Perikope ist der Tradition des zweiten Typs nach Chavasse (Klauser Π, Λ) entnommen, die auch in CoP 47 einen Niederschlag gefunden hat; die Zeugnisse des dritten Typs ihrerseits ergeben kein einheitliches Bild.

597   Freitag in der 3. Woche nach Epiphanie: In keiner zum Vergleich herangezogenen Quelle findet sich für den Freitag in der 3. Woche nach Theophanie die Perikope Mt 4,23–25, die in M 15[3] beim vorangehenden Mittwoch (vgl. B 596,2) erscheint; Klauser Δ 22 und 23 bieten Mc 6,1–5 und Lc 4,31–37, CoP 48 Lc 5,12–15.

599,2   Mittwoch in der 4. Woche nach Epiphanie: Auch die Perikope Lc 9,57–62, die gemäss M 16[3] für den folgenden Freitag belegt ist, scheint in keiner Vergleichsquelle für den Mittwoch auf.

602,1   Mittwoch in der 5. Woche nach Epiphanie: Die Epistelperikope für den Mittwoch vor Septuagesima, die weder in M noch in den übrigen Vergleichsquellen verzeichnet ist, scheint einer späteren Stufe der Ausgestaltung des Lektionars anzugehören[18].

Erwartungsgemäss bietet die Leseordnung der Fastenzeit (B 609–654) ein durchaus einheitliches Bild; einzig zwei Besonderheiten sind hervorzuheben: Für den Montag der Karwoche (B 649) enthält das Missale Basileense nur eine Lesung, während M 63 sowie CoV 127 in Analogie zum Dienstag und Mittwoch eine zweite (Za 11,12–12,10) vorsehen. Zum Dienstag (B 650) verzeichnet B gegen alle älteren Zeugnisse die Markus-Passion, die, abgesehen von einem (späteren?) Einschub in CoV 132, erst in jüngeren Vergleichsquellen belegt ist.

Auch hinsichtlich der Perikopen für die Zeit von Ostern bis Pfingsten (B 655–685, 845) erweist sich das Missale Basileense überaus mit M konform. Gleiches gilt für die nachpfingstlichen Wochen bis zum Advent (B 686–793). Wie in M sind die Sonntage nach Pfingsten durchgezählt (dom. oct. Pent., dom. II post Pent. bis dom. XXV post Pent.) und ebenfalls nach dem Schema von M werden in den Wochen nach Pfingstoktav regelmässig die Perikopen

---

[18] Vgl. FRERE, Studies in early Roman liturgy III. The Roman Epistle-Lectionary, S. 56.

für den Mittwoch (Lesung und Evangelium) und Freitag (nur Evangelium) verzeichnet; auch finden sich die Pfingstquatember (B 699–704) in der 4. Woche nach Pfingsten[19], während sie im Graduale (B 115–121) in der Pfingstoktav oder in der 2. Pfingstwoche und im Sakramentar (B 366–369) in der Pfingstoktav aufscheinen[20].

An Abweichungen gegenüber M sind zu nennen:

672,1   Pascha annotina: Die in B vorliegende Lesung (Apc 5,1–10) ist in den verglichenen Quellen nirgends belegt; nur CoP 532 bietet eine teilweise Entsprechung (Apc 4,11–5,13).

681   Freitag nach Auffahrt: Vgl. auch B 845. Der Freitag nach Christi Himmelfahrt ist im herangezogenen Material nicht belegt.

683,2   Mittwoch in der Woche nach Auffahrt: Die für den Mittwoch nach Christi Himmelfahrt in B und in den übrigen Vergleichsquellen aufgeführte Evangelienperikope ist in M 88[3] für den folgenden, in B übergangenen Freitag angesetzt.

707   Freitag der 4. Woche nach Pfingsten: Sowohl M 103[3] als auch Klauser Δ 184 verzeichnen je einen geringfügig abgeänderten Perikopenabschnitt.

709,1   Mittwoch in der 5. Woche nach Pfingsten: Die anstelle von Col 3,12–17 getretene Epistel Eph 1,16–21 in B entspricht einer späteren Entwicklungsstufe.

732   Freitag in der 10. Woche nach Pfingsten: Das in B für den Freitag in der 10. Woche nach Pfingsten vorgesehene Evangelium ist in Klauser Δ 219 für den darauffolgenden Mittwoch belegt.

734,2   Mittwoch in der 11. Woche nach Pfingsten: Weil M für den Mittwoch (118[2]) und Freitag (118[3]) die gleiche Evangelienperikope (Lc 21, 34–36) vorsieht, ist in B nach einer schon im Codex Egberti fassbaren Tradition eine Änderung (Lc 21, 20–26) vorgenommen worden.

755   Freitag in der 15. Woche nach Pfingsten: Im Vergleichsmaterial nicht nachzuweisende Evangelienperikope.

756,1   Nativitas Mariae: Die für Mariä Geburt in B und Pfäfers 190a aufgeführte Lesung ist nach Frere, S. 66 für die Vigil von Assumptio belegt.

---

[19] Ihr Ansatz ist bis ins 13. Jh. schwankend, vgl. FISCHER, in: LThK 8, Sp. 929; laut Bernold von Konstanz, Micrologus c. 25 (PL 151, Sp. 997) habe sie Gregor VII. in der Pfingstwoche festgesetzt, vgl. KELLNER, Heortologie, S. 142.

[20] Vgl. oben S. 60, 138–141.

761,2   Mittwoch in der 17. Woche nach Pfingsten: Die in älteren Quellen vorkommenden Perikopen (M 130[2]: Mc 7,31–37; CoP 350, CoV 326 sowie Klauser Δ 269: Lc 5,27–32) sind wie schon im Codex Egberti S. 165,179 durch Mt 19,16–21 ersetzt worden.

768,3   Quatembersamstag im September: Die gegenüber M 136 verkürzte Lesung ist schon in CoL 128b belegt.

780,1   Mittwoch in der 22. Woche nach Pfingsten: Die in B aufgezeichnete Lesung scheint einer späteren Entwicklungsstufe zu entsprechen[21].

784,1   Mittwoch in der 23. Woche nach Pfingsten: Auch die in B aufgezeichnete Lesung dürfte einer späteren Entwicklungsstufe entsprechen[22].

Wie in M ist auch in B die Adventzeit gelasianisch geordnet, beginnend mit dem 5. Sonntag vor Christi Geburt, allerdings mit dem Unterschied, dass M das Andreasfest in die Woche nach diesem Sonntag einschiebt, während B es vorausnimmt. In den Adventwochen sind Perikopen jeweils für den Mittwoch (Lesung und Evangelium) und Freitag (Evangelium) sowie zusätzlich für den Quatembersamstag in der 3. Adventwoche verzeichnet. Die wenigen Abweichungen bei der Perikopenauswahl in B (804,2; 805; 811) lassen sich nicht aus dem Vergleichsmaterial erklären und beruhen offensichtlich auf einer anderen Tradition.

2. Sanktorale

Hinsichtlich der Heiligenfeste unterscheidet sich das Missale Basileense vom Murbacher Comes inbezug auf Struktur, Umfang und Auswahl. Während in M die Heiligenfeste in den circulus anni integriert sind, weist B eine weitgehende Trennung von Temporale und Sanctorale auf, wie sie sich in der zweiten Hälfte des 9. Jahrhunderts in zunehmendem Masse durchgesetzt hat[23]. Abgesehen von den weihnachtlichen Begleitfesten[24] sowie den Festen des Täu-

---

[21] Im Vergleichsmaterial nicht belegt.

[22] Im Vergleichsmaterial nicht belegt.

[23] Vgl. KLAUSER, Das Römische Capitulare Evangeliorum, S. XVIII.

[24] Stephanus (B 583), Iohannes ev. (B 584), Innocentes (B 585), Silvester (B 586).

fers (B 711–713, B 749), der Machabäischen Brüder (B 737), des
Diakons Laurentius (B 741–742), der Kreuzerhöhung (B 763), des
Erzengels Michael (B 772) und von Allerheiligen (B 786–787) sind
im Temporale nur noch Marienfeste[25] und Apostelfeste[26] vorhan-
den. Alle übrigen Heiligenfeste sind in der überwiegend nur aus
Perikopenanfängen und Hinweisen auf das Commune sanctorum
(818–826) bestehenden «Abbreviatio lectionum et evangeliorum de
singulis festivitatibus sanctorum» aufgeführt, die freilich nach der
Vigil des Jacobusfestes (24. Juli, B 876) – ähnlich wie die zweite
Hand im Kalender – ohne sichtlichen Grund abbricht.

Eine Gegenüberstellung der in M und B vorhandenen Heiligenfeste zeigt neben einem gemeinsamen Grundbestand auch Verschiedenheiten. Zunächst fällt die erheblich grössere Anzahl von Festen
in M auf, eine Ungleichheit, die sich jedoch mit der erwähnten
Unvollständigkeit der Abbreviatio erklären lässt. Wichtiger ist die
unterschiedliche Auswahl der Heiligen; die nachstehende Zusammenstellung hebt mittels Majuskeln einerseits in der Kolonne M
diejenigen Feste hervor, die in B weggelassen sind, und anderseits in
den Kolonnen B[27] diejenigen, die in M nicht vorkommen.

M		B Corpus des Lect.	B Abbreviatio	B Grad., Sacr.
5	Stephani	583	847	
6	Iohannis ev.	584		
7	Innocentum	585		
7²	Silvestri	586		
13²	Felicis		848	
14⁴	Marcelli		849	
			850 PRISCAE	

[25] Purificatio (B 600), Assumptio (B 743–744), Nativitas BMV (B 756).

[26] Petrus (B 717–718), Paulus (B 719, als Nachtrag findet sich zur Vigil eine
Epistelperikope bei B 332), Aposteloktav (B 723), Iacobus (B 736), Bartholomaeus
(B 748), Matthaeus (B 765), Simon et Iudas (B 782) sowie Andreas (B 801–
802).

[27] Diese verzeichnen die Perikopenangaben für die Texte 1. im Corpus des
Lektionars, 2. in der Abbreviatio sowie 3. im Graduale und Sakramentar. Nachträge
sind mit + versehen.

M		B Corpus des Lect.	B Abbreviatio	B Grad., Sacr.
15^4	Fabiani et Sebastiani		851[28]	
15^5	Agnetis		852	
15^6	Vincenti		853	
15^7	EMERENTIANI, MACHARII			
15^8	CONVERSIO PAULI			
			854 OCT. AGNAE	
17	Purificatio Mariae	600		
17^2	Agathae		855	
18^4	ZOTICI, HERENEI, YACINTHI			
18^5	Valentini, Vitalis, Feliculae, Zenonis		857[29]	
18^6	IULIANAE			
21	Cathedra Petri		+878	
			+879 MATHIE	
21^2	Gregorii pp.		858	
21^3	Benedicti		860	
21^4	Conceptio Mariae		859	
77^4	LEONIS PP.			
78^4	Tiburtii, Valeriani		861	
			862 GEORGII	
80^2	Vitalis		863	
			864 VIG. PHILIPPI ET IACOBI	
81	Philippi et Iacobi	678	+865	
83	Inventio crucis		867;	
			866 ALEXANDRI ET CETERORUM	
			868 GORDIANI ET EPIMACHI	
83^2	Nerei, Achillei, Pancracii		869	
97^4	Urbani		870	
97^5	Petri et Marcelli		871	
98^4	PRIMI ET FELICIANI			
98^5	BASILIDIS			
102^2	MARCI ET MARCELLIANI			
102^3	Protasi et Gervasi		872	
105	Vig. Iohannis Bapt.	711		
106	Iohannis Bapt.	712,713		

[28] Nur Sebastian.
[29] Nur Valentin.

M		B Corpus des Lect.	B Abbreviatio	B Grad., Sacr.
107⁴	Iohannis et Pauli		873	
108	Vig. Petri ap.	717 Vig. ap.	874 LEONIS	
109	Petri	718		
110	Vig. Pauli			+332
111	Pauli	719		
112	Processi et Martiniani		875	
112⁵	TRANSLATIO MARTINI			
113	Oct. apostolorum	723		
114⁴	SEPTEM FRATRUM			
114⁵	PRAXITIS			
				+391 MARIAE MAGDALENAE
114⁶	APOLINARIS			
			876 VIG. IACOBI	
117	Iacobus ap.	736		+140,4
117²	SIMPLICII, FAUSTINI ET BEATRICIS			
117³	FELICIS			
117⁴	ABDO ET SENNEN			
119	Machabaeorum	737		
119²	STEPHANI PONT.			
119³	XYSTI PONT.			
120⁴	CYRIACI ET NAZARI			
121	Vig. Laurentii	741		
122	Laurentii	742		
122²	TIBURTII			
122³	YPOLITI			
122⁴	EUSEBII			
		743 VIG. ASSUMPTIONIS		
123	Assumptio Mariae	744		
124⁴	AGAPITI			
124⁵	THIMOTHEI ET SINPHORIANI			
125	Bartholomei ap.	748		
125²	DEPOSITIO AUGUSTINI			
126	Passio Iohannis Bapt.	749		
127⁴	Nat. Mariae	756		
127⁵	PROTI ET YACINTHI			
128⁴	Exaltatio Crucis	763		
128⁵	NICOMEDIS			
128⁶	EUPHEMIAE ET LUCIAE			
132	VIG. MATHEI AP.			

M		B Corpus des Lect.	B Abbreviatio	B Grad., Sacr.
133	Mathei ap.	765		
137[4]	COSME ET DAMIANI			
138	Dedicatio basilice Michaelis	772		
139[4]	GERMANI ET REMEDII			
139[5]	LEODEGARII			
140[4]	MARCI			
142[4]	LUCE EV.			
143	VIG. AP. SIMONIS ET IUDAE			
144	Simonis et Iudae	782		
		786 VIG. OMNIUM SANCTORUM		
145[4]	CAESARII EP.	787 OMNIUM SANCTORUM		
145[5]	QUATTUOR CORONATORUM			
145[6]	MARTINI			
				+331 OTHMARI
146[4]	CAECILIAE			
146[5]	CLEMENTIS			
148	Vig. Andreae	801		
149	Andreae	802		

Die Synopse belegt eindeutig, dass zur Herstellung des Lektionars im Missale Basileense eine Vorlage verwendet wurde, in welcher die in M vorhandenen Heiligenfeste aus der gelasianischen Tradition durch solche aus dem gregorianischen Bestand ersetzt waren[30].

Wichtige Unterschiede gegenüber M finden sich bei folgenden Festen:

713/846   In nat. s. Iohannis Bapt. ad priorem missam: Von allen herangezogenen Vergleichsquellen bringt nur der Codex Egberti 131 diese Frühmesse, obwohl eine solche schon bei Amalarius bezeugt ist[31]; die entsprechenden Texte sind sowohl im Antiphonar (B 128) als auch im Sakramentar (B 376) verzeichnet.

---

[30] Zusammenstellung bei WILMART, Le Comes de Murbach, S. 64–67.

[31] Liber officialis IV, c. 40,7: Amalarii episcopi, Opera liturgica omnia, ed. I.M. HANSSENS 2, S. 530f.

736   In nat. s. Iacobi: Auffällig sind das Vorhandensein von zwei Evangelienperikopen, die freilich in den Vergleichsquellen keine Entsprechung haben, sowie das Fehlen einer Lesung (M 117: Eph 1,3; CoL 112: Sap 10,10–14; Pfäfers 169a: Eph 2,19–22). Im Nachtrag B +140,4 ist das Evangelium dem Commune unius martyris seu confessoris (B 823,12) entnommen.

743   In vig. Assumptionis: Vigil und auch die in B übergangene Oktav von Marias Aufnahme in den Himmel sind erst von Papst Leo IV. um die Mitte des 9. Jahrhunderts verordnet worden[32]; beide Feiern scheinen sich erst allmählich eingebürgert zu haben[33].

756,1   In nat. s. Mariae: Die ältere, aus dem Assumptiofest entlehnte Perikope ist in B durch eine eigene ersetzt worden.

763,2   In exaltatione s. crucis: Wahrscheinlich entspricht die Evangelienperikope in B einem jüngeren Entwicklungsstand[34].

765,2   In nat. s. Mathei: Während M auf die Perikope des Paulusfestes (Mt 19,27) verweist, bringt B im Einklang mit anderen Quellen eine eigene (Mt 9, 9–13).

782,2   In nat. ss. Simonis et Iudae: Die in B vorhandene Perikope (Io 14,21–24) ist in keiner Vergleichsquelle belegt.

786/787 In vig. und In festivitate Omnium Sanctorum: Da die allgemeine Verbreitung des Allerheiligenfestes erst gegen Ende des 9. Jahrhunderts bezeugt ist[35], fusst B auf jüngeren Vorlagen.

827   In dedicatione ecclesiae: Vermutlich infolge eines Blattverlustes findet sich in M kein Beleg für die sonst gut bezeugte Feier.

Das Commune sanctorum (B 818–826) enthält zusätzlich zu M Perikopen für die Vigil und den Tag von Apostelfesten (B 818–819) und bietet überdies fast durchwegs eine reichere Auswahl an Texten an.

---

[32] Vgl. KELLNER, Heortologie, S. 179.

[33] Sie finden sich nicht im Graduale von B; im Sakramentar ist die Vigil von Assumptio mit der Nat. s. Eusebii zusammengenommen (B 408).

[34] Im Vergleichsmaterial nicht belegt.

[35] Vgl. KELLNER, Heortologie, S. 240ff.; FRANK, in: LThK 1, Sp. 348; oben S. 155.

3. Missae rituales et votivae

Im grossen und ganzen stimmt die Anordnung der in B überlieferten Rituale- und Votivmessen mit M überein, wobei allerdings zwei Besonderheiten zu beobachten sind: Zum einen fehlt nicht nur in der Handschrift Besançon 184 zwischen f. 72 und 73 ein Blatt mit der Fortsetzung zur Ordinatio episcopi und mit Perikopenangaben zu weiteren Messen[36], sondern auch dem Codex Gressly ist zwischen f. 341 und 342 ein Blatt abhanden gekommen, sodass zwischen den Nummern B 831 und 832 eine Textlücke klafft. Zum andern finden sich, abgesehen von einem Nachtrag im Graduale (Iacobi ap., B +140), im Sakramentarteil Formulare für Votivmessen, die teilweise ebenfalls Perikopenangaben enthalten und damit das Lektionar ergänzen; es handelt sich um die Messen pro furtu (B 328), pro congregatione (B 532), pro susceptis in confessionem (B 534), contra temptationes et cogitationes impias carnis (B 535, B 541), pro peccatis (B 547), pro febricitantibus (B 559) sowie in agenda mortuorum (B 562, 915)[37].

Entsprechend ihrer späten Entstehung um das Jahr 800 haben die sog. Alkuin-Messen für die Wochentage in M wie auch in den ungefähr zeitgenössischen Vergleichsquellen keinen Niederschlag gefunden; von den herangezogenen jüngeren Epistolaren und Evangelistaren bietet sich allein das Lektionar von Pfäfers zum Vergleich an, denn nur es enthält diese Messen und zwar in der gleichen Reihenfolge, wie sie sowohl im Lektionar (B 794–800) als auch im Sakramentar (B 518–524) vorkommen. Zwei Perikopenabweichungen sind dabei zu vermerken:

796,2 Feria III de dono sancti spiritus postulando: Während Pfäfers 227b und B 520,6 als Evangelium Io 15,8–11 vorsehen, ist im

---

[36] WILMART, Le Comes de Murbach, S. 54 Anm. vermutet, dass die Perikopenangaben für beispielsweise de nat. papae, in dedicatione ecclesiae, in dedicatione oratorii, in adventu episcopi, ad sponosas benedicendas, in benedictione viduae, in letania tempore belli, in die belli, in sterelitate pluviae, pro ubertate pluviae, in adventu iudicum verloren gegangen sind.

[37] Hinzuweisen ist ferner auf Messformulare mit Perikopenangaben, die eine Entsprechung im Lektionar haben, jedoch teilweise andere Texte aufweisen: pro salute vivorum (B 526), pro elemosinariis (B 528), missa sacerdotis propria (B 536, 537, 538), missa votiva (B 540), pro infirmis (B 542), pro iter agentibus (B 543), ad postulandam pluviam (B 552), pro serenitate (B 553).

Lektionar des Missale Basileense die Perikope Io 14,15–17 dem Evangelium der Pfingstvigil[38] entnommen.

799,2 Feria VI de cruce: Die Perikope Io 12,32–36, welche die in Pfäfers 230b und B 523,6 (Io 3,13–15) belegte ersetzt, entstammt dem Evangelium des Kreuzerhöhungsfestes (B 763,2).

Was die Auswahl und Anordnung der übrigen Votivmessen im Lektionar des Missale Basileense betrifft, so stimmen sie mit M – unter Berücksichtigung des in beiden Handschriften vorkommenden Blattverlustes – einigermassen überein; die einzelnen Perikopen jedoch können variieren, selbst im Vergleich mit den gleichen Messen, die im Sakramentar aufgezeichnet sind. Bei Perikopen, die in M nicht belegt sind, muss hier auf den Apparat in der Edition verwiesen werden, wo Parallelquellen, soweit sie überhaupt gefunden wurden, verzeichnet sind[39].

---

[38] Io 14,15–21, vgl. Klauser, Das Römische Capitulare Evangeliorum, S. 154,155.

[39] Dies gilt auch für Perikopenangaben im Sakramentar. – Hinzuweisen ist noch auf die beiden Perikopen in der Benedictio maior aquae (882,4.6), die jedoch nicht zum Messoffizium gehören.

TEIL V

DAS RITUALE

Für die nicht-eucharistischen liturgischen Feiern, d. h. für die nicht notwendigerweise innerhalb der Messe zu feiernden Sakramente, Sakramentalien, Weihen und Segnungen boten die Sakramentare die benötigten Texte nicht oder nur teilweise. Später entwickelten sich eigene Bücher, welche diese Texte und die entsprechenden Rubriken enthielten: das Pontifikale für die dem Bischof vorbehaltenen und das Rituale für die dem Priester zustehenden Feiern.

Das Sacramentarium Veronense, auch Leonianum (L) genannt, bietet einen ersten Ansatz für diese späteren Bücher[1]: Bischofs-, Priester-, Diakons- und Jungfrauenweihe sowie die Trauung[2]. Im Sacramentarium Gregorianum (GrH) finden sich im Anschluss an die Messen des Kirchenjahres eine grössere Anzahl Gebete für die Weihe von Kirche, Priester, Braut, Kleriker, Diakonin, Abt und Aebtissin, Kirche und die Segnungen von Wasser, Reisenden, Kranken und Vieh[3].

Der Liber tertius des Sacramentarium Gelasianum (V)[4] stellt zahlreiche Messformulare und Gebete für die verschiedenen Anliegen der Seelsorge zu Verfügung. Viele dieser oder ähnlicher Texte hat Benedikt von Aniane in das Supplementum zum Gregorianum Hadrianum aufgenommen[5].

Die Gelasiana des 8. Jh. (Gel VIII) haben aus dem Alt-Gelasianum und andern Quellen geschöpft, die Texte zum Teil unverändert, zum Teil an die jeweiligen Seelsorgebedürfnisse angepasst oder sie haben auch neue Formeln geschaffen[6].

---

[1] Chavasse, Évangéliaire, S. 195: «La structure de l'embryon de Pontifical et de Rituel».

[2] L 942–1110.

[3] D 815–1018.

[4] V 1178–1704.

[5] D 1246–1514.

[6] A 1984–2166; G 2215–3024; Ph 1441–1938; Rh 1140–1411.

Die «gelasianisierten Gregoriana», besonders auch deren reichhaltigste Vertreter, das Sacramentarium Fuldense (F)[7] bieten viele solcher Formeln. Um diese Zeit hatte man bereits begonnen, Ritualtexte für den Bischof auszusondern, sie mit den entsprechenden rubrikalen Anweisungen («Ordines») zu versehen und ein eigenes Buch zu schaffen, das Pontifikale, wie das Pontificale Romanum-Germanicum (PRG)[8] aus Mainz um 950 bezeugt. Es dauerte noch einige Zeit, bis ein ähnliches Buch (zuerst in den Klöstern, dann in den einzelnen Bistümern und Pfarreien) für die Priester entstand[9].

DAS RITUALE IM MISSALE BASILEENSE

Der am Ende des Missale Basileense von gleicher Hand geschriebene Ritualteil (B 881–918) mit den Texten und den wenigen Rubriken für die Sakramente der Krankentaufe (B 912) und der Krankensalbung (B 914; 917) sowie für verschiedene Weihen und Segnungen stellt eine weitere Etappe auf dem Weg zum eigentlichen Rituale dar: Mit Ausnahme des Formulars B 915 (Messe in Todesgefahr) sind keine Messtexte aufgeführt[10]. Es ist also eine klare Trennung des Sakramentar- und des Ritualteiles vorgenommen worden, die zusätzlich dadurch hervorgehoben wird, dass zwischen diese beiden Teile das Lektionar eingefügt ist.

Beim Ritualteil des Missale Basileense handelt es sich jedoch noch nicht um ein eigentliches Rituale im Vollsinn des Wortes, wie es sich kurze Zeit später herausgebildet hat. Wie in diesen späteren Ritu-

---

[7] Dazu vgl. ODERMATT, Ein Rituale in beneventanischer Schrift, S. 38–39. Sakramentar von Fulda vgl. Verzeichnis der Siglen: F, bes. 2365–2399; 2458–2486, 2544–2547; 2605–2607; 2630–2637.

[8] Das Römisch-germanische Pontifikale (PRG) ist, wie in der Folge deutlich sichtbar wird, die wichtigste Quelle, aus welcher der Ritualteil des Missale Basileense geschöpft hat.

[9] Zur Entstehung des Rituale vgl. GY; neu in: GY, La liturgie dans l' histoire, S. 91–126; von ARX, Zur Entstehungsgeschichte des Rituale.

[10] Die Messtexte und die Segensgebete für Käse und Fleisch B +919–+933 sind kurz nach der Niederschrift des Codex Gressly gegen Ende des 11. Jh. nachgetragen worden.

alien beginnt dieser Ritualteil mit der «kleinen» und der «grossen» Wasserweihe. Die sich daran anschliessenden Weihen und Segnungen können in folgende Gruppen zusammengefasst werden:

1. Segnung von Tieren (B 883)
2. Segnung von Sachen:
    Haus (B 884)
    Kreuz (B 895)
    Brot (B 898)
    Wein (B 899)
    Trauben oder Bohnen (B 900)
    Äpfel (B 901)
    Neue Früchte (B 902)
    Seife (B 903)
    Quelle und Brunnen (B 904–905)
    Aufgefundene Gefässe (B 906)
    Verschiedenes (B 908: ad omnia)
3. Wetter (B 885; 896; 897)
4. Gottesurteile (B 886–888)
5. Personen:
    Kleriker (B 889–890)
    Jungfrauen (B 891; 892)
    Abt oder Äbtissin (B 893)
    Tonsur eines Knaben (B 894)
    Agape faciens (B 907)
    Vexatus a daemonio (B 909)
    Energumenus (B 910)
    Paenitens (B 911)
    Kranke: Krankenbesuch (B 918)
        Schwerkranke (Krankensalbung: B 917; B 914)
        In Todesgefahr (B 915)
        Sterbende: Agenda morientium (B 916)
        Obsequium circa morientes (B 917)

Die Analyse der Texte ergibt, dass für deren Auswahl die Heilssorge für die Kranken und Sterbenden im Mittelpunkt stand. Die 39 Formulare des Ritualteiles umfassen 227 Einzelformeln. Davon beziehen sich mehr als die Hälfte auf Kranke und Sterbende, zu einem kleineren Teil auf die Verstorbenen.

Daneben sind die Segnungen, die mit der Landwirtschaft zu tun haben, stark vertreten: Tiere, Wetter und Unwetter, Brot, Früchte und Wein. Hingegen fehlen die Segnungen der einzelnen Räume, wie sie besonders in den Klosterritualien üblich sind. Ebenso fehlen die traditionellen Segnungen des Kirchenjahres: Kerzenweihe an Maria Lichtmesse, Aschen- und Palmweihe, österliche Speisesegnungen usw., wie auch die Texte für die so wichtigen Sakramente der Taufe (einschliesslich Taufwasserweihe) und der Trauung[11]. Dies und auch das Nichtvorhandensein der Pontifikalriten legen das Urteil nahe, dass das Rituale (und damit das ganze Missale) ursprünglich nicht für einen Bischof oder eine Kathedrale und auch nicht für die Pastoration in einer Pfarrei, sondern für eine klösterliche Gemeinschaft bestimmt war. Darauf scheinen auch folgende Ausdrücke hinzuweisen: nostra congregatio (B 882,2 = L1,136)[12], fratrum congregatio (B 914,2), ex fratribus (B 914,40), officium senioris (B 914,43).

DIE EINZELNEN FORMULARE

1. *Die Litaneien.*

Im Missale Basileense finden sich zwei Litaneien, beide im Ritualteil:

a. Die Litanei in der Benedictio maior aquae (B 882,2 = L1) umfassst 145 Anrufungen und Bitten. Es werden 77 Heilige genannt, wovon 25 Frauen.

b. Die Litanei im «Ordo qualiter fiat unctio infirmi» (B 914,3 = L2) hat 115 Glieder mit 75 Heiligennamen, wovon 16 Frauen (Maria wird dreimal genannt).

Wenn man den «Grundstock der Litaneien»[13], (d. h. die Heiligen, die allgemein zum Grundbestand der Litaneien gehören) eliminiert, können die verbleibenden Namen einige Hinweise auf die Besonderheiten der betreffenden Litanei geben.

---

[11] Nur einige Texte zur Krankentaufe (B 912) sind angeführt, vgl. unten S. 194. Bei der Benedictio sponsae (B +237) handelt es sich um einen Nachtrag aus dem 13./14. Jh.

[12] Im Rituale von Biburg n.21 (S. 162) steht an dieser Stelle «fratres nostros spirituales».

[13] Ein solcher «Grundstock» wurde zusammengestellt von F. Huot: Le «Fond commun» des Litanies de saints, in: HUOT, Les manuscrits liturgiques du canton de Genève, S. 48–49.

So kann man 30 «Eigenheilige» in der Litanei für die Wasserweihe (L1) und 14 für jene der Krankensalbung (L2) feststellen.
Neun Namen finden sich in beiden Litaneien. Doch diese bieten
nichts Charakterisches für die Identifizierung der Litaneien, denn
vier von ihnen (Agapit, Alexander, Euphemia und Iuliana) gehören
zum «Grundstock des Sanktorale»[14] und der Kult der übrigen fünf
(Barbara, Brictius, Columbanus, Hilarius und Sulpicius) war weit
verbreitet; das Vorkommen dieser Heiligen kann darum nichts zur
Lokalisierung der Litaneien beitragen. Die verbleibenden «Eigen-
heiligen» (d. h. 21 von den 30 der ersten und fünf der zweiten
Litanei) lassen hingegen eine je verschiedene Quelle für die beiden
Litaneien erkennen, weshalb sie getrennt untersucht werden müssen[15].

a. Die Litanei der Wasserweihe L1 (B 882,2)

Die Gruppe der Martyrer weist keine spezifischen Namen auf[16].

Gruppe der Bekennner: Eusebius (14. August) und Calistus (im
Kalender ist am 14. Oktober Papst Calixtus verzeichnet) gehören
zum Grundstock des Sanktorale, darum bieten sie keine Hilfe für die
Beantwortung der vorliegenden Frage. Briccius, Kolumban, Remigius und Sulpitius sind im westlichen Europa ziemlich stark verbreitet. Hingegen verweisen Gallus, Magnus, Othmar und Pirmin auf
das Gebiet des Oberrheins (Schweiz, Süddeutschland).

Die Gruppe der Jungfrauen weist auf die gleiche Gegend: Die
Namen von Iuliana und Emerentiana (Grundstock des Sanktorale)
bedeuten in diesem Zusammenhang nichts. Barbara, Margareta,
Christina (in ganz Europa verehrt), Afra, Digna (Dienerin der Hilaria, der Mutter von Afra), Walburga und Columba[17] lassen einen

---

[14] Huot, Les manuscrits liturgiques du canton de Genève, S. 41–47; vgl. oben
S. 182.

[15] P. François Huot OSB, Le Bouveret, hat die beiden Litaneien auf ihre Eigenart
und ihre Herkunft untersucht. Nachfolgend wird das Ergebnis seiner Forschung
wiedergegeben. Ich danke ihm herzlich für diese und andere wertvolle Hilfe.

[16] Alexander und Eventius (3. Mai) sowie Felicissimus und Agapitus (6. August)
gehören zum Grundstock des Sanktorale und die andern Martyrer zum Grundstock
der Litaneien.

[17] Im Kalendar ist keine Columba verzeichnet; es handelt sich wohl eher um die
Gefährtin der hl. Ursula (16. März) als um die Martyrin von Sens (31. Dezember).

rheinischen oder deutschen, Regula und Verena einen schweizerischen Einfluss erkennen; Sophie ist in Deutschland und im Elsass bezeugt; Ottilia, Tochter des Herzogs von Elsass, und Attala, Äbtissin von St. Stephan in Strassburg, deuten klar auf das Elsass hin. Die Litanei oder ihre Vorlage stammt also eindeutig aus dieser Region oder ihrer Nachbarschaft.

b. Die Litanei der Krankensalbung L2 (B 914,3)

Aus der Liste der Martyrer kann kein bestimmter Schluss gezogen werden: die heiligen Tiburtius, Valerianus und Maximus gehören zum Grundstock des Sanktorale, Anacletus ist eine Verdoppelung von Cletus und Ignatius von Antochia kommt zwar seltener vor, ist aber nicht charakteristisch.

Die Gruppe der Bekenner bietet mehr Hinweise: Der an 2. Stelle genannte Sulpitius (L2,56) und Ursinus stammen aus Bourges; mit Anianus (17. November) ist wahrscheinlich der Bischof von Orléans gemeint, mit Germanus der Bischof von Paris (28. Mai) oder von Auxerre (31. Juli); Medardus weist auf Noyon und Martialis auf Limoges: Es ist also deutlich ein französischer Einfluss festzustellen.

Auch die Liste der Virgines bringt wenig Charakteristisches: Scholastica, Thecla und Sotheris können keine näheren Hinweise geben.

2. Die Wasserweihen

Es entspricht der Bedeutung des Wassers im täglichen Leben, im Kult und im Brauchtum[18], aber auch der Rolle des Weihwassers als Bestandteil der nachfolgenden Formulare, dass zu Beginn des Rituales die Wasserweihen steht.

---

[18] Dazu vgl. Biburg, S. 77; in der Folge wird oft auf dieses Werk verwiesen, besonders auch aus dem Grunde, weil hier (Konkordanztabelle S. 294–337) die Fundorte (Quellen und Parallelen) der einzelnen Formeln übersichtlich dargestellt sind, was uns weitere Angaben erspart; ich danke Walter von Arx für manche wertvolle Hinweise zu unserem Rituale (Schreiben vom 25. Febr. 1991). – Zur «Bedeutung des Wassers in den antiken Kulten» und zur Frage: «Das Weihwasser der lateinischen Kirche im Kult und im Volksgebrauch» vgl. FRANZ, Ben.I, S. 43–46; 86–109.

a. Die Minor benedictio aquae (B 881) umfasst eine Gruppe von Gebeten für die Weihe von Salz (n. 1–2) und Wasser (n. 3–4) resp. für beide Elemente (n. 5) und für die Besprengung des Hauses (n. 6), die sich in der gleichen Reihenfolge im Supplementum des Gregorianum[19] finden. In späteren Handschriften werden sie (wie in B) teilweise mit zusätzlichen Gebeten zu einem besondern Formular zusammengefasst[20]. Während in B nur die Segnung des ganzen Hauses erwähnt wird[21], fügen andere (besonders die Kloster-) Ritualien die Besprengung der verschiedenen Räume des Hauses an[22].

b. Die umfassendere, feierlichere, «grössere» Wasserweihe (Benedictio maior aquae: B 882)[23] ist in die Gestalt einer «Missa sicca» (Struktur der Messe ohne Kanon) mit zahlreichen Exorzismen über Wasser und über beide zugleich gekleidet.
Aufbau dieses Wasserweihe-Ordo:

Einleitung (Introitus): Versikel und Litanei (n. 1–2)
Oration (n. 3)
Epistel (n. 4)
Graduale (n. 5)
Evangelium (n. 6)
Exorzismen: fünf über das Wasser (n. 7–11)
              fünf über das Salz (n. 12–16)
Segensgebete über Wasser und Salz (n. 17–19)
Präfation mit Sanctus (n. 20)
Pater noster mit Embolismus (n. 21–22)
Mischung von Salz und Wasser mit Segensgebet (n. 23)

---

[19] D 1451–1456; die einzelnen Quellenangaben werden in D (in allen drei Bänden) jeweils im 2. Apparat aufgeführt.

[20] D 4266–4271; die entsprechenden Handschriften sind in D (ebenfalls in allen drei Bänden) im ersten Apparat verzeichnet; wie für die Quellenangaben (vorausgehende Anmerkung) kann im Normalfall auf die Wiedergabe auch dieser Verweise verzichtet werden.

[21] B 881,6: «Quando aqua aspergitur in domo».

[22] Z.B. Biburg 10–20: Chor, Sakristei, Krankenhaus, geheizter Raum, Schlafraum, Refektorium, Küche, Keller, Kirche; vgl. dazu: «Die sonntägliche Weihwasserprozession», ebd. S. 80–81.

[23] Vgl. Biburg 21–53 und S. 82–86.

Einzelne Formeln (n. 10–12;23) sind dieselben wie in der Benedictio minor (B 881,1;3–5). Das Formular von Biburg, das seinerseits weitgehend dem noch umfangreicheren Ordo 183 des PRG[24] entnommen zu sein scheint, ist dem unsern sehr ähnlich.

3. Tiersegnung

Das eben genannte Formular des PRG: «Maior benedictio salis et aquae ad pecora» umfasst, wie schon der Titel zu erkennen gibt, einige Gebete für die Segnung der Tiere. Das Basler Rituale bildet aus einzelnen dieser und anderer Formeln einen achtgliedrigen Ordo: «Benedictio super animalia» (B 883)[25]. Die Alia-Formel n. 3 ist zugleich Segensgebet für Wasser und Tiere; sie konnte bisher nicht nachgewiesen werden. Das Gebet n. 7 wird in PRG ausdrücklich als Schlussgebet der Messe (auch hier eine «Missa sicca» mit Introitus, Oration, Lesungen, Offertorium, Sekret, Präfation, Pater noster, Communio und eben dieser Oration «Ad complendum») bezeichnet. Die Segensformel n. 8: «Benedictio aquae contra nociva animalia» ist fast identisch mit der ersten Formel der «Benedictio aquae pro segetibus contra vermes»[26] des PRG, wo jedoch nur die «segetes», in B hingegen auch die Weinberge und Gärten genannt werden.

4. Sachsegnungen

a. Haussegnung (B 884)

Das Formular ist dasselbe, das sich im Supplementum von Aniane findet (D 1457–1458). Es wird darin um den Schutz des Hauses und das Wohlergehen seiner Bewohner gebetet.

---

[24] PRG 183 (II, S. 342–350)

[25] B 883,1–2 = PRG 183,38–39; 5 = 41; 6 = 40; 7 = 35.

[26] PRG 214,1 (II S. 363). – Zur Tiersegnung im allgemeinen vgl. FRANZ, Ben. II, S. 124–175; und speziell zur Frage: «Die kirchlichen Benediktionsformeln gegen schädliche Tiere», ebd. S. 124–175.

b. Kreuzsegnung (B 895)

Nach der Segnung des Hauses folgen in B der Wettersegen, die Gottesurteile (eigentlich auch Sachsegnungen: Glühendes Eisen, heisses und kaltes Wasser) und Personensegnungen. – Das Formular für die Segnung des Kreuzes findet sich in einigen Gelasiana des 8. Jh.[27] und im umfangreichen Ordo 40 des PRG[28].

c. Brotsegnung (B 898)

Auch dieses Formular ist dem PRG entnommen[29]; in leicht gekürzter Form ist das erste Gebet schon im Supplementum und in einigen Gel VIII zu finden.

d. Weinsegnung (B 899)

Das Gebet kommt ebenfalls in verschiedenen Gel VIII und (mit verschiedenem Anfang) im PRG vor[30].

e. Trauben- und Bohnensegnung (B 900)

Das Supplementum (mit einigen Varianten) und das PRG bieten diese Segensformel. Die Weihe von Erstlingsfrüchten war schon früh in der römischen Kirche üblich. So wurden am Fest des hl. Papstes Sixtus II. (257–258) am 6. August während der Messe Trauben (das Weihegebet ist auch in unserem Sakramentar überliefert: B 400,5) und auch Bohnen gesegnet. Die Segnung der Bohnen wurde später ausserhalb der Messfeier vorgenommen.

f. Äpfel (B 901)

Das PRG enthält unter der Überschrift: «Benedictio pomorum in festivitate sancti Iohannis Baptistae» diese beiden Gebete. Die erste Formel ist im Altgelasianum und in den Gel VIII zu finden. – Wie

---

[27] Vgl. D 4326–4327.

[28] PRG 40 (I, S. 124–173); dieses Formular 40 ist überschrieben: «Ordo ad benedicendam ecclesiam» und bietet (nebst des eigentlichen Kirchweihe-Ordo) auch die Segensgebete für die «vasa, linteamina et instrumenta in usum ecclesiae», so 96–105 für das Kreuz.

[29] PRG 224 (II, S. 370). – Zur Frage vgl. FRANZ, Ben. I, S. 267–278: «Das kirchlich geweihte Brot».

[30] PRG 227 (II, S. 371: «Benedictio vini novi»). Dazu vgl. FRANZ, Ben. I, S. 279–334, bes. S. 284–286.

die Trauben wurden auch andere Feld- und Gartenfrüchte als Erst-
lingsgaben in die Kirche zur Segnung gebracht, so auch die Äpfel
und andere «neue Früchte» (vgl. folgendes Formular).

g. Neue Früchte (B 902)

Einige Gel VIII enthalten bereits dieses Formular, dessen erstes
Gebet aus dem Gelasianum, das zweite aus dem Supplementum
(D 1463) stammen.

h. Seife (B 903)

Die Benedictio saponis findet sich ebenfalls in einigen Gelasiana des
8. Jahrhunderts. – In den Klöstern wurde bei der Segnung des
Baderaumes eigens auch die Seife gesegnet.

i. Segnung von Brunnen und Quelle (B 904 und 905)

Zwei Formulare sind dem wichtigen Anliegen: Gesundes Wasser
gewidmet:

1. Segnung eines neuen Brunnen mit zwei Segensgebeten, deren
erstes gallikanischen Ursprungs ist; das zweite ist identisch mit dem
dritten des PRG[31].
2. Segnung eines verunreinigten Brunnens («ad munditiam revocare digneris», «abstergas pollutionis originem»): Die Formeln ent-
stammen den Gel VIII und dem PRG. – Durch ein «morticinum»
(Tierkadaver) wird ein Brunnen verunreinigt, darum muss er «ent-
sühnt», gereinigt werden.

k. Antike Gefässe (B 906)

Bei den «in antiquis locis» aufgefundenen Gefässen handelt es sich
«um Gefässe, die an früher von Heiden bewohnten Orten ausgegra-
ben oder gefunden wurden. Alles, was mit dem Heidentum in Verbindung gestanden, galt als dämonisch und unrein». Sie müssen
darum ebenfalls «gereinigt» werden, bevor die Gläubigen sie benüt-

---

[31] PRG 231 (II, S. 374). – Vgl. Franz, Ben. I, S. 610–612: «Die Weihe neuer
Brunnen»; S. 612–621: «Die Weihe der verunreinigten Brunnen» (B 905).

zen dürfen. Dazu dient das Gebet, das aus dem Sakramentar von Gellone (einem Gel VIII) stammt[32] und vom PRG übernommen wurde.

l. Omnia quae volueris (B 908)

Das erste der beiden «Passe-partout»-Gebete kommt im Supplementum und in einigen Gel VIII vor, das zweite ebenfalls in Gel VIII und im PRG.

5. Wetter

a. Das Gebet gegen Blitzschlag (B 885) stammt aus dem Gelasianum (V 1566) und wurde vom Supplementum und von Gel VIII übernommen. – «Der Glaube, dass die Fruchtbarkeit der Erde und das Gedeihen ihrer Früchte von der Gottheit komme, ist ein Gemeingut der Menschheit»: Mit dieser Feststellung beginnt A. Franz im 2. Band seines immer noch klassischen Werkes «Die kirchlichen Benediktionen des Mittelalters» den langen Abschnitt (S. 1–123) über die Naturereignisse: Fruchtbarkeit und Misswachs, Gewitter und die Dämonen, Wettergebete, Wettersegen und ihre Segensgebete, – auch das ein Zeichen, welchen Stellenwert der mittelalterliche Mensch dem Gebet um gutes Wetter einräumte.

b. «Benedictio salis et aquae contra fulgura et tonitruum» (B 896) findet sich ebenfalls im Gelasianum (V 1568) und in verschiedenen Gel VIII, das zweite ist eine Wiederholung von B 885; beide hatten Eingang in das PRG gefunden.

c. «Oratio pro tempestate» (B 897). Das erste und das dritte Gebet haben die Gel VIII und das Supplementum aus dem Altgelasianum geschöpft. Sie finden sich auch im PRG. Die zweite Formel konnte nicht nachgewiesen werden.

---

[32] G 2850 (dazu drei weitere Gebete); PRG 233,1 (II, S. 375: noch ein zweites Gebet). – Vgl. dazu FRANZ, Ben. I, S. 621–623.

6. Gottesurteile

Das Rituale des Missale Basileense enthält drei Gottesurteil- oder Ordalien-Formulare zur Überführung eines Schuldigen im Fall des Fehlens eigentlicher Beweise: Probe mit dem glühenden Eisen, die Heisswasser- und Kaltwasserprobe [33].

a. Segnung des (glühenden) Eisens «ad portandum» (B 886). Das Formular besteht aus drei Gebeten, deren erstes und drittes im PRG [34] und in Biburg, das zweite in Biburg zu finden ist. Das Formular des PRG umfasst fünf, jenes von Biburg gar 16 Teil [35].

b. Segnung des heissen Wassers (B 887). Das einzige Gebet ist aus Teilen der Formeln 18 und 19 des umfangreichen Ordo:«De iudicio aquae ferventis, quomodo inventum sit» des PRG [36] zusammengesetzt. Eine ähnliche, jedoch kürzere Formel findet sich im eben erwähnten Ordo: «Benedictio super ignitum ferrum» des Rituale von Biburg [37].

c. «Iudicium aquae frigidae» (B 888). Die «Kaltwasserprobe» ist das umfangreichste der Gottesurteilformulare. Neben drei Beschwörungsformeln (n. 2; 6; 8) und einem Wassersegen (n. 7) enthält der Ordo ausführliche Rubriken, wie sie in B sonst nirgends vorkommen, ausser in den Formularen B 914 und 917. Sie beschreiben im Einzelnen den Ablauf der Handlung: Es wird eine Messe gefeiert [38]. Vor der Kommunionspendung beschwört der Priester die Beschuldigten und die Zeugen, nicht zu kommunizieren, wenn sie die ihnen vorgeworfenen Tat begangen haben oder den Täter kennen (n. 1 und 2). Schweigen sie, wird ihnen die Kommunion gereicht (n. 3).

---

[33] Zur Frage: LEITMAIER-DÜRIG, in: LThK 4, Sp. 1130–1132; Biburg, S. 136–145. – In FRANZ, Ben. II, S. 307–398 finden sich ausreichende Ausführungen zur Geschichte der Gottesurteile, der verschiedenen Ordalien und der dabei verwendeten Gebete.

[34] PRG 246,4; 5 (II, S. 381); Titel: «Iudicium ferri ferventis»; Biburg 456.

[35] Biburg 447–462; Titel: «Benedictio super ignitum ferrum»; vgl. S. 139–142.

[36] PRG 247,1–33 (II, S. 382–393).

[37] Biburg 459.

[38] Zum Messformular: PRG 252,2–5; 8–17 (II, S. 400–403); vgl. FRANZ, Messe, S. 213–215.

Nach der Messe ziehen alle an den Ort, wo die Wasserprobe vorgenommen werden soll. Der Priester reicht geweihtes Wasser zum Trinken (n. 4), sowie das Evangelienbuch und das Kreuz zum Kusse (n. 5) dar. Dann werden die Beschuldigten ins Wasser, über das ein Beschwörungs- und ein Segensgebet gesprochen wird (n. 5–7), geworfen. Der Angeklagte wird ebenfalls beschworen: Ist er schuldig, soll das Wasser ihn nicht «aufnehmen» (n. 8: «ut si tu de hac re culpabilis sis ... aqua ista te non suscipiat»), was bedeutet: Der Schuldige versinkt nicht im Wasser[39].

Einige Formeln sind dem entsprechenden Ordo des PRG[40] entnommen, aus welchem auch Biburg geschöpft hat.

7. Segnung von Personen

a. Aufnahme in den Kleriker- und Mönchsstand[41]

Das PRG bietet die Ordines B 889; B 890; B 894 unmittelbar nacheinander in dieser Reihenfolge: Haarschnitt, Tonsur eines Knaben, Ad clericum faciendum, Bartschur[42], B schiebt die Formulare für die Jungfrauen- und Abtweihe B 891–893 zwischen Bartschur und Tonsur eines Knaben und stellt die Aufnahme in den Klerikerstand an den Anfang.

1. «Benedictio ad clericum faciendum» (B 889). Das Formular findet sich im Supplementum (D 1246-1250), in einigen Gel VIII und in erweiterter Form im PRG unter der Überschrift «Praefatio ad clericum faciendum»[43]. – Die Aufnahme in den Kleriker-und Mönchsstand geschieht durch die Tonsur (vgl. n. 1 «ad deponendam comam capitis»; n. 3 «inter (D: dum) tondis»; n. 5: «cuius hodie capitis comam deposuimus»).

---

[39] Leitmaier-Dürig, in: LThK 4, Sp. 1131: «ursprünglich galt der Sinkende als unschuldig, später auch umgekehrt».

[40] PRG 252,1–36 (II, S. 400–414); B 888,1–3 = Biburg 463–465; B 6–7 = Biburg 478; 480.

[41] Vgl. Biburg, S. 102–103.

[42] PRG 1–4 (I, S. 1–7); ähnlich in Biburg: «Ad clericum faciendum» 229–235; «Ad pueros tondendos» 236–238; «Ad barbam tondendam» 239–242.

[43] PRG 3 (I, S. 4–6); in Biburg 229–235 findet sich dieser Ordo des PRG.

2. «Benedictio ad barbam tondendam» (B 890). Das einzige Gebet ist schon im Hadrianum (unter den Additiones), im Altgelasianum, in einigen Gel VII und im PRG[44] überliefert. – Die erste Bartschur galt bei den Römern als Eintritt in das Mannesalter. Die Christen übernahmen diese Sitte und begleiteten sie mit einem Segensgebet.

3. «Ad tondendum puerolum» (B 894). Das erste Gebet ist identisch mit der dritten Formel des PRG, Ordo 1: «Ad capillos tondendum». – In der griechischen Kirche wurde bei der Taufe den Kindern das Haar beschnitten. Im Westen bürgte sich der Brauch ein, den Knaben zum ersten Mal in einer religiösen Feier die Haare abzuschneiden zum Zeichen, dass man den jungen Menschen in den besondern Schutz Gottes und der Kirche stellen wollte[45].

b. Jungfrauen- und Witwenweihe

1. «Benedictio ad ancillas velandas» (B 891). Die Formel wird im Anhang zum Hadrianum[46] (D 995) geboten und findet sich auch als n. 18: «post assumptum velum» in dem 30 Formeln umfassenden Ordo 20 des PRG (I, S. 38–46) mit dem Titel: «Consecratio sacrae virginis quae in epiphania vel in alvis paschalibus (in secunda feria paschae) aut in apostolorum nataliciis celebratur». – Bei der Jungfrauenweihe wird ein gesegneter Schleier als Symbol der gottgeweihten Jungfräulichkeit überreicht.

2. «Benedictio vestium virginum vel viduarum» (B 892). Beide Gebete finden sich im Supplementum und in einigen Gel VIII, das erste bereits im Gelasianum (V 791). – Wie der Schleier werden auch die Kleider der Jugfrauen und Witwen, die sich in besonderer Weise Gott weihen, gesegnet.

---

[44] PRG 4,1 (I, S. 6) (mit Varianten, so das Incipit: Deus cuius providentia] cuius spiritu B); Biburg 239. Zum Brauch der Bartschur vgl. FRANZ, Ben. II, S. 253–257.

[45] Zur Haarschur vgl. FRANZ, Ben. II, S. 245–252; Biburg 236–237 und S. 102–103.

[46] Im Teil «Additiones» (D 980–1019).

c. Abt- und Äbtissinnenweihe (B 893)

Obwohl die Überschrift auch von der Äbtissin spricht, wird in der Formel nur der Abt genannt («famulum N., quem ad regimen animarum elegimus»). Das Gebet konnte in zwei Gel VIII (G und Ph) nachgewiesen werden.

d. «Oratio post mandatum» (B 907)

Diese Segensformel, die nach Ausweis des PRG und des Ordo Romanus 50 am Hohen Donnerstag nach der Fusswaschung gebetet wurde[47], ist ebenfalls in G und Ph zu finden.

e. «Exorcismus super eum qui a daemonio vexatur» (B 909)

Das Formular ist dem Caput IV des Supplementum[48] entnommen. Die Formeln finden sich im Gelasianum[49], in Gel VIII und im PRG. Sachlich ist es im Zusammenhang mit B 912: «Ordo ad baptizandum infirmum»[50] zu sehen. Nach heutigem Verständnis ist der vom Dämon Geplagte als Kranker zu betrachten.

f. «Oratio super energumenum» (B 910)

Das eben Gesagte gilt auch für die Energumenen, d. h. für Menschen, «in denen eine dämonische Kraft wirksam ist... Kranke, deren Leiden man sich nur als Auswirkung dämonischer Einflüsse erklären konnte»[51]. Die vier Gebete, die in einzelnen Gel VIII und im PRG[52], die beiden letzten aber schon im Gelasianum[53] vorkommen, wurden in das Supplementum (vgl. D 1510–1514: «Inpositio

---

[47] PRG 99, 290 (II, S. 78–79); OR 50,133 (V, S. 232).

[48] Im Verzeichnis der Capitula (D 1020) wird dieses 4. Kap. bezeichnet: «Benedictio salis dandum catecumino, et inde sequuntur orationes qualiter baptizentur his qui baptizandi sunt» (die entsprechenden Formeln: D 1068–1089).

[49] V 296–297 im Kap. XXXIII: «Item exorcismi super electos».

[50] Vgl. unten S. 194. – Zu dieser Frage vgl. FRANZ, Ben. II, S. 514–615: Die Besessenheit (Macht der Dämonen über die Menschen, Exorcismen, Beschwörungsformeln).

[51] BAUS, in: LThK 3, Sp. 862.

[52] PRG 115,31;41;40 (II, S. 199; 204) und PRG 114,2–3 (II, S. 191).

[53] V 593: «Inpositio manus energumenum caticuminum»; V 594:«Alia pro parvulo energuminum».

manuum super energuminum catecuminum; Alia pro parvulo energumino; Aliae orationes super energumino baptizato») und auch in den Ordo baptismi aufgenommen.

g. «Oratio super paenitentem» (B 911)

Die erste und dritte Oration stehen im Ordo: «Reconciliatio paenitentis ad mortem» des Supplementum, gehören also zur Sterbeliturgie[54], die zweite findet sich (mit derselben Überschrift wie in B) in den Additiones zum Hadrianum, die erste und dritte kommen schon im Gelasianum[55] und dann auch in einigen Gel VIII vor. Das vierte Gebet konnte in diesem Wortlaut nicht nachgewiesen werden; Anklänge gibt es in einigen Gel VIII und im PRG.

h. Krankentaufe (B 912)

Es überrascht, dass auch das Rituale (wie schon das Sakramentar[56]) keinen Taufordo aufweist, wie es in andern (späteren) Ritualien der Fall ist, z. B. im Rituale von St. Florian oder in jenem von Biburg[57]; im Anschluss daran bieten diese beiden (wie auch andere) den «Ordo baptizandi infirmum» resp. den «Ordo ad baptizandum infirmum»[58]. Das Rituale in B führt nur diesen letzteren an, jedoch ohne Taufformel, ohne die üblichen begleitenden Riten und Gebete und auch ohne erklärende Rubriken. Dabei folgt es dem Hadrianum (D 980–984), allerdings ohne dessen Spendeformel (D 982) und Schlussrubrik (Kommunions- und Firmspendung: D 984) zu übernehmen. – Von alters her bestand für die Taufe von kranken Taufkandidaten eine kürzere Form für die Taufwasserweihe, zu der ein Exorcismus des Wassers gehörte, wie er sich auch in B 912,2 findet.

---

[54] Vgl. dazu unten S. 201 f.

[55] V 364–365: «Reconciliatio paenitentis ad mortem».

[56] Vgl. oben S. 136, 138, 162.

[57] Florian, S. 65–70: «Ordo baptismi»; Biburg 152–201: «Incipit ordo baptismi».

[58] Florian, S. 70–71; Biburg 202–208. – Dazu vgl. FRANZ, Ben. I, S. 126–153: «Die ältesten Wasserweiheformulare der lateinischen Kirche»; das Folgende ebd. S. 126.

i. Oratio super eum qui agape facit (B 913)

Im Anhang zum Hadrianum folgt nach der «Oratio super paeniten-
tem» die «Oratio ad agapen pauperum» (D 990); in B liegt das
Formular für die Krankentaufe zwischen diesen beiden Gebeten.
Unser Agape-Gebet ist das letzte des Gellonense, das drei Orationen
«pro his qui agape faciunt» enthält (G 2783), ein Gebet, das zur
Armenspeisung, d. h. für den, welcher ein «Liebesmahl» für die
Armen veranstaltete, oder welcher der Kirche (mit Wohltaten)
gedachte («qui tuos pauperes vel tuas ecclesias memoravit») verrich-
tet wurde.

8. Kranken-, Sterbe- und Totenliturgie

Der Ritualteil des Missale Basileense umfasst 49 Seiten. Wenn B
909–912 mitgezählt werden, nehmen die Sorge für die Kranken und
die Sterbenden und der letzte Liebesdienst für die Verstorbenen
mehr als die Hälfte dieses Raumes ein[59]. «Man kann sich fragen,
warum für die Liturgie für Kranke und Sterbende ein so grosser
Raum gewährt wird...(Es) drängt sich die Frage auf, ob der Kodex an
einem Ort benutzt wurde, der besonders mit der Betreuung von
Kranken im Zusammenhang stand»[60], – eine Frage, die aufgrund
der jetzigen Erkenntnisse nicht beantwortet werden kann.

Die Reihenfolge der Formulare B 914–918 entspricht nicht der
zeitlichen Abfolge der einzelnen Feiern. Sie müssten eigentlich wie
folgt eingeordnet werden:

1. B 918:   Krankenbesuch mit Krankensalbung
2. B 914:   Krankensalbung
3. B 914A: Oratio pro reddita sanitate
4. B 915:   Messe für Sterbende
5. B 916:   Sterbestunde
6. B 917:   Tod und Begräbnis

---

[59] Nämlich 26 Seiten in der Handschrift. – Ruggero Dalla Mutta, Genova, neben
Antoine Chavasse (vgl. dessen immer noch grundlegendes Werk: Etude sur l'onction des infirmes dans l'Eglise latine du IIIe au XIe siècle, Lyon 1942) der beste
Kenner der Geschichte der Krankensalbung, hat mir bereitwilligst sein umfang-
reiches Material (gegen 300 Ordines) und sein grosses Wissen in mehreren Briefen
und in einer mündlichen Besprechung zur Verfügung gestellt; ich danke ihm
herzlich dafür. – Neueste Darstellung der Geschichte und der Theologie dieses
Sakramentes: KACZYNSKI, Feier der Krankensalbung, S. 241–343.

[60] Walter von Arx, Schreiben vom 25. Febr. 1991.

1. Krankenbesuch mit Krankensalbung (B 918)[61]

Die Überschrift von B 918 («Incipiunt orationes ad visitandum infirmum») spricht nur vom Krankenbesuch. In Wirklichkeit umrahmen die verschiedenen Gebete für den Kranken den im Vergleich zu B 914 kürzeren Ordo unctionis infirmi[62].

Nach zwei (dem Supplementum entnommenen) Gebeten[63] wird dem Kranken an einem geeignete Ort (secretior locus) Gelegenheit zur Beicht geboten. Dann werden das Glaubensbekenntnis, ein Psalm, das Vaterunser, einige Versikel und drei weitere Gebete gesprochen (n. 3–7). Eine Rubrik (n. 8) leitet zur Krankensalbung mit den beiden Spendeformeln (n. 9–10) über. Daran schliessen sich zehn Gebete an (n. 11–20), von denen vier (n. 11; 12; 18; 19) dem Supplementum und vier dem Sakramentar von Fulda entnommen sind[64].

R. Dalla Mutta kommt aufgrund seiner Untersuchung zum Ergebnis: B 918 ist ein alter Ordo (Ende 9. Jh.), von dem nur zwei Zeugen bekannt sind: Der Ordo im Sakramentar-Rituale von Lorsch (ausgehendes 9. Jh.)[65] und ein unvollständiger Ordo aus Freising (10./11.Jh.)[66]. Sie sind ähnlich dem «Ordo ad visitandum et unguendum infirmum» des PRG[67], wobei die grösste Verwandschaft zwischen diesem Ordo und B 918[68] besteht. Der einzige wichtige Unterschied besteht darin, dass im Ordo 139 des PRG die Salbung fehlt; sie findet sich jedoch im Ordo 143.

---

[61] Zu den Krankensalbungen in B vgl. HÄNGGI, Zwei interessante Ordines unctionis infirmorum im Basler Missale des 11. Jahrhunderts, (nachfolgend zitiert: HÄNGGI), wo die beiden Ordines ausführlich besprochen werden.

[62] PRG 139 (II, S. 246–256) nennt im Titel auch die Salbung: «Ordo ad visitandum et unguendum infirmum».

[63] D 1480:« Oratio in domo infirmorum»; D 1388 (in der Gruppe «Orationes ad visitandum infirmum»: D 1386–1391).

[64] Die Orationen B 918,13–17 finden sich auch in Biburg (289; 304–306) und in andern Ritualien.

[65] Hg. von DE CLERQ, S. 104–105; im Folgenden zitiert: Lorsch.

[66] München Clm 6426, hg. von MATTES, Die Spendung der Sakramente nach den Freisinger Ritualien, S. 214–216.

[67] PRG 139 (II, S. 246–256).

[68] Vgl. Synopse der Ordines von Lorsch, PRG und B in: HÄNGGI, S. 233–234.

Die eigentliche Segensformel ist in B 918,9 wiedergegeben, welche gemäss n. 8 die vier Salbungen (pectus, cor, scapulae, locus maximi doloris) begleitet, während die zweite Formel («unguo te de oleo sanctificato, ut more militis...»: B 918,10) als Beifügung erscheint, die umso mehr Beachtung verdient, als sie die typische und einzige Salbungsformel der ambrosianischen Liturgie[69] ist und die ausserhalb des Bereiches des Mailänder-Ritus nur in einem irgendwo in Churrätien um 800 geschriebenen Sakramentar[70] und (mit n. 9 zu einer einzigen Formel verbunden) im erwähnten Freisinger Ordo nachgewiesen werden konnte.

In Anbetracht des Alters dieser Zeugen (Lorsch Ende 9. Jh.; PRG Mitte 10. Jh. und B zweite Hälfte 11. Jh.) kommt man zum Schluss, dass B 918 eine frühe Version des Ordo der Krankensalbung überliefert, der von Lorsch und vom PRG tradiert wurde. Somit wäre der vorliegende Ordo ein sehr seltener, ja in dieser Form einzigartiger «Ordo unctionis infirmi», der nur in B nachgewiesen ist. In ihm würde also ein Ritus weiterleben, der zwei Jahrhunderte früher im Rheinland (Lorsch) entstanden und der ungefähr hundert Jahre später vom PRG übernommen und überarbeitet worden ist.

2. Zweiter Ordo der Krankensalbung (B 914)

Die Tatsache, dass ein liturgischer Kodex zwei verschiedene Ordines der Krankensalbung enthält, ist für das Mittelalter nichts Aussergewöhnliches. Man kopierte das Material aus den zugänglichen Handschriften entweder als selbständige Formulare oder fusionierte es, ohne sich um Wiederholungen zu kümmern. Auch das PRG bietet, wie schon angedeutet, zwei solcher Ordines (Ordo 139 und 143).

B 914 gehört zur ersten Gruppe der nach Antoine Chavasse festgestellten Gruppen von Krankensalbungsformularen[71] und ist (mit

---

[69] MAGISTRETTI, Manuale Ambrosianum, S. 82.

[70] MANZ, Ein St. Galler Sakramentar-Fragment (Cod. Sangall. No. 350) 233, S. 32.

[71] Vgl. HÄNGGI, S. 228: Seit Mitte 8. Jh. Es werden gesalbt: Hals, Kehle, Brust und «der Ort des grössten Schmerzes» und dann auch die fünf Sinne, wobei eine oder auch mehrere Formeln gesprochen werden, ohne dass sie einer bestimmten Salbung zugeordnet sind.

Ausnahme des Teiles n. 27–36 und 39) dem Ordo von St-Amand[72] sehr ähnlich. Als wichtigste Unterschiede können genannt werden: Nach B 914, 22–26 nimmt stets ein anderer Priester die Salbung vor und spricht dazu die je eigene Formel; in St-Amand fehlen die Formeln B 914, 27–36 und 39. Von den vier Orationen des Ordo von St-Amand bietet B nur die letzte (n. 42) und statt der Segensgebete am Schluss des Ordo (D 3994–3998) verweist B in der Schlussrubrik n. 43 lediglich auf die «benedictiones in hoc libro conscriptae»: Darunter sind wohl die Benedictiones super infirmum von B 560 (und vielleicht von B 918,16–17) gemeint.

In diesen Ordo von St-Amand wird der zentrale Teil aus dem Ordo der zweiten Gruppe von Krankensalbungsordines[73] (nach Chavasse) eingefügt (B 914, 27–36 und 39). Dieser Teil findet sich in ähnlicher (nicht identischer) Form im Sakramentar von Fulda[74], im Sakramentar-Rituale von Mainz[75] und im Leofric-Missale[76] (alle 10. Jh.). Diese Fusion scheint B 914 zu einem Unicum zu machen. Der Basler Ordo 914 hat konservativen Charakter und zeichnet sich aus durch seinen klaren Aufbau, seine Tendenz zur Vereinfachung und seine pastorale Ausrichtung[77].

Besonders interessant und möglicherweise hilfreich für die Bestimmung der Herkunft des Missale Basileense ist die Rubrik am Schluss von B 914 (n. 43). In ähnlicher Form, bisweilen zweigeteilt, findet

---

[72] Von J. Deshusses nach der Handschrift A 135 der Königl. Bibliothek, Stockholm in D III, S. 148–149 veröffentlicht. Die Unterschiede zwischen diesem Ordo und B 914 sind verzeichnet in: Hänggi, S. 229–231.

[73] Vgl. Hänggi, S. 228: Seit Mitte 9. Jh.: Jeder Salbung wird eine eigene Formel in indikativer Form («unguo») zugewiesen.

[74] F, S. 284–300.

[75] Gerbert, Monumenta veteris liturgiae Alemannicae II, 29–36 (PL 138,987–1000).

[76] Warren, The Leofric Missal as used in the Cathedral of Exeter 239–241; ein Vergleich dieser vier Ordines Mainz (Gerbert), Fulda, Basel und Leofric vgl. Hänggi, S. 231.

[77] R. Dalla Mutta: (L'Ordo di Basilea B 914) «dimostra ... uno spirito di conservazione. E da rilevare anche la semplicità e la linearità di questa combinazione, assai maggiore di quanto avviene nei casi di inserzione o di fusione descritti, e quindi la praticità pastorale e celebrativa dell'Ordo di Basilea» (Brief vom 30. Juli 1986).

man sie auch in andern Quellen[78]. Wichtig ist vor allem der Passus, der die Mitbrüder ermahnt, täglich dem Kranken Trost und Ermutigung zuteil werden zu lassen durch die Feier des Offiziums «et assidua lectione ... de vita et adorationibus patrum vel dialogo s. Gregorii sive de visionibus quorundam, id est s. Fursei, Barontis et Wettini»[79]. Bei diesen Namen und den Visionen handelt es sich um:

1. «Furseus (Fursa), hl. Fest 16. Jan., Ire, gest. 649 Kloster Lagny, (dessen) Visionen... die irische und festländische Visionen-Literatur des Mittelalters tief beeinflusste»[80].

2. Barontus (Barontes) hl., «gest. ca. 720, Benediktiner in Lonrey (Longoretum)... Die Visio Baronti, die der Mönch... in schwerer Krankheit schaute..., ist eines der ältesten Beispiele der Visionsliteratur»[81].

3. «Wetti (Wettinus) von Reichenau, OSB, gest. 3. 11. 824 ...Die Jenseitsvisionen seiner Todesstunde wurden von Hatto in Prosa, von Walahfrid in Versen beschrieben...; sie sind literarisch ein erster Vorläufer der Divina Commedia Dante Alighieris»[82] – Hatto (Haito), Abt von Reichenau und Bischof von Basel, war sein Lehrer; ausser der «Visio Wettini» verfasste er auch um 820 Diözesanstatuten für den Klerus von Basel[83].

In anderen Zeugnissen, die davon berichten, dass den Schwerkranken und Sterbenden zum Trost aus solchen Visionen vorgelesen

---

[78] R. Dalla Mutta weist sie in 14 Ordines nach, doch der Text B 914,43 findet sich in dieser Form nicht: «solo qui (B) essa si trova completamente rielaborata e manipolata così da essere appena riconoscibile! Solo qui si leggono i nomi dei tre santi, con riferimento a certe visioni che dovrebbero essere consolatorie per l'infermo» (Brief vom 30. Juli 1991).

[79] Nicht «Etuvectini», wie in HÄNGGI, S. 231 und 244 fälschlicherweise geschrieben steht; die ohnehin nicht leichte Entzifferung wird durch die Zeilentrennung in der Handschrift zusätzlich erschwert:«etu/uec(t?)tini».

[80] HENNIG, in: LThK 4, Sp. 464.

[81] ZIMMERMANN, in: LThK 2, Sp. 1.

[82] MÜLLER, in: LThK 10, Sp. 1080; Über Wetti vgl. MUNDING, Abt-Bischof Waldo, wo auch über Wetti berichtet wird (S. 5–7; 44; 50; 63–64; 69; 107); Wetti war mit Waldo und Haito verwandt.

[83] VILLIGER, in: LThK 5, Sp. 27–28.

werden soll[84], kommen die Namen von Gregor, Furseus und Barontus auch vor, doch in einem Ordo der Sterbeliturgie konnte bisher
Wetti nicht nachgewiesen werden.

Dieses Unicum B 914,43 mit der Erwähnung von Wetti und
seiner Vision, sowie deren literarische Bearbeitung durch Haito
beweisen den Zusammenhang zwischen Reichenau und Basel und
dürfen als weiterer Beleg für unsere These angesehen werden: Der
Codex Gressly ist ein Missale aus dem Bistum Basel; er wurde mit
grösster Wahrscheinlichkeit irgendwo im Gebiet der Diözese Basel
(möglicherweise in Murbach oder Moutier-Grandval) geschrieben.

3. Oratio pro reddita sanitate (B 914A)

In der Handschrift ist dieses Dank- und Segensgebet nach der
Genesung nicht deutlich vom vorausgehenden Ordo 914 getrennt;
in anderen Quellen erscheint es klar als alleinstehende Formel. Sie
stammt aus dem Gelasianum (V 1543), wurde in das Supplementum
übernommen und findet sich in den Gel VIII Ge und Ph.

4. Messe für Sterbende (B 915)

Wohl aus praktischen Gründen wurde hier, nach der Spendung der
Krankensalbung und vor der eigentlichen Sterbeliturgie, das vollständige Messformular für einen Sterbenden eingefügt («si vita desperatur»). Die euchologischen Teile (Gebete) sind der Messe «Pro
infirmo qui proximus morti» (D 2794–2797) entnommen oder
nachgebildet (mit vielen Varianten!). Die Auswahlformel des Introitus («vel Esto michi»: n. 1), die Lesung (n. 3), das Evangelium (n.
6), der Offertoriumsvers (n. 7) und der Kanon-Einschub (n. 10) sind
nach Dalla Mutta Unica des Basileense[85].

---

[84] Vgl. ANGENENDT, Theologie und Liturgie der mittelalterlichen Toten-Memoria, S. 79–199; allgemein zu den Jenseits-Visionen: S. 86–99; betr. Gregor: S. 87–
91; Furseus: S. 91; Barontus: S. 91–92; Wetti: S. 94–96.
[85] Brief vom 30. Juli 1986.

5. Todes- und Begräbnisliturgie (B 916–917)

Der beste Kenner dieser Materie und Autor des grundlegenden Werkes über die Sterbe- und Todesliturgie, Damien Sicard[86], betont in seiner Beurteilung der beiden Ordines B 916 und 917 «...le caractère composite et original de sa composition. Il s'agit manifestement d'emprunts à des sources qu'on n'a pas essayé d'ordonner pour une lecture suivie».

a. «Agenda morientium» (B 916)

Während der Ordo 103 des Supplementum (D 1398–1415), dessen letzte Oration («Tibi domine commendamus animam») an den Anfang des Formulars B 916 gestellt wurde (n. 2), den Titel «Orationes in agenda *mortuorum*» trägt, steht in B: «Agenda *morientium*». Die Oration «Tibi domine commendamus» findet sich im Rheinauer Sakramentar[87], die übrigen (n. 3 und 6) sind nach Deshusses den Sakramentaren W (Düsseldorf D1), S (Cambrai 162-163) und A (Cambrai 164)[88], alle aus dem 9. Jh., entnommen[89].

b. «Obsequium circa morientes» (B 917).

Das ganze Formular steht in der Tradition des erwähnten Ordo 103 des Supplementum. Die meisten Orationen stammen daraus[90]. Zu den Rubriken, den Psalmen und Versikeln scheinen weitere Ausführungen überflüssig zu sein; im angegebenen, bestens dokumentierten Werk, auf das beständig verwiesen wird, ist alles Wissenswerte zu finden. – D. Sicard kommt nach eingehendem Studium des Formulars B 917 zum Ergebnis: Der Ordo B 917 hat keine bekannte Parallele und ist somit einzigartig. Er stellt den Anfang eines voll-

---

[86] Sɪᴄᴀʀᴅ, La liturgie de la mort dans l' Église latine des origines à la réforme carolingienne. Brief vom 4. Juli 1987. – Damien Sicard danke ich aufrichtig für die ausgezeichnete Hilfe.

[87] Rh 1341; nach Ausweis der «Table des manuscrits utilisés» (Sɪᴄᴀʀᴅ, S. 421–435) wird das Sakramentar von Rheinau (Rh 30) über 170 mal zitiert.

[88] Für nähere Angaben zu diesen Hss. vgl. D I, S. 35–36.

[89] Die letzte Oration (B 916,6) bietet nur den Anfang des längeren Gebetes D 4077.

[90] Nämlich die Nummern 1; 3; 5; 7; 9; 11; 14–15; 23; 25; 27; 29; 31; 33; 35–38.

ständigen Pontifikales (richtig: Rituales?) dar, das einen Ordo mit einem Rituale-Sakramentar verbindet. Es handelt sich dabei eher um eine «personalisierte» Ausgabe als um ein in einem Scriptorium nach Diktat geschriebenes Werk[91].

6. Anhang: Nachträge (B 919–933)

Kurze Zeit nach der Niederschrift des Missale Basileense (Ende 11. Jh.) wurden auf den letzten, leergebliebenen Seiten, im unmittelbaren Anschluss an den Ritualteil, 15 liturgische Texte nachgetragen, von denen nur zwei als Nachträge zum Rituale, die übrigen als Beifügungen zum Sakramentar anzusehen sind. Offenbar wurden diese einzelnen Formeln oder Formulare im «Alltag» vermisst. Diese Ergänzungrn sollten wohl das Liturgiebuch für die Praxis noch dienlicher machen. Im einzelnen handelt es sich um folgende Texte:

a. Allgemeine Votivmessen:

1. Die «Missa generalis» (B 919) ist in D 3116–3121 unter der Überschrift «Missa communis» publiziert und stammt aus einem Sankt-Galler-Sakramentar (2. Hälfte des 9. Jahrhunderts)[92].

2. Die «Missa pro salute vivorum» (B 929) ist eine etwas erweiterte Fassung des unter dem gleichen Titel ins Supplementum (D 1300; 1301; 1303) aufgenommenen Messformulars[93].

3. «Missa de quacumque tribulatione» (B 928). Alle drei Orationen stammen aus dem Alt-Gelasianum[94].

---

[91] «L'ensemble est original et n'a pas de parallèle précis que je connaisse ... On se trouve en face d'un début de pontifical complet, associant ordo et rituel-sacramentaire. C'est une édition «personnalisée» plus qu'une reproduction sous dictée en scriptorium, d'où l'intérêt d'une édition dont je vous félicite ...» (Damien Sicard im Brief vom 4. Juli 1987).

[92] Oxford, Bibliotheca Bodleiana, ms. Auct. D. I, 20; «a été écrit dans la seconde moitié du IXe siècle, à Saint-Gall, ou en tout cas pour Saint-Gall» (D I, S. 39).

[93] Anstelle der «famuli et famulae» werden in B die einzelnen Gruppen genannt, für die gebetet wird: Bischöfe, Priester, Äbte, Kanoniker, Mönche, Könige, Verwandte, Wohltäter ...

[94] Nr. 1: V 1360; Nr. 2: V 1358; Nr. 3: V 1269.

4. «Missa pro tribulatione» (B 933). Das Formular wird in D 2449–2451 im Kapitel «Missae pro necessitatibus fidelium» unter der Bezeichnung: «Missa pro tribulantibus vel pressuram sustinentibus», die letzte Oration zusätzlich unter den Gebeten «Orationes de visitatione infirmorum» (D 4008) aufgeführt.

5. «Missa» ⟨tempore belli(?)⟩ (B 926). Dieses Formular konnte als Ganzes bisher nicht nachgewiesen werden. Da die Orationen n. 3 (D 1333) und 4 (D 2541) in ähnlicher Form in Messen «in Kriegszeiten» vorkommen und da unmittelbar nachher das Formular «Für den Frieden» folgt, wird als nicht gesicherter Titel obige Überschrift vorgeschlagen.

6. ⟨Missa⟩ «pro pace» (B 927). Alle Gebete sind im Gelasianum[95], im Supplementum (D1343–1345) und in einzelnen Gel VIII zu finden.

7. ⟨Pro compunctione cordis?⟩ (B 930). Die Überschrift der nicht identifizierten Oration wird als Konjektur aufgrund der ersten Worte des Gebetes gewählt.

8. ⟨Missa pro peccatis(?)⟩ (B 921). Diese ebenfalls nicht identifizierte Oration[96] ist ein Teil einer Messe, wie der Zwischentitel n. 2: «Secr⟨eta⟩» zu erkennen gibt. Der Inhalt des Gebetes legt die Überschrift nahe.

b. Heiligen-Votivmessen

1. «Missa cottidiana de omnibus sanctis» (B 922). Das Formular, das dem Supplementum (D 1243–1245) entnommen ist, trägt in dieser Quelle den Titel:«Missa ad poscenda suffragia sanctorum». Die Orationen sind als Einzelformeln im Hadrianum, in einigen Gel VIII und als Ganzes auch im Sacramentarium Fuldense nachzuweisen.

2. «Alia» ⟨«missa in qualibet ecclesia pro veneratione sanctorum quorum reliquiae ibidem sunt»⟩ (B 923). Der Titel wurde nach D

---

[95] V 1202 (Liber tertius: «Orationes... per dominicis diebus», aus einer Item-alia-Messe, auch D 2575, aus einer andern Missa «pro pace»); V 1475–1476.

[96] Auch R. Dalla Mutta hat sie nicht nachweisen können: «nessun riscontro a questa formula nella mia documentazione» (Brief 2. Mai 1991).

1870–1873 ergänzt, wo sich das Formular findet; es kommt unter verschiedenen, aber ähnlichen Bezeichnungen in vielen Handschriften vor, und gehört zu den Missae Alcuini.

c. Messen für Bischöfe (B 920; 924; 925)

Es ist auffallend, dass kurz hintereinander drei Messformulare für Bischöfe nachgetragen werden, wobei zwei identisch sind: B 920 (ohne Überschrift, für einen einzelnen Bischof: «episcopum nostrum N.») und B 924: «Missa pro pastoribus» (im Plural: «famulos tuos, quos pastores...»). Dieses Formular figuriert unter dem Titel: «Missa pro his qui ecclesiae dei praesunt» als erstes im Kapitel: «Missae pro quibusdam personis» in D 1992-1994 und ist dem Sakramentar von Noyon entnommen (um 870)[97]. – Das andere Formular: «Missa pro episcopo» (B 925) findet sich als «Missa pro abbate vel congregatione» im Supplementum D 1308-1310, und im Sakramentar von Fulda[98]; in B 925 ist es (wie in B 920) für den eigenen Bischof bestimmt (n. 1 und n. 3: «famulum tuum antistitem nostrum»). – Weist diese Häufung von Formularen für den Bischof auf eine besondere Beziehung oder Nähe zum Bistum hin?

d. Speisesegnung

Die österlichen Speisegnungen[99] fehlen im Grundbestand des Missale Basileense. Wahrscheinlich deswegen und weil solche Benediktionen auch sonst im täglichen Leben öfters erwünscht waren, hat der Schreiber am Ende der Handschrift zwei solcher Segensformeln

---

[97] Cod. T2 (vgl. D I, S. 41) aus Saint-Thierry, später in Noyon: CLLA 1385, auch CLLA/S, S. 133.

[98] Das Formular F 2148–2151 ist überschrieben: «Missa abbatis et congregationis sibi commissae».

[99] Vgl. dazu FRANZ, Ben. I, S. 575–608: «Die Weihe von Esswaren am Osterfeste»: Nach der altkirchlichen Fastenordnung war der Genuss von Fleischspeisen und von Laktizinien (Milch, Butter, Käse und Eier) während der Fastenzeit untersagt.«Man begreift darum, dass das Osterfest, welches der beschwerlichen Abstinenz ein Ziel setzte, von den Gläubigen mit Freude begrüsst wurde». Diese wollten die so lange Zeit vermissten Speisen «nicht eher geniessen, als bis sie von der Kirche geweiht worden waren» (ebd. S. 575–576). Formeln für die Segnung des Lammes, des Fleisches und des Käse usw.: ebd. S. 583–589 und 593–594.

nachgetragen, die sich beide schon im umfangreichen, das ganze Kirchenjahr umfassenden Ordo 99 des PRG[100] finden, nämlich die Segnung von Käse und Fleisch.

1. «Benedictio casei» (B 931). Im PRG trägt die Formel, mit der die unsrige identisch ist, die Bezeichnung: «Benedictio casei in eodem sabbato sancto paschae».

2. «Benedictio carnis» (B 932). Im PRG ist das Segensgebet mit «Benedictio aliarum carnium» überschrieben; unmittelbar vorher steht die «Benedictio agni in pascha», im Rituale von Biburg 210 wird es als zweite Segensformel über das Osterlamm aufgeführt («Item benedictio agni»); es ist auch in einigen Gel VIII zu finden.

---

[100] PRG II, S. 1–141 (= OR 50: Andrieu, OR V, S. 81–365).

DAS MISSALE BASILEENSE – ETAPPE AUF DEM WEG ZUM VOLLMISSALE.

Um die Bedeutung des Codex Gressly zu umschreiben, muss einiges zur Entstehung und Entwicklung des Voll- oder Plenar-Missale (Missale plenum oder plenarium) vorausgeschickt werden, um dann aufgrund der Characteristica des Missale Basileense, seine Stellung in der Geschichte des Missale Romanum aufzeigen zu können.

1. ZUR GESCHICHTE DES PLENARMISSALE

Die Geschichte der Entstehung und der Entwicklung des Missale ist noch nicht geschrieben und kann auch heute noch nicht endgültig geschrieben werden. Seit hundert Jahren haben sich bekannte und anerkannte Liturgiewissenschaftler immer wieder mit der Frage befasst und wichtige Erkenntnisse für die weitere Forschung bereitgestellt.

So hat Adalbert Ebner in seinem wichtigen Werk: Quellen und Forschungen zur Geschichte und Kunstgeschichte des Missale Romanum im Mitelalter besonders auf Grund seiner Erforschung italienischer Bibliotheken und Archive[1] viele noch heute gültige Einsichten formuliert, so über die Bedeutung der «Libelli» für die private Mess-Zelebration während der Woche, insbesonders für die Feier von Votivmessen[2]. Er ist der Ansicht, dass vor dem 10. Jahrhundert kein Missale geschaffen wurde, dass erst seit der Wende vom 10. zum 11. Jahrhundert häufiger Vollmissalien und Übergangsformen anzutreffen sind und dass erst im 13. Jahrhundert das Missale Plenum langsam zur Regel wurde[3].

---

[1] Vgl. Untertitel des Werkes: Iter Italicum (siehe Verzeichnis der Quellen und Literatur: EBNER).

[2] EBNER, S. 356–360. Bei der Schaffung des Missale Basileense oder seiner Vorlage wurde aller Wahrscheinlichkeit nach ein solcher Votivmesse-Libellus benutzt; vgl. oben S. 131, unten S. 214.

[3] EBNER, S. 360–361.

Anton Baumstark schrieb 1929 im auch jetzt noch zu beachtenden Buch: Missale Romanum. Seine Entwicklung, ihre wichtigsten Urkunden und Probleme: «Bis zur Wende vom 12. zum 13. Jahrhundert kann nicht von einer eigentlichen Geschichte, sondern nur von einer Vorgeschichte des Missale Romanum als fester und einzigartiger buchhafter Grösse gesprochen werden»[4]. Als Ergebnis seiner Forschungen hält er fest: «Eine abschliessende Geschichte des Sakramentars, des Messantiphonars und der am prägnantesten im Voll-Comes zum Ausdruck gelangenden Perikopen-Überlieferung des römischen Ritus und der endlichen Vereinigung dieser drei Elemente zum Missale schreiben zu wollen, würde heute noch durchaus verfrüht sein»[5]. Für ihn sind das «schlechthin älteste bekannt gewordene Denkmal einer auf den Buchtyp des Vollmissale gerichteten Entwicklung» aus einer «Rom nicht allzu fernen Gegend Italiens», die Palimpsestblätter von Monte Cassino, «die mit den Sakramentartexten wenigstens die biblischen Lesestücke verbinden»[6]. Als weitere Etappen nennt er im 9. Kapitel: «Der Weg zum Vollmissale» die Verbindung des Graduale oder des Lektionars mit einem Sakramentar, namentlich die Codices St. Gallen 339–340 und Rh 71 der Zentralbibliothek Zürich[7] «Vielleicht an die Spitze der gesamten Überlieferung des Vollmissale gestellt zu werden verdient» eine vielleicht aus den Abruzzen stammende Handschrift der Vatikanischen Bibliothek[8].

In einem kurzen Beitrag[9] verweist der Mailänder Liturgiker Pietro Borella, auf die Ambrosianische Tradition, die im 9. bis 12. Jahrhundert Sakramentar und Lektionar, zum Teil auch das Antiphonar miteinander vereinigt; in diesem Zusammenhang erwähnt er auch die nichtneumierten Gradualien von Rheinau[10] und

---

[4] BAUMSTARK, S. 1.

[5] BAUMSTARK, S. 3.

[6] BAUMSTARK, S. 132: es handelt sich um den Cod. Casssin. 271, veröffentlicht von DOLD, Vom Sakramentar, Comes und Capitulare zum Missale, S. 1*–54*; vgl. WILMART, Un missel grégorien ancien, S. 281–300.

[7] BAUMSTARK, S. 133, Anm. 6.

[8] BAUMSTARK, S. 134, Anm. 16: Roma, Cod. Vat. lat. 4770; CLLA 1413: Ende des 10. Jh.

[9] BORELLA, Verso il messale plenario.

[10] Vgl. Verzeichnis der Siglen: Rh und HESBERT, Sextuplex S. XII–XIV.

Corbie[11], die mit einem Sakramentar verbunden sind und deren Text (nach Ansicht des Autors) dazu bestimmt war, vom zelebrierenden Priester rezitiert zu werden, wenn keine Sängerschola zur Verfügung stand, z.B. in kleineren Landpfarreien.

In den vergangenen Jahrzehnten hat sich immer wieder, teilweise sich wiederholend, Klaus Gamber (+ 2. Juni 1989) auf eine Reihe von (besonders aus Italien stammenden) Zeugen für die Geschichte des Vollmissale hingewiesen[12]. Öfters handelt es sich dabei um Fragmente, deren Entstehung gelegentlich wohl etwas zu früh angesetzt wird, und die Frage kann gestellt werden, ob aufgrund einzelner teilweise kleiner Fragmente gleich auf ein Plenarmissale geschlossen werden darf. Gamber hat sehr viele interessante und wichtige Elemente für die Weiterforschung erarbeitet, auch wenn Zweifel an der Berechtigung seiner Feststellung erhoben werden kann: «Die Entwicklung zum Plenarmissale hat hier (in Spanien und Italien) schon im 8. Jahrhundert begonnen und war ... im 9. Jahrhundert im wesentlichen bereits abgeschlossen»[13]. Anderswo schreibt er, das sog. Missale von Andechs (um oder nach 900) sei «die älteste Vollhandschrift eines mittelitalienischen Plenarmissale»[14] und jenes von Nursia, aus der gleichen Zeit wie B, «sei eines für die Geschichte des Messbuches bedeutungsvolle und reichhaltige Handschrift»[15]. Als «eines der ältesten ausserhalb Italiens ... entstandenen Plenarmissalien mit Neumen» bezeichnet er das unvollständige Missale von Winchester[16] und das Plenarmissale in Stockholm (Anfang 11. Jahrhundert, Kloster Reichenau [?]) als «das erste im deutschen Sprachraum ... geschriebene und erhaltene Plenarmissale (mit Neumen)»[17].

---

[11] HESBERT, Sextuplex S. XXI–XXII.

[12] Die mittelitalienisch-beneventanischen Plenarmissalien. – Oberitalienische Sakramentarfragment. – Missalia plenaria (in: CLLA, S. 527–547 und CLLA/S, S. 135–144). – Die Messbücher Mittel- und Süditaliens im Frühmittelalter. – Vom Messformular zur Messgestaltung. Die Plenarmissalien des römischen Ritus bis zur Jahrtausendwende.

[13] CLLA, S. 205.

[14] München, Bayerische Staatsbibliothek, Clm 3005; CLLA 1410.

[15] Roma, Biblioteca Vallicelliana, cod. B 8; CLLA 1415.

[16] Le Havre, Bibl. municipale, ms. 330, CLLA 1489 (2. Hälfte des 11. Jh.)

[17] CLLA/S 1480*.

Als Ergebnis dieser und anderer Untersuchungen scheint als Ergebnis festzustehen: So lange die Eucharistie als gemeinschaftliche Feier verschiedener «Mitspieler» mit ihren je eigenen «Rollenbüchern» zelebriert wurde, bestand kein Bedürfnis, die Texte dieser Bücher in einem einzigen Buch zusammenzufassen. Als die Zahl der Priestermönche wuchs und die Klöster infolge von Gebetsvereinigungen, Konfraternitäten und Vergabungen aller Art immer mehr Messverpflichtungen übernahmen[18], wurde die private Messfeier gefordert und gefördert: Der zelebrierende Priester musste auch den Part der andern (fehlenden) Rollenträger übernehmen. Er benötigte dazu ein Buch, das nicht nur die Gebete, sondern auch die Gesangsteile und Lesungen enthielt. Zu diesem Zweck stellte man Büchlein (Libelli)[19] für die am häufigsten zu feiernden Messen zusammmen: Votiv-, Toten- und Commune-Messen, mit allen Texten, jeder an der Stelle, die dem Ablauf der Feier entsprach, d. h. man schuf vollständige, integrierte Messformulare.

Um über diesen Bereich hinaus für das ganze Kirchenjahr alle Texte zur Verfügung zu stellen, wurden verschiedene Wege beschritten[20]:

1. In einer äusserlichen Verbindung wurde dem Sakramentar das Graduale und/oder das Lektionar beigebunden oder die entsprechenden Hinweise (Incipit, ev. auch Explicit) am Rand beigefügt.

2. In einer inneren Verbindung wurden die Texte der drei Bücher zu vollständigen Formulare verwoben.

2. DAS TYPISCHE AM MISSALE BASILEENSE

Die Schaffung des Missale Basileense erfolgte auf einem Mittelweg: Die einzelnen Bücher wurden nicht rein äusserlich zusammengebunden, sondern wie die kodikologische Beschreibung zeigt, syste-

---

[18] Zu diesem Fragenkomplex: NUSSBAUM und HÄUSSLING (vgl. Verzeichnis der Quellen und Literatur); vgl. auch den Excursus: The «private» Mass, in: VOGEL, Medieval Liturgy, S. 156–159; oben S. 131, 207; unten S. 214.

[19] EBNER, S. 359; BAUMSTARK, S. 134.

[20] EBNER, S. 261.

matiscch eines nach dem andern von den gleichen Händen in einem Kodex niedergeschrieben; für einen Teil der Messen werden die Texte in Ganzformularen geboten.

Antoine Chavasse, dem die Abschrift von B vorgelegt wurde, war nach seinen eigenen Worten begeistert («passioné») von diesem Codex; er erstellte «motu proprio» Tabellen und Vergleiche und formulierte seine Erkenntnisse in knapper Form. Als Zusammenfassung und Bestätigung der Untersuchungen der Herausgeber seien sie im Folgenden aufgeführt[21]:

I. Die einzelnen Teile im Vergleich zu ihren Quellen

A. Das Graduale und das Sextuplex.

1. Temporale.
   a. Übereinstimmung: B 1–11; 17–19; 21; 27; 37–96; 107–109; 112–118; 184–209.
   b. Beifügungen: B 119–121 (QT von Pfingsten).
   c. Auslassungen: Keine.
   d. Wichtig: Adoption zweier bedeutungsvoller Characteristica der Gradualien des Sextuplex:
      Beginn des Kirchenjahres mit den Sonntagen und den Festen des Advents;
      Verlegung der Sonntage nach Pfingsten ans Ende des Kirchenjahres.
2. Sanktorale.
   a. Übereinstimmung: B 12–16; 21; 23–26; 18–32: (36?: Annuntiatio); 97–106; 110–111; 122–158; 160–172; 175–177; 179–182.
   b. Beifügungen: B 33 (Cathedra Petri); 35 (Benedikt); 139 (Vigil von Jakobus); 159 (Nativitas Mariae); 173–174 (Vigil und Fest von Allerheiligen): 178 (Martin).
   c. Auslassungen: Keine.

---

[21] Zitiert nach der Darstellung von Prof. Antoine Chavasse, Strassburg (März 1991); es sei ihm für seine spontane Hilfe herzlich gedankt.

B. Sakramentar und das Gregorianum.

1. Temporale.
   a. Übereinstimmung mit dem Gregorianum GrH (D): B 234–240; 247; 249–250; 254; 277–327; 333–341; 349; 360–370; 431–436; 509–517.
   b. Anleihen aus den Gel VIII: B 302; 309; 316: 324; 326.
   c. Anleihen aus dem Supplementum: B 270–276: 479–482; 484–518.
   d. Beifügungen: B 246 (Oktav von Weihnachten); 248 (Vigil von Epiphanie); 348 (Vigil von Christi Himmelfahrt).
2. Sanktorale.
   a. Übereinstimmung mit dem Gregorianum GrH (D): B 241–245; 252–253; 255; 257–264; 269; 344–347; 351–353; 355–359; 371–387; 394–398; 400; 402–410; 413; 416; 421; 424–427; 437–439; 443; 449–454; 457–463; 465–466.
   b. Beifügungen und Anleihen aus den Gel VIII: B 256; 265; 267; (268?: Benedikt); 342; 343; 354; 388–390; 392; 401; (411?: Arnulf); 415–420; 422–423; 428–430; 440; (441?: Remigius); 442; 444–446; 455–456; 463,3: 464; 4467.
3. Commune sanctorum: Anleihen aus Gel VIII: B 469–476.
4. Kirchweihe: B 478: Anleihe aus Gel VIII.
5. Votivmessen: 518–575. «Es ist unwahrscheinlich, dass B hier aus dem Supplementum geschöpft hat. B hängt von einer ihm eigenen Quelle, oder 'ad libitum' ab. Die verschiedenen Beifügungen von Votivmessen sind alle, in verschiedener Reihenfolge, rings um die Alkuinischen Messen zusammengestellt ('coagulés') worden».

C. Lektionar und der Comes von Murbach.

1. Temporale (Weihnachten, Epiphanie, Septuagesima bis Ostern, Pfingsten, Sonn- und Wochentage):
   a. Allgemeine Übereinstimmung. 196 Formulare (Epistel und Evangelium) mit Ausnahme von einem Dutzend mit teilweisen Unterschieden (Epistel und/oder Evangelium).
   b. Besondere Übereinstimmungen:
   Der 5. Sonntag nach Theophanie (B 601), der Murbach eigen ist, im Gegensatz zu den Lektionaren des 8. Jahrhunderts.
   Anzahl und Einordnung (zwischen den Heiligenfesten) der 25 Sonntage nach Pfingsten.

2. Sanktorale.
   a. Im normalen Verlauf des Kirchenjahres:
      aa. Anleihen aus dem Comes von Murbach:
          Feste: 19 von 76 = 25 % (B 586; 600; 678; 718–719; 723;
          726; 737: 742; 742; 744; 748–749; 756; 763; 765; 772;
          782; 802.
          Vigilien: Vier (B 711; 717; 741; 801).
      bb. Auslassungen: Feste: 76 minus 19 = 57.
                        Vigilien: 7 minus 4 = 3 (M 110; 132; 143),
                        total 60 Auslassungen = 72 % (60/83).
      cc. Beifügungen: Feste: Eines (B 787: Allerheiligen).
                        Vigilien: Drei (B 713; 743; 786).
   b. In der Abbreviatio (B 847–876):
      Übereinstimmung mit Murbach: 22 (»dont 20 récupérées«).
      Beifügungen: Feste: Fünf (B 854; 862; 866; 868; 874).
                        Vigilien; Zwei (B 864; 876).

II. Das Missale Basileense als Ganzes.

1. Das Basler Missale ist eine Schöpfung der zweiten Etappe[22].
2. Mit Ausnahme von 26 Formularen, die zu der Gruppe von
56 Votivmessen gehören (am Schluss des Sakramentars beigefügt)
und die einzelnen Bestandteile vereinigen, haben deren
20 Gesangsteile, Lesungen und Orationen: (B 328); 518–524;
526; 528; 532; 534–538; 540; 542–543; 547; 559,
4 Lesungen und Orationen: B 541; 552–553; 562
2 Gesangsteile und Orationen: B 527 (nur Offertorium); 541.

Das Ganze (d. h. die Art und Weise, wie das Missale Basileense aus
den drei Büchern geschaffen wurde) kann man in vier Punkte
zusammenfassen:

1. Autonomie conservée,
2. assimilation parfois tentée,

---

[22] Ebd. (Les étapes dans la transcription globale des livres pour la célébration de
la messe: 1. Transcription séparée des livres. 2. Regroupement des autres composants en un seul livre, l'un après l'autre. 3. Le missel proprement dit.).

3. discordances non évitées,

4. compléments apportés, lesquels, une fois, font passer de la deuxième étape à la troisième étape» (soweit die Darlegungen von A. Chavasse).

Damit ist auf eine äusserst knappe Formel gebracht, was sich unabhängig davon aus unseren Untersuchungen ergeben hatte:

1. Die einzelnen Bücher sind fast unverändert erhalten geblieben und folgen im allgemeinen ihrer Vorlage: Das Graduale einem Exemplar, das den Gradualien des Sextuplex nahesteht; das Sakramentar dem Gregorianum Hadrianum, mit Ergänzungen aus den Gel VIII; das Lektionar der Tradition des Comes von Murbach; das Rituale schöpft reichlich aus dem Pontificale Romano-Germanicum und verwandten Quellen.

2. Besonders durch die kurz nach der Niederschrift des Codex Gressly erfolgten Nachträge wurden gelegentlich, nicht systematisch, gewisse Angleichungen an die andern Bücher vorgenommen, d. h. es wird teilweise ergänzt, was im Vergleich zu den andern Büchern fehlt.

3. Die Verschiedenheiten bleiben zum grossen Teil bestehen, so etwa: Verschiedener Beginn des Kirchenjahres; die Sonntage werden einmal nach dem Fest, ein anderes Mal nach der Festoktav gezählt; die Feste werden unterschiedlich benannt: Epiphanie/Theophanie, Purificatio Mariae/Hypapanti; verschiedene Stellung der Quatember; Pascha annotina nur im Lektionar; Votivmessen und Commune-Sanctorum-Teil lassen auf einen oder mehrere(?) früheren Libelli schliessen.

3. DAS MISSALE BASILEENSE:
ETAPPE AUF DEM WEG ZUM VOLLMISSALE.

Das Basler Missale ist ein eigenständiger, aber nicht einmaliger Versuch, dem Priester, der ohne Sänger und Lektor die Messe feiert, ein einziges Buch zur Verfügung zu stellen. Aus der weiteren geographischen Nachbarschaft (Oberrhein – Nordostfrankreich – Elsass – Basel) kann die Verbindung eines Graduale mit dem Sakramentar von Rheinau und von Corbie[23] als Vorstufe bezeichnet

---

[23] Oben S. 208f.

werden. Aus dem zeitlichen Umfeld können ähnliche Versuche festgestellt werden. Es sei lediglich auf folgende Handschriften verwiesen[24]:

St. Gallen, Stiftsbibliothek:

Cod. 339: Kalendar, Graduale, Martyrologium und Sakramentar, «anscheinend zu Beginn des 11. Jh.»[25], «stellt einen eigenwilligen Versuch eines Plenarmissale dar»[26].
Cod. 340: Gleicher Inhalt, vor Mitte des 11. Jh.
Cod. 341: Gleicher Inhalt, Mitte 11. Jh.
Cod. 338: Gleicher Inhalt, kurz nach Mitte 11. Jh.
Cod. 342: Graduale des 11. Jh. und Sakramentar des 10. Jh.
St. Gallen, Stiftsarchiv, Fonds Pfäfers, Cod. Fab. VI: Graduale, Sakramentar, Lektionar, 11. Jh.[27].

Zürich, Zentralbibliothek (Handschriften aus Rheinau):

Rh 71: Graduale, Sequentiar, Sakramentar, Epistolar und Evangeliar, 11. Jh.
Rh 75: Graduale, Sakramentar, Sequentiar, Lektionar, 11. Jh.
Rh 88: Kalendar, Graduale, Sakramentar (Bruchstücke), 11. Jh.[28]

---

[24] BOURQUE II/II, S. 314–322 (Nr. 375–409) bietet eine Liste von «unvermischten» Missalien, die er «Missels pléniers artificiels ou livres-recueils» nennt, aus dem 11. bis 15 Jh.

[25] DUFT, St. Galler Buchmalerei im 11. Jahrhundert, S. 108 (dieser Verweis gilt auch für die folgenden St. Galler Handschriften).

[26] CLLA 1357.

[27] Nicht in Zürich, «Archives de la Ville, fonds de Pfäffers», wie BOURQUE II/II, S. 314 Anm. 376 schreibt; Beschreibung: BRUCKNER, Scriptoria Medii Aevi Helvetica I, S. 82–83; vgl. auch Cod. Fab. VII (ebd. S. 83).

[28] BOURQUE II/II, S. 315 Nr. 387–379; MOHLBERG, Katalog der Zentralbibliothek Zürich 1, Nr. 438, 443, 456 (S. 189–190, 192, 199).

Einsiedeln,Stiftsbibliothek:

Ms 114: Graduale, Sakramentar, Lektionar, 11./12. Jh.[29].

Colmar, Bibliothèque Municipale:

Ms. 443 und 444: Missale von Murbach, 11. Jh.[30] Der erste Band enthält den Winter-, der zweite den Sommerteil des Missale: Kalender von Murbach, Messordo, Temporale (von Weihnachtsvigil bis Ascensio, resp. von Pfingsten bis Weihnachten) und Sanktorale (Silvester bis Pudentiana, resp. Gordianus und Epimachus bis Apostel Thomas), die vermischt sind. Vom Vergleich des Missale Basileense mit dem Messbuch von Murbach wurde die Antwort auf folgende Fragen erhofft: 1.Ist das Basler Missale in Murbach, wo sich das wohl bedeutendste Skriptorium in dem für die Entstehung in Frage kommenden Region befand, geschrieben worden? 2. Ist das B Vorlage und Quelle für das Murbacher Missale? Das Ergebnis lautet:

1. Die Entstehung des Missale Basileense in Murbach kann nicht bewiesen, aber auch nicht ausgeschlossen werden.

2. B ist nicht die Quelle des Missale von Murbach: Es gibt zu viele Unterschiede im Kalender, im Ordo Missae und im Sakramentarteil. Die Texte in diesem Teil, die nicht im Gregorianum stehen (und darum unserer Edition im vollen Wortlaut wiedergegeben werden) und sowohl im Basler wie im Murbacher Missale vorkommen[31], finden sich schon in den Gel VIII.

Wenn auch der Entstehungsort des Missale Basileense nicht mit Sicherheit genau festgelegt werden kann (Murbach?, Moutier-Grandval?), so steht doch fest, dass es im Gebiet des früheren Bistums Basel (Oberelsass – Basel – Jura) entstanden sein muss. Nichts spricht dagegen, aber alles dafür: Kalendar mit den Todestagen der beiden Basler Bischöfe und den Zeugnissen aus dem Aufbewahrungs- und Benützungsort, – Graduale: Nordostfrankreich –

---

[29] BOURQUE II/II S. 315, Nr. 381; vgl. auch ebd. S. 317, Nr. 387: Einsiedeln Hs. 113: Kalendar, Ordo Missae, Sequentiar, Graduale mit Alleluialisten, Sakramentar, Lektionar, 12. Jh.

[30] Vgl. LEROQUAIS, Les Sacramentaires I, S. 131–133.

[31] Es betrifft die Texte B 258,3; 260; 265,2; 283; 302,6; 309; 316; 324, 342,4; 343; 348; 354,3–4; 388; 391; 392, 1;2;4; 395; 399; 401; 409; 412.

Elsass – Basel; sanktgallische/oberrheinische Neumen, – Sakramentar: Messordo; Eigenmessen, – Lektionar: Comes von Murbach, – Rituale: Litaneien; oberrheinische Quellen; Wetti-Tradition und anderes mehr. Wie auch immer: Das Missale Basileense des Codex Gressly gehört, nördlich der Alpen, zusammen mit andern, zu den frühesten Beispielen eines Buches, das alle für die Feier der Eucharistie erforderlichen Texte enthält und ist somit ein Zeuge für eine wichtige Etappe auf dem Weg zum eigentlichen Plenarmissale.

B. TEXT

ZUR EDITION

Folgende Hinweise sind zu beachten:

Die Texte sind überall dort nicht vollständig ausgeschrieben, wo sie sich leicht aus Referenzwerken ergänzen lassen; an solchen liegen den einzelnen liturgischen Büchern folgende zugrunde: für das Graduale: R.-J. HESBERT, Sextuplex (K, C); für das Sakramentar und das Rituale: J. DESHUSSES, Le sacramentaire grégorien (D); für das Lektionar: A. WILMART, Le *Comes* de Murbach (M) bzw. die Vulgata.

Die edierten vollständigen Texte sowie die angeführten Incipit und Explicit sind – im Gegensatz zur Einleitung und zu den Registern, wo eine Normalisierung vorgenommen wurde – buchstabengetreu widergegeben.

Bei der Auflösung von Abkürzungen kommt der in Editionen von liturgischen Büchern übliche Gebrauch zur Anwendung: häufig vorkommende Kürzungen wie z.B. nr (noster), omps (omnipotens) bzw. deren flektierte Formen sind nicht aufgelöst (vgl. das Verzeichnis der Abkürzungen).

Rubriken und andere mit roter Tinte geschriebenen Buchstaben sind in Kapitälchen gedruckt.

Spätere Nachträge sind – unter Angabe der mutmasslichen Entstehungszeit im 2. Apparat – in kleinerer Schrift gehalten.

Sofern bei Gesangstexten die Neumierung fehlt, sind diese kursiv gedruckt.

Eingriffe in den Text sind kenntlich gemacht mit spitzen Klammern ⟨ ⟩ für Zufügungen der Editoren oder mit eckigen Klammern [ ] für wegzulassende Buchstaben; in runden Klammern ( ) finden sich Bemerkungen der Editoren wie z.B. Angaben von Bibelstellen.

Nicht als Zufügungen gekennzeichnet sind die Apostrophe ' ' bei biblischen Lesungen, die Anfang und Ende des eigentlichen Bibeltextes angeben, sowie die Formularnumerierung und die Zählung innerhalb der Formulare, einschliesslich der ℟ und ℣.

Ebenfalls stillschweigend sind die Anfangsbuchstaben von Eigennamen durchgängig mit Majuskeln geschrieben.

Die zum grossen Teil von den Editoren eingefügte Interpunktion gibt sich absichtlich sparsam; sie soll lediglich als Verständnishilfe dienen.

Im 1. textkritischen Apparat sind die Abweichungen gegenüber dem Referenztext verzeichnet.

Im 2. Apparat finden sich Quellenbelege und andere Hinweise.

I. GRADUALE

VERZEICHNIS DER IN DER EDITION DES GRADUALE
VERWENDETEN SIGLEN

Wo nichts anderes vermerkt ist, stellen die Ziffern bei den Quellenangaben die Nummern in den entsprechenden Editionen dar.

AH = Analecta hymnica medii aevi, hg. von G.M. Dreves und C. Blume, 55 Bde., Leipzig 1886–1922 (Reprint New York–London 1961). – Register, hg. von M. Lütolf, 3 Bde., Bern–München 1978.

B = Hänggi A.-Ladner P., Missale Basileense saec. XI («Codex Gressly»), 2 Teile (Spicilegium Friburgense 35), Freiburg/Schweiz 1993.

Bl = Hesbert R.-J., L'antiphonaire du Mont-Blandin (VIIIe–IXe s.), in: Ders., Antiphonale Missarum Sextuplex, Bruxelles 1935.

C = Hesbert R.-J., L'antiphonaire de Compiègne (IXe s.), in: Ders., Antiphonale Missarum Sextuplex, Bruxelles 1935.

K = Hesbert R.-J., L'antiphonaire de Corbie (IXe-Xe s.), in: Ders., Antiphonale Missarum Sextuplex, Bruxelles 1935.

Mz = Hesbert R.-J., Le graduel de Monza (VIIIe s.), in: Ders., Antiphonale Missarum Sextuplex, Bruxelles 1935.

R = Hesbert R.-J., L'antiphonaire de Rheinau (VIIIe–IXe s.), in: Ders., Antiphonale Missarum Sextuplex, Bruxelles 1935.

Sl = Hesbert R.-J., L'antiphonaire de Senlis (IXe s.), in: Ders., Antiphonale Missarum Sextuplex, Bruxelles 1935.

Die Gradualtexte sind im allgemeinen neumiert. Texte, bei denen die Neumen fehlen, sind kursiv gedruckt.

1   ⟨DOMINICA I ADVENTUS⟩   K 1

1 (1r) ⟨INTR.⟩ Ad te levavi animam ... confundentur. PS. (24,4) Vias tuas dne. Gloria seculorum. Amen.

2 ⟨GRAD.⟩ ℞ Universi qui te expectant ... dne. ℣ Vias tuas dne ... me.

3 Alleluia. ℣ Ostende nobis .. (1v) .. nobis.

4 OF. Ad te dne levavi ... confundentur. ℣1 Dirige me in veritate tua et doce me quia tu es deus salutaris meus et te sustinui tota die. ℣2 Respice in me et miserere mei domine custodi animam meam et eripe me, non confundar quoniam invocavi te. Etenim.

5 COM. Dns dabit benignitatem ... suum.

2   DOMINICA II   K 2

1 Populus Syon ecce dns ... vestri. PS. (79,2) *Qui regis Israhel. Gloria seculorum. Amen.*

2 ℞ Ex Sion species ... veniet. ℣ Congregate illi sanctos ... sacrificia.

3 Alleluia. ℣1 Laetatus ... ibimus. ℣2 Stantes (2r) erant pedes nostri in atriis Hierusalem.

4 OF. Ds tu convertens ... nobis . ℣1 Benedixisti domine terram tuam avertisti captivitatem Iacob, remisisti iniquitatem plebis tuae. ℣2 Misericordia et veritas obviaverunt sibi, veritas de terra orta est et iusticia de caelo prospexit. Ostende.

5 COM. Hierusalem surge ... tuo.

3   NAT. S. LUCIĘ VIRG.   K 3

1 Dilexisti iusticiam ... tuis. PS. (44,2) Eructavit cor meum. Seculorum. Amen.

2 ℞ Dilexisti iusticiam ... iniquitatem. ℣ Propterea unxit ... laeticie.

---

1   2 edoce] et doce B ‖ 4 ℣1 et ℣2 add.B
2   3 ℣2 add. B ‖ 4 ℣1 et ℣2 add.B

---

1   Bezeichnung (Überschrift) nach Mz, C, K, Sl; R: «Dom. IV ante nat. dni».

3 Alleluia. Diffusa est ... tuis. ℣ Propterea benedixit ... aeternum.
4 OF. Offerentur regi virgines (2v) ... tibi. ℣1 Eructavit cor meum
verbum bonum, dico ego opera mea regi. ℣2 Adducentur in laeticia,
et exultatione adducentur in templum regi. Offerentur.
5 COM. Diffusa est ... aeternum.

4   DOMINICA III   C 4

1 Gaudete ... deum. PS. (Phil 4,7) Et pax dei quae. Seculorum.
Amen.
2 ℟ Qui sedes dne ... veni. ℣ Qui regis Israhel ... Ioseph.
3 Alleluia. Excita dne ... nos.
4 OF. Benedixisti ... tuae. ℣ Operuisti ... omnem i⟨ram tuam remi-
sisti⟩.

(*deest folium*)

5   ⟨FERIA IV⟩   C 5

1 ⟨Rorate caeli ... salvatorem⟩. (3r) PS. (18,2) Caeli enarrant gloriam
dei. Seculorum. Amen.
2 ℟1 Tollite portas ... gloriae. ℣ Quis ascendet ... corde.
3 ℟2 Prope est dominus. ℣ *Laudem domini.*
4 OF. Confortamini et iam nolite ... faciet. ℣1 Tunc aperientur ...
mutorum. ℣2 Audite ... Emmanuel. *Ipse veniet.*
5 COM. Ecce virgo concipiet.

---

3   3 post eam] post ea *B* | ℣1 *et* ℣2 *add.B*
4   1 solicitis (*sic*)] soliciti *B K* | PS. *al.B*

---

4   Der 4. Adventsonntag fehlt in B wie in Bl und K wegen «dom. vacat» (so
    C 7bis) nach Quatember; R betitelt mit «Dom. I ante nat. dni» (so auch
    B 516).

5   2 Das doppelte ℟ deutet auf zwei Lektionen hin; tatsächlich sind im Lekt.
    B 813 zwei Lesungen und im Sakr. B 512 zwei Orationen aufgeführt; cf.
    HESBERT, Sextuplex, S. XXXVIII–XXXIX; auch B 67 und B 81.

6 FERIA VI C 6

1 Prope esto dne et ... es. ps. (118,1) Beati immaculati in via. Seculorum. Amen.
2 ℞ Ostende nobis .. (3v) .. nobis. ℣ Benedixisti dne ... Jacob.
3 OF. *Deus tu convertens.*
4 COM. Ecce dns ... magna.

7 SABBATO XII LECTIONUM C 7

1 Veni et ostende ... erimus. ps. (79,2) Qui regis Israhel. Seculorum. Amen.
2 ℞ 1 A summo caelo ... eius. ℣ Caeli enarrant ... firmamentum.
3 ℞ 2 In sole posuit ... suo. ℣ A summo caelo ... eius.
4 ℞ 3 Dne ds virtutum ... erimus. ℣ Excita dne ... nos.
5 ℞ 4 Excita dne ... nos. ℣ Qui regis Israhel .. (4r) .. Manasse.
6 ⟨TRACT.⟩ Qui regis Israhel ... Ioseph. ⟨℣ 1⟩ Qui sedes super ... Manasse. ⟨℣ 2⟩ Excita dne ... nos.
7 OF. Exulta satis ... salvator. ℣ 1 Loquetur pacem ... terrae. ℣ 2 Quia ecce venio et habitabo in medio tui, dicit dominus omnipotens et confugient ad te in illa die omnes gentes et erunt tibi in plebem.
8 COM. Exultavit ut gigans ... eius.

8 VIGILIA NAT. DOMINI C 8

1 Hodie scietis ... eius. ps. (23,1) Domini est terra. Seculorum. Amen.

---

6 FERIA VI] FERIA VII *B*

7 5 ℣ apparens] appare *B K* ‖ 6 ℣ 1 apparens] appare *B K* | Effraim et] Effraim *B K* | ℣ 2 Excita] dne *add. B K* | facies] facias *B K* ‖ 7 ℣ 1 flumine] afflumine *B* | ℣ 2 *al. B* ‖ 8 suam] *om. B K* | occursum] occursus *B K*

---

7 Cf. HESBERT, Sextuplex, S. XXXIX–XLIV.
Im Anschluss an «Sabbato XII lectionum» folgt in C 7bis der mit «Dom.vacat» überschriebene 4. Adventsonntag, dem jedoch die gleichen Gesänge wie in R(«Dom. I ante nat. dni») und Sl («Dom. IV») zugeteilt sind. Sowohl in B als auch in Mz, Bl und K fehlt jeder Hinweis auf diesen Sonntag, was als Zeichen von Archaismus gewertet werden kann; cf. HESBERT, Sextuplex, S. XLV.

2 ℟ Hodie scietis .. (4v) .. eius. ℣ Qui regis Israhel ... Manasse.

3 OF. Tollite portas ... glorie. ℣1 Dni est terra ... ea. ℣2 Ipse super maria ... eum. *Et introibit.*

4 COM. Revelabitur gloria ... nri.

9   IN NOCTE   C 9

1 Dns dixit ad me ... te. PS. (2,1) Quare fremuerunt. Seculorum. Amen.

2 ℟ Tecum principium ... te. ℣ Dixit dns dno ... tuorum.

3 Alleluia. Dns dixit ... te.

4 OF. Laetentur caeli .. (5r) .. venit. ℣1 Cantate dno canticum ... terra. ℣2 Cantate dno benedicite ... eius. *Ante faciem.*

5 COM. In splendoribus ... te.

10   OFFICIUM IN LUCE   C 10

1 Lux fulgebit hodie ... finis. PS. (92,1) Dominus regnavit decore. Seculorum. Amen.

2 ℟ Benedictus qui venit ... nobis. ℣ A dno factum ... nris.

3 Alleluia. Dns regnavit ... virtutem.

4 OF. Ds enim firmavit ... es. ℣1 Dns regnavit ... virtute. ℣2 Mirabilis in excelsis .. (5v) .. dierum.

5 COM. Exulta filia Syon ... mundi.

11   IN DIE AD MISSAM   C 11

1 Puer natus est ... angelus. PS. (97,1) Cantate domino canticum quia mirabilia. Seculorum. Amen.

2 ℟ Viderunt omnes ... terra. ℣ Notum fecit dns ... suam.

3 Alleluia. Dies sanctificatus ... terram.

4 OF. Tui sunt caeli ... tuae. ℣1 Magnus et metuendus ... mitigas. ℣2 Misericordia et veritas ... nrum. ℣3 Tu humiliasti sicut vul(6r)neratum ... dne.

5 ⟨COM.⟩ Viderunt omnes fines ... nri.

---

8   2 ℣ apparens] appare *B*

9   4 ℣2 nomini] nomen *B* | Ante faciem *add.B*

10   3 decore] decorem *B K* | virtute] virtutem *B* ‖ 4 ℣1 decore] decorem *B* | Ex tunc *om.B*

11   1 angelis] angelus *B K* | ps. domino] canticum *add.B* ‖ 4 iusticia] iusticiam *B* | ℣1 potestates] potestatis *B* | Iusticia *om.B*

12 NATALE S. STEPHANI C 12

1 Etenim sederunt ... iustificationibus. ps. (118,1) Beati immaculati.
Seculorum. Amen.
2 ℟ Sederunt principes ... me. ℣ Adiuva me ... tuam.
3 Alleluia. Video caelos ... dei.
4 of. Posuisti domine in capite eius coronam de lapide pretioso.
Vitam peciit a te, tribuisti ei. Alleluia. ℣1 Desiderium anime eius
tribuisti ei et voluntate labiorum eius non fraudasti eum. ℣2 Magna
est gloria ... eum.
5 of. Elegerunt apostoli Stephanum levitam plenum fide et spiritu
sancto, quem (6v) lapidaverunt Iudei orantem et dicentem: Domine
Iesu accipe spiritum meum. Alleluia. ℣1 Viderunt faciem eius tamquam faciem angeli dei concurrentes lapidibus cedebant eum
[hon]orantem et dicentem. ℣2 Positis autem genibus Stephanus ora-
bat dicens: Domine Iesu ne statuas illis hoc peccatum, quia nesciunt,
quid faciunt.
6 com. Video caelos ... faciunt.

13 VIGILIA S. IOHANNIS C 13

1 Ego autem sicut oliva ... tuorum. ps. (51,3) Quid gloriaris. Seculorum. Amen.
2 ℟ Iustus ut palma ... dni. ℣ Ad adnuntiandum mane ... noctem.
3 Alleluia. Iustus non conturbabitur, quia dominus firma⟨t⟩ manum eius.
4 of. Gloria et honore coronasti ... dne. ℣1. Dne dns nr ... caelos. (7r)
℣2 Quid est homo ... constituisti.
5 com. Magna est gloria ... dne.

14 IN DIE AD MISSAM C 14

1 In medio ecclesię ... eum. ps. (91,2) Bonum est confiteri domino.
2 ℟ Exiit sermo ... moritur. ℣ Sed sic eum volo ... sequere.
3 Alleluia. Hic est discipulus ... eius.

---

12 4 *al.B* ‖ 5 *add.B*
13 3 *add.B* ‖ 5 inpones] inpone *B*
14 1 stolam] stola *B K*

4 OF. Iustus ut palma ... multiplicabitur. ỹ1 Bonum est confiteri ... altissime. ỹ2 Ad adnuntiandum ... noctem. ỹ3 Plantatus in domo ... cedrus.

5 COM. Exiit sermo ... veniam.

15   NAT. SS. INNOCENTUM   C 15

1 Ex ore infantium .. (7v) .. tuos. PS. (8,2) Domine dominus noster. Seculorum. Amen.

2 ℞ Anima nra sicut ... venantium. ỹ Laqueus contritus ... terram.

3 Alleluia. Laudate pueri dominum, laudate nomen domini.

4 OF. Anima nra ... sumus. ỹ1 Nisi quod ... nobis. ỹ2 Torrentem ... eorum. *Laqueus.*

5 COM. Vox in Rama ... sunt.

16   NAT. S. SILVESTRI CONF.   C 16

1 Sacerdotes tui ... tui. PS. (131,1) Memento domine. Seculorum. Amen.

2 ℞ Ecce sacerdos ... deo. ỹ Non est inventus ... excelsi[s].

3 Alleluia. Inveni David .. (8r) .. eum.

4 OF. Inveni David ... eum. ỹ1 Potens es dne ... mea. ỹ2 ⟨Et⟩ ponam ... caeli.

5 COM. Beatus servus ... eum.

---

15   3 *add.B*
16   1 induam] induant *B K* ‖ 4 confortavit] confortabit *B* | ỹ2 Manus enim *om.B*

---

15   3 Mz, R, Bl, C, K und Sl besitzen kein Alleluia; die spätere Tradition verzeichnet an seiner Stelle zum Zeichen der Trauer wegen des Kindermordes einen Tractus.

17 STATIO AD S. MARIAM C 16 bis

1 Vultum tuum ... exultatione. PS. (44,2) Eructavit cor meum. Seculorum. Amen.

2 ℟ Diffusa est gratia ... aeternum. ℣ Propter veritatem ... tua.

3 Alleluia. Adducentur regi virgines post eam, proxime eius offerentur tibi in laeticia.

4 OF. Offerentur regi virgines ... dno. ℣1 Eructavit ... regi: Lingua mea calamus scribe velociter scribentis. ℣2 *Diffusa est gratia ... aeternum. Adducentur.*

5 COM. Simile est regnum .. (8v) .. eam.

18 DOMINICA I POST NAT. DOMINI C 17

1 Dum medium silentium ... venit. PS. (92,1) *Dominus regnavit.*

2 ℟ Speciosus forma ... tuis. ℣ Eructavit ... scribentis.

3 *Alleluia. Dominus regnavit.*

4 OF. *Deus enim firmavit.*

5 COM. Tolle puerum ... pueri.

19 IN THEOPHANIA DOMINI C 18

1 Ecce advenit dominator ... imperium. PS. (71,2) Deus iudicium tuum. Seculorum. Amen.

2 ℟ Omnes de Saba ... adnuntiantes. ℣ Surge ... est.

3 Alleluia. Vidimus stellam ... dnm.

4 OF. Reges Tharsis ... ei. ℣1 Ds iudicium tuum ... iudicio. ℣2 Suscipiant montes .. (9r) .. iusticiam. ℣3 Orietur in diebus ... mare.

5 COM. Vidimus stellam ... dnm.

---

17 3 *add.B* ‖ 4 templum] templo *B* | ℣1 Lingua ... scribentis *add. B* | ℣2 Adducentur *add. B*

18 1 nox] nos *B* ‖ 2 ℣ calamus] calamo *B* ‖ 5 Iudam] Iuda *B K*

19 1 ps. *al.B K* ‖ 3 orientem] oriente *B K* ‖ 4 serviunt] servient *B K* | ℣3 Omnes *om.B* ‖ 5 orientem] oriente *B K*

---

19 Die Vigil von Epiphanie fehlt auch in Mz, R, Bl, C, K und Sl, was auf auf eine alte Tradition hinweist; cf. CHAVASSE, Gél., S. 208; HESBERT, Sextuplex, S. XLVI.

20   DOMINICA II POST NAT. DOMINI   C 19

1 In excelso throno ... aeternum. ᴘs. (99,2) Iubilate deo. Seculorum. Amen.

2 ℟ Benedictus dns ... saeculo. ℣ Suscipiant ... iusticiam.

3 'Alleluia. Iubilate deo omnis terra, servite domino in laeticia.

4 ᴏғ. Iubilate deo omnīs terra servite ... ds. ℣1 Ipse fecit nos ... eius. ℣2 Laudate nomen eius ... eius.

5 ᴄᴏᴍ. Fili quid fecisti ... esse.

21   NAT. S. FELICIS IN PINCIS   C 20

1 Os iusti meditabitur (9v) ... ipsius. ᴘs. (36,1) Noli emulari. Seculorum. Amen.

2 ℟ Iuravit dns ... Mechisedech. ℣ Dixit dns ... meis.

3 Alleluia. Disposui testamentum electis meis, iuravi David servo meo.

4 ᴏғ. *Gloria et honore.*

5 ᴄᴏᴍ. Posuisti ... pretioso.

22   DOMINICA III ⟨POST NAT. DOMINI⟩   C 21

1 Omnis terra adoret ... altissime. ᴘs. (65,1) Iubilate deo. Seculorum. Amen.

2 ℟ Misit dns verbum ... eorum. ℣ Confiteantur dno ... homi-num.

3 Alleluia. Laudate deum ... eius.

4 ᴏғ. Iubilate deo universa terra ... meae. Alleluia. ℣1 Reddam tibi vota ... mea. ℣2 Locutum est os .. (10r) .. tibi. *Venite.*

5 ᴄᴏᴍ. Dicit dns: Implete hydrias ... suis.

---

20 1 adorat] adorant *B* | uno] unum *B K* | nomen] numen *B* ‖ 3 *add. B K* ‖ 4 ℣2 Intrate *om. B* ‖ 5 quaerebatis] an *add. B*

21 3 *add. B K* ‖ 4 ℣1 *et* ℣2 *om. B K*

22 1 dicat] dicam *B* ‖ 2 ℣ misericordia] misericordiae *B K* ‖ 4 alleluia alleluia] alleluia *B* ‖ 5 cum] dum *B K* | aqua vino facto] aquam vinum factam *B K*

---

20 Bezeichnung in Mz, R, Bl und K: «Dom. I post Theophania(m)»; C: «... post Epiphania»; Sl: «... post Epiphaniae».

22 Bezeichnung in Mz, R, Bl, K: «Dom. II post Theophania»; C: «... post Epy-phania».

23   NAT. S. MARCELLI PAPAE   C 22

1 Statuit ei dns ... aeternum. PS. (88,2) Misericordias domini. Seculorum. Amen.
2 ℞ Inveni David servum ... eum. ℣ Nihil proficiet ... eum.
3 *Alleluia. Amavit eum dominus et ornavit eum stola gloriae induit
eum.*
4 OF. Veritas mea ... eius. ℣1 Posui adiutorium ... mea. ℣2 Misericor-
dia⟨m⟩ mea⟨m⟩ ... meo. *Et in nomine.*
5 COM. Dne quinque talenta ... tui.

24   ⟨NAT. S. PRISCAE⟩   C 23

(10v) 1 Loquebar de testimoniis ... nimis. PS. (118,1) Beati immaculati in
via.
2 ℞ Specie tua ... regna. ℣ Propter veritatem et mansuetudinem. UT
SUPRA.
3 Alleluia. Diffusa est gratia ... eternum.
4 OF. Filie regum ... varietate. ℣1 Eructavit cor meum ... regi. ℣2
Virga recta est ... tuis. *In vestitu.*
5 COM. Feci iudicium ... habui.

25   SS. FABIANI ET SEBASTIANI   C 24

1 Intret in conspectu ... est. PS. (78,1) Deus venerunt gentes. Seculorum. Amen.
2 ℞ Gloriosus ds ... prodigia. ℣ Dextera tua ... inimicum.
3 Alleluia. Sancti tui ... dicent.
4 OF. Laetamini in dno (11r) ... corde. ℣1 Beati quorum ... peccata. ℣2
Pro hac orabit ... proximabunt. *Et gloriamini.*
5 COM. Multitudo languentium ... omnes.

---

23 3 *al.B* ‖ 5 quam] quia *B K*
24 1 dilexit] dilexi *B K* ‖ 4 deaurato] deaurata *B* | ℣2 tua] recta *B* | In vestitu *add.B* ‖ 5
    Fecit] Feci *B K* | iniquam] iniquitatis *B K*
25 5 virtus] de illo *add.B K*

---

24 2 «ut supra» Nachtrag Ende 11. Jh.; → B 17,2.

26 NAT. S. AGNETIS C 25

1 Me expectaverunt ... nimis. PS. (118,1) Beati immaculati. Seculorum.
Amen.
2 R/ *Diffusa est gratia.* ℣ *Propter veritatem.*
3 *Alleluia. Specie tua et pulchritudine.*
4 OF. *Offerentur.* MINOR.
5 COM. Quinque prudentes ... dno.

27 DOMINICA IIII ⟨POST NAT. DOMINI⟩ C 26

1 Adorate deum omnes angeli ... Iude. PS. (96,1) Dominus regnavit,
exultet terra.
2 R/ Timebunt gentes ... tuam. ℣ Quoniam edificavit ... sua.
3 Alleluia. Dextera dei fecit virtutem, dextera domini exaltavit
me.
4 Alleluia. Dns regnavit ... multę.
5 OF. Dextera dni fecit ... dni. ℣1 In tribulatione (11v) ... est. ℣2
Impulsus versatus ... salutem.
6 COM. Mirabantur omnes ... dei.

28 NAT. S. VINCENTII MART. C 27

1 Laetabitur iustus ... corde. PS. (63,2) Exaudi deus orationem meam.
Seculorum. Amen.
2 R/ Posuisti dne ... pretioso. ℣ Desiderium anime ... eum.
3 Alleluia. Beatus vir ... nimis.
4 OF. *Gloria et honore.*
5 COM. Qui vult venire ... me.

29 OCTAVA S. AGNETIS C 28

1 *Vultum tuum.*
2 R/ *Specie tua.* ℣ *Propter veritatem.*

---

26 1 omni consummationi] omnis consummationis *B* ‖ 5 ei] Christo dno *B K*
27 2 ℣ tua] sua *B K* ‖ 3 add.*B* ‖ 5 ℣1 meus] est add.*B* | ℣2 Dextera dni *om.B*
28 5 semetipsum] et add.*B K*

---

27 Bezeichnung in Mz, R, Bl, K und Sl: «Dom. III post Theophania(m)».
 4 Nachtrag Ende 11. Jh.

3 *Alleluia. Diffusa est gratia.*
4 OF. *Offerentur regi.*
5 COM. *Simile est regnum.*

30   IN PURIFICATIONE S. MARIAE   C 29

1 Suscepimus ds misericordiam ... tua. PS. (47,2) Magnus dominus.
Seculorum. Amen.
2 ℟ Suscepimus ds ... terrae. ℣ Sicut audivimus ... nri.
3 Alleluia. Adorabo ad templum .. (12r) .. tuo.
4 OF. Diffusa est gratia ... saeculi. ℣ Specie tua ... regna. Et in saeculum.
5 COM. Responsum accepit Symeon ... dni.

31   NAT. S. AGATHE VIRG.   C 30

1 Gaudeamus omnes ... dei. PS. (44,2) *Eructavit.*
2 ℟ Adiuvabit eam ... commovebitur. ℣ Fluminis impetu ... altissimus.
3 TRACT. Qui seminant ... metent. ℣1 Euntes ibant ... sua. ℣2 Venientes autem ... suos.
4 OF. Offerentur regi.
5 COM. Qui me dignatus est ... vivum.

32   NAT. VALENTINI MART.   C 31

1 In virtute tua ... ei. PS. (20,4) Quoniam prevenisti. Seculorum.
Amen.
2 ℟ Beatus vir qui timet ... nimis. ℣ Potens in terra (12v) ... benedicetur.

---

29 4 *al.B*
30 4 ℣ Eructavit] *om.B*
31 2 ℣ impetus] impetu *B* ‖ 5 ipse] ipsum *B K*
32 1 PS. *al.B*

---

30 Bezeichnung in Mz: «In s. Simeonis»; in Bl, K: «Nat. s. Simeonis». Die Prozessionsantiphonen von Bl, C, K, Sl sind in B nicht vorhanden; cf. HESBERT,
Sextuplex, S. LXXXVIII–LXXXIX.

3 TRACT. Desiderium anime ... eum. ℣1 Quoniam prevenisti ... dulcedinis. ℣2 Posuisti super capud ... precioso.
4 OF. In virtute tua ... ei. ℣1 Vitam peciit ... saeculi. ℣2 Magna est gloria ... eum. *Desiderium.*
5 COM. Magna est gloria ... dne.

33   CATHEDRA S. PETRI

1 Statuit ei. PS. (88,2) *Misericordias domini.*
2 ℟ Exaltent eum in ecclesia plebis et in cathedra seniorum laudent eum. ℣ Confiteantur domino misericordiae eius et mirabilia eius filiis hominum.
3 TRACT. Tu es Petrus et super hanc petram aedificabo aecclesiam meam. ℣1 Et porte inferi non prevalebunt adversus eam et tibi dabo claves regni caelorum. ℣2 Et quodcumque ligaveris super terram, erit ligatum et in caelis. ℣3 Et quodcumque solveris super terram, erit solutum et in caelis.
4 OF. *Tu es Petrus et super hanc petram haedificabo ecclesiam meam et porte inferi non prevalebunt* (13r) *adversus eam et tibi dabo claves regni caelorum. ℣ Beatus es Symon Petre, quia caro et sanguis non revelabit tibi, sed pater meus qui est in caelis.*
5 COM. *Tu es Petrus et super hanc petram hedificabo aecclesiam meam.*

34   NAT. S. GREGORII PAPAE   C 32

1 Sacerdotes dei ... deum. PS. (Dn 3,57) *Benedicite omnia.*
2 ℟ *Iuravit dominus. ℣ Dixit dominus.*
3 TRACT. Beatus vir ... nimis. ℣1 Potens in terra ... benedicetur. ℣2 Gloria et divitie ... seculi.
4 OF. *Veritas mea.*
5 COM. Fidelis servus ... mensuram.

32   3 ℣1 benedictionibus] benedictione *B* | ℣2 in capite] super capud *B K* ‖ 4 ℣2 *cum neumis rep. in marg. B*

33   In Mz, R, Bl, C, K und Sl nicht vorhanden; → B 265; 878.

35 NAT. S. BENEDICTI

1 *Os iusti meditabitur.* PS. (36,1) *Noli emulari.*

2 ℟ Domine prevenisti eum in benedictionibus dulcedinis, posuisti in capite eius coronam de lapide precioso. ℣ Vitam petiit et tribuisti ei longitudinem dierum in saeculum saeculi.

3 *Alleluia. Vir autem domini Benedictus spiritu sancto plenus fuit.* ⟨℣⟩ *Beatus vir.*

4 OF. *Veritas mea.*

5 COM. Beatus servus, quem cum venerit dominus invenerit vigilantem. Amen dico vobis, super omnia bona sua constituet eum.

36 IN ADNUNTIATIONE S. MARIAE   (C 33)

1 *Rorate caeli.* PS. (18,2) *Caeli enarrant.*

2 ℟ *Tollite portas.* ℣ *Quis ascendet in montem.*

(13v) 3 TRACT. Ave Maria gratia plena, dominus tecum. ℣1 Benedicta tu in mulieribus et benedictus fructus ventris tui. ℣2 Spiritus sanctus superveniet in te et virtus altissimi obumbrabit tibi. ℣3 Ideoque quod nascetur ex te sanctum vocabitur filius dei.

4 OF. *Ave Maria.*

5 COM. *Ecce virgo concipiet.*

6 ⟨COM.⟩ Ecce concipies et paries filium et vocabitur nomen eius Emanuel. Quomodo inquit fiet istud, quoniam virum non cognosco. Respondens angelus ⟨...⟩ tulit ei.

37 DOMINICA IN SEPTUAGESIMA   C 34

1 Circumdederunt me gemitus ... meam. PS. (17,2) Diligam te domine. Seculorum. Amen.

2 ℟ Adiutor in oportunitatibus ... dne. ℣ Quoniam non in finem ... homo.

---

36   1 *al.B* ‖ 2 *al.B* ‖ 3 *add.B* ‖ 5 *al.B*

---

35   In Mz, R, Bl, C, K und Sl nicht vorhanden; → B 268.

36   Mit Ausnahme des Tractus gleich wie Sl.
      6 Nachtrag Ende 11. Jh.

3 TRACT. De profundis ... meam. ℣1 Fiant aures tuae ... tui. ℣2 Si iniquitatem ... sustinebit. ℣3 Quia apud te propitiacio ... dne.
4 OF. Bonum est confiteri ... altissime. ℣1 Quam magnificata sunt ... tue. ℣2 Ecce inimici (14r) ... iniquitatem. ℣3 Exaltabitur sicut unicornis ... tua.
5 COM. Inlumina faciem tuam ... te.

38   DOMINICA IN SEXAGESIMA   C 35

1 Exurge quare obdormis ... nos. PS. (43,2) Deus auribus nostris.
2 ℟ Sciant gentes ... terram. ℣ Ds meus pone ... venti.
3 TRACT. Commovisti dne terram ... tui.
4 OF. Perfice gressus meos ... dne. ℣1 Exaudi dne iustitiam ... meam. ℣2 Custodi me dne ut pupillam .. (14v) .. impio. ℣3 Ego autem cum iusticia ... tua.
5 COM. Introibo ad altare ... mea.

39   DOMINICA IN QUINQUAGESIMA   C 36

1 Esto michi in deum ... me. PS. (70,1) *In te domine speravi.*
2 ℟ Tu es ds qui facis ... tuam. ℣ Liberasti in brachio ... Ioseph.
3 TRACT. Iubilate dno omnis terra ... eius.
4 OF. Benedictus es dne ... tui. ℣1 Beati immaculati ... dne. ℣2 In via testimoniorum ... diviciis. ℣3 Viam iniquitatis .. (15r) .. meum. *Aufer.*
5 COM. Manducaverunt et saturati ... suo.

40   FERIA IV IN CAPITE IEIUNII   C 37

1 Misereris omnium dne ... nr. PS. (56,2) Miserere mei deus miserere mei. Seculorum. Amen.
2 ℟ Miserere mei ds ... mea. ℣ Misit de caelo ... me.

37 3 ℣2 iniquitates] iniquitatem B || 4 ℣3 Et exaltabitur] Exaltabitur B | Bonum est *om.B*

38 1 faciem tuam] avertis *add.B* | tribulatione nra] tribulationis nre B || 4 ℣2 Qui salvos *om.B* | ℣3 Mirifica *om.B*

39 2 ℣ populo tuo] populum tuum B K || 4 ℣3 viam ... a me *bis C]* *semel B* || 5 ei] eis B K

40 1 Vorgängig bringen Bl, C, K und Sl drei Antiphonen zur Weihe und Austeilung der Asche.

3 OF. Exaltabo te dne ... me. ẙ1 Dne abstraxisti ... lacum. ẙ2 Ego autem dixi ... virtutem. *Domine clamavi.*

4 COM. Qui meditabitur in lege ... suo.

41 FERIA V   C 38

1 Dum clamarem ... enutriet. PS. (54,2) Exaudi deus orationem meam. Seculorum. Amen.

2 ℟ Iacta cogitatum ... enutriet. (15v) ẙ Dum clamarem ... michi.

3 OF. *Ad te domine levavi.*

4 COM. Acceptabis sacrificium ... dne.

42 FERIA VI   C 39

1 Audivit dns ... meus. PS. (29,2) Exaltabo te domine. Seculorum. Amen.

2 ℟ Unam petii ... dni. ẙ Ut videam voluntatem ... eius.

3 OF. Dne vivifica me ... tua. ẙ1 Fac cum servo tuo ... veritatis. ẙ2 Da michi intellectum ... dne. *Ut sciant.*

4 COM. Servite dno in timore ... iusta.

43 DOMINICA IN QUADRAGESIMA   C 40

1 Invocavit me ... eum. PS. (90,1) *Qui habitat.*

2 ℟ Angelis suis mandavit ... tuis. ẙ In manibus portabunt ... tuum.

---

40 3 ẙ2 non movebor] *in marg.B*

42 1 misertus est] michi *add.B K* ‖ 2 omnibus ... meę *om.B K* ‖ 3 ẙ2 voluntari] voluntaria *B*

43 2 custodiam] custodiant *B K*

42–43 Samstag fehlt auch bei HESBERT, Sextuplex, was als Zeichen von Archaismus zu gelten hat: Der Samstag war ursprünglich aliturgisch; cf. auch B 76–77.

43 Bezeichnung in R: «Initium Quadragesima»; Bl: «Inicio Quadragesime».

3 TRACT. ⟨℣1⟩ Qui habitat in adiutorio ... commorabitur. ℣2 Dicet dno susceptor ... eum. ℣3 Quoniam ipse liberavit ... aspero. ℣4 Scapulis suis ... sperabis. ℣5 Scuto circumdabit .. (16r) .. nocturno. ℣6 A sagitta volante ... meridiano. ℣7 Cadent a latere ... adpropinquabit. ℣8 Quoniam angelis suis ... tuis. ℣9 In manibus portabunt ... tuum. ℣10 Super aspidem ... draconem. ℣11 Quoniam in me sperabit ... meum. ℣12 Invocavit me ... tribulatione. ℣13 Eripiam eum ... meum.

4 OF. Scapulis suis ... eius. ℣1 Dicet dno susceptor ... diem. ℣2 Quoniam angelis ... tuum. ℣3 Super aspidem ... eum.

5 COM. Scapulis suis ... eius.

44   FERIA II   C 41

1 Sicut oculi servorum ... nobis. PS. (122,1) Ad te levavi oculos.

2 ℟ Protector nr ... tuos. ℣ Dne ds virtutum .. (16v) .. tuorum.

3 ⟨TRACT.⟩ Domine non secundum peccata nostra facias nobis neque secundum iniquitates nostras retribuas nobis. Domine ne memineris iniquitatum nostrarum antiquarum. Cito anticipent nos misericordię tuę, quia pauperes facti sumus nimis. Adiuva nos deus salutaris noster et propter gloriam nominis tui domine libera nos et propitius esto peccatis nostris propter nomen tuum.

4 OF. Revela oculos meos ... tua. ℣1 Legem pone michi ... exercebor. ℣2 Veniant super me miserationes ... sunt. *Da michi.*

5 COM. Voce mea ad dnm ... me.

45   FERIA III   C 42

1 Dne refugium factus ... es. PS. (89,2) Priusquam montes. Seculorum. Amen.

2 ℟ Dirigatur oratio ... dne. ℣ Elevatio manuum ... vespertinum.

---

43 3 ℣7 adpropinquavit] adpropinquabit *B* | ℣8 custodiam] custodiant *B* | ℣11 speravit] sperabit *B* ‖ 4 obumbravit tibi] obumbrabit tibi dns *B K* | ℣2 custodiam] custodiant *B* | ℣3 speravit] sperabit *B* ‖ 5 obumbravit] obumbrabit *B K* | dns *om. B K*

44 3 Levabo] Revela *B* | iusticia tua] iusticiam tuam *B K* | dne] tua *B K* | ℣1 iustificationum] iustificationes *B* | ℣2 Veniat] Veniant *B* | tuas] tue *B* ‖ 4 milia] populi *add. B K*

45 1 ps. *add. B K*

---

44 3 Nachtrag Ende 11. Jh.

3 OF. In te speravi dne ... mea. ℣1 Inlumina faciem tuam ... te. ℣2
Quam magna multitudo ... hominum. *In manibus.*
4 COM. Cum invocarem te ... meam.

46   FERIA IIII   C 43

1 Reminiscere miserationum ... nris. PS. (24,1) Ad te levavi.
2 ℟ Tribulationes cordis mei ... dne. ℣ Vi(17r)de humilitatem ...
di⟨mitte omnia⟩ peccata mea.
3 TRACT. De necessitatibus meis ... mea. ℣1 Ad te dne levavi ... mei.
℣2 Etenim universi ... vana.
4 OF. Meditabor in mandatis ... dilexi. ℣1 Pars mea dne ... meo. ℣2
Miserere mei ... tua.
5 COM. Intellege clamorem ... dne. ⟨PS.⟩ *Verba.*

47   FERIA V   C 44

1 Confessio et pulchritudo ... eius. PS. (95,1) Cantate dno I.
2 ℟ Custodi me dne ... me. ℣ De vultu tuo ... aequitates.
3 OF. Immittit angelus dni ... dns. ℣1 Benedicam dnm ... ore meo. ℣2
In dno laudabitur .. (17v) .. invicem. ℣3 Accedite ad eum ... eos.
Gustate.
4 COM. Panis quem ego dedero ... vita.

48   FERIA VI   C 45

1 De necessitatibus meis ... mea. PS. (24,1) Ad te domine levavi.
Seculorum. Amen.
2 ℟ Salvum fac servum ... te. ℣ Auribus percipe ... meam.
3 ℟ Miserere michi ... dne. ⟨℣⟩ Conturbata sunt ... valde.

46   1 PS. dne *om.B* ‖ 3 ITEM RESP. GRAD.] TRACT. *B* | ℣2 mala] vana *B* ‖ 4 ℣2 meas] tuas
     B
47   2 ℣ aequitatem] aequitates *B K* ‖ 3 angelum dns] angelus dni *B K* | ℣3 erubescant]
     erubescet *B* | liberavit eum] liberavit eos *B*

48   3 Nachtrag Ende 11. Jh.; der vollständige Text findet sich in Bl als ℟ (in Sl nur
     Incipit).

4 OF. Benedic anima ... tua. ℣1 Qui propiciatur ... misericordia. ℣2
Iusticia eius ... dominabitur. *Et renovabitur.*
5 COM. Erubescant ... velociter.

49   SABBATO XII LECTIONES   C 46

1 Intret oratio ... dne. PS. (87,2) *Domine deus salutis. Seculorum.*
Amen.
2 ℟ *Protector.* ℣ *Domine deus virtutum.*
3 ℟ *Propitius.* ℣ *Adiuva nos.*
4 ℟ Convertere domine aliquantulum et depreca(18r)rer super servos
tuos. ℣ Domine refugium factus est nobis a generatione et progenie.
5 ℟ Dirigatur oratio. ℣ Elevatio manuum.
6 ⟨℟⟩ Convertere domine. ⟨℣⟩ Domine ⟨refugium⟩.
7 ⟨℟⟩ Salvum fac populum. ⟨℣⟩ Ad te domine clama⟨vi⟩.
8 ⟨℟⟩ Propitius esto domine. ⟨℣⟩ Adiuva nos deus salut⟨aris⟩.
9 YMNUS TRIUM PUERORUM *Benedictus es in firmamento* .. (18v) .. *sae-*
cula.
10 TRACT. Laudate dnm ... populi. ℣ Quoniam confirmata ... aeternum.
11 OF. Dne ds salutis meae ... dne. ℣1 Inclina aurem tuam ... te. ℣2 Et
ego ad te dne ... mea. ℣3 Factus sum sicut homo ... egrediebar.
12 COM. Dne ds meus in te speravi ... me.

50   ⟨DOMINICA II QUADRAGESIMAE⟩

⟨TRACT.⟩ Dixit dominus mulieri Chananee: Non est bonum sumere panem filiorum
et mittere canibus ad manducandum. At illa dixit: Etiam domine nam et catelli
edunt de micis quę cadunt de mensa dominorum suorum. Ait illi Iesus: Mulier
magna est fides tua, fiat tibi sicut petisti.

---

48   4 ℣2 facient] faciant *B* ‖ 5 confudentur] conturbentur *B K*
49   2 *usque* 6 add.*B K*

---

49   2-6 Nicht vorhanden in C, jedoch in Sl, aber in anderer Reihenfolge.
      5–8 Nachtrag Ende 11. Jh.
      9 Zum Canticum «Benedictus es» (auch «Benedictiones» genannt) cf. WAGNER
      I, S. 101–102.

50   Nachtrag Ende 11. Jh. – Bezeichnung in Mz, Bl, C, K, Sl: «Dom.vacat»; R:
      «Dom. in Quadragesima» (HESBERT, Sextuplex 46bis); dazu HUOT, L'Ordinaire
      du missel de Genève, S. 44, Anm. 1.

51   FERIA II   C 47

1 Redime me dne ... dno. PS. (25,1) *Iudica me domine.*
2 ℟ Adiutor meus ... tardaveris. ℣ Confundantur ... meam.
3 OF. Benedicam dno qui michi ... commovear. ℣1 Conserva me ..
(19r) .. meae. ℣2 Notas fecisti ... finem. *Quoniam a dextris.*
4 COM. Dne dns nr ... terra.

52   FERIA III   C 48

1 Tibi dixit cor meum ... me. PS. (26,1) Dominus illuminatio.
2 ℟ *Iacta cogitatum.* ℣ *Dum clamarem.*
3 OF. Miserere michi ... meam. ℣1 Quoniam iniquitatem ... semper.
℣2 Tibi soli peccavi ... tuis. *Dele.*
4 COM. Narrabo omnia mirabilia ... altissime.

53   FERIA IIII   C 49

1 Ne derelinquas me ... meae. PS. (37,2) *Domine ne in furore* II.
2 ℟ Salvum fac populum ... tuae. ℣ Ad te dne clamavi ... lacum.
3 OF. *Ad te domine levavi.*
4 COM. Iustus dns et iusticia ... eius.

54   FERIA V   C 50

1 Ds in adiutorium ... (19v) meam. PS. (69,4) Avertantur retrorsum.
2 ℟ *Propitius esto.* ℣ *Adiuva nos.*
3 OF. Precatus est Moises ... suo. ℣1 Dixit dns ad Moysen ... peccata.
℣2 Dixit Moyses ad Aaron ... tempore.
4 COM. Qui manducat carnem ... dns.

---

51 1 in ecclesiis *om.B* | dnm] dno *B* || 3 deo] deum *B K*
52 3 magna] magnam *B K* | ℣1 cognosco] agnosco *B* | contra] coram *B* | ℣2
     miserationibus] sermonibus *B* || 4 exultabor] exultabo *B K*
53 2 ℣ clamabo] clamavi *B* || 4 iustitias] iusticia *B*
54 1 iuvandum] adiuvandum *B K* || 3 ℣1 = ℣2 *B* | ad] et *B bis* | ℣2 = ℣1 *B* | gratia]
     gratiam *B* | terra] terram *B* | iniquitates] iniquitatem *B*

55   FERIA VI   C 51

1 Ego autem cum iusticia ... tua. ps. (16,1) Exaudi domine iusticiam.
2 ℟ Ad dnm dum tribularer ... me. ℣ Dne libera ... dolosa.
3 of. Dne in auxilium ... eam. ℣1 Expectans expectavi ... meam. ℣2
Avertantur retrorsum ... mala.
4 com. Tu dne servabis nos .. (20r) .. aeternum.

56   FERIA VII   C 52

1 Lex dni inreprehensibilis ... parvulis. ps. (18,2) Caeli enarrant.
2 ℟ Bonum est confiteri ... altissime. ℣ Ad adnuntiandum mane ...
noctem.
3 of. Inlumina oculos meos ... eum. ℣1 Usquequo dne oblivisceris ...
mea. ℣2 Respice in me ... michi.
4 com. Oportet te fili gaudere ... est.

57   DOMINICA III   C 53

1 Oculi mei semper ... ego. ps. (24,1) Ad te domine levavi.
2 ℟ Exurge dne ... tuo. ℣ In convertendo inimicum ... tua.
3 tract. Ad te levavi oculos ... caelis. ℣1 Ecce sicut oculi servorum
... suorum. ℣2 Et sicut oculi ancille ... suorum. ℣3 Ita oculi nri ... nri.
℣4 Miserere nobis ... nobis.
4 of. Iusticiae dni recte .. (20v) .. ea. ℣1 Preceptum dni lucidum ...
vera. ℣2 Et erunt ut complaceant ... semper.
5 com. Passer invenit sibi ... te.

55 3 ℣1 = ℣2 B | ℣2 = ℣1 B ‖ 4 custodias] custodies B K
56 1 fideles] fidele B K ‖ 3 ℣1 animam meam] anima mea B ‖ 4 in aeternum
    om.B
57 3 ℣2 domine suae] dnorum suorum B

56 Bezeichnung wie in C 52; Mz, Bl, K, Sl: «Sabbato».

57 Bezeichnung wie in Mz, K 53; R, C: «Dom. II».

58   FERIA II   C 54

1 In deo laudabo ... homo. ps. (55,2) Miserere mei deus quoniam conculcavit.
2 ℟ Ds vitam meam nontiavi (*sic*) ... tuo. ℣ Miserere michi ... me.
3 of. Exaudi ds orationem ... me. ℣1 Conturbatus sum ... faceret. ℣2 Ego autem ad deum clamavi ... illis. *Intende*.
4 com. Quis dabit ex Sion ... Israhel.

59   FERIA III   C 55

1 Ego clamavi quoniam ... me. ps. (16,1) Exaudi domine iusticiam.
2 ℟ Ab occultis meis munda me ... tuo. ℣ Si mei non fuerint dominati .. (21r) .. maximo.
3 of. *Dextera domini*.
4 com. Dne quis habitabit ... iusticiam.

60   FERIA IIII   C 56

1 Ego autem in dno speravi ... meam. ps. (70,1) *In te domine speravi*.
2 ℟ *Miserere michi*. ℣ *Conturbata sunt*.
3 of. Dne fac mecum misericordiam ... tuam. ℣1 Ds laudem meam ... est. ℣2 Pro eo ut diligerent me ... orabam. ℣3 Locuti sunt adversum me lingua dolosa et sermonibus odii circumdederunt me et expugnaverunt me gratis.
4 com. Notas michi fecisti ... dne.

61   FERIA V   C 57

1 Salus populi ego sum ... perpetuum. ps. (77,1) *Adtendite*.
2 ℟ Oculi omnium in te ... oportuno. ℣ Aperis tu manum ... benedictione.

58 3 ℣1 Conturbata sunt] Conturbatus sum *B* | ℣2 extendens] extendes *B*
59 2 ℣ ad] a *B K*
60 3 misericordia tua] misericordiam tuam *B* | ℣1 apertum] est *add.B* | ℣2 me diligerent] diligerent *B*

3 ᴏꜰ. Si ambulavero in medio ... tua. ℣1 In quacumque die ... tuam.
℣2 Adorabo ad templum ... (21v) tuam.
4 ᴄᴏᴍ. Tu mandasti mandata ... tuas.

62   FERIA VI   C 58

1 Fac mecum dne signum ... me. ᴘs. (85,1) Inclina domine.
2 ℟ In deo speravit ... illi. ℣ Ad te dne clamavi ... me.
3 ᴏꜰ. Intende voci orationis ... dne. ℣1 Verba mea auribus ... me. ℣2
Dirige in conspectu ... dne.
4 ᴄᴏᴍ. Qui biberit aquam ... aeternam.

63   SABBATO   C 59

1 Verba mea auribus percipe ... meae. ᴘs. (5,4) *Quoniam ad te.*
2 ℟ Si ambulem in medio ... es[t] dne. ℣ Virga tua ... sunt.
3 ᴏꜰ. Gressus meos dirige ... dne. ℣1 Declaratio sermonum ... parvulis. ℣2 Cognovi dne quia equitas ... *ut non dominetur omnis iniusti-*
ci(22r)*a dne.*
4 ᴄᴏᴍ. Nemo te contempnavit ... peccare.

64   DOMINICA IIII IN QUADRAGESIMA   C 60

1 Laetare Hierusalem ... eius. ᴘs. (121,1) *Laetatus sum in his.*
2 ℟ Laetatus sum ... ibimus. ℣ Fiat pax ... tuis.
3 ᴛʀᴀᴄᴛ. Qui confidunt ... Hierusalem. ℣ Montes in circuitu ...
saeculum.

---

61 3 extendis] extendes *B K* | ℣1 me] dne *add.B* | animam meam] anima
     mea *B*
62 2 speravi] speravit *B K* | ℣ clamabo] clamavi *B* ‖ 3 ℣2 vias meas] viam meam *B* ‖ 4
     aqua qua] aquam quam *B K*
64 1 vestrae] eius *B*

---

64 Bezeichnung in C: «Dom. III»; Sl: «Dom. IIII»; Mz nur: «Dominica»; R, Bl, C,
     K und Sl mit Angabe der Titelkirche «ad Hierusalem» (S. Croce in Gerusa-
     lemme).

4 OF. Laudate dnm quia benignus ... terra. ℣1 Qui statis in domo ... diis. ℣2 Dne nomen tuum ... consolabitur. ℣3 Qui timetis dnm ... Hierusalem.

5 COM. Hierusalem quae edificatur ... dne.

65   FERIA II   C 61

1 Ds in nomine tuo ... meam. PS. (53,5) Quoniam alieni.

2 ℞ Esto michi in deum .. (22v) .. facias. ℣ Ds in te speravi ... aeternum.

3 OF. *Iubilate deo omnis.*

4 COM. Ab occultis meis ... tuo.

66   FERIA III   C 62

1 Exaudi ds orationem ... me. PS. (54,3) Contristatus sum.

2 ℞ Exurge dne fer opem ... tuum. ℣ Ds auribus nris ... antiquis.

3 OF. Expectans expectavi ... nro. ℣1 Statuit supra petram ... meos. ℣2 Multa fecisti ... magna. ℣3 Dne deus tu cognovisti ... meus. *Et inmisit.*

4 COM. Laetabimur in salutari ... magnificabimur.

67   FERIA IIII   C 63

1 Dum sanctificatus fuero ... novum. PS. (33,2) *Benedicam.*

2 ℞ Venite filii audite ... vos. ℣ Accedite ad eum ... confun(23r)dentur.

3 ℞ Beata gens cuius ... sibi. ℣ Verbo dni caeli ... eorum.

4 OF. Benedicite gentes ... me. Alleluia. ℣1 Iubilate deo omnis terra ... eius. ℣2 In multitudine virtutis ... altissime. ℣3 Venite et videte opera ... meae. *Benedictus.*

5 COM. Lutum fecit ex ⟨s⟩puto ... deo.

---

64 4 es] est *B K* | ℣1 est] es *B* | ℣2 aeternum] et *add.B* | ℣3 ex Sion *om.B*

66 1 PS. Conturbatus] Contristatus *B K* ‖ 4 dni] dei nri *add.B K*

67 1 aqua munda] aquam mundam *B K* ‖ 3 ℣ spiritu] spiritus *B* ‖ 4 dnm deum nrm] dno deo nro *B* | me] Alleluia *add.B* | ℣3 terribilis] in *add.B* | sum] sub *B* | exaudivit] me *add.B*

---

67 2 und 3 Die zwei Responsorien entsprechen den zwei Orationen (B 308) und den zwei Lesungen (B 637); cf. auch B 5 und B 81.

68   FERIA V   C 64

1 Laetetur cor querentium ... semper. ᴘꜱ. (104,1) Confitemini domino
et invocate.
2 ℟ Respice dne ... finem. ℣ Exurge dne et iudica ... tuorum.
3 ᴏꜰ. *Domine in auxilium.*
4 ᴄᴏᴍ. Dne memorabor ... me.

69   FERIA VI   C 65

1 Meditatio cordis mei ... meus. ᴘꜱ. (18,2) Caeli enarrant.
2 ℟ Bonum est confidere .. (23v) .. homine. ℣ Bonum est sperare ...
principibus.
3 ᴏꜰ. Populum humilem salvum ... dne. ℣1 Clamor meus ... eius. ℣2
Liberator meus ... me.
4 ᴄᴏᴍ. Videns dns flentes sorores ... mortuus.

70   SABBATO   C 66

1 Sicientes venite ... laeticia. ᴘꜱ. (77,1) Adtendite popule.
2 ℟ Tibi dne derelictus ... adiutor. ℣ Ut quid dne ... pauper.
3 ᴏꜰ. Factus est dns firmamentum ... liberator meus sperabo in eum.
℣1 Persequar inimicos ... deficiant. ℣2 Precinxisti me virtute ... dis-
perdidisti.
4 ᴄᴏᴍ. Dns regit ... collocavit super aquam refectionis educavit
me.

71   DOMINICA V   C 67

1 Iudica me ds .. (24r) .. mea. ᴘꜱ. (42,3) Emitte lucem tuam.
2 ℟ Eripe me dne ... tuam. ℣ Liberator meus dne ... me.
3 ᴛʀᴀᴄᴛ. Sepe expugnaverunt ... mea. ℣1 Dicat nunc Israhel ... mea.
℣2 Etenim non potuerunt ... peccatores. ℣3 Prolongaverunt ... peccatorum.

---

68 4 memorabo] memorabor *B K*
70 1 edite cum] bibite in *B* ‖ 2 Tibi] dne *add. B K* ‖ 3 meus] sperabo in eum *add. B K* |
     ℣1 = ℣2 *B* | ℣2 = ℣1 *B* | Persequatur] persequar *B* | meos] et comprehendam illos
     add. B
71 1 sancta] sanctam *B* ‖ 2 ℣ meus] dne *add. B* | eripias] eripiaes *B*, eripies *K*

4 OF. Confitebor tibi ... dne. ℣1 Beati inmaculati ... eum. ℣2 Viam veritatis elegi ... tuam.

5 COM. Hoc corpus quod pro vobis ... commemorationem.

72   FERIA II   C 68

1 Miserere michi dne ... me. PS. (55,3) Conculcaverunt me.

2 ℞ Ds exaudi oraci(24v)onem ... mei. ℣ Ds in nomine tuo ... me.

3 OF. Dne convertere ... tuam. ℣1 Dne ne in ira ... me. ℣2 Miserere michi ... mea.

4 COM. Dns virtutum ... gloriae.

73   FERIA III   C 69

1 Expecta dnm viriliter ... dnm. PS. (26,1) Dominus illuminatio.

2 ℞ Discerne causam ... me. ℣ Emitte lucem ... tuum.

3 OF. Sperent in te ... pauperum. ℣1 Sedes super thronum ... pauperum. ℣2 Cognoscetur dns ... ds.

4 COM. Redime me ds ... meis.

74   FERIA IIII   C 70

1 Liberator meus de gentibus ... dne. PS. (17,2) *Diligam te.*

2 ℞ Exaltabo te dne ... me. ℣ Dne ds meus clamavi .. (25r) .. lacum.

3 OF. Eripe me de inimicis ... dne. ℣1 Quia ecce captaverunt animam meam et irruerunt fortes in me. ℣2 Quia factus es adiutor ... meae. *Libera me.*

4 COM. Lavabo inter innocentes ... tua.

---

71 4 ℣2 avaritia] avaritiam *B*

72 1 tribulavit] me *add.B K* ‖ 2 Dne] Deus *B K* ‖ 3 eripe] me *add.B*

73 2 ℣ monte sancto tuo] montem sanctum tuum *B K* ‖ 3 ℣1 pupillum] populum *B*

74 2 ℣ ad 2] a *B K* ‖ 3 ℣1 *add.B* | ℣ = ℣2 *B* ‖ 4 audiem] audiam *B K* | laudis] tuae *add.B K* | enarram] enarrem *B K*

75　FERIA V　　　　　　　　　　　　　　　　　　C 71

1 Omnia quae fecisti ... tuae. ps. (47,2) Magnus dominus.
2 ℟ Tollite hostias ... eius. ℣ Revelabit dns ... gloriam.
3 of. Super flumina Babilonis ... Syon. ℣1 In sallicibus ... aliena. ℣2 Si oblitus fuero tui ... meminero. ℣3 Memento dne filiorum ... Hieru-salem. Qui dixerunt super flumina Babilonis.
4 com. Memento verbi tui servo tuo (25v) ... mea.

76　FERIA VI　　　　　　　　　　　　　　　　　　C 72

1 Miserere michi dne ... te. ps. (30,2) *In te domine.*
2 ℟ Pacifice loquebantur ... michi. ℣ Vidisti dne ne sileas ... me.
3 of. Benedictus es dne doce me ... verbum. ℣1 Vidi non servantes ... iudicium. ℣2 Adpropiaverunt persequentes ... me.
4 com. Ne tradideris me ... sibi.

77　IN DOMINICA PALMARUM　　　　　　　　　　C 213

1 ⟨ANTIPHONAE AD PROCESSIONEM⟩
ant.1 Cum adpropinquaret dns ... David.
ant.2 Ante sex dies sollemnis paschę .. (26r) .. excelsis.
ant.3 Collegerunt pontifices ... gentem.
ant.4 Unus autem ex ipsis, Cayphas nomine, cum esset pontifex anni illius, prophetavit dicens: Expedit nobis, ut unus moriatur homo pro populo et non tota gens pereat. Ab illo ergo die cogitaverunt inter-ficere eum dicentes: *Ne forte.*

75　1 iuditio] iuditium *B* | nominis tui] nomini tuo *B K* ‖ 2 ℣ Revelavit] Revelabit *B K* ‖ 3 ℣1 verba ... nos *in marg. B* | dei] nobis *B* | ℣2 si] tui *add. B* | ℣3 Hierusalem] qui dixerunt *add. B* | flumina] Babilonis *add. B*
76　3 superbi] superbis *B K* ‖ 4 quoniam] quia *B K*
77　ant. 5 = ant. 1 *B* | vobis] vos *B* | illi] ibi *B* | vestimenta prosternebant] expan-debant vestimenta sua *B* | sternebant] prosternebant *B* ‖ ant. 4 = ant. 2 *B* | quando venit] quia veniebat *B* | occurunt] occurrerunt *B* | portantes in manibus] in manibus portabant *B* | tuae] suae *B*

76–77 Der Samstag fehlt auch bei Hesbert, Sextuplex 72bis («Sabbato vacat»); cf. auch B 42–43.

77 1 Antiphonen zur Palmweihe finden sich nur in C 213bis unter dem Titel: «Ant. de passione dni»; cf. oben S. 70.

ANT. 5 Cum audisset populus, quia Iesus venit Hierosolymam, acceperunt ramos palmarum et exierunt ei obviam et clamabant pueri dicentes: Hic est, qui venturus est in salutem populi. Hic est salus nostra et redemptio Israhel. Quantus est iste cui throni et dominationes occurrunt. Noli timere filia Syon, ecce rex tuus venit tibi sedens super pullum asinae, sicut scriptum est. Salve rex, fabricator mundi, qui venisti redimere nos.

ANT. 6 Coeperunt omnes turbae ... excelsis.

ANT. 7 Occurrunt turbae cum floribus et palmis redemptori domino et victori triumphanti dignum dant obsequium. Filium dei olim gentes praedicant et in laude Christi voce tonantes iubilant: Osanna.

ANT. 8 Fulgentibus palmis prosternimus *advenienti domino huic, omnes occuramus cum ymnis et canticis glorificantes et dicentes: Benedictus dominus.*

2 VERSUS IN PALMARUM

⟨℣1⟩ Gloria laus et honor tibi sit rex Christe redemptor, cui puerile decus prompsit (26v) osanna pium. ℣2 Israhel es tu rex Davidis et inclita proles, nomine qui in domini rex benedicite venis. *Gloria laus.* ℣3 Coetus in excelsis te laudat caelitus omnis et mortalis homo et cuncta creata simul. *Gloria.* ℣4 Plebs Hebrea tibi cum palmis obvia⟨m⟩venit. Cum prece, voto, ymnis assumus ecce tibi. *Gloria.* ℣5 Hi tibi passuro solvebant munia laudis, nos tibi regnanti pangimus ecce melos. *Gloria.* ℣6 Hi placuere tibi, placeat devotio nostra rex pie, rex clemens, cui bona cuncta placent. *Gloria.*

3 ANT. *Ave rex noster fili David.*

78   DOMINICA IN PALMIS   C 73

1 Dne ne longe facias ... meam. PS. (21,2) *Deus deus meus respice.*

2 ℟ Tenuisti manum ... me. ℣ Quam bonus Israhel ... videns.

3 TRACT. Ds ds meus respice ... dereliquisti. ℣1 Longe a salute ... meorum. ℣2 Ds meus clamabo ... michi. ℣3 Tu autem in sancto ... eos.

---

77 ANT. 6 = ANT. 3 *B* | faciemus] facimus *B* | venient] veniant *B* ‖ ANT. 3 = ANT. 6 *B* | cęlo] caelis *B* ‖ ANT. 1 *et* 2 *om.B*

78 1 facies] facias *B K* | in me] *om.B* ‖ 2 manuum] manum *B K* | 3 ℣3 habitas] habitans *B* | ℣4 sunt] in te *add.B* | ℣9 unicornuorum] unicornuum *B*

℣4 Ad te clamaverunt ... confusi. ℣5 Ego autem sum vermis ... plebis. ℣6 Omnes (27r) qui videbant ... caput. ℣7 Speravit in dno ... eum. ℣8 Ipsi vero consideraverunt ... sortem. ℣9 Libera me de ore leonis ... meam. ℣10 Qui timetis dnm ... eum. ℣11 Adnuntiabitur dno ... eius. ℣12 Populo ... dns.

4 OF. Inproperium expectavit ... aceto. ℣1 Salvum me fac ... meam. ℣2 Adversum me exercebantur ... vinum. ℣3 Ego vero orationem ... tue. *Et dederunt.*

5 COM. Pater si non potest ... tua.

79   FERIA II   C 74

1 Iudica dne nocentes ... meae. PS. (34,3) Effunde framea⟨m⟩.
2 ℟ Exurge dne et intende ... meam. ℣ Effunde frameam ... persecuntur.
3 OF. Eripe (27v) me de inimicis ... tu. ℣ Exaudi me dne ... dne.
4 COM. Erubescant et revereantur ... me.

80   FERIA III   C 75

1 Nos autem gloriari ... sumus. PS. (66,2) *Deus misereatur.*
2 ℟ Ego autem dum michi ... convertetur. ℣ Iudica dne nocentes ... michi.
3 OF. Custodi me dne ... dne. ℣1 Eripe me dne ... me. ℣2 Qui cogitaverunt ... michi.
4 COM. Adversum me exercebantur ... ad te dne tempus beneplaciti ds in multitudine misericordiae tuae.

---

78 4 expectavi] expectavit *B K* ‖ 5 illud] illum *B K*
79 3 ℣ me] dne *add.B* ‖ 4 super] adversum *B K*
80 1 Nobis] Nos *B K* | quo et] quo est *B K* | quem] quam *B* ‖ 2 sinu meo] sinum meum *B K* ‖ 3 eripe me] dne *add. B K* | ℣1 me] dne *add. B* | ℣2 laqueum] laqueos *B* ‖ 4 dne] tempus...tuae *add.B K*

81 FERIA IIII   C 76

1 In nomine dni omne genu ... patris. ⟨ps.⟩ (101,2) Domine exaudi
orationem.
2 ⟨℟⟩ Ne avertas faciem ... me. ⟨℣⟩ Salvum me fac .. (28r) .. substantia.
3 TRACT. Dne exaudi orationem ... veniat. ℣1 Non avertas faciem ...
tuam. ℣2 In quacumque die invocavero te, velociter exaudi me. ℣3
Quia defecerunt ... sunt. ℣4 Percussus sum ... meum. ℣5 Tu exsurgens
dne ... eius.
4 OF. Domine exaudi orationem meam et clamor meus ad te perveniat. ℣1 Ne avertas faciem tuam, ne avertas faciem tuam a me. ℣2
Quia oblitus sum manducare panem meum. ℣3 Tu exsurgens mise-
reberis Sion, quia tempus miserendi eius, quia venit tempus. *Et
clamor.*
5 COM. Potum meum cum fletu ... eius.

82 FERIA V   C 77

1 *Nos autem.*
2 ℟ Christus factus est ... crucis. ℣ Propter quod ds ... nomen.
3 OF. *Dextera domini.*
4 COM. Dns Iesus postquam cenavit ... faciatis.

83 FERIA VI ⟨IN PARASCEVE⟩   C 78

(28v) 1 ℟ Dne audivi auditum ... expavi. ℣1 In medio animalium ...
ostenderis. ℣2 In eo dum conturbata ... eris. ℣3 Ds a Libano ...
condenso. ℣4 Operuit caelos ... terra.

---

81 1 factus est] factus *B K* ‖ 3 ℣1 velociter exaudi me] inclina ad me aurem tuam
B K | ℣2 = ℣3 *B* | ℣3 = ℣4 *B* | Percussum] percussus sum *B* | ℣4 = ℣5 *B*
82 2 ℣ quod et] quod *B* | donavit] dedit *B K* | omnem] omne *B K*
83 1 ℣1 duorum *om. B* | adpropinquaverint] adpropinquaverunt *B* | ℣2 misericordia]
misericordiae *B* | ℣3 = ℣4 *B* | laudes] laudis *B* | ℣4 = ℣3 *B*

---

81 2 und 3 Responsorium und Tractus entsprechen den beiden Orationen (B 322)
und den beiden Lesungen (B 651); cf. auch B 5 und B 67 sowie HESBERT,
Sextuplex, S. LVI.

2 TRACT. Eripe me dne ... me. ℣1 Qui cogitaverunt ... proelia. ℣2 Acuerunt linguas ... eorum. ℣3 Custodi me dne de manu ... me. ℣4 Qui cogitaverunt ... michi. ℣5 Et funes extenderunt ... michi. ℣6 Dixi dno: Ds meus ... meae. ℣7 Dne dne virtus ... belli. ℣8 Ne tradas me ... exaltentur. ℣9 Caput circuitus ... eos. ℣10 Verumtamen iusti confitebuntur ... tuo.

3 AD CRUCEM ADORANDAM GRECUM. Agyos o theos, agyos ischirros, agios athanathos eleyson ymas. Sanctus deus, sanctus fortis, sanctus et inmortalis misere nobis.

4 VERSOS (sic). *Popule meus quid feci[t] tibi aut in quo* (29r) *contristavi te, responde michi. Quia eduxi te de terra Egypti, parasti crucem salvatori tuo. Agyos. Quia eduxi vos per desertum quadraginta annis et manna cibavi vos et introduxi in terram satis obtimam, parasti crucem. Agyos. Quid ultra debui facere tibi et non feci? Ego quidem plantavi te vineam meam spetiosissimam et tu facta es[t] michi nimis amara. Ac[o]eto namque siti⟨m⟩ mea⟨m⟩ potasti et lancea perforasti latus salvatoris tui. Agyos.*

5 ANT.1 Ecce lignum crucis ... adoremus.

6 ANT.2 *Crucem tuam adoramus ... mundo.* PS. (66,2) *Deus misereatur nostri.*

7 ANT.3 Cum fabricator mundi mortis supplicium pateretur in cruce clamans voce magna, tradidit spiritum et ecce velum templi divisum est, monumenta aperta sunt, terremotus enim facta fuerat magnus, quia mortem filii dei clamabat mundus se sustinere non posse. Aperto ergo lancea militis latere crucifixi domini, exivit sanguis et aqua in redemptionem salutis nostre. O ammirabile precium, cuius pondere captivitas redempta est mundi. Tartarea confracte *(sic)* sunt claustra inferni, aperta est nobis ianua regni.

8 SEQUENTIA. Crux fidelis .. (29v) .. corpore.

AH 50, Nr. 66, S. 71, Strophen 8–10

83 2 ℣3 peccatoris] et *add.B* | iniqui] iniquis *B* | ℣5 iuxta] iusta *B* ‖ 8 *Deest C K* | *Stropha 8 = Stropha 1 B* | *post stropham* 10] Gloria aeterno patri pro salute posita gloria unico eius qui creavit omnia spirituique sancto in sempiterna secula *add. B, cf. AH 50, Nr. 66, S. 73.*

83 3 Nur in K (griechisch) und Sl (Incipit).

4 Diese sog. Improprien sind nur in Sl vorhanden, wo freilich lediglich die Anfangsworte («Popule meus»; «Quia eduxi»; «Quid ultra») angeführt sind.

7 Weder in Mz, R, Bl, C, K, Sl noch sonst in B vorhanden.

84   CANTICA IN SABBATO SANCTO PASCHAE   C 79

1 TRACT. Cantemus dno gloriose ... salutem. ẏ1 Hic ds meus ... eum.
ẏ2 Dns conterens ... illi.
2 ⟨ORATIO⟩ *Deus cuius antiqua.*
3 ⟨LECT.⟩ *Appraehendent* (Is 4,1).
4 TRACT. Vinea facta est ... est.
5 TRACT. Adtende caelum ... meo. ⟨ẏ1⟩ Expectetur sicut ... mea.
⟨ẏ2⟩ Sicut ymber super gramina et sicut nix super foenum, quia
nomen domini invocabo. ⟨ẏ3⟩ Date magnitudinem ... (30r) iudicia. ẏ4
Ds fidelis ... dns.
6 CANTICUM DE PSALMO XLI (41,2) TRACT. Sicut cervus desiderat ... ds.
ẏ1 Sitivit anima ... mei. ẏ2 Fuerunt mihi lacrime ... tuus.
7 Alleluia. Confitemini dno quoniam ... eius.
8 TRACT. *Laudate dominum.*

85   DOMINICA PASCHAE   C 80

1 Resurrexi et adhuc tecum ... tua. Alleluia. Alleluia. PS. (138,1)
Domine probasti me et cognovisti.
2 ℞ Haec dies quam fecit ... ea. ẏ Confitemini dno ... eius.
3 Alleluia. Pascha nrm ... Christus. ⟨ẏ⟩ Epulemur ... veritatis.
4 OF. Terra tremuit ... ds. Alleluia. ẏ1 Notus in Iudaea ... eius.
Alleluia. ẏ2 Et factus est ... Sion. Alleluia. ẏ3 Ibi confregit ... aeternis.
Alleluia.
5 (30v) COM. Pascha nrm immolatus ... veritatis. Alleluia. Alleluia.
Alleluia.

---

84 1 mari] mare *B K* | ẏ2 est nomen eius] nomen est illi *B K* ‖ CANT. 3 = 2 *B* |
    maceriam] maceria *B K* | vinea Sorech] vineam Sorech *B K* ‖ CANT 2 = 3 *B* | ẏ1
    descenbat] descendant *B K* | quae ... invocavi] sicut ... invocabo *B K* ‖ 4 ẏ2
    cotidie] per singulos dies *B K*
85 3 ẏ2 *om. B K* ‖ 4 ẏ1 eius] alleluia *add. B* | ẏ3 ideo] ibi *B* | gladium] et bellum
    add. B

---

84 3 → B 654,8.
    4–5 Zu den Tractus 1. 4. 5. 6 cf. HESBERT, Sextuplex, S. LX–LXII. Die Rei-
    henfolge in B ist die gleiche wie in K; → B 654.

86   FERIA II   C 81

1 Introduxit vos dns ... vestro. Alleluia. Alleluia. PS. (104,1) *Confitemini domino.*

2 ℟ *Haec dies.* ℣ Dicant nunc Israhel quoniam bonus, quoniam in saeculum misericordia eius.

3 Alleluia. Surrexit dominus vere et apparuit Petro.

4 OF. Angelus dni descendit ... dixit. Alleluia. ℣1 Euntes dicite discipulis ... dixit. Alleluia. ℣2 Iesus stetit in medio ... dixit. Alleluia.

5 COM. Surrexit dns ... Petro. Alleluia.

87   FERIA III   C 82

1 Aqua sapientiae potavit ... aeternum. Alleluia. Alleluia. ⟨PS.⟩ (104,1) *Confitemini.*

2 ℟ *Haec dies.* ℣ Dicant nunc, qui redempti sunt a domino, quos redemit de manu inimici de regionibus congregavit eos.

3 Alleluia. Angelus domini descendit de caelo et accedens revolvit lapidem et sedebat super eum.

4 OF. Intonuit de caelo ... aquarum. Alle(31r)luia. ℣1 Diligam te dne ... meus. ℣2 Liberator meus ... me.

5 COM. Si consurrexistis ... sapite. Alleluia.

88   FERIA IIII   C 83

1 Venite benedicti patris ... mundi. Alleluia. Alleluia. Alleluia. PS. (97,1) *Cantate* II.

2 ℟ *Haec dies.* ℣ Dextera domini fecit virtutem, dextera domini exaltavit me.

3 Alleluia. Surrexit altissimus de sepulchro, qui pro nobis pependit in ligno.

4 OF. Portas caeli ... homo. Alleluia. ℣1 Adtendite popule meus ... mei. ℣2 Aperiam in parabolis ... saeculi. *Panem angelorum.*

5 COM. Christus resurgens ... dominabitur. Alleluia. Alleluia.

---

86 1 terra] terram *B K* ‖ 2 ℣ Dicat] Dicant *B* ‖ 3 *al.B* ‖ 4 ℣1 discipuli] discipulis *B* |
Galilea] Galileam *B*

87 1 exaltavit] exaltabit *B K* | alleluia] alleluia *add. B K* ‖ 3 *al.B*

88 3 *al.B* ‖ 4 ℣1 populus] popule *B* | ℣2 propositionis] propositiones *B*

89   FERIA V   C 84

1 Victricem manum ... dissertas. Alleluia. Alleluia. ps. (117,1) *Confi-*
temini ⟨IIII⟩.

2 ℟ *Haec dies.* ℣ Lapidem quem reprobaverunt edificantes, hic factus
est in caput anguli, a domino factum est et est (31v) mirabile in oculis
nostris.

3 *Alleluia. Surrexit Christus et inluxit populo suo, quem redemit ipse*
sanguine suo.

4 of. In die sollempnitatis ... mel. Alleluia. ℣1 Audi popule meus ...
vestri. ℣2 Non adorabitis deum alienum ... Egypti. *In terram.*

5 com. Populus adquisitionis ... suum. Alleluia.

90   FERIA VI   C 85

1 Eduxit eos dns ... mare. Alleluia. Alleluia. Alleluia. ps. (77,1)
Adtendite popule.

2 ℟ *Haec dies.* ℣ Benedictus qui venit ... nobis.

3 *Alleluia. Eduxit dominus populum suum in exaltacione et electos suos in*
laeticia.

4 of. Erit vobis hic dies ... diem. Alleluia. Alleluia. Alleluia. ℣1 Dixit
Moyses ad populum ... vobis. ℣2 In mente habete ... dns. *In proge-*
nies.

5 com. Data est michi ... sancti. Alleluia. Alleluia.

91   SABBATO   C 86

1 Eduxit dns populum ... lae(32r)ticia. Alleluia. Alleluia. ps. (104,1)
Confitemini domino et invocate.

2 Alleluia. Haec dies ... ea.

3 Alleluia. Laudate pueri ... dni.

4 of. Benedictus qui venit ... nobis. Alleluia. Alleluia. ℣1 *Haec dies ...*
ea. ℣2 *Lapidem quem ... nris. Alleluia. Benediximus vos.*

5 com. Omnes qui in Christo ... induistis. Alleluia.

---

89 1 mutum] muti *B* | lingua] linguas *B K* ‖ 3 *al.B* ‖ 4 ℣1 populus] popule *B*

90 3 *al.B* ‖ 4 ℣1 = ℣2 *B* | mentem] mente *B* | eos] vos *B* | ℣2 = ℣1 *B* | veniet] vobis
    add.B | pugnavit] pugnabit *B* ‖ 5 dicite] docete *B K*

91 4 vobis] vos *B K* | alleluia] alleluia *add.B K*

92   DOMINICA OCT. PASCHAE   C 87

1 Quasi modo geniti ... concupiscite. Alleluia. PS. (80,2) *Exultate
deo.*
2 *Alleluia. Post dies octo ianuis clausis stetit Iesus in medio discipulorum
suorum et dixit eis: Pax vobis.*
3 *Alleluia. Pascha nostrum.* Alleluia. Christus resurgens ex mortuis
iam non moritur, mors illi ultra non dominabitur.
4 OF. Angelus domini descendit.
5 COM. Mitte manum ... fidelis. Alleluia. Alleluia.

93   DOMINICA II (= DOMINICA I) POST OCT. PASCHAE   C 88

1 Misericordia dni plena ... sunt. Alleluia. Alleluia. PS. (32,1) *Exultate
iusti.*
2 Alleluia. Oportebat pati Christum et resurgere a mortuis et ita
intrare in gloriam suam.
3 OF. Ds ds meus ad te ... meas. Alle(32v)luia. ℣1 Sitivit in te ... tuam.
℣2 In matutinis meditabor ... exaltabo. *Et in nomine tuo.*
4 COM. Ego sum pastor ... meae. Alleluia. Alleluia.

94   DOMINICA II POST OCT. PASCHAE   C 89

1 Iubilate deo omnis terra ... eius. Alleluia. Alleluia. Alleluia. PS.
(65,3) *Dicite deo quam.*
2 *Alleluia. Ego sum pastor bonus, qui pasco oves meas.*
3 *Alleluia. Iterum autem videbo vos et gaudebit cor vestrum et gaudium
vestrum nemo tollat a vobis.*

---

92 1 rationabile] racionabiles *B K* | alleluia *ter*] alleluia *semel B* ‖ 2 *al.B*
93 2 *al.B* | ITEM ALL. *om.B K* ‖ 3 ℣2 fuisti] factus es *B*
94 DOM. II *corr. ex* DOM. III ‖ 2 *al.B* ‖ 3 ℣2 allisos] elisos *B* | viam] vias *B* | exterminavit
      regnavit] exterminabit regnabit *B* | alleluia *om.B*

---

92 Übersicht über die Benennung der Sonntage nach Ostern: HESBERT, Sextuplex,
      S. LXIII.

93 Bezeichnung entsprechend K: «Dom. II post Albas»; dagegen C: «Dom. II post
      Pascha», R und Sl: «Dom. I post oct. Pasche», Bl: «Dom. I post Albas».

4 OF. Lauda anima mea ... ero. Alleluia. ℣1 Qui custodit ... esurientibus. ℣2 Dns erigit ... saeculi. *Psallam.*

5 COM. Modicum et non videbitis ... patrem. Alleluia. Alleluia.

95 DOMINICA III ⟨POST OCT. PASCHAE⟩ C 90

1 Cantate dno canticum ... suam. Alleluia. Alleluia. PS. (97,1) *Salvabit sibi.*

2 Alleluia. Surrexit pastor bonus, qui posuit animam suam pro ovibus suis et pro suo grege mori dignatus est.

3 (33r) OF. *Iubilate deo.*

4 COM. Dum venerit paraclitus ... iudicio. Alleluia. Alleluia.

96 DOMINICA IIII POST ALBAS C 91

1 Vocem iocundidatis ... suum. Alleluia. Alleluia. PS. (65,1) *Iubilate deo.*

2 Alleluia. Surrexit dominus et occurrens mulieribus ait: Avete, tunc accesserunt et tenuerunt pedes eius.

3 OF. *Benedicite gentes.*

4 COM. Cantate dno ... eius. Alleluia. Alleluia.

97 NAT. SS. TYBURTII ET VALERIANI C 92

1 Sancti tui dne ... dicent. Alleluia. PS. (144,1) *Exaltabo te deus meus rex.*

2 OF. *Letamini in domino.*

3 COM. Gaudete iusti ... conlaudatio. Alleluia.

---

95 DOM. III *corr. ex* DOM. IIII ‖ 1 conspectu] conspectum *B K* ‖ 2 *in marg. sup. f. 32v et 33r* ‖ 4 spiritum] spiritus *B K*

96 1 alleluia *ter*] alleluia *bis B K* ‖ 2 *in marg. sin. f. 32v*

97 1 benedicent te] benedicente *B* | ALL. (1 et 2) *om.B* ‖ 2 ℣1 et ℣2 *om.B* ‖ 3 domino] alleluia *add.B*

---

95 2 Nachtrag Ende 11. Jh.

96 2 Nachtrag Ende 11. Jhr.

98   NAT. S. GEORGII MART.   C 93

Protexisti me ds ... iniquitatem. Alleluia. Alleluia. ps. (63,2) *Exaudi deus orationem.*
2 of. Confitebuntur caeli ... sanctorum. Alleluia. Alleluia. ℣1 Misericordias tuas ... meo. Alleluia. Alleluia. ℣2 Quoniam quis in nubibus ... sanctorum. Alleluia. Alleluia.
3 com. Laetabitur iustus ... corde. Alleluia. Alleluia.

99   ⟨IN⟩ LETANIA MAIORE AD S. LAURENTIUM   C 94

1 Exaudivit de templo .. (33v) .. eius. Allelluia. Alleluia. ps. (17,2) *Diligam te domine.*
2 ⟨℟⟩ Alleluia. Confitemini dno ... eius.
3 of. Confitebor dno ... meam. Alleluia. ℣1 Adiuva me ... eam. ℣2 Qui insurgunt in me ... reverentia.
4 com. Petite et accipietis ... aperietur vobis omnis enim qui petit, accipit et qui querit, invenit, pulsanti aperietur. Alleluia.

100   NAT. S. VITALIS MART.   C 95

1 *Protexisti me deus.*
2 of. Repleti sumus mane ... sumus. Alleluia. ℣1 Dne refugium ... progenie. ℣2 Priusquam fierent terre a seculo et in seculum tu es deus. *Et exulta⟨vimus⟩.*
3 com. Ego sum vitis ... multum. Alleluia. Alleluia.

101   PHILIPPI ET IACOBI   C 96

1 Exclamaverunt ... eos. Alleluia. Alleluia. ps. (32,1) *Exultate iusti in domino.*
2 *Alleluia. Stabunt iusti in magna constancia adversus eos qui se angusti*(34r)*averunt.*

98   2 etenim] et *B K* | ℣2 filiis] filios *B* | alleluia *ter*] alleluia *bis B* ‖ 3 corde] alleluia alleluia *add.B K*
99   3 salvam faciat] salvum faceret *B* | meam] alleluia *add.B K* | ℣1 sciam] sciant *B* | ℣2 detrahunt] detrahebant *B* ‖ 4 pulsanti] pulsate et *B*
100   2 misericordiam tuam] misericordia tua *B K* | ℣1 a seculo ... deus *om.B* | ℣2 montes fierent] fierent montes *B* ‖ 3 ego et] ego *B K*

3 OF. *Confitebuntur caeli.*
4 COM. Tanto tempore ... est. Alleluia. Alleluia.

102   NAT. SS. ALEXANDRI, EVENTII ET THEODOLI   C 97

1 Clamaverunt iusti ... eos. PS. (33,2) *Benedicam dominum in omni.*
2 *Alleluia. Confitebuntur caeli mirabilia tua domine et veritatem tuam in aecclesia sanctorum.*
3 OF. *Repleti sumus mane.*
4 COM. Iustorum anime in manu dei sunt et non tanget illos tormentum malicie, visi sunt oculis insipientium mori, illi autem sunt in pace.

103   NAT. SS. GORDIANI ET EPIMACHI   C 98

1 *Sancti tui domine.*
2 ℞ Iustorum anime ... maliciae. ℣ Visi sunt oculis insipiencium mori illi autem sunt in pace.
3 Alleluia. ⟨℣⟩ *Exultabunt sancti in gloria, laetabuntur in cubilibus suis.*
4 OF. Mirabilis ds ... ds. ℣1 Exsurgat ds ... eius. ℣2 Pereant peccatores ... laeticia. *Benedictus.*
5 COM. Posuerunt mortalia servorum tuorum domine escas volatilibus caeli carnes sanctorum tuorum bestiis terrae secundum magnitudinem brachii tui posside filios morte punitorum.

104   INVENTIO SANCTAE CRUCIS   cf. C 97 bis

1 *Nos autem gloriari.* PS. (66,2) *Deus misereatur.*
2 (34v) *Alleluia. Nos autem gloriari oportet in cruce domini nostri Hiesu Christi.*

---

101   4 vidit] videt *B K*
102   2 *al.B*
103   3 ℣2 et *om.B* ‖ 4 *al.B*

---

103   Der Grund für die Umstellung Gordianus (10. Mai) und Inventio crucis (3. Mai, B 104) ist nicht ersichtlich.

104   Zur Einführung des Festes cf. CHAVASSE, Gél., S. 350–357; HESBERT, Sextuplex, S. LXXIII und oben S. 63; 146.

3 Alleluia. Dulce lignum, dulces clavi, dulcia ferens pondera, quae sola fuisti digna sustinere regem caelorum et dominum.

4 OF. Protege domine plebem tuam per signum sancte crucis ab omnibus insidiis inimicorum omnium, ut tibi gratiam exhibeamus servitutem et acceptabile tibi fiat sacrificium nostrum. Alleluia. ℣1 *In conspectu tuo domine sint acceptabiles praeces nostrae per signum et virtutem sancte crucis, per quam salvati et liberati sumus. Alleluia. ℣2 Salvator mundi salva nos omnes et omnia quae adiuvant benignus nobis impende et cuncta nocencia a nobis procul repelle atque ad protegendum nos dexteram tuae maiestatis extende. Ut tibi.*

5 COM. *Per signum crucis de inimicis nostris libera nos deus noster.*

105   NEREI ET ACHILLEI ET PANCHRATII   C 99

1 Ecce oculi dni ... est. Alleluia. Alleluia. PS. (32,1) *Exultate iusti.*
2 Alleluia. Gaudete iusti in domino, rectos decet conlaudatio.
3 OF. Confitebuntur.
4 COM. *Gaudete iusti.*

106   IN DEDICATIONE TEMPLI   C 100

1 Terribilis est locus ... dei. PS. (92,1) *Dominus regnavit decorem.*
2 ℞ Locus iste ... est. ℣ Ds cui adstat .. (35r) .. tuorum.
3 Alleluia. Adorabo ... tuo. *Alleluia. Benedic domine domum istam quam aedificavi nomini tuo.*
4 OF. Dne ds in simplicitate ... voluntatem. ℣1 Maiestas dne implevit ... dicentes. ℣2 Fecit Salomon ... dns. *Deus Israhel.*
5 COM. Domus mea ... aperietur.

105   1 metuentes] timentes *B K* | animas] eorum *add. B K* | PS. *al.B K* | ℞ GRAD. *om.B* ||
      2 *al.B K*
106   2 factus] factum *B* || 4 simplicitatem] simplicitate *B K* | cor] cordis *B K* | gaudia]
      gaudio *B K* | dne deus *om.B K* | ℣1 gloria] gloriam *B* | ℣2 illi] illo *B*

105   Bezeichnung wie in C (auch Lekt. B 869); Bl: «Nat. s. Pancrati» (auch Sakr. B
      357); K: «Nat. ss. Nerei et Achillei» Sl: «Nat. ss. Nerei et Pancrati».

106   Bl, C, K, Sl: «Dedicatio basilicae s. Mariae ad martyres» (13. Mai); cf.
      HESBERT, Sextuplex, S. XCIII–XXIV.

107   VIGILIA ASCENSIONIS   cf. C 101 bis

1 Omnes gentes plaudite manibus, iubilate deo in voce exultationis.
PS. (46,4) *Subiecit populum.*
2 Alleluia. Omnes gentes plaudite manibus, iubilate deo in voce
exultationis.
3 OF. Ascendit deus in iubilatione, dominus in voce tube. Alleluia.
Ꙟ1 Omnes gentes plaudite manibus, iubilate deo in voce exultationis.
Ꙟ2 Quoniam dominus summus terribilis rex magnus super omnem
terram. Alleluia. Ꙟ3 Subiecit populos nobis et gentes sub pedibus
nostris. Alleluia.
4 COM. Pater cum essem cum eis, ego servabam eos, quos dedisti
michi. Alleluia. Nunc autem ad te venio, non rogo ut tollas eos de
mundo, sed ut serves (35v) eos a malo. Alleluia. Alleluia.

108   IN ASCENSIONE DOMINI   C 102

1 Viri Galilei ... veniet. Alleluia. Alleluia. Alleluia. PS. (46,2) *Omnes
gentes plaudite.*
2 Alleluia. Ascendit ds ... tube.
3 Alleluia. Non vos relinquam orphanos, vado et venio ad vos et
gaudebit cor vestrum.
4 *Alleluia. Ascendens Christus in altum captivam duxit captivitatem,
dedit dona hominibus.*
5 OF. Viri Galilei, quid ammiramini aspicientes in caelum? Hic
Hiesus, qui assumptus est a vobis in caelum, sic veniet, quemadmodum vidistis eum ascendentem in caelum. Alleluia. Ꙟ Cumque intuerentur in caelum euntem illum, ecce duo viri astiterunt iuxta illos in
vestibus albis, qui et dixerunt. Sic veniet.
6 COM. Psallite dno ... orientem. Alleluia.

---

107   3 *et* 4 *al.B*
108   2 et *om.B* ‖ 3 *al.B K* ‖ 5 *al.B*

---

107   Vigil nur in R, C, Sl, jedoch mit verschiedenen Formeln; → B 348; cf. auch
      Messe «Omnes gentes» vom 6. Sonntag nach Pfingsten (B 190); oben
      S. 67.

109 DOMINICA I POST ASCENSIONEM C 103

1 Exaudi dne vocem meam ... me. Alleluia. Alleluia. PS. (26,1) *Dominus illuminatio.*
2 Alleluia. Dominus in Syna in sancto ascendens in altum captivam duxit captivitatem.
3 OF. *Lauda anima mea dominum.*
4 COM. *Pater cum essem cum eis ego.*

110 S. POTENTIANE VIRG. C 101

1 *Dilexisti iusticiam.* PS. (44,2) *Eructavit.*
2 R/ *Diffusa est.* V̸ *Propter veritatem.*
3 *Alleluia. Adducentur regi virgines.*
4 OF. *Offerentur.*
5 COM. *Diffusa est gratia.*

111 NAT. S. URBANI C 104

1 *Sacerdotes tui domine.*
2 R/ *Inveni David.* ⟨V̸⟩ *Nihil proficiet.*
3 *Alleluia. Memento domine David.*
4 (36r) OF. *Veritas mea.*
5 COM. *Fidelis servus.*

112 IN VIGILIA PENTECOSTEN C 105

1 ⟨R/⟩ *Alleluia. Confitemini domino.*
2 TRACT. *Laudate dominum.*
3 OF. Emitte spiritum ... saecula. Alleluia. V̸1 Benedic anima ... vehementer. V̸2 Confessionem et decorem ... vestimentum. V̸3 Extendens caelum ... tuum. *Sit gloria.*
4 COM. Ultimo festivitatis ... eum. Alleluia. Alleluia.

---

109   1 dixi] dixit *B K* ‖ 2 *al.B* ‖ ITEM ALL. *om.B* ‖ 3 OFF. (1) *om.B*
110   2 et 3 *al.B*
112   3 V̸3 tegis] in *add.B* | ponet] ponis *B* | suum] tuum *B*

---

110   Im Sakr. und Lekt. nicht aufgeführt; cf. HESBERT, Sextuplex, S. XCIV.

113   IN DIE SANCTO PENTECOSTEN   C 106

1 Spiritus dni replevit ... vocis. Alleluia. Alleluia. Alleluia. ps. (67,2)
Exsurgat deus.
2 Alleluia. Emitte spiritum ... terrae.
3 Alleluia. Paraclitus spiritus sanctus, quem mittet pater in nomine
meo, vos docebit omnem veritatem.
4 OF. Confirma hoc ... munera. Alleluia. ℣1 Cantate dno psalmum ...
est illi. ℣2 In aecclesiis benedicite ... Israhel. ℣3 Regna terrae cantate
deo, psallite domino, qui ascendit caelos caelorum ad orientem. *Tibi
offerent.*
5 (36v) COM. Factus est repente ... dei. Alleluia. Alleluia.

114   FERIA II   C 107

1 Cibavit eos ... eos. Alleluia. Alleluia. Alleluia. ps. (80,2) *Exultate
deo.*
2 Alleluia. Spiritus domini replevit orbem terrarum et hoc, quod
continet omnia, scientiam habet vocis.
3 OF. *Intonuit de caelo.*
4 COM. Spiritus sanctus ... vobis. Alleluia. Alleluia.

115   FERIA III   C 108

1 Accipite iocunditatem ... vocavit. Alleluia. Alleluia. Alleluia.
PS. (77,1) *Adtendite.*
2 OF. *Portas caeli.*
3 COM. Spiritus qui a patre ... clarificabit. Alleluia. Alleluia.

116   FERIA IIII   C 109

1 Ds dum egrederis ... illis. Alleluia. Alleluia. ps. (67,2) *Exurgat
deus.*

---

113   3 *al.B* ‖ 4 ℣1 benedicite] psalmum dicite *B* | ℣2 dnm] deo dno *B* ‖ 5 spiritu]
      spiritus *B K* | erat] erant *B K*
114   2 *al.B* ‖ 3 ℣1 et ℣2 *om.B*
115   1 alleluia (1)] gratias agentes deo alleluia *add.B K* | vos] ad *add.B K* ‖ 2 ℣1 *et* ℣2
      om.B ‖ 3 clarificavit] clarificabit *B K*
116   ALL. ... dni *om.B K*

2 OF. *Meditabor in mandatis.*
3 COM. Pacem meam ... vobis. Alleluia. Alleluia.

117   FERIA V (= FERIA VI)   C 110

1 Repleatur os meum ... tibi. Alleluia. Alleluia. PS. (70,1) *In te domine* II.
2 OF. *Lauda anima mea.*
3 COM. Spiritus ubi vult spirat ... vadat. Alleluia. Alleluia. Alle-luia.

118   FERIA VI (= SABBATO)   C 111

1 Caritas dei diffusa ... nobis. Alleluia. Alleluia. PS. (87,2) *Domine deus salutis meae.*
2 ℞ *Protector noster.* ℣ *Domine deus virtutum.*
3 ℞ *Propitius esto.* ℣ *Adiuva nos.*
4 ℞ *Convertere.* ℣ *Domine refugium.*
5 ℞ *Ab occultis meis.* ℣ *Si mei non fuerint.*
6 ⟨℣1⟩Benedictus es domine deus patrum nostrorum. Et laudabilis (37r) et gloriosus in saecula. ℣2 Benedictus es in templo sancto glorie. Et laudabilis. ℣3 Benedictus es qui sedes super thronum divinitatis tuae. Et laudabilis. ℣4 Benedictus es qui sedes super Cherubin intuens abyssos. *Et laudabilis.* ℣5 Benedictus es super sceptrum divi-nitatis tuae. *Et laudabilis.* ℣6 Benedictus es qui ambulas super pennas ventorum. *Et laudabilis.* ℣7 Benedicant omnes angeli et sancti tui. *Et laudabilis.* ℣8 Benedicant te caelum, terra, mare et omnia, quae in eis sunt. *Et laudent te et glorificent in saecula.* ⟨℣9⟩ Gloria patri et filio et spiritui sancto. *Et laudabilis.* ⟨℣10⟩ Sicut erat in principio et nunc et semper et in saecula saeculorum. Amen. *Et laudabilis.* ℣11 *Benedictus es.*
7 TRACT. *Laudate dominum.*
8 OF. *Domine deus salutis meae.*
9 COM. Non vos relinquam ... vestrum. Alleluia. Alleluia.

---

116   2 ℣1 *et* ℣2 *om.B*
117   ALL. ... spiritum *om.B* K ‖ 2 ℣1 *et* ℣2 *om.B*
118   1 habitantes] inhabitantem *B K* ‖ 8 ℣1, ℣2, ℣3 *om.B*

---

118   Quatember-Samstag. Bl, C, K, Sl: «Sabbato in XII lectionibus (lectiones)».
      6 Hymnus oder Canticum trium puerorum, → B 49,7.

119 ⟨FERIA IIII⟩.

SI IEIUNIUM QUATUOR TEMPORUM POST OCTABAS PENTECOSTEN
EVENERIT, NON CANTANTUR OFFICIA CUM ALLELUIA, SED ISTA IN
SUBSEQUENTIBUS ADNOTATA:
1 ANT. *Lex domini inreprehensibilis.* PS. (18,2) *Caeli enarrant.*
2 R⟩ *Respice domine in.* ỹ *Exurge domine.*
3 OF. *Meditabor.*
4 COM. *Intellege clamorem.*

120   FERIA VI   cf. K 191

1 *Laetetur cor.* PS. (104,1) *Confitemini.*
2 R⟩ *Convertere deus.* ỹ *Domine refugium.*
3 OF. *Benedic anima.*
4 COM. *Erubescant et revereantur.*

121   SABBATO   cf. C 46

1 *Intret oratio mea.* PS. (87,2) *Domine deus salutis maeę (sic).*
2 SICUT RESPONSORIA VIDES IN ALTERA PAGINOLA NOTATE ET OMNIA
UT SUPRA

122   SS. PETRI ET MARCELLI[A]NI MART.   C 112

1 *Clamaverunt iusti.* PS. (33,2) *Benedicam dominum.*
2 R⟩ Clamaverunt iusti et dominus exaudivit eos et ex omnibus
tribulationibus eorum liberavit eos. ỹ Iuxta est dominus his, qui
tribulato sunt corde et humiles spiritu salvabit.
3 *Alleluia. Sancti tui domine.*
4 OF. *Laetamini in domino.*
5 COM. *Iustorum anime.*

119–121 Dazu oben S. 60; 139–141.

122 R⟩ GRAD ... dns *om.B*

123   SS. PRIMI ET FELICIANI   C 113

1 Sapientiam sanctorum ... seculi. PS. (32,1) *Exultate iusti.*
2 ℞ Exultabunt sancti in gloria et letabuntur in cubilibus (37v) suis. ℣
Cantate domino canticum novum, laus eius in ecclesia sanctorum.
3 *Alleluia. Isti sunt qui venerunt ex magna tribulatione et laverunt stolas
suas et dealbaverunt eas in sanguine agni.*
4 OF. *Mirabilis deus.*
5 COM. Ego vos elegi ... maneat.

124   BASILIDIS   C 114

1 *Intret in conspectu tuo.* PS. (78,1) *Deus venerunt.*
2 ℞ Vindica domine sanguinem sanctorum tuorum qui effusus est. ℣
Posuerunt mortalia servorum tuorum escas volatilibus caeli, carnes
sanctorum tuorum bestiis terre.
3 Alleluia. Mirabilis dominus noster in sanctis suis.
4 OF. Exultabunt sancti in gloria, laetabuntur in cubilibus suis,
exultaciones dei in faucibus eorum. ℣1 Cantate domino canticum
novum, cantate domino canticum novum, laus eius in ecclesia sanctorum. Laetetur Israhel in eo, qui fecit eum et filiae Syon exultent in
rege suo. ℣2 *Laudate dominum in sanctis suis, laudate eum in firmamento
virtutis eius. Exultaciones.*
5 COM. Iustorum anime in manu dei sunt et non tanget illos tormentum malicie. Visi sunt oculis insipientium mori, illi autem sunt
in pace.

125   SS. MARCI ET MARCELLIANI   C 115

1 Salus autem iustorum ... tribulationis. PS. (36,1) *Noli emulari.*
2 ℞ *Anima nostra sicut.* ℣ *Laqueus.*

---

123   1 nomen] nomina *B*
124   3 *al.B* ‖ 5 *al.B*
125   1 eorum] est *add.B K* ‖ 2 *al.B*

123-124 Im Sakr. und Lekt. nicht aufgeführt.

125   → B 373; im Lekt. nicht aufgeführt; cf. HESBERT, Sextuplex, S. XCV-
      XCVI.

3 *Alleluia. Sancti tui domine.*
4 OF. *Laetamini in domino.*
5 COM. Amen dico vobis quod uni ... seculi.

126   PROTASII ET GERVASII   C 116

1 Loquetur dns pacem ... ipsum. PS. (84,2) *Benedixisti domine.*
2 R⁊ *Gloriosus deus.* ℣ *Dextera tua.*
3 *Alleluia. Fulgebunt.*
4 (38r) COM. *Posuerunt mortalia.*

127   VIGILIA S. IOHANNIS BAPTISTAE   C 117

1 Ne timeas Zacharia ... gaudebunt. PS. (20,2) *Domine in virtute tua.*
2 R⁊ Fuit homo missus ... venit. ℣ Ut testimonium ... perfectam.
3 OF. *Gloria et honore.*
4 COM. *Magna est gloria.*

128   IN PRIMA MISSA   K 118

1 Iustus ut palma ... nri. PS. (91,2) *Bonum est confiteri.*
2 R⁊ *Iustus ut palma.* ℣ *Ad adnunciandum.*
3 OF. *In virtute tua.*
4 COM. *Posuisti domine.*

129   IN DIE AD MISSAM   C 119

1 De ventre matris ... electam. PS. (91,2) *Bonum est confiteri.*
2 R⁊ Priusquam te formarem ... te. ℣ Misit dns ... michi.

---

125   3 *al.B* ‖ 4 *al.B* ‖ 5 paratum] preparatum *B K*
126   3 *al.B* ‖ OFF. ... dno *om.B*
127   1 spiritus sanctus] spiritu sancto *B K* ‖ 3 ℣1 *et* ℣2 *om.B*
129   1 tegumentum] tegumento *B K*

---

127   Zusammen mit 128 und 129: cf. HESBERT, Sextuplex, S. XCVI: «Comme les
      plus grandes fêtes, celle de S. Jean Baptiste comporte normalement trois
      messes: celle de la vigile proprement dite, la messe matutinale du jour et celle
      de la fête».

3 *Alleluia. Ipse preibit ante illum in spiritu et virtute Aelye parare domino plebem perfectam.*

4 OF. *Iustus ut palma.*

5 COM. Tu puer propheta ... eius.

130   IOHANNIS ET PAULI   C 120

1 Multe tribulationes ... conteretur. PS. (33,12) *Benedicam dominum.*

2 ℟ Ecce quam bonum .. (38v) .. unum. ℣1 Sicut unguentum ... Aaron. ℣2 Mandavit dns ... seculum.

3 *Alleluia. Sancti tui domine.*

4 OF. Gloriabuntur ... nos. ℣ Quoniam ad te orabo ... meam. *Domine ut scuto.*

5 COM. Et si coram hominibus ... illos.

131   VIGILIA S. PETRI   C 121

1 Dicit dns Petro ... deum. PS. (18,2) *Caeli enarrant.*

2 ℟ In omnem terram exivit sonus eorum et in fines orbis terrae verba eorum. ℣ Caeli enarrant gloriam dei et opera manuum eius adnunciat firmamentum.

3 OF. Michi autem nimis ... eorum. ℣1 Dne probasti me ... meam. ℣2 Intellexisti cogitationes ... investigasti. ℣3 Ecce dne cognovisti ... tuam. *Nimis confortatus.*

4 COM. Tu es Petrus ... meam.

132   IN DIE AD MISSAM   C 122

1 Nunc scio vere .. (39r) .. Iudeorum. PS. (138,1) *Domine probasti me.*

2 ℟ Constitues eos ... dne. ℣ Pro patribus ... tibi.

3 Alleluia. Tu es Petrus et super hanc petram aedificabo aecclesiam meam.

---

129   4 ℣1, ℣2, ℣3 *om.B*

130   1 custodit dns] custodit *B K* ‖ 3 *al.B* ‖ 4 ℣1 *om.B*

131   1 quod] quo *B K* | est] esset *B K* ‖ 3 ℣2 = ℣3 *B* | dne tu] tu dne *B* | ℣3 = ℣2 *B* | de] a *B* | semitas meas] semitam meam et directionem meam *B*

132   3 *al.B*

4 OF. Constitues eos ... generatione. ℣1 Eructavit cor ... regi. ℣2
Lingua mea calamus ... tuis. ℣3 Propterea benedixit ... potentissime.
In omni.
5 COM. Symon Iohannis diligis ... te.

133   IN NAT. S. PAULI   C 123

1 Scio cui credidi ... diem. PS. (2 Tim 4,8) *De reliquo reposita.*
2 R⁊ Qui operatus est ... michi. ℣ Gratia dei ... manet.
3 *Alleluia. Tu es vas electionis beate Paule, ora pro nobis deum.*
4 Alleluia. ⟨Cursum⟩ consummavi fidem servavi.
5 OF. *Michi autem nimis.*
6 COM. Amen dico vobis quod vos ... possidebitis.

134   SS. PROCESSI ET MARTINI⟨ANI⟩   C 124

1 Iudicant sancti gentes ... perpetuum. PS. (32,1) *Exultate iusti.*
2 R⁊ *Exultabunt.* ℣ *Cantate domino.*
3 (39v) *Alleluia. Mirabilis dominus.*
4 OF. *Gloriabuntur.*
5 COM. Anima nra ... venantium.

135   NAT. SEPTEM FRATRUM   C 126

1 Laudate pueri ... laetantem. PS. (112,2) *Sit nomen domini.*
2 R⁊ *Anima nostra.* ℣ *Laqueus.*
3 *Alleluia. Laudate pueri dominum.*
4 OF. *Laetamini in domino.*
5 COM. Quicumque fecerit ... mater est dicit dns.

---

132   4 ero] erunt *B K* | progenie] et *add.B* | ℣3 gladium tuum] gladio tuo *B* ‖ 5 scis]
      dne *add. B K*
133   1 PS. *al.B* ‖ 2 in] inter *B K* | gratia] gratiam *B K* | quod] quae *B K* ‖ 3 *al.B* ‖ 5 ℣1,
      ℣2, ℣3 *om.B*
134   1 regnavit] regnabit *B K* ‖ 3 *al.B* ‖ 4 ℣1 et ℣2 *om.B*
135   2 *al.B* ‖ 4 *al.B* ‖ 5 mater est] dicit dns *add.B K*

---

133   4–5 Nachtrag 12. Jh.

135   Septem fratrum (10. Juli) vor Oct. apostolorum (6. Juli, B 136), so auch in Bl
      und C; dagegen KL, K, Sl nach der Oktav; cf. HESBERT, Sextuplex, S. XC-
      VIII–XCIX.

136   OCTAVA APOSTOLORUM   C 125

1 *Sapientiam sanctorum.*
2 ℞ *Iustorum anime.* ℣ *Visi sunt oculis.*
3 Alleluia. Iusti epulentur exultent in conspectu dei, delectentur in laeticia.
4 OF. *Exultabunt sancti.*
5 COM. *Iustorum anime.*

137   NAT. S. PRAXEDIS VIRG.   C 127

1 *Loquebar de testimoniis.* PS. (118,1) *Beati immaculati.*
2 ℞ *Dilexisti.* ℣ *Propterea.*
3 *Alleluia. Veni sponsa Cristi, accipe palmam preparatam a domino.*
4 OF. *Offerentur.*
5 COM. *Simile est regnum caelorum.*

138   NAT. S. APOLLINARIS   K 128

1 *Sacerdotes dei benedicite.*
2 ℞ *Inveni David.* ℣ *Nichil proficiet.*
3 Alleluia. Elegit te dominus sibi in sacerdotem magnum in populo suo.
4 OF. *Veritas mea.*
5 COM. Semel iuravi ... fidelis.

---

136   3 *al.B* ‖ 4 in gloria ... in rege suo. Exultationes *om.B K*
137   3 Alleluia ... dno] *add.B* ‖ 4 *al.B*
138   2 ℣ *add.B* ‖ 3 *al.B*

---

137   Im Sakr. und Lekt. nicht aufgeführt.

138–209 Dieser Teil fehlt in C, weshalb K als Vergleichstext dient.

138   Im Sakr. und Lekt. nicht aufgeführt.

139 ⟨VIG. S. IACOBI APOST.⟩

1 *Michi autem nimis.* PS. (138,1) *Domine probasti me.*
2 ℟ *In omnem terram.* ℣ *Caeli enarrant.*
3 *Alleluia. Nimis honorati sunt.*
4 OF. *Gloria et honore.*
5 COM. *Amen dico vobis quod uni.*

140 IACOBI APOST.

1 Os iusti.
2 GRAD. Os iusti meditabitur sapienciam et lingua eius loquetur iudicium, lex dei eius in corde ipsius et non suplantabuntur gressus eius.
3 Alleluia. Iustum deduxit.
4 EV. Nichil opertum (Mt 10, 26).
5 OF. Posuisti domine in capite eius coronam de lapide precioso, vitam peciit a te, tribuisti ei.
6 COM. Beatus servus.

141 NAT. SIMPLICII ⟨ET⟩ FAUSTINI   K 129

1 Sacerdotes eius induant salutare ... exultabunt. PS. (131,1) *Memento domine.*
2 ℟ Sacerdotes eius induant .. (40r) .. exultabunt. ℣ Illuc producam ... meo.
3 *Alleluia. Mirabilis dominus.*
4 OF. *Veritas mea.*
5 COM. *Beatus servus.*

---

141   1 induam] induant *B* ‖ 2 induam] induant *B* ‖ 3, 4, 5, *al.B*

---

139   In Mz, R, K und Sl nicht vorhanden; mit Ausnahme der Communio finden sich alle Formeln in Apostelmessen (Fest und/oder Vigil); → B 468; 876.

140   Nachtrag Ende 12. Jh.; → B 392; 736.

141   Den hl. Simplicius und Faustinus ist beigefügt in Mz und Sl: «Beatrici(s)», in Bl: «Viatoris», in K: «Viatricis», in Sl zusätzlich «Felicis»; → B 395.

142 NAT. SS. ABDO ET SENNES — K 130

1 *Intret in conspectu.* PS. (78,1) *Deus venerunt.*
2 R *Gloriosus deus.* V *Dextera tua.*
3 *Alleluia. Exultabunt sancti.*
4 OF. *Mirabilis deus.*
5 COM. *Posuerunt mortalia.*

143 NAT. S. STEPHANI PAPE — K 131

1 *Sacerdotes eius induant.* PS. (131,1) *Memento domine.*
2 R *Ecce sacerdos magnus.* V *Non est inventus.*
3 *Alleluia. Disposui testamentum.*
4 OF. *Veritas mea.*
5 COM. *Domine quinque talenta.*

144 NAT. XYSTI PAPE — K 132

1 *Sacerdotes dei.* PS. (Dn 3,57) *Benedicite.*
2 R *Sacerdotes eius.* V *Illuc producam.*
3 *Alleluia. Inveni David.*
4 OF. *Veritas mea.*
5 COM. *Fidelis servus et prudens.*

145 SS. FELICISSIMI ET AGAPITI — K 133

1 *Salus autem.* PS. (36,1) *Noli emulari.*
2 R *Iustorum anime.* V *Visi sunt.*
3 *Alleluia. Laetamini.*
4 OF. *Gloriabuntur.*
5 COM. Dico autem vobis amici mei, ne terreamini ab his, qui nos persequentur.

---

143 1, 2, 3, 4 *al.B*
144 1 tui dne] dei *B* || 3, 4 *al.B*
145 3 *al.B* || 5 *al.B*

---

143 Cf. HESBERT, Sextuplex, S. CI.

146   NAT. S. CYRIACI MART.   K 134

1 Timete dnm omnes sancti ... bono. PS. (33,2) *Benedicam dominum.*
2 ℟ Timete dnm omnes ... eum. ℣ Inquirentes autem ... bono.
3 *Alleluia. Iudicabunt sancti.*
4 OF. *Laetamini in domino.*
5 COM. Signa eos qui in me ... habebunt.

147   VIGILIA S. LAURENTII   K 135

1 Dispersit dedit ... gloria. PS. (111,1) *Beatus vir qui timet.*
2 ℟ Dispersit dedit ... saeculi. ℣ Potens in terra ... benedicetur.
3 (40v) OF. Oratio mea munda ... mea. ℣ Probavit me dominus sicut
aurum vias eius custodivi et a preceptis eius non discessi. *Ascen-*
dat.
4 COM. Qui vult venire post me, abneget semetipsum et tollat crucem suam et sequatur me.

148   IN DIE AD MISSAM   K 136

1 *Confessio et pulchritudo.* PS. (95,1) *Cantate* I.
2 ℟ Probasti dne cor ... nocte. ℣ Igne me examinasti ... iniquitas.
3 *Alleluia. Beatus vir.*
4 OF. Confessio et pulchritudo ... eius. ℣ *Cantate.*
5 COM. Qui michi ministrat ... erit.

149   NAT. S. TYBURTII   K 137

1 *Iustus ut palma.* PS. (91,2) *Bonum est.*
2 ℟ Os iusti ... iudicium. ℣ Lex dei eius ... eius.
3 OF. *In virtute tua domine.*
4 COM. *Posuisti domine.*

146   3 *al.B* ‖ 5 credent] credunt *B*
147   3 ęternum] excelso *B*
149   ALL. ... honore *om.B*

150   NAT. S. YPOLITI MART.   K 138

1 Iusti epulentur ... laeticia. ps. (67,2) *Exsurgat deus.*
2 ℟ *Iustorum anime.* ℣ *Visi sunt.*
3 *Alleluia. Fulgebunt.*
4 of. *Anima nostra.*
5 com. Dico autem vobis ... persecuntur.

151   NAT. S. EUSEBII CONF.   K 139

1 *Os iusti.* ps. (36,1) *Noli.*
2 ℟ *Os iusti.* ℣ *Lex dei.*
3 *Alleluia. Posuisti domine.*
4 of. Desiderium anime ... pretioso. ℣1 Vitam peciit et tribuisti ei
domine. ℣2 Laetificabis eum in gaudio cum vultu tuo. ℣3 Inveniatur
manus tua omnibus inimicis tuis dextera tua, inveniat omnes, qui te
oderunt domine.
5 (41r) com. *Beatus servus quem.*

152   IN ASSUMPTIONE S. MARIAE   K 140

1 *Gaudeamus omnes in domino.* ps. *Gaudent angeli.*
2 ℟ Propter veritatem ... tua. ℣ Audi filia ... tuam.
3 Alleluia. Post partum virgo inviolata permansisti dei genitrix
intercede pro nobis. ⟨℣⟩ *Assumpta est Maria in caelo gaudent angeli et
conlaudantes benedicunt dominum.*
4 of. *Diffusa est gratia.*
5 com. *Dilexisti iusticiam.*

153   OCTABAS S. LAURENTII MART.   K 141

1 Probasti dne cor ... iniquitas. ps. (16,1) *Exaudi domine.*
2 ℟ Iustus non conturbabitur quia dominus firma⟨t⟩ manum eius. ℣

---

150   3 *al.B*
151   3 *al.B*
152   1 *al.B* ‖ 3 *al.B* | angeli...dominum] exercitus angelorum *manu posteriori in marg.*
      cum neumis ‖ 4 *al.B*
153   2 *al.B* ‖ 3 *al.B*

---

151   3 → B 216,7.

152   1 ps.: MR 1, S. 368.

Tota die miseretur et commoda⟨t⟩ et semen eius in benedictione erit.

3 Alleluia. *Posui adiutorium.*

4 OF. *In virtute tua domine.*

5 COM. *Qui vult.*

154   NAT. S. AGAPITI   K 142

1 *Laetabitur iustus.* ⟨PS.⟩ (63,2) *Exaudi deus.*

2 ⟨R⟩ *Posuisti domine.* ⟨℣⟩ *Desiderium.*

3 *Alleluia. Laetabitur iustus.*

4 ⟨OF.⟩ *Desiderium.*

5 ⟨COM.⟩ *Beatus servus.*

155   NAT. S. TIMOTHEI ET SI⟨M⟩PHORIANI   K 143

1 *Salus autem iustorum.* PS. (36,1) *Noli emulari.*

2 R *Vindica domine.* ℣ *Posuerunt mortalia.*

3 *Alleluia. Iusti epulentur.*

4 OF. *Mirabilis deus.*

5 COM. *Ego vos elegi.*

156   NAT. S. ERMETIS   K 144

1 Iustus non conturbabitur ... conservabitur. PS. (36,1) *Noli emulari.*

2 R *Iustus ut palma.* ℣ *Ad adnunciandum.*

3 *Alleluia. Beatus vir qui suffert.*

4 OF. *In virtute tua.*

5 COM. *Posuisti domine.*

157   S. SABINE   K 145

1 Cognovi dne quia equitas .. (41v) .. repellas. PS. (118,1) *Beati immaculati in via.*

2 R *Specie tua.* ℣ *Propter veritatem.*

---

154   2 *al.B* ‖ 3 *al.B* ‖ 4 *al.B*

155   3 *al.B*

156   2 ℣ *add.B*

3 Alleluia. Loquebar domine de testimoniis tuis in conspectu regum et non confundebar domine.

4 OF. *Filie regum in honore.*

5 COM. Principes persecuti sunt ... vehementer.

158   NAT. SS. FELICIS ET AUDACTI   K 146

1 *Sapienciam sanctorum.* PS. (32,1) *Exultate iusti.*

2 R/ *Iustorum.* V̂ *Visi sunt.*

3 *Alleluia. Laetamini in domino.*

4 OF. *Anima nostra.*

5 COM. Quod dico vobis ... tecta.

159   IN NAT. S. MARIAE

1 *Salve sancta parens enixa puerpera regem, qui caelum terramque regit in secula saeculorum.* PS. (44,12) *Quia concupivit rex.*

2 R/ *Benedicta et venerabilis es virgo Maria, quae sine tactu pudoris inventa est mater salvatoris.* V̂ *Virgo dei genitrix quam totus non capit orbis, in tua se clausit viscera factus homo.*

3 *Alleluia. Nativitas gloriosae virginis Mariae ex semine Abrahae orta de tribu Iuda cl⟨a⟩ra ex ⟨s⟩tyrpe David.*

4 OF. *Ave Maria.*

5 COM. *Beata viscera Mariae virginis, quae portaverunt aeterni patris filium.*

160   NAT. S. ADRIANI MART.   K 147

1 *Laetabitur iustus.* PS. (63,2) *Exaudi deus.*

2 R/ *Posuisti domine.* V̂ *Desiderium.*

3 *Alleluia. Laetabitur.*

---

157   3 *al.B* ‖ 5 sicut] quasi *B* | ea] eam *B*
158   2 *al.B* ‖ 3 *al.B* ‖ 4 *al.B*
160   2, 3 *al.B*

---

159   Fest nur in Mz 144bis, aber mit einem andern R/. Zu den vier alten Marien-
      festen cf. CHAVASSE, Gél., S. 375–402; HESBERT, Sextuplex, S. CV-CVI; →
      B 422, 756.

4 OF. *Gloria et honore.*

5 COM. *Posuisti domine in capite.*

161   NAT. S. GORGONI MART.   K 148

1 Gloria et honore ... tuarum. ⟨PS.⟩ (8,2) *Domine dominus noster.*

2 ⟨R⟩ *Posuisti domine.* ỹ *Desiderium.*

3 *Alleluia. Beatus vir qui timet dominum.*

4 OF. *In vir*(42r)*tute tua.*

5 COM. *Qui michi ministrat.*

162   SS. PROTI ET IACINCTI   K 149

1 *Iudicabunt sancti naciones.* PS. (32,1) *Exultate iusti.*

2 R *Iustorum anime.* ỹ *Visi sunt.*

3 *Alleluia. Exultabunt.*

4 OF. *Mirabilis deus in sanctis.*

5 COM. *Anima nostra sicut.*

163   EXALTATIO S. CRUCIS   K 150

1 *In nomine domini omne genu flectatur.* PS. (101,2) *Domine exaudi* I.

2 R *Christus factus est.* ỹ *Propter quod.*

3 *Alleluia. Dulce lignum.*

4 OF. *Protege domine.*

5 COM. *Nos autem ... Christi. Alleluia.*

---

161   3, 4, 5 *al.B*

162   1 gentes] naciones *B* ‖ 2, 3, 4 *al.B*

163   1 *al.B* ‖ 3, 4 *al.B* ‖ 5 Christi] Alleluia *add.B*

---

163   Zum gleichen Tag verzeichnen Bl, K und Sl 151 ausserdem «Nat. ss. Cornelii et Cypriani»; → B 425.

164   3 → B 216,7.

164   NAT. S. NICHOMEDIS MART.   K 152

1 *Laetabitur iustus.*
2 ℟ Domine prevenisti eum in benedictionibus dulcedinis, posuisti in capite eius coronam de lapide pretioso. ℣ Vitam peciit et tribuisti ei longitudinem dierum in saeculum saeculi.
3 *Alleluia. Posuisti domine.*
4 OF. *Desiderium anime.*
5 COM. *Qui vult venire.*

165   NAT. S. EUFEMIAE   K 153

1 *Vultum tuum.* PS. (44,2) *Eructavit.*
2 ℟ *Specie tua.* ℣ *Propter veritatem.*
3 *Alleluia. Diffusa est.*
4 OF. *Offerentur regi.*
5 ⟨COM.⟩ *Simile est regnum.*

166   VIGILIA S. MATHEI APOST.   K 154

1 *Ego autem sicut oliva.* PS. (51,3) *Quid gloriaris.*
2 ℟ *Iustus ut palma.* ℣ *Plantatus in domo.*
3 OF. *Gloria et honore.*
4 COM. *Posuisti domine in capite.*

167   IN DIE AD MISSAM   K 155

1 *In medio ecclesiae.* PS. (91,2) *Bonum est.*
2 ℟ *Beatus vir.* ℣ *Potens in terra.*
3 *Alleluia. Primus ad Syon dicet: Ecce adsum et Hierusalem evangelista⟨m⟩ dabo.*
4 OF. *Posuisti domine in capite.*
5 COM. *Ego vos elegi de mundo.*

---

164   2, 3, 4 *al.B*
165   2, 3 *al.B*
167   1, 3, 5 *al.B*

168   SS. COSME ET DAMIANI   K 156

1 *Sapienciam sanctorum.* ⟨PS.⟩ (32,1) *Exultate iusti.*
2 ⟨Rʒ⟩ *Clamaverunt iusti.* ⟨V̅⟩ *Iuxta est dominus.*
3 *Alleluia. Fulgebunt iusti.*
4 ⟨OF.⟩ *Gloriabuntur.*
5 ⟨COM.⟩ *Posuerunt mortalia.*

169   ⟨DEDICATIO⟩ S. MICHAELIS ARCHANGELI   K 157

1 Benedicite dnm ... eius. (42v) PS. (102,1) *Benedic anima ⟨mea⟩ domi-no.*
2 Rʒ Benedicite dno ... eius. V̅ Benedic anima ... eius.
3 *Alleluia. In conspectu angelorum psallam tibi domine deus meus.*
4 Alleluia. Concussum est mare et contremuit terra, ubi archangelus Michahel descendebat de celo.
5 OF. Stetit angelus ... dei. Alleluia. V̅ In conspectu angelorum psallam tibi domine et adorabo ad templum sanctum tuum et confitebor tibi domine. *Et ascendit.*
6 COM. Benedicite omnes angeli ... secula.

170   NAT. S. MARCI EPISCOPI   K 158

1 *Sacerdotes eius induant.* PS. (131,1) *Memento domine.*
2 Rʒ *Inveni David.* V̅ *Nichil proficiet.*
3 *Alleluia. Amavit eum.*
4 OF. *Veritas mea.*
5 COM. *Beatus servus.*

168   3 *al.B*
169   1 virtute] virtutes *B* ‖ 2 dnm] dno *B* | virtute] virtutes *B* ‖ 3 *al.B*
170   1 *al.B* ‖ 3 *al.B*

171   VIGILIA APOSTOLORUM SYMONIS ET IUDE   K 159

1 *Intret in conspectu.* PS. (78,1) *Deus venerunt.*
2 ℞ *Vindica domine.* ℣ *Posuerunt mortalia.*
3 *Alleluia. Mirabilis.*
4 OF. *Exultabunt sancti.*
5 COM. *Iustorum anime.*

172   IN DIE AD MISSAM   K 160

1 *Michi autem nimis.* PS. (138,1) *Domine probasti.*
2 ℞ *Nimis honorati.* ℣ *Dinumerabo eos.*
3 *Alleluia. Cum sederit filius hominis in sede maiestatis suae, tunc dicet illis, qui a dexteris eius erunt: Venite benedicti patris mei, percipite regnum cum gaudio magno.*
4 OF. *In omnem terram.*
5 COM. Vos qui secuti estis ... Israhel dicit dns.

173   VIGILIA OMNIUM SANCTORUM

1 Timete dominum. PS. (33,2) *Benedicam dominum.*
2 ℞ *Exultabunt sancti.* ℣ *Cantate domino.*
3 OF. *Letamini.*
4 COM. *Iustorum animae.*

174   IN DIE AD MISSAM

1 *Gaudeamus omnes in domino.* PS. (32,1) *Exultate iusti.*
2 ℞ *Timete dominum.* ℣ *Inquirentes.*
3 *Alleluia.*
4 OF. *Sancti et iusti in domino gaudete, vos elegit deus in hereditatem. Mirabilis deus.*
5 COM. *Gaudete iusti in domino.*

---

171   3 *add.B*
172   3 *al.B* ‖ 5 dicit dns] *add.B*

---

173   Im Sextuplex nicht vorhanden; → B 447; 786.

174   Im Sextuplex nicht vorhanden, dafür fehlt im Graduale von B das Fest Caesarius (HESBERT, Sextuplex 161). → B 448; 787; 449-450 (Caesarius); cf. oben S. 60–62.

175 (43r) NAT. QUATTUOR CORONATORUM   K 162

1 *Intret in conspectu.* PS. (78,1) *Deus venerunt.*
2 ℞ *Vindica domine.* ℣ *Posuerunt.*
3 *Alleluia. Laetamini in domino.*
4 OF. *Anima nostra.*
5 COM. *Posuerunt mortalia.*

176 S. THEODORI   K 163

1 *In virtute tua domine.* PS. (20,4) *Quoniam prevenisti.*
2 ℞ *Domine prevenisti.* ℣ *Vitam petiit.*
3 *Alleluia. Iustus non conturbabitur.*
4 OF. *Gloria et honore.*
5 COM. *Posuisti domine.*

177 NAT. S. MENNE MART.   K 164

1 *Gloria et honore.* PS. (8,2) *Domine dominus noster.*
2 ℞ *Posuisti domine.* ℣ *Desiderium.*
3 *Alleluia. Beatus vir.*
4 OF. *Desiderium.*
5 COM. *Magna est gloria eius in salutari.*

178 NAT. S. MARTINI EPISCOPI

1 *Statuit ei dominus.* PS. (88,2) *Misericordias domini.*
2 ℞ *Iuravit dominus.* ℣ *Dixit dominus.*
3 *Alleluia. Iustus germinabit sicut.*
4 Alleluia. Martinus episcopus migravit a sęculo, vivit in Christo, Christo gemma sacerdotum.
5 OF. *Veritas mea et.*
6 COM. *Beatus servus quem.*

---

175   3 *al.B*
176   3, 5 *al.B*
177   1, 2, 3 *al.B*

---

178   Mz 164: «Nat. s. Martini»; K: «Nat. s. Mene et s. Martini»; Bl und Sl: «Nat. s. Mennae»; → B 454.
      4 Nachtrag Ende 11. Jh.; → B 211,25.

179   NAT. S. CECILIE VIRG.   K 165

1 *Loquebar de testimoniis.* PS. (118,1) *Beati inmaculati.*
2 ℟ Audi filia ... tuam. ℣ Specie[m] tua[m] et pulchritudine ... regna.
3 *Alleluia. Veni electa mea.*
4 OF. *Offerentur regi.*
5 COM. Confundantur superbi, quia iniuste iniquitatem.

180   S. CLEMENTIS EPISCOPI   K 166

1 Dicit dns sermones ... meo. PS. (101,2) *Domine exaudi* I.
2 ℟ *Iuravit dominus.* ℣ *Dixit dominus.*
3 *Alleluia. Posuisti domine.*
4 OF. *Veritas mea.*
5 COM. *Beatus servus.*

181   VIGILIA S. ANDREAE APOST.   K 168

1 Dns secus mare ... hominum. PS. (18,2) *Caeli enarrant.*
2 ℟ *In omnem terram.* ℣ *Caeli enarrant.*
3 OF. *Gloria et honore.*
4 COM. Venite post me ... dnm.

182   IN DIE AD MISSAM   K 169

1 *Michi autem nimis.* PS. (138,1) *Domine probasti me.*
2 ℟ *Nimis honorati sunt.* ℣ *Dinumerabo eos.*
3 Alleluia. Dilexit Andream dominus in odorem (43v) suavitatis.
4 OF. *Constitues eos.*
5 COM. Dicit Andreas Symoni ... Hiesum.

---

179   3 *al.B*
180   1 meo] tuo *B* ‖ 3 *al.B*
181   2 *al.B* ‖ 4 navi] patre *B*
182   2, 3, 4 *al.B*

---

180   Nach Clemens folgt in K 167: «Nat. s. Chrisogoni»; → 460.
      3 → 216,7.

183   PRO DEFUNCTIS

1 Requiem aeternam dona eis domine et lux perpetua luceat eis.
PS. (114,7) *(Convertere deus animam.*
2 ℞ *Requiem aeternam.* ℣ *Anime eorum in bonis.*
3 OF. Domine Iesu Christe, rex gloriȩ, libera animas fidelium
defunctorum de manu inferni et de profundo lacu. Libera eos de ore
leonis, ne absorbeat eas tartarus, ne cadant in obscura tenebrarum,
sed signifer sanctus Michahel archangelus represetet eas in lucem
sanctam, quam olim Abrahȩ promisisti et semini eius. ℣ Hostias et
preces tibi domine offerimus, tu suscipe pro animabus illis, quorum
hodie memoriam facimus, fac eas domine de morte transire ad
vitam. *Quam olim.*
4 COM. *Lux aeterna luceat eis domine cum sanctis tuis in aeternum, quia
pius es.*

184   DOMINICA I POST PENTECOSTEN   K 173

1 Dne in tua misericordia ... michi. PS. (12,1) *Usquequo domine.*
2 ℞ Ego dixi dne ... tibi. ℣ Beatus qui ... dns.
3 Alleluia. Verba mea auribus percipe domine, intellege clamorem
meum.
4 OF. *Intende voci.*
5 COM. *Narrabo omnia.*

185   DOMINICA II   K 174

1 Factus est dns ... me. PS. (17,2) *Diligam te.*
2 ℞ *Ad dominum dum tribularer.* ℣ *Domine libera animam meam.*

---

183   3 lacu] laci *B*
184   1 exultabit] exultavit *B*
185   2 cum] dum *B*

---

183   Im Sextuplex nicht vorhanden; cf. B 217 (Nachtrag Ende 11. Jh.): teilweise
verschiedene Requiem-Messe.

184   Die folgende Zählung der Sonntage «post Pentecosten» findet sich auch in
Mz, K und im Lekt. B 695–791; «post octavam Pentecosten» im Sakr. B
479–508; cf. die Liste bei HESBERT, Sextuplex, S. LXXXIII.

3 Alleluia. Domine deus meus in te speravi, salvum me fac ex omnibus persequentibus me et libera me.
4 OF. *Domine convertere et eripe.*
5 (44r) COM. Cantabo dno ... altissimi.

186   DOMINICA III POST PENTECOSTEN   K 175

1 Respice in me ... meus. PS. (24,1) *Ad te domine levavi.*
2 ℟ *Iacta cogitatum tuum.* ℣ *Dum clamarem.*
3 Alleluia. Deus iudex iustus, fortis et paciens, numquid irascetur per singulos dies.
4 OF. *Sperent in te omnes.*
5 COM. Ego clamavi ... mea.

187   DOMINICA IIII   K 176

1 Dns illuminatio ... ceciderunt. PS. (26,3) *Si consistant adversum me.*
2 ℟ *Propitius esto.* ℣ *Adiuva nos deus.*
3 Alleluia. Diligam te domine virtus mea, dominus firmamentum meum et refugium meum.
4 OF. *Inlumina oculos.*
5 COM. Dns firmamentum ... meus.

188   DOMINICA V   K 177

1 Exaudi dne ... meus. PS. (26,1) *Dominus inluminatio.*
2 ℟ *Protector noster.* ℣ *Domine deus virtutum.*
3 Alleluia. Domine in virtute tua letabitur rex et super salutare tuum exultabit vehementer.
4 OF. *Benedicam dominum.*
5 COM. Unam petii ... meae.

189   DOMINICA VI   K 178

1 Dns fortitudo plebis .. (44v) .. saeculum. PS. (27,1) *Ad te domine clamabo.*

---

189   1 salvum] fac *add.B*

2 ℟ *Convertere domine.* ℣ *Domine refugium.*
3 Alleluia. In te domine speravi, non confundar in aeternum, in tua iusticia libera me et eripe me, inclina ad me aurem tuam, accelera ut eripias me.
4 OF. *Perfice gressus meos.*
5 COM. Circuibo et immolabo ... dno.

190   DOMINICA VII   K 179

1 Omnes gentes plaudite ... exultacionis. PS. (46,4) *Subiecit populos.*
2 ℟ *Venite filii, audite me.* ℣ *Accedite ad [d]eum.*
3 *Alleluia. Omnes gentes plaudite.*
4 OF. Sicut in holocaustum arietum ... dne. ℣ Et nunc sequimur in toto corde et timemus te et querimus faciem tuam domine, ne confundas nos, sed fac nobis iuxta mansuetudinem tuam et secundum multitudinem misericordie tue. *Quia non est.*
5 COM. Inclina aurem ... nos.

191   DOMINICA VIII   K 180

1 *Suscepimus deus.* PS. (47,2) *Magnus dominus.*
2 ℟ *Esto michi in deum.* ℣ *Deus in te speravi.*
3 Alleluia. Te decet ymnus deus in Syon et tibi reddetur votum in Hierusalem. ℣ Replebimur in bonis domus tuae, sanctum est templum tuum, mirabile in equitate.
4 OF. *Populum humilem.*
5 COM. Gustate et videte ... eo.

192   DOMINICA VIIII   K 181

1 Ecce ds adiuva me ... dne. PS. (53,3) *Deus in nomine tuo.*
2 ℟ Dne dns nr ... universa (45r) terra. ⟨℣⟩ Quoniam elevata ... celos.
3 Alleluia. Adtendite popule meus in legem meam.
4 OF. *Iusticiae domini recte.*
5 COM. Primum querite ... dns.

---

190   1 PS. *al.B* ‖ 2 *al.B*
191   3 Hierusalem] salem *cum aliis neumis in marg.*
192   1 adiuvat] adiuva *B*

193   DOMINICA X POST PENTECOSTEN   K 182

1 Dum clamarem.
2 ℟ Custodi me. ℣ De vultu tuo.
3 OF. *Ad te domine levavi animam.*
4 COM. *Acceptabis sacrificium.*

194   DOMINICA XI POST PENTECOSTEN   K 183

1 Ds in loco sancto ... suae. PS. (67,2) *Exurgat deus.*
2 ℟ In deo speravit cor meum et adiutus sum et refloruit caro mea et
ex voluntate mea confitebor illi. ℣ *Ad te domine clamabo.*
3 OF. *Exaltabo te.*
4 COM. Honora dnm ... redundabunt.

195   DOMINICA XII POST PENTECOSTEN   K 184

1 *Deus in adiutorium.* PS. (69,4) *Avertantur.*
2 ℟ Benedicam dnm ... meo. ℣ In dno ... letentur.
3 OF. *Precatus est.*
4 COM. De fructu operum ... confirmet.

196   DOMINICA XIII   K 185

1 Respice dne in testamentum ... te. PS. (73,1) *Ut quid deus.*
2 ℟ *Respice domine.* ℣ *Exsurge domine.*
3 OF. *In te speravi domine.*
4 COM. Panem de caelo .. (45v) .. suavitatis.

197   DOMINICA XIIII POST PENTECOSTEN   K 186

1 Protector nr aspice ... milia. PS. (83,2) *Quam dilecta.*
2 ℟ *Bonum est confidere.* ℣ *Bonum est.*
3 OF. *Immittit angelus domini.*
4 COM. *Panis quem ego.*

---

193 *in marg.*: Exul
194 1 unianimes] unanimes *B* | plebi] plebis *B* ‖ 4 impleantur] impleatur *B* ‖ *in marg.*: Domine deus sa
195 4 confirmat] confirmet *B* ‖ *in marg.*: Domine refu
196 4 omnis saporis suavitatem] omnem saporem suavitatis *B* ‖ *in marg.*: Venite exul

198   DOMINICA XV POST PENTECOSTEN   K 187

1 Inclina dne aurem ... die. PS. (85,4) *Letifica animam.*
2 R/ *Bonum est confiteri.* ·Ẏ *Ad adnunciandum.*
3 OF. *Expectans.*
4 COM. *Qui manducat.*

199   DOMINICA XVI POST PENTECOSTEN   K 188

1 Miserere michi dne ... te. PS. (85,1) *Inclina domine.*
2 R/ *Timebunt gentes.* Ẏ *Quoniam aedificabit.*
3 OF. *Domine in auxilium.*
4 COM. *Domine memorabor.*

200   DOMINICA XVII   K 189

1 Iustus es dne ... tuam. PS. (118,1) *Beati inmaculati.*
2 GR. *Beata gens.* Ẏ *Verbo domini.*
3 OF. Oravi deum meum ... ds. Ẏ1 Adhuc me loquente et orante et
narrante peccata mea et delicta populi mei Israhel. Ẏ2 Audivi vocem
dicentem michi: Danihel, intellege verba, quae loquor tibi, quia ego
missus sum ad te, nam et Michahel venit in adiutorium meum. *Et
propitius.*
4 COM. Vovete et reddite ... terrae.

201   FERIA IIII MENSIS SEPT.   K 190

1 (46r) Exultate deo adiutori ... Iacob. PS. (80,6) *Testimonium in
Ioseph.*
2 R/ Quis sicut dns ... terra. Ẏ Suscitans a terra ... pauperem.
3 OF. *Meditabor in mandatis.*
4 COM. Comedite pinguia ... nra.

198   DOM. VX *B*
199   1 es] est *B*
200   2 al.*B*
201   1 PS. al.*B* ‖ *in marg.*: Propicius esto

202   FERIA VI   K 191

1 *Laetetur cor.* PS. (104,1) *Confitemini* I.
2 R/ *Convertere.* V *Domine refugium.*
3 OF. *Benedic anima.*
4 COM. Aufer a me obprobrium ... est.

203   SABBATO XII LECTIONES   K 192

1 Venite adoremus ... nr. PS. (94,7) *Nos autem populus eius.*
2 R/ *Laudate.*
3 OF. *Domine deus salutis.*
4 COM. Mense septimo ... vester.

204   DOMINICA XVIII POST PENTECOSTEN   K 193

1 Da pacem dne ... Israhel. PS. (114,1) *Dilexi quoniam.*
2 R/ Laetatus sum in his. V *Fiat pax.*
3 OF. Sanctificavit Moyses ... Israhel. V1 Locutus est dominus ad
Moysen dicens: Ascende ad me in montem Syna et stabis super
cacumen (46v) eius. Surgens Moyses ascendit in montem, ubi cons-
tituit ei deus et descendit ad eum dominus in nube et adstitit ante
faciem eius. Videns Moyses procidens adoravit dicens: Obsecro
domine, dimitte peccata populi tui. Et dixit ad eum dominus:
Faciam secundum verbum tuum. V2 Oravit Moyses dominum et
dixit: Si inveni gratiam in conspectu tuo, ostende michi teipsum
manifeste, ut videam te. Et locutus est ad eum dominus dicens: Non
enim videbit me homo et videre potest, sed esto super altitudinem
lapidis et protegam te dextera mea, donec pertranseam, dum per-
transiero, auferam manum meam et tunc videbis gloriam meam.
Facies autem mea non videbitur tibi, quia ego sum deus ostendens
mirabilia in terra. *Fecit sacrificium.*
4 COM. Tollite hostias ... eius.

---

203   1 PS. *al.B* ‖ 2 Lauda] Laudate *B*
204   1 PS. *al.B* ‖ 3 matutinum] vespertinum *B*

---

203   2 «Laudate» ist ein Tractus: cf. K, Sl 192.

204   3 Cf. oben S. 66 f.

205   DOMINICA XVIIII POST PENTECOSTEN   K 194

1 *Salus populi ego sum.* ps. (77,1) *Adtendite.*
2 ℞ *Dirigatur.* ℣ *Elevatio.*
3 of. *Si ambulavero.*
4 com. *Tu mandasti mandata tua.*

206   DOMINICA XX POST PENTECOSTEN   K 195

1 *Omnia quae fecisti.* ps. (118,1) *Beati immaculati.*
2 ℞ *Oculi omnium.* ℣ *Aperis tu manum.*
3 of. *Super flumina.*
4 com. *Memento verbi tui.*

207   DOMINICA XXI   K 196

1 In voluntate tua ... es. ps. (118,1) *Beati immaculati.*
2 ℞ Dne refugium ... progenie. ℣ Priusquam montes fierent ... ds.
3 of. Vir erat in terra .. (47r) .. vulneravit. ℣1 Utinam appenderentur peccata mea, utinam appenderentur peccata mea, quibus iram merui, quibus iram merui et calamitas et calamitas et calamitas, quam patior haec gravior appareret. ℣2 Quae est enim, que est enim, que est enim fortitudo mea, ut sustineam aut quis finis meus, ut pacienter agam ut finis meus, ut pacienter agam. ℣3 Numquid fortitudo lapidum est fortitudo mea aut caro mea enea est, aut caro mea enea est. ℣4 Quoniam, quoniam, quoniam non revertetur oculus meus ut videam bona, ut videam bona, ut videam bona, ut videam bona, ut videam bona, ut videam bona, ut videam bona, ut videam bona, ut videam bona.
4 com. In salutari tuo ... meus.

208   DOMINICA XXII   K 197

1 Si iniquitates observaberis ... Israhel. ps. (129,1) *De profundis clamavi.*

---

207 3 ℣2 pacienter *(1)*] pacientur *B* ‖ 4 animam meam] anima mea *B*
208 1 noster] Israhel *B*

2 ℞ *Ecce quam bonum.* ℣1 *Sicut unguentum.* ℣2 *Mandavit dominus.*
3 OF. Recordare mei dne ... conspectu principis. ℣ Everte cor eius ...
aeternum.
4 COM. Dico vobis gaudium ... agente.

209   DOMINICA XXIII   K 198

1 Dicit dns: (47v) Ego cogito ... locis. PS. (84,2) *Benedixisti.*
2 ℞ Liberasti nos ... confudisti. ℣ In deo laudabimur ... saecula.
3 OF. De profundis clamavi ... meam. ℣1 Fiant aures tuae intendentes
in oracionem servi tui. ℣2 Si iniquitates observaberis domine,
domine quis sustinebit.
4 COM. Amen dico vobis quicquid ... vobis.

210   OFFICIUM DE S. TRINITATE

1 Benedicta sit sancta trinitas atque indivisa unitas, confitebimur ei,
quia fecit nobiscum misericordiam suam. PS. *Benedictus dominus deus*
Israhel.
2 ℞ Benedictus es domine, qui intueris abyssos et sedes super Cherubim. ℣1 *Benedicite deum caeli et coram omnibus viventibus confitebimur*
domino, qui fecit nobiscum misericordiam suam. ⟨℣2⟩ Benedictus es in trono
regni tui et laudabilis in secula.
3 Alleluia. Benedictus es domine deus patrum nostrorum et laudabilis in saecula.
4 OF. Benedictus sit deus pater unigenitusquae dei filius, sanctus
quoque spiritus, quia fecit nobiscum misericordiam suam. ℣ Benedicamus patrem et filium cum sancto spiritu, laudemus et superexul-
temus eum in sęcula.
5 COM. Benedicite deum caeli et coram omnibus viventibus confitebimur ei, quia fecit nobiscum misericordiam suam.

211   ⟨ALLELUIA⟩ DOMINICIS DIEBUS   K, C 199

1 Alleluia. Exultate deo adiutori nostro, iubilate deo Jacob, sumite
psalmum iocundum cum cithara.

---

210 Ähnlich nur im Graduale von Senlis (HESBERT, Sextuplex 172bis).
    2 ℣ 2 Nachtrag Ende 11. Jh.

2 Alleluia. (48r) Domine deus salutis meae in die clamavi et nocte coram te.

3 Alleluia. Domine refugium factus es nobis a generatione et progenie.

4 Alleluia. Venite exultemus domino, iubilemus deo salutari nostro, preoccupemus faciem eius in confessione et in psalmis iubilemus deo.

5 Alleluia. Quoniam deus magnus dominus et rex magnus super omnem terram.

6 Alleluia. Confitemini domino et invocate nomen eius, adnunciate inter gentes opera eius.

7 *Alleluia. Confiteantur domino misericordiae eius et mirabilia eius filiis hominum.*

8 Alleluia. Paratum cor meum deus, paratum cor meum, cantabo et psalmum dicam in gloria mea.

9 Alleluia. Redemptionem misit dominus in populo suo.

10 Alleluia. In exitu Israhel de Aegypto domus Jacob de populo bar⟨bar⟩o facta est Iudea sanctificatio eius Israhel potestas eius.

11 Alleluia. Dilexi quoniam exaudivit dominus vocem meam.

12 Alleluia. Qui timent dominum, sperent in eum, adiutor et protector eorum est.

13 Alleluia. Laudate dominum omnes gentes et conlaudate eum omnes populi.

14 Alleluia. Dextera dei fecit virtutem, dextera domini exaltavit me.

15 *Alleluia. Qui confidunt in domino sicut mons Syon, non commovebitur in aeternum, qui habitat in Hierusalem.*

16 Alleluia. De profundis clamavi ad te domine, domine exaudi vocem meam.

17 Alleluia. Confitebor tibi domine in toto corde meo et in conspectu angelorum psallam tibi coram te.

18 *Alleluia. Voce mea ad dominum clamavi, voce mea ad dominum deprecatus sum.*

19 (48v) Alleluia. Qui sanat contritos corde et alligat contriciones eorum.

20 Alleluia. Lauda anima mea dominum, laudabo dominum in vita mea, psallam deo meo quamdiu ero.

21 Alleluia. Lauda Hierusalem dominum, lauda deum tuum Syon.

22 Alleluia. Qui posuit fines tuos pacem et adipe frumenti saciat te.

23 Alleluia. Iustus ut palma florebit et sicut cedrus multiplicabitur.

24 Alleluia. Iuravit dominus et non penitebit eum, tu es sacerdos in aeternum secundum ordinem Melchisedch.

25 *Alleluia. Sancte Martine, qui in caelis letaris cum angelis, intercede pro nobis, ut mereamur domino reddere hostiam laudis.*

26 Alleluia. Maria hec est illa, cui dimisisti multum domine Iesu Christe, quia te dilexit vehementer.

212   ANTIPHONAE IN LAETANIA MAIORE   C 201

1 ⟨ANT.⟩ Ego sum ds patrum ... eos. Alleluia. Alleluia.

2 ANT. Populus Syon convertimini ... nr. Alleluia.

3 ANT. Dne ds nr ... nos. Alleluia.

4 ANT. Confitemini dno filii Israhel ... eius. Alleluia.

5 ANT. Exclamemus omnes ... nos. Alleluia.

6 ANT. Parce dne .. (49r) .. *nobis. Alleluia. Alleluia.*

7 ANT. *Dne inminuti ... te. Alleluia. Alleluia.*

8 ANT. *Iniquitates nrae ... tuam.*

213   ⟨ANTIPHONAE DE QUACUMQUE TRIBULATIONE⟩   C 202

1 ANT. *Dne non est alius ... bonitatem.*

2 ANT. *Exaudi dne deprecationem ... nr. Alleluia.*

3 ANT. *Miserere dne plebis ... tuorum.*

---

212   Ant. 2 nostrum] vestrum *B* | inveniat] inveniant *B* || Ant. 3 liberas] liberasti nos *B* || Ant. 6 dne *(2) om.B* || Ant. 7 = C 8 nobiscum] secundum *add.B* | et secundum multitudinem] quia non est *B* || Ant. 8 = C 7 super *(2)]* nos *add.B.*

213   Ant. 1 malitia] maliciam *B* || Ant. 2 Alleluia *add.B*

---

211   Cf. HESBERT, Sextuplex 199 und oben S. 64–66.
25 «L'Alleluia de s. Martin est un centon employé pour divers saints (Benoît par ex.); on trouve «Martine» dans un ms. et un imprimé de Bourges du XVᵉ s., un autre de la fin du XIIᵉ s. de la région toulousaine conservé à Madrid (Pal. Nac. 429)»; freundliche Mitteilung von P. François Huot OSB, auf Grund der Angaben im Fonds Beyssac, Bouveret/VS.
26 Nachtrag Ende 11. Jh.; cf. oben S. 68.

212   Oben S. 69f.

4 ANT. *Dimitte dne peccata ... terra.*

5 ANT. *Exaudi deus deprecationem ... dne.*

6 ANT. *Deprecamur te dne ... peccavimus.*

7 ANT. *Inclina dne aurem ..* (49v) *.. nos. Alleluia.*

8 ANT. *Multa sunt dne peccata ... nrae.*

9 ANT. *Peccavimus dne ... nobis. Alleluia.*

10 ANT. *Invocantes dnm ... suae. Alleluia.*

11 ANT. *Dimitte nobis domine debita nostra, sicut et nos dimittimus debitoribus nostris et ne nos inducas in temptationem, sed libera nos a malo.*

12 ANT. Timor et tremor venit in Ninivem civitatem magnam, per quem scelerate plebi indicet ieiunium et luctuosa turba induitur cilicio. Contigit autem et regem nobilem de solio suo descendere, ut esset humilior cunctis lugentibus et precipit per universum regnum: Omnes viri et sexus femineus non gustent quicquam, bos et peccora non pascantur herbis terre, pueri et vituli non sugant matris ubera, sed clament ad deum in fortitudine ternis diebus, ne periclitemur ut Sodoma, sed tu deus omnipotens misericors et miserator misertus es miseris. Nos sumus opera tua, quos dedisti filio tuo in hereditatem sibi. Noli claudere aurem tuam a preces nostras *(sic)*, sed [xaudi] clemens afflictionem populi illud revolve, quod nobis pollicitus es dicens: Convertimini ad me et ego revertar ad vos. Alleluia.

13 ANT. *Cum iocunditate exibitis et cum gaudio deducemimi, nam et montes et colles exilient expectantes vos cum gaudio. Alleluia.*

214   AD PLUVIAM POSTULANDAM   C 204

1 ANT. *Dne rex ds Abraham ... nr.*

2 ANT. *Numquid est in idolis ..*(50r) *.. pluviam.*

3 ANT. *De Hierusalem exeunt reliquie ... eius. Alleluia.*

---

213   Ant. 4 universae terrae] universa terra *B* ‖ Ant. 5 laudemus] benedicamus *B* ‖ Ant. 6 = C 8 deprecamus] deprecamur *B* | tuus] et ira tua *add.B* ‖ Ant. 7 = C 9 dne (2)] propitiare dne *add.B* ‖ Ant. 8 = C 10 ‖ Ant. 9 = C 11 | Alleluia *add.B* ‖ Ant. 10 = C 12 | Alleluia *add.B*

214   Ant. 2 = C 3 ‖ Ant. 3 = C 212, 3 | civitati] populo *B* | servum] famulum *B*

---

213   Oben S. 69 f.

214   Oben S. 69 f.; → B 151,3; 164,3; 180,3 (Eusebius, Nicodemus, Clemens).

4 ANT. *Oremus dilectissimi nobis deum patrem omnipotentem, ut cunctis mundum purget erroribus, morbos auferat, famem repellat, aperiat carceres, vincla dissolvat, peregrinantibus reditum, infirmantibus sanitatem, navigantibus portum salutis indulgeat et pacem tribuat in diebus nostris insurgentesque repellat inimicos et de manu inferni liberet nos propter nomen suum.*

5 ANT. *Omnipotens deus mestorum consolatio, laborantium fortitudo, perveniant ad te preces de quacumque tribulacione clamantium, ut omnes sibi in necessitatibus suis misericordiam tuam gaudeant adfuisse. Alleluia.*

215   ANTIPHONAE IN DIE SANCTO PASCHAE AD PROCESSIONEM

1 ⟨ANT.⟩ In die resurrectionis meae dicit dominus: Alleluia, congregabo gentes et colligam regna et effundam super nos aquam mundam. Alleluia.

2 ANT. Vidi aquam egredientem de templo a latere dextro. Alleluia. Et omnes ad quos pervenit aqua ista, salvi facti sunt et dicent: Alleluia. Alleluia.

3 ANT. Sedit angelus ad sepulcrum domini stola claritatis coopertus. Videntes eum mulieres nimio terrore perterrite substiterunt a longe. Tunc locutus est angelus et dixit eis: Nolite metuere, dico vobis, quia illum quem queritis mortuum, iam vivit et vita hominum cum eo surrexit. Alleluia. ℣ Crucifixum in carne laudate et sepultum propter nos glorificate resurgentemque a morte adorate. *Nolite.*

4 ANT. *Christus resurgens ex mortuis iam non moritur, mors illi ultra non dominabitur, quod enim vivit, vivit deo. Alleluia. Alleluia.*   cf. C 83,5

5 ANT. Cum rex gloriae Christus infernum debellaturus intraret et chorus angelicus ante faciem eius portas principum tolli preciperet sanctorum populus qui tenebatur in morte captivus, voce lacrima(50v)bili clamaverat: Advenisti desiderabilis, quem expectabamus in tenebris, ut educeres hac nocte vinculatos de claustris, te nostra vocabant suspiria, te larga requirebant lamenta, tu factus es spes desperatis, magna consolatio in tormentis. Alleluia.

---

214   4 → B 325,11 (= D 348: bis zu den Worten «portum salutis indulgeat» identisch mit dem 11. Gebet der orationes maiores des Karfreitags).

215   4 moritur alleluia] moritur *B*

6 ANT. *Christe qui regnas in caelis et sedes ad deteram patris et habitas super angelos et archangelos, thronos et dominationes et apostoli tui te laudant et martires tibi ymnum cantant et confessores in paradiso voces concordant et dicunt: O beati omnes, qui gloriam deo dicunt et habitant cum eo in pace, quia omnes qui propter deum laboraverunt in terris, illos perducit ad caelestia regna. Nos autem oportet te laudare et benedicere, quia tu nos de terris ad caelos vocare dignatus es. Alleluia.*

216 ⟨VERSUS ALLELUIATICI⟩

1 *Alleluia. Caeli enarrant gloriam dei et opera manuum eius adnuntiat firmamentum.*
2 *Alleluia. Nimis honorati sunt amici tui deus, nimis confortatus est principatus eorum.*
3 *Alleluia. Vox exultationis et salutis in tabernaculis iustorum.*
4 *Alleluia. Exultent iusti in conspectu dei, delectentur in laeticia.*
5 *Alleluia. Egregia sponsa Christi implora pro nobis ad dominum Hiesum Christum.*
6 *Alleluia. Veni sancte spiritus, reple tuorum corda fidelium et tui amoris in eis ignem accende.*
7 Alleluia. Posuisti domine super caput eius coronam de lapide precioso.

217 ⟨MISSA DE REQUIEM⟩

1 Requiem ęternam dona eis domine et lux perpetua luceat eis. ⟨PS.⟩ (111,7) In memoria.
2 GRAD. Requiem ęternam dona eis domine et lux perpetua luceat eis. ℣ Convertere animam meam in requiem tuam, quia dominus benefecit tibi.
3 ⟨PS.⟩ (129,1–4') De profundis clamavi ad te domine, domine exaudi vocem meam. Fiant aures tuę intendentes in orationem servi tui. Si iniquitates observaberis domine, domine quis sustinebit. Quia apud te propiciatio est et propter legem tuam sustinui te domine.
4 OF. In spiritu humilitatis et in animo contrito suscipiamur domine ad te et sic fiat sacrificium nostrum, ut a te suscipiatur hodie, ut placeat tibi domine deus.

---

216 Oben S. 68f.
    6 → B 704,12: Samstag der Pfingstquatember (Nachtrag 12. Jh.).
    7 → B 151,3; 180,3.

217 Nachtrag Ende 11. Jh.; → B 183.

5 Domine Iesu Christe rex gloriae libera animas omnium fidelium defunctorum de
manu inferni et de profundo lacu, libera eas de ore leonis, ne absorbeat eas tartarus,
ne cadant in obscura, sed signifer sanctus Michahel representet eas in lucem sanctam, quam olim Abrahę promisisti et semini eius. ⟨Ѵ̃1⟩ Hostias et preces quas tibi
domine offerimus, tu suscipe pro animabus illis, quarum hodie memoriam agimus,
fac eas domine de morte transire ad vitam ęternam. ⟨Ѵ̃2⟩ Redemptor animarum
(51r) omnium christianorum mitte archangelum sanctum Michahelem, ut ille
dignetur eas redimere de regionibus tenebrarum et perducat eas in sinum Abrahę in
lucem sempiternam. *Quam.*
6 com. Tuam deus te poscimus pietatem, ut eis tribuere digneris lucidas et quietas
mansiones.

218   ⟨CANTICUM BENEDICTUS⟩

Benedictus es domine deus patrum nostrorum. Et laudabilis et gloriosus in secula.
Et benedictum nomen glorię tuę, quod est sanctum. Et laudabile. Benedictus es in
templo sancto glorię tuę. Et laudabilis. Benedictus es super thronum sanctum regni
tui. Et laudabilis. Benedictus es, qui sedes super Cherubin intuens abyssos. Et
laudabilis. Benedictus es super sceptrum divinitatis tuę. Et laudabilis. Benedictus es,
qui ambulas super pennas ventorum. Et laudabilis. Benedicant te omnes angeli et
sancti tui. Laudabile. Benedicant te cęli, terra mare et omnia, quę in eis sunt.
Laudabile. Gloria patri et filio et spiritui sancto. Laudabili et glorioso. Sicut erat in
principio et nunc et semper et in secula seculorum. Amen. Laudabilis.

219   ⟨VERSUS⟩

⟨Ѵ̃⟩1 Audi filia et vide et inclina aurem tuam, quoniam concupivit rex speciem
tuam.   K 165
Ѵ̃2 Vultum tuum deprecabuntur omnes divites plebis filię regum in honore tuo.
                                                                        cf. K 28
Ѵ̃3 Adducentur regi virgines post eam, proxime eius offerentur tibi.   cf. K 28
Ѵ̃4 Adducentur in lętitia et exaltatione, adducentur in templum regis. cf. K 28

220   ⟨VERSUS ALLELUIATICI⟩

1 Alleluia. Lętamini in domino et exultate iusti et gloriamini omnes recti
corde.   cf. C 24

---

219   1 quia] quoniam *B*

---

218 Nachtrag Ende 11. Jh.

219 Nachtrag 12. Jh.

220 Nachtrag 12. Jh.

2 Alleluia. Os iusti meditabitur sapientiam et lingua eius loquetur iudicium.

cf. C 20

3 (51v) Alleluia. Isti sunt, qui venerunt ex magna tribulatione et laverunt stolas suas et dealbaverunt eas in sanguine agni.

4 Alleluia. Omnis gloria eius filię regis ab intus in fimbriis aureis.

5 Alleluia. Loquebar domine de testimoniis tuis in conspectu regum et non confundebar.

cf. C 23

6 Alleluia. Sancti et iusti in domino gaudete, vos elegit deus in hereditatem sibi.

7 Alleluia. Fulgebunt iusti et tamquam scintillę in harundineto discurrent in ęter-num.

C 99

8 Alleluia. Non vos me elegistis, sed ego vos elegi et posui vos, ut eatis et fructum afferatis et fructus vester maneat.

9 Alleluia. Iudicant sancti nationes et dominantur populis et regnabit illorum rex in ęternum.

cf. C 124

221 ⟨SEQUENTIA DE S. TRINITATE⟩

Benedicta semper sancta sit trinitas ... gloria.   AH 53, Nr. 81, S. 139s.

---

221 10 infima] infimus *B* ‖ 14 omnes *om.B* | excelso] excelsis *B*

---

221 Nachtrag 12./13. Jh.

II. KALENDARIUM
MARTYROLOGIUM

ZU BEACHTEN

Nichtkursive Schrift	Hand A
Kursive Schrift	Hand B
Majuskeln (ausser Initialen bei Namen)	im Codex mit roter Tinte (oft bis zur Unlesbarkeit verblasst)
Θ	Sigle für Dies Aegyptiacus
*	verweist auf ADD. im Apparat

222   (52ra) INCIPIT MARTYROLOGIUM PER CIRCULUM ANNI

Iani prima dies et septima ⟨*a*⟩ *fine timetur*[1]
IANUARIUS HABET DIES XXXI, LUNA XXX
Principium Iani sancit tropicus cap⟨r⟩icornus[2]

1	*III*	A	KL. IAN.		Oct. domini
2		b	IIII	NON.	Θ Oct. s. Stephani
3	*XI*	c	III		Oct. s. Iohanni⟨s⟩
4		d	II		Oct. Innocentum
5	*XIX*	e	NONAS[a]		DIES AEGYPTIACUS
6	*VIII*	f	VIII	ID.	Epiphania domini
7		g	VII		*Erhardi conf.*
8	*XVI*	A	VI		*Anastasii et Maximiani m.*
9	*V*	b	V		*Epictaci et Iocundi*
10		c	IIII		Nat.Pauli primi heremite
11	*XIII*	d	III		EDUCTIO[b] CHRISTI DE AEGYPTO
12	*II*	e	II		*Zotici m.et Quiriaci*
13		f	IDUS		Hilarii conf., oct. Theophanie
14	*X*	g	XVIIII	KL. FEB.	Nat.Felicis conf.
15		A	XVIII		
16	*XVIII*	b	XVII		Rome Marcelli pp.et m. *
17	*VII*	c	XVI		Sulpici ep.
18		d	XV		SOL IN AQUARIUM. Nat. Priscę v.
19	*XV*	e	XIIII		Marii[c] et Marthe
20	*IIII*	f	XIII		Fabiani et Sebastiani
21		g	XII		Agnetis v. et m.
22	*XII*	A	XI		s.Vincenti et Anastasi
23	*I*	b	X		Nat. Emerentiane v.
24		c	VIIII		Timothei ap.
25	*VIIII*	d	VIII		Θ Conversio Pauli Dam.
26		e	VII		*Policarpi ep.*
27	*XVII*	f	VI		*Iohannis Chrisostomi*
28	*VI*	g	V		Oct.Agnetis v.
29		A	IIII		*Valerii ep. et conf.*
30	*XIIII*	b	III		Adelgundis v.
31	*III*	c	II		

---

* ADD.:16: Lûtholdus ep. ⟨Basileensis⟩

[a] VIIII *B*   [b] Eauctio *B*   [c] *korr. aus* Marię
[1] Vgl. oben S. 72 Anm. 6.
[2] Vgl. oben S. 72 Anm. 4.

(52rb) *Ast Februi quarta est, precedit tertia finem*
FEBRUARIUS HABET DIES XXVIII ⟨LUNA XXVIIII⟩, /
IN BISEXTILI ANNO DIES XXVIIII, LUNA XXX / ⟨...⟩
Mense Numae in medio solidi stat sydus aquarii

1		d	KL. FEB.		Policarpi pp., Brigidę v.
2	XI	e	IIII	NON.	Purificatio s. Mariae
3	XIX	f	III		Blasii ep. et m.
4	VIII	g	II		FIDICULA VESPERE OCCIDIT
5		A	NONAS		Agathae v. et m.
6	XVI	b	VIII		ϴ HIC ACCENDITUR LUNA, XL PRIMUM. Vedasti conf.
7	V	c	VII		VERIS INICIUM, HABET DIES XCI. TER⟨...⟩ SECUNDUM GRECOS.
8		d	VI		INICIUM XL. ORTUS VI⟨R⟩GILIARUM MERIDIE,
9	XIII	e	V		OCCASUS ⟨MEDIA⟩ NOCTĘ
10	II	f	IIII		Scolasticae v. *
11		g	III		*Desiderii ep.*
12	X	A	II		*Damiani m.*
13		b	IDUS		
14	XVIII	c	XVI	KL. MAR.	Valentini pr., Felicule, Vitalis, Zenonis
15	VII	d	XV		SOL IN PISCES. Faustini et Iovittę m.
16		e	XIIII		s. Iulianę *
17	XV	f	XIII		s. Pimenii *
18	IIII	g	XII		*Chrisanti m.* *
19		A	XI		*Publii conf.*
20	XII	b	X		*Gaii ep.et m.*
21	I	c	VIIII		
22		d	VIII		Cathedra s. Petri
23	VIIII	e	VII		
24		f	VI		LOCUS BISSEXTI. Mathiae ap.
25	XVII	g	V		*Alexandri ep.* *
26	VI	A	IIII		ϴ
27		b	III		*Leandri ep.*
28	XIIII	c	II		

---

*ADD.: 10: Roocelinus l.(?) ob.
       16: Ob. Ulricus de Mûlwilre et Agnes uxor su⟨.../⟩ dert(?) casale apud s.⟨...⟩ / m(artirem?) datur in festo s. / librum / IIII per tempore.
      17: Leo l.(?) ob.
      18: Ob. Ulricus Mucowilre, *gestrichen*
      25: Mastil ob.

Martis prima necat, cuius sub cuspide quarta ⟨est⟩
MARTIUS HABET DIES XXXI, LUNA ⟨XXX⟩ / CĘLI IEIUNII EBD.
Procedunt duplices in martia tempora pisces·

1	*III*	d	KL. MAR.		Donati m., Albini[a] ep.
2		e	VI	NON.	Θ *Lucii ep.*
3	*XI*	f	V		*Fortunati ep.* * (52va)
4		g	IIII		Adriani m. cum sociis suis *
5	*XIX*	A	III		HIC ACCENDITUR VII EMBOLISMUS EN-DEC⟨AD⟩EM
6	*VIII*	b	II		HIC ACCENDITUR ULTIMUS EMBOLISMUS ⟨OGDOADIS (?)...⟩
7		c	NONAS		Perpetuę v. et Felicitatis
8	*XVI*	d	VIII	ID.	PRIMA INCENSIO LUNĘ PASCHALIS
9	*V*	e	VII		IIII ANNUS INCIPIT
10		f	VI		In Bobio Attalę conf.
11	*XIII*	g	V		*Eracli et Zozimi*
12	*II*	A	IIII		III ANNUS INCIPIT. Depositio s. Gregorii pp·
13		b	III		*Macedonii pr.*
14	*X*	c	II		FINIS QUADRAGESIME *
15		d	IDUS		*Longini et Lucii*
16	*XVIII*	e	XVII	KL. APR.	*Ciriaci diac.*
17	*VII*	f	XVI		VIII ANNUS INCIPIT. Patricii ep.
18		g	XV		PRIMUS DIES SAECULI. SOL IN ARIETEM
19	*XV*	A	XIIII		*Theodori pr.*
20	*IIII*	b	XIII		V ANNUS INCIPIT. Cuntperti ep.
21		c	XII		EQUINOCTIUM VERNALE. Benedicti abb.
22	*XII*	d	XI		SEDES EPACTARUM
23	*I*	e	X		II ANNUS INCIPIT
24		f	VIIII		LOCUS CONCURRENTIUM
25	*IIII*	g	VIII		Annuntiatio s. Mariae. *Crucifixio dei*
26		A	VII		
27	*XVI*	b	VI		Resurrectio domini
28	*VI*	c	V		
29		d	IIII		*Nazanzeni conf.*
30	*XIIII*	e	III		
31	*III*	f	II		NOX HORARUM XIII, D⟨IES XVIIII⟩

---

*ADD.:   3: Ob. ⟨...⟩
4: Ob. Henricus plebanus huius ecclesie
14: *Zeizwib*

[a] *corr. ex* Albani

Aprilis decima et^a undena^b a fine minantur

APRILIS HABET DIES XXX, LUNA XXVIIII

Respicis aprilis aries Frixeae kalendas

1		g	KL. APR.		
2	XI	A	IIII	NON.	*Nicetii ep. et conf.*
3		b	III		
4	XIX	c	II		⟨...⟩ INCIPIT. Mediolanis Ambrosii ep.
5	VIII	d	NONAS		ULTIMA INCENSIO LUNĘ PASCHALIS
6	XVI	e	VIII	ID.	VIIII ANNUS INCIPIT. *Celestini ep.* (52vb)
7	V	f	VII		
8		g	VI		*Macharii m.*
9	XIII	A	V		*Marię egyptiacę*
10	II	b	IIII		Θ *Apollonii pr., Ezechielis proph.*
11		c	III		*Hilarii, Leonis pp.*
12	X	d	II		*Carpi ep., Iulii ep.*
13		e	IDUS		*Eufemię v.*
14	XVIII	f	XVIII	KL. MAII	Tiburtii et Valeriani et Maximi m.
15	VII	g	XVII		*Olimpiadis m.*
16		A	XVI		*Calisti m.*
17	XV	b	XV		SOL IN TAURUM. *Petri diac.*
18	IIII	c	XIIII		ULTIMA DIES XIIII LUNĘ PASCHALIS. *Eleutherii ep.*
19		d	XIII		*Antonii conf.*
20	XII	e	XII		Θ *Senesii m., Victoris ep.*
21	I	f	XI		*Sotheris pp., Maximi m.*
22		g	X		*Gai pp. et XXVIIII*
23	VIIII	A	VIIII		Georgii m. et Adalberti m.
24		b	VIII		*Melliti ep.*
25	XVII	c	VII		ULTIMA PASCHA. Marci ev.
26	VI	d	VI		*Marcellini pp., Cleti, XXX*
27		e	V		INGRESSUS NOAE IN ARCHAM
28	XIIII	f	IIII		Vitalis m.
29	III	g	III		*Cleti pp., Germani pr.*
30		A	II		NOX HORARUM X, DIES XIIII

---

^a est *B*　　^b undeno *B*

Maius tertius est lupus atque septimus anguis
MAIUS HABET DIES XXXI, LUNA XXX
Maius[a] Agenorei minatur cornua tauri

1	XI	b	KL. MAII	P⟨h⟩ilippi et Iacobi et Waldpurgae v. et s. Sigismundi regis
2		c	VI NON.	*Waltperti m.*
3	XIX	d	V	Inventio s. Crucis. Alexandri et sociorum eius
4	VIII	e	IIII	ϴ UMBRA ASSUMITUR IN MERO[R]E
5		f	III	ASCENSIO DOMINI. *Nicetii ep.*
6	XVI	g	II	Iohannis ante Portam Latinam
7	V	A	NONAS	*Iuvenalis m.*
8		b	VIII ID.	ORTUS VIRGILIARUM MATUTINUS Mediol. Victoris m.
9	XIII	c	VII	⟨AESTATIS INI⟩TIUM, HABET DIES XC. *Cu ⟨...⟩ Macharii abb.*
10	II	d	VI	Romae Gordiani et Epimachi (53ra)
11		e	V	*Anthemi m., Mammerti ep.*
12	X	f	IIII	Pancratii, Nerei et Achillei m.
13		g	III	Gangulfi m., Servatii ep., *Marie ad Martyres*
14	XVIII	A	II	Pachomii abb., Victoris, Coronae m.
15	VII	b	IDUS	PRIMUM PENTECOSTEN. *Timothei m.*
16		c	XVII KL. IUN.	*Aquilini*
17	XV	d	XVI	*Heraclii*
18	IIII	e	XV	SOL IN GEMINOS. *Dioscori*
19		f	XIIII	Potentianę v. *
20	XII	g	XIII	Valentis m., *Basillę v.*
21	I	A	XII	*Thimothei diac., Valentis m.*
22		b	XI	AESTAS ORITUR. *Iulię v.*
23	VIIII	c	X	Desiderii ep. et m.
24		d	VIIII	*Donatiani m. et Effrem ep.*
25	XVII	e	VIII	ϴ Urbani pp.
26	VI	f	VII	Augustini ep.
27		g	VI	*Iulii m. et (...)*
28	XIIII	A	V	Germani conf., *Iohannis pp.*
29	III	b	IIII	Maximini ep.
30		c	III	*Felicis pp. et XXVI*
31	XI	d	II	Petronellę v., Marcelli et Exsuperantii diac.

---

*ADD.: 19: Theodericus pr. ob.

a Maio *B.*

Iunius in decimo quindeno a fine salutat
IUNIUS HABET DIES XXX, LUNA XXVIII (...)
Iunius aequatos caelo videt ire Laconas

1		e	KL. IUN.		Nicomedis m.
2	*XIX*	f	IIII	NON.	Marcellini[a] pr. et Petri exorciste
3	*VIII*	g	III		*Marcelli m. et CCCC-torum m.* *
4	*XVI*	A	II		Cirini m. *et CC-torum m.*
5	*V*	b	NONAS		Bonifacii ep. cum aliis XII
6		c	VIII	ID.	*Lucii m. et Saturnini ep.*
7	*XIII*	d	VII		*Fortunatiani, Luciani m.*
8	*II*	e	VI		Medardi ep.
9		f	V		Primi et Feliciani, Columbae abb.
10	*X*	g	IIII		*Rogati et aliorum XV*
11		A	III		Ө Barnabae ap.
12	*XVIII*	b	II		Basilidis, Cirini, Naboris et Nazarii
13	*VII*	c	IDUS		*Luciani et Fortunatiani* (53rb)
14		d	XVIII	KL. IUL.	Valerii, Rufini
15	*XV*	e	XVII		Victi, Modesti et Crescentiae
16	*IIII*	f	XVI		Aurei et Iustinae
17		g	XV		Ө SOL IN CANCERUM. *Aviti pr.*
18	*XII*	A	XIIII		Marci et Marcelliani m.
19	*I*	b	XIII		Gervasii et Protasii
20		c	XII		SOLSTICIUM SECUNDUM GRECO- RUM *(sic)*. *Vitalis m., Pauli et Cyriaci*
21	*VIIII*	d	XI		Albani m.
22		e	X		Paulini. m., *Albini m.*
23	*XVII*	f	VIIII		Vig. s. Iohannis Baptistae
24	*VI*	g	VIII		Nat. s. Iohannis Baptistae
25		A	VII		*Sosipatris discipuli s. Pauli*
26	*XIIII*	b	VI		Iohannis et Pauli
27	*(III)*	c	V		*VII Germanorum, Chrispini m.*
28		d	IIII		Vig. ap. Petri et Pauli, Leonis pp.
29	*XI*	e	III		ss. Petri et Pauli
30		f	II		NOX HORARUM VI, DIES XVIII s. Pauli

---

* ADD.:   3: Herasmi m.

[a] *korr. aus* Marcelli

Tredecimus Iulii decimo innuit ante kalendas
IULIUS HABET DIES XXXI, LUNE XXX
Solstitio ardentis cancri fert iulius astrum

1	*XVIIII*	g	KL. IUL.	*Gai ep., Aaron proph.*
2	*VIII*	A	VI NON.	Processi et Martiani, Monegundę v. *
3		b	V	*Cirilli ep., Transl. s.Thome ap.*
4	*XVI*	c	IIII	Odalrici ep. *et ordinatio s. Martini ep.*
5	*V*	d	III	
6		e	II	Oct. Apostolorum. *Goaris conf.*
7	*XIII*	f	NONAS	*Eraclii m.*
8	*II*	g	VIII ID.	*Kiliani m. et sociorum eius*
9		A	VII	*Anatholię v.*
10	*X*	b	VI	Septem Fratrum filiorum Felicitatis
11		c	V	Transl. s. Benedicti abb.
12	*XVIII*	d	IIII	
13	*VII*	e	III	Θ *Serapionis m.*
14		f	II	DIES CANICULARES
				Iusti et Amati epp.
15	*XV*	g	IDUS	*Nat. s. Margarethę v.*
16	*IIII*	A	XVII KL. AUG.	
17		b	XVI	*Marcelli conf.* (53va)
18	*XII*	c	XV	SOL IN LEONEM *
19	*I*	d	XIIII	Christinae v.
20		e	XIII	*Luciani et Petri m.*
21	*VIIII*	f	XII	Θ Praxedis v. *et Arbogasti conf.*
22		g	XI	*Marię Magdalenę*
23	*XVII*	A	X	Appollinaris m.
24	*VI*	b	VIIII	*Christine v. et Glodesinde v.*
25		c	VIII	s. Iacobi ap. et s. Christofori m.
26	*XIIII*	d	VII	*Ioviani et Iuliani m.*
27	*III*	e	VI	*Symeonis mon.*
28		f	V	*Pantaleonis m.*
29	*XI*	g	IIII	Felicis, Simplicii, Faustini et Beatricis
30	*XVIIII*	A	III	Abdon et Sennes
31		b	II	NOX HORARUM VIII, DIES XVI

---

*ADD.: 18: Berwarduus pr. ob.

Am untern Rand: Si protuit(?) in festo Processi et Martiani XL dies
continare solet / hoc intellige sic si non ⟨...⟩ hic ⟨...⟩ illic.

Augusti nepa prima, fugat de fine secunda
AUGUSTUS HABET DIES XXXI, LUNE XXVIIII
Augustum mensem leo fervidus igne perurit

1	*VIII*	c	KL. AUG.		Ө Vincula s. Petri, Septem Fratrum Machabaeorum
2	*XVI*	d	IIII	NON.	SEXTA LUNA EMBOLISMA. Stephani pp.
3	*V*	e	III		Inventio corporis s. Stephani prothom.
4		f	II		Iustini conf.
5	*XIII*	g	NONAS		*Oswaldi regis*
6	*II*	A	VIII	ID.	Xysti ep., Felicissimi et Agapiti
7		b	VII		AUTUMNI INITIUM, HABET DIES XCI. Afrae m., *Donati ep.*
8	*X*	c	VI		Cyriaci, Secundi
9		d	V		Vig. s. Laurentii, *Romani m.*
10	*XVIII*	e	IIII		Nat. s. Laurentii
11	*VII*	f	III		Tiburtii m., Susanne v., Radegundae regine
12		g	II		*Eupli diac.*
13	*XV*	A	IDUS		Yppoliti m., Concordię cum aliis XVIII
14	*IIII*	b	XVIIII	KL. SEP.	Eusebii pr.
15		c	XVIII		Assumptio s. Mariae
16	*XII*	d	XVII		*Arnolfi conf.*
17	*I*	e	XVI		Oct. s. Laurentii, Mammetis m.
18		f	XV		SOL IN VIRGINEM Agabiti m., Helenae *
19	*VIIII*	g	XIIII		Bertolfi abb., Magni m. (53vb)
20		A	XIII		Samuhelis proph.
21	*XVII*	b	XII		Privati m.
22	*VI*	c	XI		Timothei et Simphoriani
23		d	X		Vig. Bartholomei ap.
24	*XIIII*	e	VIIII		Nat. eiusdem ap.
25	*III*	f	VIII		*Genesii m.*
26		g	VII		Alexandri m., *Habundi,Herenei,Alexandri*
27	*XI*	A	VI		*Rufi m.*
28	*XIX*	b	V		Augustini ep., Iuliani et Pelagii m.
29		c	IIII		Decollatio s. Iohannis Bapt., Sabinae m.
30	*VIII*	d	III		Felicis ep. et Audaucti
31		e	II		Ө Pauli ep., Ferrucii, Ferreoli

---

*ADD.: 18: Ob. Ortliebus ep. ⟨Basiliensis⟩

Am untern Rand vgl. oben S. 40f.

Tertia Septembris vulpis ferit a pede denam
SEPTEMBER HABET DIES XXX, LUNE XXX ⟨...⟩ /
MENSE (?)... CELEB... IEIUNIORUM EBDOMADA III(?)
Sidere virgo tuo Bachum september opimat

1	*XVI*	f	KL. SEP.		Verenę v., Petri ep. et m.
2	*V*	g	IIII	NON.	II EMBOLISMUS
3		A	III		Θ
4	*XIII*	b	II		
5	*II*	c	NONAS		Quintim. ep.
6		d	VIII	ID.	Magni conf.
7	*X*	e	VII		
8		f	VI		Nativitas s.Mariae et Adriani m.
9	*XVIII*	g	V		Gorgonii m.
10	*VII*	A	IIII		
11		b	III		Proti et Iacincti, Felicis et Regulae
12	*XV*	c	II		
13	*IIII*	d	IDUS		
14		e	XVIII	KL. OCT.	Exaltatio s.crucis, Cornelii et Cypriani
15	*XII*	f	XVII		
16	*I*	g	XVI		Eufemiae
17		A	XV		SOL IN LIBRAM
18	*VIIII*	b	XIIII		
19		c	XIII		
20	*XVII*	d	XII		AEQUINOCTIUM SECUNDUM GRECUM
21	*VI*	e	XI		Θ Mathaei ap. (54ra)
22		f	X		Mauritii et sociorum eius et s. Hemmerammi
23	*XIIII*	g	VIIII		
24	*III*	A	VIII		EQUINOCTIUM SECUNDUM LATINUM. Conceptio s. Iohannis Bapt.
25		b	VII		
26	*XI*	c	VI		
27	*XIX*	d	V		Cosme et Damiani
28		e	IIII		
29	*VIII*	f	III		Dedicatio basilice s. Michahelis archang.
30		g	II		Hieronimi pr.

Tertius octobris gladius decem in ordine nectit
OCTOBER HABET DIES XXXI, LUNA XXVIIII
Aequat et october sementis tempore libram

1	XVI	A	KL. OCT.		Depositio Remigii conf.
2	V	b	VI	NON.	s. Leodegarii ep. et m.
3	XIII	c	V		*
4	II	d	IIII		Θ
5		e	III		*
6	X	f	II		
7		g	NONAS		Marci ep., Sergi et Bacchi
8	XVIII	A	VIII	ID.	
9	VII	b	VII		Dionisi, Rustici et Eleutheri
10		c	VI		
11	XV	d	V		*
12	IIII	e	IIII		
13		f	III		
14	XII	g	II		Calisti pp.
15	I	A	IDUS		
16		b	XVII	KL. NOV.	Depositio s. Galli
17	VIIII	c	XVI		
18		d	XV		SOL IN SCORPIONEM. Lucae ev.
19	XVII	e	XIIII		Ianuarii et sociorum eius
20	VI	f	XIII		
21		g	XII		
22	XIIII	A	XI		
23	III	b	X		Θ Oct. s. Galli
24		c	VIIII		(54rb)
25	XI	d	VIII		Crispini et Crispiniani
26	XIX	e	VII		
27		f	VI		Vig. ap. Symonis et Iudae
28	VIII	g	V		Nat. eorundem ap.
29		A	IIII		
30	XVI	b	III		
31	V	c	II		Vig. omnium sanctorum, Quintini m.

---

*ADD.:   3: s. Fidis v. et m.
         5: Regelint (Kegelint ?) ob.
     11: Dedicatio Basiliensis eccl., vgl. oben S. 41

Quinta novembris acus, vix tercia mansit in urna
NOVEMBER HABET DIES XXX, LUNA XXX
Scorpius hibernum princeps iubet ire novembrem

1		d	KL. NOV.		Omnium sanctorum, Caesarii
2	*XIII*	e	IIII	NON.	V EMBOLISMUS
3	*II*	f	III		Pirmini ep.
4		g	II		
5	*X*	A	NONAS		Θ
6		b	VIII	ID.	
7	*XVIII*	c	VII		INITIUM HIEMIS, HABET DIES XCII
8	*VII*	d	VI		Quatuor coronatorum
9		e	V		OCCASUS VERGILIARUM
					Theodori m.
10	*XV*	f	IIII		s. Mennę m.
11	*IIII*	g	III		s. Martini ep.
12		A	II		
13	*XII*	b	IDUS		Brictii conf.
14	*I*	c	XVIII	KL. DEC.	
15		d	XVII		
16	*VIIII*	e	XVI		s. Otmari abb. *
17		f	XV		SOL IN SAGITTARIUM. Aniani,
					Augusti ep.
18	*XVII*	g	XIIII		
19	*VI*	A	XIII		
20		b	XII		
21	*XIIII*	c	XI		
22	*III*	d	X		Caecilię v.
23		e	VIIII		Clementis pp. et m.
24	*XI*	f	VIII		Chrisogoni m.
25	*XIX*	g	VII		HIEMS ORITUR ⟨... GRECORUM⟩
26		A	VI		
27	*VIII*	b	V		(54va)
28		c	IIII		Θ
29	*XVI*	d	III		Vig. s. Andreae, Saturnini, Crisanti
30	*V*	e	II		s. Andreae ap.

---

*ADD.: 16: Dedicatio huius capelle, vgl. oben S. 41.

Dat duodena cohors septem inde decemque decembris
DECEMBER HABET DIES XXXI, LUNAM XXVIIII
In isto mense ⟨...⟩ celebratur initium proxima ebdomada vig. II domini
Terminat arcetenens medio sua signa decembri

1		f	KL. DEC.		
2	*XIII*	g	IIII	NON.	
3	*II*	A	III		IIII EMBOLISMUS. Vig. s. Barbaręe, Lucii conf.
4	*X*	b	II		s. Barbarae v.
5		c	NONAS		DELFINI EXORTUS
6	*XVIII*	d	VIII	ID.	Nicholai [ep.], Miraeae ep.
7	*VII*	e	VII		Oct. s. Andreae ap.
8		f	VI		
9	*XV*	g	V		
10	*IIII*	A	IIII		
11		b	III		Damasi pp.
12	*XII*	c	II		Walerici ep.
13	*I*	d	IDUS		Luciae v. et Otiliae v.
14		e	XVIIII	KL. IAN.	
15	*VIIII*	f	XVIII		
16		g	XVII		
17	*XVII*	A	XVI		Dedicatio s. N ⟨icolai conf. (?)⟩
18	*VI*	b	XV		SOL IN CAPRICORNIUM
19		c	XIIII		
20	*XIIII*	d	XIII		
21	*III*	e	XII		SOLSTICIUM SECUNDUM GRECOS. Thomae ap.
22		f	XI		
23	*XI*	g	X		
24	*XIX*	A	VIIII		Vig. Salvatoris
25		b	VIII		SOLSTICIUM SECUNDUM LATINOS. Nativitas Christi.
26	*VIII*	c	VII		Stephani m.
27		d	VI		Iohannis ev.
28	*XVI*	e	V		Innocentum
29	*V*	f	IIII		(54vb)
30		g	III		
31	*XIII*	A	II		Silvestri pp.

223 VARIA COMPUTISTICA

(51v) Prima dies iani que ianua dicitur anni ... octo.
Möglicherweise WALTHER, Initia, Nr. 14558

(54v) Ianuarius, augustus et december ... octavo idus habent.
Cf. PS.-BEDA, De embolisi ratione, PL 90, Sp. 799A.

Martius V ... februarius VI; B I ... B VI.
PS.-BEDA, De argumentis lunae, PL 90, Sp. 705D.

B I, II, III ... B VI: Has concurrentes in mense martii omni tempore muta.
PS.-BEDA, De argumentis lunae, Epactae solis, PL 90, Sp. 705D.

September V ... augustus XIIII
PS.-BEDA, De argumentis lunae, PL 90, Sp. 706A.

Nulla XI ... XVIII: Has epactas ⟨...⟩ anni tempore.
PS.-BEDA, De argumentis lunae, PL 90, Sp. 706A.

(55r) Termini paschales. Horum versuum regulares adde concurrentibus presentibus anni et invenies paschales lunę feriales (?).

None aprilis norunt quinos V ... Quindene constant tribus adeptęis III.
PS.-BEDA, De argumentis lunae, PL 90, Sp. 708B.

None aprilis VIII KL aprilis ... XV maii.
PS.-BEDA, De argumentis lunae, PL 90, Sp. 708B.

Nulla XI ... XVIII
PS.-BEDA, De argumentis lunae, PL 90, Sp. 706A.

TERMINI PASCHALES. A XVI KL. februarii usque ad XVI KL. martii.

Triginta Phebus signorum ... concorde december
Cf. WALTHER, Initia, Nr. 19432

Unus annus habet dies CCCLXV ... statutum est in concilio Romanorum, ut ante XI KL. aprilis nec post VI KL. maii pascha non debet fieri.

224 ⟨CANTUS ORDINARII MISSAE⟩

(55ra) Kyrieleison, Christeleison, Kyrieleison. Gloria in excelsis ... patris. Amen.

(55v) Kyrie eleison TER. Christi eleison TER. Kyrie eleison.

(55va) Gloria in excelsis ... patris. Amen.
Credo in unum deum ... seculi. Amen.

(55vb) Gloria in excelsis ... patris. Amen.

225 S. Marie: Fecunda verbo tu virginum virgo ... salvando.
AH 50, Nr. 265, S. 342.

III. SACRAMENTARIUM

VERZEICHNIS DER WICHTIGSTEN IN DER EDITION
DES SAKRAMENTARS VERWENDETEN SIGLEN

Wo nichts anderes vermerkt ist, stellen die Ziffern bei den Quellenangaben die Nummern in den entsprechenden Editionen dar.

A	= Saint-Roch P., Liber Sacramentorum Engolismensis (B.N. Lat. 816) (CC 159C), Turnhout 1987 (Sakramentar von Angoulème).
Conc.	= Deshusses J.-Darragon B., Concordances et tableaux pour l'étude des grands Sacramentaires. T. I: Concordance par pièces, Fribourg 1982.
D	= Deshusses J., Le sacramentaire grégorien. 3 vol. (Spicilegium Friburgense 16, 24, 28), Fribourg ³1992, ²1988, ²1991.
F	= Richter G.-Schönfelder A., Sacramentarium Fuldense saeculi X, Fulda 1912.
G	= Dumas A., Liber Sacramentorum Gellonensis, 2 vol. (CC 159, 159A), Turnhout 1981.
Gel VIII	= Sacramentarium (-ria) Gelasianum (-na) saeculi VIII, vgl. A, G, Ph, Rh, S.
L	= Mohlberg L.C.-Eizenhöfer L.-Siffrin P., Sacramentarium Veronense (Cod. Bibl. Capit. Veron. LXXX [80]), Roma 1956.
OM Aosta	= Amiet R., L'Ordinaire de la messe selon le rite valdôtain, in: Recherches sur l'ancienne liturgie et les usages religieux et populaires valdôtains 6, 1976, S. 85–211.
OM Chur	= Castelmur A. von, Fragmente eines Churer Missale aus der Mitte des 11. Jahrhunderts, in: ZSKG 22, 1928, S. 186–197.
OM Ivrea	= Baroffio B.-Dell'Oro F., L'«Ordo missae» del vescovo Warmondo d'Ivrea, in: Studi Medievali 3. ser., 16, 1975, S. 815–816.
OM Minden	= Missa Latina («Missa Illyrica»), in: PL 138, Sp. 1305–1336.
OM Mon.	= Dell'Oro F.-Baroffio B., Un «Ordo missae» monastico del secolo XI, in: Mysterion, Torino 1981, S. 591–637.
OM Sg 338	= St. Gallen, Stiftsbibliothek Cod. 338 (11. Jh.), S. 336–798: Sakramentar.
OM Sg 339	= St. Gallen, Stiftsbibliothek Cod. 339 (11. Jh.), S. 189–550: Sakramentar.
Ph	= Heiming O., Liber sacramentorum Augustodunensis (CC 59B), Turnhout 1984 (Philipps-Sakramentar).
Rh	= Hänggi A.-Schönherr A., Sacramentarium Rhenaugiense (Spicilegium Friburgense 13), Freiburg/Schweiz 1968.
S	= Mohlberg K., Das fränkische Sacramentarium Gelasianum in alamannischer Überlieferung (Sakramentar von St.Gallen).
V	= Mohlberg L.C.-Eizenhöfer L.-Siffrin P., Liber Sacramentorum Romanae Aecclesiae ordinis anni circuli (Sacramentarium Gelasianum).

⟨ORDO MISSAE⟩

226   ⟨PRAEPARATIO AD MISSAM⟩

1 (56r) CUM EPISCOPUS VEL PRESBYTER SE AD MISSAM PARET, ISTOS
PSALMOS CIRCUMSTANTIBUS SIBI CLERICIS CANTET: PS. (83,2) Quam
dilecta. PS. (84,2) Benedixisti. PS. (85,1) Inclina domine. PS. (115,10) Credidi propter. PS. (120,1) Levavi oculos. PS. (122,1) Ad te levavi. PS. (142,1)
Domine exaudi II.

2 CUM ISTIS PRECIBUS: Exurge domine adiuva nos. Et libera. Fiat
misericordia tua domine super nos. Quemadmodum. Deus tu con-
versus vivificabis nos. Et plebs tua. Ne intres in iuditium cum servo
tuo domine. Quia. Non nobis domine, non nobis. Sed nomini tuo.
Propitius esto peccatis nostris. Propter nomen tuum. Domine exaudi
orationem meam. Et clamor.

3 ORATIO. Fac me quaeso domine mala mea toto corde respuere, ut
bona tua capere valeam. Per.

4 ITEM ALIA. ⟨F⟩ac me quaeso omnipotens deus ita iusticia indui, ut
in sanctorum tuorum merear exultatione laetari, quatinus emunda-
tus ab omnibus sordibus peccatorum consortium adipiscar tibi pla-
centium sacerdotum meque tua misericordia a viciis omnibus exuat,
quem reatus propriae conscientiae gravat. Per.

5 ALIA. Aures tuae pietatis mitissime deus inclina precibus meis et
gratia sancti spiritus illumina cor meum, ut tuis sacris mysteriis digne
ministrare teque aeterna caritate diligere merear. Per dominum.

---

226 Allgemein zum Ordo Missae B 226-233 cf. OM Minden («Missa Illyrica»);
      Colmar 443, f. 13-14.
      1 OM Sg 339, S. 180; OM Aosta 1-3.
      2 OM Sg 339, S. 180; cf. MARTÈNE I, S. 594 (Ordo XVI e monasterio S.
      Gregorii, olim dioec. Basileen.); OM Aosta 4–6, 8–11.
      3 «probabilmente il più antico testimone» (Baroffio); OM Aosta 12.
      4 OM Sg 339, S. 182; OM Minden, Sp. 1309B; OM Chur, S. 190; MARTÈNE I, S.
      594; OM Aosta 13; OM Mon. 12; OM Ivrea 4; EBNER, S. 306; Colmar 443.
      5 OM Sg 339, S. 182; PL 138, Sp. 1337; OM Chur, S. 190; MARTÈNE I, S.
      594–595; OM Ivrea 5.

227   ⟨ORATIONES DICENDAE CUM SACERDOS INDUITUR
       PARAMENTIS SACERDOTALIBUS⟩

1 DIC AD AMICTUM: Pone domine galeam salutis in capite meo ad
expugnandas et superandas omnes diabolicas fraudes.
2 ALIA. Munda me domine ab omni inmunditia mentis et corporis,
ut digne possim implere opus tuum.
3 AD ALBAM. Indue me domine vestimento salutis et tunica iustitię.
4 AD CINGULUM. Praecinge domine lumbos mentis meae et circum-
cide vitia cordis et corporis mei.
5 AD STOLAM. (56v) Stola iusticiae circumdet dominus cervicem
meam et ab omni corruptione peccati purificet mentem meam.
6 AD CASULAM. Iugum enim tuum domine suave est et onus meum
leve, ut sicut onus deportare valeam, ita consequi merear tua⟨m⟩
gratiam.
7 ALIA. Largire michi domine caritatem tuam, quae cunctis virtutibus supereminet, quia tu es caritas, qui dicis: Sine me nichil potestis
facere.
8 AD MANIPULUM. Da michi domine sensum et vocem, ut possim
cantare laudem tuam.

228   ⟨RITUS INITIALES⟩

1 HIC FACIAT EPISCOPUS VEL PRESBYTER CONFESSIONEM ET CANTET
ISTUM PSALMUM: Confiteor deo omnipotenti, istis et omnibus sanctis
eius et tibi frater, quia peccavi nimis in cogitatione, in locutione et
opere, propterea precor te, ora pro me.

---

227   1 OM Sg 338, S. 319–320; OM Mon. 4.
       2–5 «probabilmente il più antico testimone» (Baroffio).
       2 OM Aosta 15.
       3 Cf. OM Sg 338, S. 320; OM Aosta 16.
       4 Cf. OM Minden, Sp. 1307C; cf. OM Chur, S. 189; OM Aosta 17.
       5 OM Sg 339, S. 180; PL 138, Sp. 1336 D; OM Aosta 19; OM Mon. 7.
       6 Cf. OM Sg 338, S. 320; MARTÈNE I, S. 530, 538; «Relazioni con alcune
       testimonianze dell' Italia centrale» (Baroffio).
       7 «pezzo proprio o, almeno, non si trova in altre collezioni note o pubblicate»
       (Baroffio).
       8 Cf. PL 138, Sp. 1336 D; MARTÈNE I, S. 595.

228   1 Cf. PL 138, Sp. 1339 B.

2 Misereatur tibi omnipotens dominus et dimittat tibi omnia peccata tua, liberet te ab omni malo, conservet et confirmet in omni opere bono et perducat nos dominus ad vitam aeternam.

3 PS. Iudica me deus et discerne.

4 ORATIO. Aufer a nobis iniquitates nostras domine, ut ad sancta sanctorum puris mereamur sensibus introire. Per.

5 Omnipotens sempiterne deus, qui me peccatore⟨m⟩.

6 ACCEDENDO AD ALTARE CANTET ISTAS ORATIONES: Ante conspectum divinę maiestatis tuae reus assisto, qui invocare nomen tuum sanctum praesumo. Miserere michi domine homini peccatori, ignosce indigno sacerdoti, per cuius manus haec oblatio videtur offerri. Parce peccatorum labe prae caeteris capitalium criminum polluto et non intres in iuditium cum servo tuo, quia non iustificabitur in conspectu tuo omnis vivens, sed licet viciis ac voluptatibus carnis aggravatus sum, recordare domine, quod ca(57r)ro sum. In tuo conspectu etiam caeli non sunt mundi, quanto magis ego homo terrenus inmundus sicut pannus menstruate indignus sum Iesu Christe, ut sim vivens, sed tu, qui non vis mortem peccatoris, da michi veniam in carne constituto, ut per poenitentiae labores vita aeterna perfruar in caelis. Per te Iesu Christe, qui cum patre et spiritu sancto vivis et regnas deus.

7 ALIA. Conscientia quidem trepida domine ad altare tuum accedimus et fidutiam de tua misericordia retinemus et licet ad caelebranda sacrificia semper inveniamur indigni, sed si recedimus, veremur de inoboedientia condemnari. Pro qua re pietate paterna omnipotens deus atque placabili vultu cordis nostri interiora purgare digneris, precamur, etiam licet culpabiles simus nostrorum, tamen tibi sint placita mysteria consecrata. Per.

---

228 Cf. PL 138, Sp. 1339 B; OM Mon. 41.

3 PL 138, Sp. 1339 A.

4 OM Minden, Sp. 1310 D; OM Aosta 47; OM Mon. 17; Colmar 443; MARTÈNE I, S. 595.

5 PL 138, Sp. 1340 B; OM Aosta 51.

6 OM Sg 339, S. 181; OM Minden, Sp. 1323 CD; OM Chur, S. 192; cf. OM Aosta 56; MARTÈNE I, S. 598.

7 OM Minden, Sp. 1323 C; cf. OM Ivrea 9; cf. OM Mon. 24; cf. MARTÈNE I, S. 574.

229   ⟨AD OFFERTORIUM⟩

1 MEMORIA DOMINI NOSTRI IESU CHRISTI ET SANCTORUM EIUS. Suscipe sancta trinitas hanc oblationem, quam tibi offerre praesumo in memoria incarnationis, nativitatis, passionis, resurrectionis, ascensionis domini nostri Iesu Christi et in honore omnium sanctorum, qui tibi placuerunt ab initio mundi, et eorum, quorum hodie festivitas caelebratur et quorum hic nomina et reliquiae habentur, ut illis proficiat ad honorem, nobis autem ad salutem, ut illi omnes pro nobis intercedere dignentur in caelis, quorum memoriam facimus in terris. Per.

2 AD CALICEM. Offerimus tibi domine calicem salutaris et depraecamur clementiam tuam, ut in conspectu divinę maiestatis tuae cum odore suavitatis ascendat. Per.

3 PRO SALUTE VIVORUM. Suscipe sancta trinitas hanc oblationem, quam tibi offero pro salute famulorum famularumque tuarum, qua(57v)tinus te donante percepta venia peccatorum vitae quoque sempiternę inmensa gaudia percipere mereantur.

4 PRO SEIPSO ET CAETERIS. Suscipe sancta trinitas hanc oblationem, quam ego indignus et peccator famulus tuus tibi offerre praesumo in honore omnium sanctorum tuorum et pro omnibus fidelibus vivis sive defunctis et pro sanitate corporis et animae meae, ut omnium delictorum nostrorum veniam consequi mereamur.

5 PRO SEMETIPSO. Suscipe sancta trinitas hanc oblationem, quam tibi offerre praesumo pro me peccatore et miserrimo omnium hominum, pro peccatis meis innumerabilibus, quibus peccavi coram te in dictis, in factis, in cogitationibus, ut praeterita michi dimittas et de futuris me custodias, pro sanitate corporis et animae meae, pro gratiarum actione de tuis donis, quibus cottidie utor.

---

229   1 OM Sg 339, S. 186–187; OM Minden, Sp. 1325D; OM Aosta 74; OM Chur, S. 193; OM Ivrea 30; OM Mon. 36; Colmar 443; MARTÈNE I, S. 598.
2 OM Sg 339, S. 183; OM Aosta 80; MARTÈNE I, S. 479.
3 OM Sg 339, S. 187; cf. OM Minden, Sp. 1327 A; OM Chur, S. 193–194; MARTÈNE I, S. 510.
4 MARTÈNE I, S. 598.
5 OM Sg 339, S. 187; cf. OM Minden, Sp. 1326 A; OM Chur, S. 193; MARTÈNE I, S. 598; cf. EBNER, S. 304.

6 PRO OMNI CONGREGATIONE. Suscipe sancta trinitas hanc oblationem, quam tibi offero pro rege nostro et sua venerabili prole, pro statu regni ac totius sanctae ecclesiae et pro omni populo christiano, pro episcopo, pro abbate et nostrae congregationis salute, pro omnibus in Christo fratribus et sororibus nostris et pro omnibus aelemosinas nobis facientibus et pro his, qui se commendaverunt nostris orationibus et qui nostri memoriam in suis continuis orationibus habent, ut hic veniam recipiant peccatorum et in futuro praemia consequi mereantur aeterna. Per dominum.

7 PRO INFIRMIS. Suscipe sancta trinitas hanc oblationem, quam tibi offero (58r) pro infirmo famulo tuo vel famula tua, ut mentis et corporis sanitate recepta in ecclesia tua tibi laudes referat et de verbere tuo aeterna premia consequi mereatur. Per.

8 PRO UNO DEFUNCTO. Suscipe sancta trinitas hanc oblationem, quam tibi offerre praesumo pro anima famuli tui, ut omnium delictorum suorum remissione percepta in lucis amoenitate tua miseratione requiescat.

9 ALIA. Suscipe sancta trinitas hanc oblationem, quam tibi offero pro anima famuli tui, ut per hoc salutare sacrificium purgata sanctorum tuorum consortio adunari mereatur. Per.

10 PRO OMNIBUS DEFUNCTIS. Suscipe sancta trinitas hanc oblationem, quam tibi offerre praesumo pro animabus famulorum famularumque tuarum et quorum nomina tibi soli creatori cognita sunt, necnon et omnium in Christo dormientium fratrum nostrorum et sororum nostrarum cunctorumque, qui in nostro consortio noscuntur coadunati et cunctorum hic et ubique in Christo quiescentium nec non et omnium quorum aelemosinis et solatio haec domus sustentata est et ubicumque spiritum exhalantes corpora terrę conmiserunt, beata Maria semper virgine et omnibus sanctis intercedentibus, ut requiem aeternam dones eis inter tuos sanctos et electos et in illorum consortio vita fruantur aeterna. Per.

---

229 6 Cf. OM Minden, Sp. 1326 D-1327 A; MARTÈNE I, S. 599.
     7 OM Sg 339, S. 187; OM Minden, Sp. 1327 B; OM Aosta 77; cf. OM Chur, S. 194; Colmar 443; MARTÈNE I, S. 598.
     9 OM Sg 339, S. 187; cf. OM Minden, Sp. 1327 B; OM Chur, S. 194.
     10 Cf. OM Sg 339, S. 187 (Abbreviatio).

11 QUANDO QUIS IN MANUS EPISCOPI VEL PRESBYTERI OBLATIONEM OFFERT, DICAT: Tibi domine creatori meo hostiam offerre praesumo pro remissione omnium peccatorum meorum et cunctorum fidelium tuorum.

12 CUM EPISCOPUS VEL PRESBYTER OBLATIONEM ACCEPERIT, DICAT: Suscipe sancta trinitas hanc oblationem, (58v) quam tibi offert famulus tuus et presta, ut in conspectum tuum tibi placens ascendat.

13 ALIA. In nomine domini nostri Iesu Christi sit signatum et ordinatum, benedictum et sanctificatum hoc sacrificium.

14 DIACONUS IN CALICEM LIBAMEN ACCIPIENS DICIT: Acceptabilis sit domino omnipotenti oblatio tua.

15 Deo omnipotenti sit acceptum sacrificium istud.

16 CUM INCENSUM IN TURIBULUM PONITUR, DICIT SACERDOS: Dirigatur oratio mea sicut incensum in conspectu tuo domine.

17 Odore caelestis inspirationis suae accendat et compleat corda nostra ad audienda et implenda evangelii praecepta.

18 QUANDO EPISCOPUS VEL PRESBYTER DICIT ANTE SECRETAM: Orate pro me peccatore, DICATUR A CIRCUMSTANTIBUS: Orent pro te omnes sancti et electi dei. Amen. Memor sit dominus omnis sacrificii tui et holocaustum tuum pingue fiat. Immola deo sacrificium laudis et redde altissimo. Exaudiat te dominus in die tribulationis propter. Spiritus sanctus superveniet in te et virtus. Misereatur tui omnipotens deus et dimittat tibi omnia peccata tua.

19 ORATIO. Sit dominus deus in corde tuo et in ore tuo et suscipiat sacrificium sibi acceptum de manibus tuis pro tua nostraque omnium salute. Per.

---

229   11 OM Aosta 70; cf. OM Mon. 29; OM Chur, S. 193; MARTÈNE I, S. 526.
    12 OM Aosta 71; OM Mon. 30; OM Chur, S. 193; MARTÈNE I, S. 590; LEMARIÉ 41 (S. 385).
    13 OM Sg 339, S. 183, 188; OM Aosta 82; cf. OM Mon. 39.
    14 OM Sg 339, S. 183; OM Aosta 109; MARTÈNE I, S. 598; cf. OM Mon. 31.
    16 OM Sg 339, S. 183; OM Minden, Sp. 1328 D.
    17 OM Aosta 61; OM Mon. 25; MARTÈNE I, S. 596; LEMARIÉ 29 (S. 383).
    18 Cf. OM Minden, Sp. 1329 B; OM Aosta 90–95; OM Chur, S. 193; cf. OM Mon. 41; MARTÈNE I, S. 599; «si trova a Torino/Vercelli» (Baroffio).
    19 Cf. OM Minden, Sp. 1329 B.

20 POSTEA CLERICI CANTENT ISTOS PSALMOS, USQUE DUM PRESBYTER
DICIT: Per omnia saecula saeculorum: Exaudiat te dominus. Ad te
domine levavi. Miserere mei deus secundum. Domine refugium.
Qui habitat in adiutorio.

21 CUM ISTIS PRECIBUS: Salvum fac servum tuum domine. Deus.
Desiderium cordis tribuisti ei. Et voluntatem. Vitam petiit a te. Et
tribuisti. Oculi domini super iustos. Et aures eius. Domine exaudi
orationem. Et clamor.

22 ORATIO. Gaudeat domine famulus tuus beneficiis impetratis, et
cui fiduciam sperandae pietatis indulges, optatę misericor(59r)diae
pręsta benignus effectum. Per dominum.

23 Deus qui ad exhibenda redemptionis nostre mysteria terram promissionis ele-
gisti, libera eam quaesumus domine ab instancia periculorum, ut gentium incre-
dulitate confusa populus in te confidens de tua virtutis potentia glorietur. Per.

230   ⟨CANON MISSAE⟩

1 Per omnia saecula saeculorum. Amen. Dominus vobiscum. Et
cum spiritu tuo. Sursum corda. Habemus ad dominum. Gratias agamus domino deo nostro. Dignum et iustum est.

2 ⟨PRAEF.⟩ ⊞ AEQUUM ET SALUTARE ... Per quem maiestatem .. (59v) ..
supplici confessione dicentes.   D 3

2a Et te in veneratione beate Marie semper virginis exultantibus animis laudare,
benedicere et praedicare. Que et unigenitum tuum sancti spiritus obumbratione
concepit et virginitatis gloria permanente huic mundo lumen eternum effudit,
Iesum Christum dominum nostrum. Per quem.

2b Et salutare. Te dne suppliciter exorare, ut gregem ... pastores. Et ideo. D 596

3 Sanctus sanctus sanctus dns ds sabaoth ... excelsis.   D 4

229   20 OM Minden, Sp. 1330 AB; OM Aosta 94, 96–98; OM Ivrea 40; OM Mon. 42;
      EBNER, S. 323.
      21 OM Minden, Sp. 1330 B; cf. OM Aosta 99–101; OM Ivrea 41; cf. OM Mon. 43;
      EBNER, S. 323.
      22 OM Minden, Sp. 1330 C; OM Aosta 107; OM Mon. 45; MARTÈNE I, S.
      600.
      23 Nachtrag 12. Jh.

230   2a Nachtrag 13. Jh.
      2b Nachtrag 14./15. Jh.; CP 1484.
      13–14 Cf. D 13bis et D 1013; cf. OM Minden, Sp. 1332 A (Tit.: «Hic recites
      nomina quorum velis»).

4 Te igitur clementissime pater per Iesum ... cultoribus.   D 5
5 Memento (60r) dne famulorum famularumque ... vero.   D 6
6 Communicantes et memoriam venerantes ... auxilio. Per.   D 7
7 Hanc igitur oblationem servitutis nrae sed ... numerari. Per. D 8
8 Quam oblationem tu ds in omnibus qs ... Christi.   D 9
9 Qui pridie quam pateretur accepit .. (60v) .. facietis.   D 10
10 Unde et memores dne nos servi tui ... perpetuae.   D 11
11 Supra quae propitio ac sereno vultu ... hostiam.   D 12
12 Supplices te rogamus omps ds iube ... repleamur. Per eundem
dnm.   D 113
13 (61r) Memento etiam domine et eorum, qui nos praecesserunt
cum signo fidei et dormiunt in somno pacis.
14 SUPER DIPTICIA. Ipsis domine et omnibus in Christo quiescentibus
locum refrigerii, lucis et pacis, ut indulgeas deprecamur. Per Christum dominum nostrum.
15 Nobis quoque peccatoribus famulis ... admitte. Per.   D 14
16 Per quem haec omnia dne semper bona ... nobis.   D 15
17 Per ipsum et cum ipso ... Amen.   D 16

231   ⟨RITUS COMMUNIONIS⟩

1 OREMUS. Praeceptis salutaribus moniti ... dicere.   D 17
2 Pater nr qui es in caelis ... malo.   D 18
3 Libera nos qs dne ab omnibus malis .. (61v) .. saeculorum.
Amen.   D 19

---

231 3 beata ... Maria] beata Maria semper virgine *B* | Paulo] atque Andrea cum
omnibus sanctis *add.B* | liberi semper] semper liberi *B*

230 4 beatissimo *om. B* ‖ 8 *Tres primae cruces* (+) *om.B* ‖ 9 posteaquam] postquam *B* |
Benedixit (2)] + *add.B* ‖ 10 sumus *om.B* | in caelis] in caelos *B* ‖ 12 manus]
sancti *add.B* | Christum] eundem *add.B* (*inter lin. per manum rubricatoris*) ‖ 13
famulorum ... tuarum] et eorum *B* | *rasura inter* eorum *et* qui ‖ 14 SUPER
DIPTICIA] *add.B* ‖ 17 per ipsum, cum ipso, in ipso, honor] *quattuor cruces*
superscript. B

4 Pax dni sit semper ... nobis.   D 20

5 HIC MISCEATUR CORPUS DOMINI SANGUINI. Haec sacrosancta communio corporis et sanguinis domini nostri Iesu Christi fiat omnibus sumentibus salus mentis et corporis et ad aeternam vitam capescendam praepara⟨tio⟩ salutaris. Per dominum nostrum.

6 ALIA. Sancti sanguinis commixtio cum sacrosancto corpore domini nostri Iesu Christi prosit omnibus sumentibus in vita aeterna.

7 UT SUPRA. Concede domine Iesu Christe, ut sicut haec sacramenta corporis et sanguinis tui fidelibus tuis ad remedium contulisti, ita michi indigno famulo tuo et omnibus per me sumentibus haec ipsa mysteria non obsint ad reatum, sed prosint ad veniam omnium peccatorum.

8 AD EUCHARISTIAM ACCIPIENDAM. Domine Iesu Christe fili dei vivi, qui ex voluntate patris cooperante spiritu sancto per mortem tuam mundum vivificasti, libera me per hoc sacrum corpus et sanguinem tuum a cunctis iniquitatibus et universis malis imminentibus et fac me tuis oboedire preceptis et a te nunquam in perpetuum separari. Per.

9 ORATIO POST COMMUNIONEM. Corpus tuum domine Iesu Christe, quod ego (62r) peccator accepi, et sanguis, quem indignus potavi, adhaereat visceribus meis ad sanitatem animae et corporis et presta omnipotens pater, ut ibi non sit macula peccati, ubi intraverunt sacrosancta sacramenta. Per.

---

231   5 communio] commixtio *codd.*

---

231   5 OM Sg 339, S. 184; OM Aosta 127; OM Minden, Sp. 1332B.
        6 Cf. OM Minden, Sp. 1332C; OM Aosta 128; MARTÈNE I, S. 600.
        7 Cf. OM Minden, Sp. 1332C; OM Aosta 129; MARTÈNE I, S. 600.
        8 OM Sg 339, S. 185–186; cf. OM Minden, Sp. 1333 D; OM Aosta 140; OM Ivrea 46; OM Mon. 72; EBNER, S. 305; MARTÈNE I, S. 600.
        9 Cf. OM Minden, Sp. 1333 D; cf. OM Aosta 168; «probabilmente il più antico testimone» (Baroffio).

232 ⟨RITUS CONCLUSIONIS⟩

POSTQUAM DICITUR: 'ITA MISSA EST', CANITUR ISTA ORATIO: Placeat tibi sancta trinitas obsequium servitutis meae et pręsta, ut sacrificium, quod oculis tuae maiestatis indignus obtuli, sit te miserante propiciabile. Per.

233 ⟨GRATIARUM ACTIO POST MISSAM⟩

1 EXPLETIS OMNIBUS EPISCOPUS DE SANCTO ALTARI RECEDENS CANTET ISTUM PSALMUM: (Dn 3,57) Benedicite omnia (Ps 150,1). Laudate dominum in sanctis eius. (Lc 2,29) Nunc dimittis domine.
2 POSTEA HAS PRECES: Confiteantur tibi domine omnia. Exultabunt sancti in gloria. Exultent iusti in conspectu. Non nobis domine non nobis. Ne intres in iuditio. Domine deus virtutum converte. Benedicat nos deus deus noster. Domine exaudi orationem meam. Et clamor meus.
3 ORATIO. Deus qui tribus pueris mitigasti flammas.
4 ALIA. Actiones nostras quaesumus domine et adiuvando prosequere.
5 QUANDO SACERDOS MANUS SUAS LAVAT, DICIT HAS ORATIONES: Largire sensibus nostris omnipotens pater, ut sicut exterius abluuntur inquinamenta manuum, sic a te mundentur interius pollutiones mentium et crescat in nobis augmentum sanctarum virtutum. Per.

---

232   OM Sg 339, S. 185–186; cf. OM Minden, Sp. 1335 A; OM Ivrea 50; OM Mon. 75.

233   1 OM Sg 339, S. 186; OM Aosta 174–177; cf. OM Minden, Sp. 1335B.
     2 OM Sg 339, S. 186; OM Aosta 178–185; cf. OM Minden, Sp. 1335B-1336 A; cf. OM Ivrea 52; cf. OM Mon. 80.
     3 OM Sg 339, S. 186; OM Aosta 190; OM Minden 1336B; OM Mon. 81.
     4 OM Sg 339, S. 186; OM Aosta 191; OM Minden 1336B; OM Mon. 82.
     5 OM Sg 339, S. 182; OM Aosta 14; OM Chur, S. 188; OM Ivrea 25 (ad offertorium).

⟨LIBER SACRAMENTORUM PER ANNI CIRCULUM⟩

234 IN VIGILIA NATALIS DOMINI AD NONAM

1 Ds qui nos redemptionis ... securi videamus. Eundem.   D 33
2 (62v) SECR. Da nobis qs omps ds ut sicut ... gaudentes.   D 34
3 ALIA. Da nobis domine, ut nativitatis domini nostri Iesu Christi sollemnia quae praesentibus sacrificiis praevenimus, sic nova sint nobis, ut continuata permaneant, sic perpetua perseverent, ut pro suo miraculo nova semper existant. Per eundem.
4 PREF. ⊕ Per Christum dnm nrm. Cuius hodie faciem ... ex tempore natus. Per quem.   D 1516
5 AD COMPL. Da nobis qs dne unigeniti ... potamur.   D 35

235 IN NATALI DOMINI DE NOCTE

1 Ds qui hanc sacratissimam noctem ... perfruamur.   D 36
2 SECR. Accepta tibi sit dne qs ... substantia. Qui tecum.   D 37
3 Communicantes et noctem .. (63r) .. apostolorum.   D 39
4 AD COMPL. Da nobis qs dne ds nr ut qui ... consortium.   D 40

236 IN NATALI DOMINI MANE PRIMO IN S. ANASTASIE

1 Da qs omps ds ut qui nova incarnati ... in mente.   D 42
2 ALIA. Da qs omps ds ut qui beatae Anastasiae ... sentiamus. D 41
3 SECR. Munera nra qs dne nativitatis ... divinum est.   D 44
4 SECR. Accipe qs dne munera dignanter ... concede.   D 43
5 PREF. ⊕ Quia nri salvatoris hodie lux ... manifestavit et visu. Et ideo cum angelis et archangelis.   D 46
6 Communicantes et diem sacratissimum caelebrantes, in quo incontaminata virginitas ... sed et beatorum.   D 52

---

234   2 qui *om.B* | sicut] ad *add.B* ‖ 4 officiis] vigiliarum suarum *B*
235   3 quo] qua *B* | salvatorem] Iesum Christum dnm nrm *add.B* ‖ 4 ds] nr *add.B* | dni nri Iesu Christi] dni dei nri *B*
236   1 incarnatione] incarnati *B* ‖ 6 quo beatae Mariae intemerata] in quo incontaminata *B* | salvatorem] Iesum Christum dnm nrm *add. B*

---

234   3 G 4; Ph 7; Rh 3; S 4; Conc. 595.

7 AD COMPL. Huius nos dne sacramenti semper natalis... vetus-
ta(63v)tem. Qui tecum vivit.   D 48

8 ⟨ALIA⟩. Saciasti dne familiam ... sollemnia celebramus.   D 47

237   BENEDICTIO SPONSE

1 Propiciare dne supplicationibus ... servetur.   D 837
2 PREF. ⟨D⟩ Qui potestate virtutis tue de nichilo ... senectutem.   D 838a,b
3 ORATIO AD MISSAM. Exaudi nos omps et ... impleatur.   D 833
4 SECR. Suspice qs dne pro sacra connubii ... dispositor.   D 834
5 POST COM.. Qs omps ds instituta ... custodias.   D 839

238   OFFICIUM ⟨DE S. MARIA⟩

1 *Salve sancta.*
2 EP. Lectio libri Sapientie. Fortitudo (Prv 31, 25).
3 GRAD. *Benedicta.*

239   VIII KL. IAN. NATIVITAS DOMINI AD S. PETRUM

1 Omps sempit. ds qui hunc diem per ... securi.   D 58
2 Concede qs omps ds ut nos unigeniti ... (64r) tenet.   D 49
3 SUPER OBL. Oblata dne munera nova ... emunda.   D 50
4 PREF. ⟨D⟩ Quia per incarnati verbi ... et ideo cum angelis.   D 51
5 Communicantes et diem ... intemerata. REQUIRE RETRO.   D 52
6 AD COMPL. Praesta qs omps ds ut natus hodie ... largitor.   D 53

---

237   2 Benedictio] Praef. //1U *B* | inseparabilem] inseparabile *B* | carnem] carne *B* |
     Christi] et *add. B* | sententia] sententiam *B* | famulam tuam] N *add.B* |
     perveniant et videant] perveniat et videat *B* | progeniem] generacionem *B* |
     perveniant (2)] perveniat *B* ‖ 4 esto] eciam *add.B*
239   3 nosque] per haec *add.B* ‖ 5 celebrantes] in *add.B* ‖ 6 nobis *om.B*

---

237   Nachtrag 13./14. Jh.

238   Nachtrag 13./14.Jh.; → B 524.
     2 → B 524,3; 800,1.

239   5 → B 236,5.

240 ALIE ORATIONES ⟨DE NATIVITATE DOMINI⟩

1 Respice nos misericors ds ... ostende. D 54
2 ALIA. Largire qs dne fidelibus ... percipiant. D 55
3 ALIA. Ds qui per beatae Mariae ... exuamur. D 56
4 ALIA. Concede qs omps ds ut salutare ... oriatur. D 57
5 (64v) ALIA. Ds qui humanae substantiae ... particeps Iesu Christi fili
tui dni nri qui tecum vivit. D 59
6 ALIA. Omps sempit. ds qui in filii ... consistit. D 60
7 ALIA. Da qs dne populo tuo ... inserantur. D 61

241 VII KL. IAN. NAT. S. STEPHANI PROTOMART.

1 Da nobis qs dne imitari ... exorare. D 62
2 SECR. Suscipe dne munera ... innocuos. D 63
3 AD COMPL. Auxilientur nobis ... confirment. D 64
4 ALIĘ ORAT. Omps sempit. ds qui primicias ... exoravit. D 65
5 Ds qui nos unigeniti tui clementer .. (65r) .. portionem. D 66
6 ALIA. Beatus martyr Stephanus domine quaesumus pro fidelibus
tuis suffragator accedat, qui dum bene sit tibi placitus, pro his etiam
possit audiri. Per dominum.

242 VI KL. IAN. NAT. S. IOHANNIS EVANGELISTAE

1 Aecclesiam tuam dne benignus ... sempiterna. D 67
2 SECR. Suscipe dne munera ... liberari. D 68
3 AD COMPL. Refecti cibo potuque ... precibus. D 69

---

240 2 famulis] fidelibus B | securitatis] spei et caritatis B | qui] in add. B ‖ 3 suscepti]
suscepta B ‖ 4 nobis] qs B ‖ 5 est] es B
241 2 tuorum om. B | sanctorum] beati martyris tui Stephani B | quod illos] sicut
illum B | gloriosos] gloriosum sic B
242 2 scimus] confidimus B ‖ 3 depraecamur] exoramus B ‖ 4 evangelistae
Iohannis] Iohannis evangelistae qs B

---

241 6 A 46; G 46; Ph 48; Rh 43; S 46; Conc. 295.

4 AD VESP. Beati Iohannis evang. qs dne precibus ... donetur. D 71
5 ALIA. Beati Iohannis evang. qs dne supplicatione ... concede.
                                                                    D 70
6 ALIA. Sit dne beatus Iohannes evang ... .audiatur.   D 72
7 ALIA. Ds qui per os beati apostoli ... capiamus.   D 73
8 ALIA. Omps sempit. ds qui huius diei ... docuit.   D 74
9 ALIA. (65v) Assit aecclesie tuae quaesumus domine beatus evangelista Iohannes, ut cuius perpetuus doctor extitit, semper esse non
desinat suffragator. Per dominum.

243   V KL. IAN. NAT. INNOCENTUM

1 Ds cuius hodierna die preconium ... fateatur.   D 75
2 SECR. Adesto domine muneribus Innocentum festivitate sacrandis
et praesta quaesumus, ut eorum sinceritatem possimus imitari, quorum tibi dicatam veneramur infantiam. Per.
3 AD COMPL. Votiva dne dona percepimus ... subsidium.   D 77

244   ⟨ALIE ORATIONES⟩

1 ALIA. Ds qui licet sis magnus ... non loquentes.   D 78
2 ALIA. Ipsi nobis domine quaesumus postulent mentium puritatem,
quorum innocenciam hodie solemniter celebramus. Per.
3 ALIA. Adiuva nos dne qs eorum deprecatione ... coronati.   *D 45*

245   II KL. IAN. S. SILVESTRI

1 Da qs omps ds ut beati Silvestri ... salutem.   D 79
2 SECR. Sanctorum tuorum nobis dne pia ... obtineat.   cf. D 76
3 (66r) AD COMPL. Quaesumus omnipotens deus, ut hodiernae munus

---

243   3 praecibus ... qs] precibus qs et presentis *B*
244   3 necdum] nondum *B*

---

242   4 D 71 (ad fontes).
      5 D 70 (ad vesperas).
      6 D 72 (ad s. Andream).
      9 A 57; G 55; Ph 57; Rh 52; S 55; Conc. 159.

243   2 A 62; G 60; Ph 62; Rh 57; S 60; Conc. 70.

245   2 Cf. D 76 (nat. Innocentum); Conc. 3244.
      3 Cf. D 3381 (de festivitate sacerdotum).

sollemnitatis acceptum intercedente beato Silvestro confessore tuo atque pontifice et corporibus nostris salutem praestet et mentibus. Per dominum.

246 KL. IAN. OCTAVA DOMINI NOSTRI

1 Deus qui nobis nati salvatoris diem celebrare concedis octavum, fac nos quaesumus eius perpetua divinitate muniri, cuius sumus carnali commertio reparati. Per dominum.

2 SECR. Praesta quaesumus domine, ut per haec munera quae domini nostri Iesu Christi archanae nativitatis mysterio gerimus, purificatae mentis intellegentia⟨m⟩ consequamur. Per.

3 AD COMPL. Praesta quaesumus domine, ut quod salvatoris nostri iterata sollemnitate percepimus, perpetuę nobis redemptionis conferat medicinam. Per eundem dominum.

247 EODEM DIE

1 Ds qui salutis aeternę beatae Mariae ... suscipere.   D 82

2 SECR. Muneribus nris qs dne precibusque ... exaudi.   D 83

3 PREF. ⅏ Quia per incarnati verbi mysterium.   D 38

4 AD COMPL. Haec nos communio dne purget ... consortes.   D 84

248 NON. IAN. VIGILIA THEOPHANIAE

1 Corda nostra quaesumus domine venturae sollemnitatis splendor illustret, quo mundi huius tenebris carere valeamus et pervenire ad patriam claritatis aeternę. Per dominum.

2 SECR. (66v) Tribue quaesumus domine, ut eum pręsentibus immolemus sacrificiis et sumamus, quem venturae sollemnitatis pia munera praelocuntur. Per.

3 AD COMPL. Illumina domine quaesumus populum tuum et splendore gratiae tuę cor eius semper accende, ut salvatoris mundi stella famulante manifesta nativitas mentibus eorum et reveletur semper et crescat. Per.

---

246   1 A 82; G 76; Ph 81; Rh 71; S 76; Conc. 917.
     2 A 84; G 78; Ph 83; Rh 73; S 78; Conc. 2731.
     3 A 86; G 80; Ph 85; Rh 75; S 80; Conc. 2733.

248   1 A 97; G 97; Ph 102; Rh 83; S 91; Conc. 537.
     2 A 98; G 98; Ph 103; Rh 84; S 92; Conc. 3497.
     3 A 100; G 100; Ph 105; Rh 86; S 94; Conc. 1856.

249 VIII ID. IAN. EPIPHANIA DOMINI

1 Ds qui hodierna die unigenitum ... perducamur.   D 87
2 SECR. Aecclesię tuae dona qs dne ... sumitur. Qui tecum. D 88
3 PREF. ƱꝊ Quia cum unigenitus ... reparavit.   D 89
4 Communicantes et diem sacratissimum ... memoriam.   D 90
5 AD COMPL. Praesta qs omps ds ut quae ... consequamur.   D 91

250 ALIAE ORATIONES

1 Ds illuminator ... asspirasti.   D 92
2 ALIA. Ds cuius unigenitus in substantia .. (67r) .. mereamur.   D 93
3 ALIA. Omps sempit. ds fidelium splendor ... claritatem.   D 94

251 NAT. S. HILARII

1 Deus qui populo tuo ęternę salutis minist⟨rum⟩ concessisti beatum confessorem tuum atque pon⟨ti⟩ficem Hilarium, praesta quaesumus, ⟨ut⟩ quem doctorem habuimus ⟨in⟩ terris, intercessorem semper ⟨ha⟩bere mereamur in cęli⟨s. Per.⟩
2 SECR. Sancti confessoris tui N. ⟨nobis⟩ domine pia non desit ora⟨tio⟩, quę et munera nostra con⟨ciliet⟩ et tuam nobis indulgen⟨tiam⟩ semper obtineat.
3 ALIA. Omnipotens sempiterne deus munera tuę maiestati ob⟨la⟩ta per intercessionem beati confessoris tui atque ponti⟨fi⟩cis Hilarii nos ubique o⟨ra⟩tio adiuvet, in cuius ⟨ve⟩neratione hęc tuę obtulimus maiestati. Per.

252 XVIIII KL. FEBR. NAT. S. FELICIS

1 Concede qs omps ds ut ad meliorem ... imitetur.   D 99
2 SECR. Hostias tibi dne pro commemoratione ... pacem.   D 70
3 AD COMPL. Qs dne salutaribus repleti ... adiuvemur.   D 101

---

249 2 qs dne dona] dona qs dne *B* ‖ 5 dne ds nr] omps ds *B* | celebramus] celebremus *B* | intelligentiam] intelligentia *B*
250 1 in *om.B* | quem] quod *B* ‖ 2 foras] foris *B*
252 1 imitemur] imitetur *B* ‖ 2 tui confessoris *om.B* | praebuisti] tribuisti *B*

---

251 Nachtrag Ende 11. Jh.
     1 Cf. D 3517 (nat. Martini).
     2 A 1264 (nat. Augustini); G 1394 (id.); Rh 805 (id.); S 1331 (id.); cf. D 3337 (nat. unius conf.); Conc. 3192.

253   XVII KL. FEBR. NAT. S. MARCELLI PAPAE

1 Preces populi tui qs dne clementer ... laetamur.   D 102
2 SECR. Suscipe qs dne munera dignanter ... concede.   D 103
3 AD COMPL. Saciasti dne familiam tuam ... celebramus.   D 104

254   IN OCTAVA THEOPHANIAE

1 Ds cuius unigenitus in substantia .. (67v) .. mereamur   D 93
2 SECR. Hostias tibi domine pro nati filii tui apparitione deferimus
suppliciter exorantes, ut sicut ipse nostrorum est munerum auctor,
ipse sit misericors et susceptor. Per.
3 AD COMPL. Caelesti lumine qs dne semper ... effectu.   D 459

255   XV KL. FEBR. NAT. S. PRISCAE VIRG.

1 Da qs omps ds ut qui beatae Priscae ... exemplo.   D 105
2 SECR. Haec hostia qs dne quam ... conciliet.   D 106
3 AD COMPL. Qs dne salutaribus repleti ... adiuvemur.   D 107

256   XIIII KL. FEBR. NAT. S. MARII ET MARTHE

1 Exaudi domine populum tuum cum sanctorum tuorum tibi patrocinio supplicantem, ut et temporalis vitae nobis tribuas pace gaudere
et aeternum reperire subsidium. Per.
2 SECR. Preces domine tuorum respice oblationes fidelium, et ut tibi
gratae sint pro tuorum festivitate sanctorum et nobis conferant tuae
propiciationis auxilium. Per.
3 AD COMPL. Sanctorum tuorum domine intercessione placatus
praesta quaesumus, ut quae temporali celebramus actione, perpetua
salvati(68r)one capiamus. Per dominum.

---

253   2 Marcelli] martyris tui atque pontificis *add.B*
254   1 foras] foris *B*
255   1 tuae] tui *B* | laetemur] laetificas *B* ‖ 2 hostia] haec hostia *B*

---

254   2 A 121; G 115; Ph 124; Rh 105; S 113; Conc. 1830.

256   1 A 148; G 152; Ph 159; Rh 122; S 135; Conc. 1451.
      2 A 149; G 153; Ph 160; Rh 123; S 136; Conc. 2819.
      3 A 150; G 154; Ph 161; Rh 124; S 137; Conc. 3243.

257   XIII KL. FEBR. NAT. S. FABIANI ET SEBASTIANI

1 Infirmitatem nram respice ... protegat.   D 108
2 ALIA. Ds qui·beatum Sebastianum ... formidare.   D 111
3 SECR. Hostias tibi dne beati Fabiani ... subsidium.   D 109
4 ALIA. Accepta sit in conspectu tuo ... defertur.   D 112
5 AD COMPL. Refecti participatione ... effectum.   D 110
6 ALIA. Sacro munere saciati supplices ... augmentum.   D 113

258   XII KL. FEBR. NAT. S. AGNETIS VIRG.

1 Omps sempit. ds qui infirma mundi ... sentiamus.   D 114
2 SECR. Hostias dne quas tibi offerimus ... absolve.   D 115
3 AD COMPL. (68v) Sumentes domine gaudia sempiterna de participatione sacramenti intercedente beata Agna martyre tua suppliciter
deprecamur, ut quae sedula servitute donante te gerimus, dignis
sensibus tuo munere capiamus. Per dominum nostrum.

259   XI KL. FEBR. NAT. S. VINCENTII MART.

Adesto dne qs supplicationibus ... beati Vincentii. REQUIRE ANTE IN
NATALE S. GRISOGONI MART. MISSA.   D 117

260   IN CONVERSIONE S. PAULI APOST.

1 Deus qui universum mundum beati Pauli apostoli praedicatione docuisti, da
nobis quaesumus, ut cuius hodie conversionem colimus, per eius ad te exempla
gradiamur. Per.
2 SECR. Apostoli tui Pauli precibus domine plebis tuę dona sanctifica, ut quę tibi
grata sunt instituta, gratiora fiant patrocinio supplicantis. Per.
3 AD COMPL. Sanctificato domine salutari mysterio quaesumus, ut pro nobis eius
non desit oratio, cuius nos donasti patrocinio gubernari. Per.

---

257   2 virtutem] virtute B ‖ 6 devitae] debitae B
258   2 propitius] propiciatus B | suspice] respice B
259   qs dne] dne qs B

---

258   3 A 166; G 172; Ph 175; Rh 130; S 151; Colmar 443; Conc. 3330.

259   → B 460.

260   Nachtrag Ende 11. Jh.; 1–3 Colmar 443.
      1 A 181; S 169; Conc. 1235.
      2 A 182; S 170; Conc. 205.
      3 A 184; S 172; Conc. 3222.

261   IN OCT. S. AGNĘ

1 Ds qui nos annua beatę Agnę ... exemplo.   D 120
2 SECR. Super has qs dne hostias ... ⟨lae⟩tificet.   D 121
3 AD COMP. Sumpsimus dne celebritatis ... eternę.   D 122

262   IIII NON. FEBR. YPPAPANTI

1 Erudi qs dne plebem tuam ... concede.   D 123
2 IN DIE AD MISSAM. Omps sempit. ds maiestatem ... praesentari. Per
eundem.   D 124
3 SECR. Exaudi dne praeces nras ... pietatis inpende.   D 125
4 AD COMPL. Qs dne ds nr ut sacrosancta ... futurum.   D 126
5 ALIA. Perfice in nobis qs dne gratiam ... aeternam.   D 127

263   (69r) NON. FEBR. NAT. S. AGATHE VIRG.

1 Ds qui inter cetera potentiae ... gradiamur.   D 128
2 SECR. Suscipe munera dne ... liberari.   D 129
3 AD COMPL. Auxilientur nobis dne ... confirment.   D 130
4 ALIA. Indulgentiam nobis dne ... virtutis.   D 131

264   XVI KL. MART. NAT. S. VALENTINI

1 Presta qs omps ds ut qui beati Valentini ... adiuvemur.   D 134
2 SECR. Oblatis qs dne placare ... periculis.   D 135
3 ⟨AD COMPL.⟩ Sit nobis dne reparatio ... effectum.   D 136

---

261   2 martyrum] nos *add.B*
262   1 lucem] luce *B* ‖ 4 beata ... Maria] beata Maria semper virgine *B* ‖ 5 qui] ut
      qui *B*
263   4 existit] extitit *B*
264   1 intercessione liberemur] intercessionibus adiuvemur *B* ‖ 3 et corporis *om.B* |
      actionem] cultum *B*

---

261   Nachtrag Ende 11. Jh.

265   VIII KL. MART. CATHEDRA S. PETRI

1 Ds qui apostolo tuo Petro ... liberemur.   D 598

2 SECR. Ecclesię tuae quaesumus domine praeces et hostias beati Petri apostoli commendet oratio, ut quod pro illius (69v) celebramus gloria, nobis prosit ad veniam. Per.

3 AD COMPL. Laetificet nos domine munus oblatum, ut sicut in apostolo tuo Petro te mirabilem prędicamus, sic per illum tuae sumamus indulgentiae largitatem. Per.

266   IN NAT. S. MATHIE APOST.

1 Deus qui beatum Mathiam apostolorum tuorum collegio sociasti, tribue quaesumus, ut eius interventione tuę circa nos pietatis semper viscera sentiamus. Per.

2 SECR. Deus qui proditoris apostatę ruinam, ne apostolorum tuorum numerus sacratus perfecctione caraeret, beati Mathię electione suplesti praesentia munera sanctifica et per ea nos gratię tuę virtute confirma. Per.

3 AD COMPL. Praesta quaesumus omnipotens deus, ut per hęc sancta quę sumpsimus interveniente beato Mathia apostolo tuo veniam consequamur et pacem. Per.

267   IN NAT. S. GREGORII PAPAE.

1 Concede quaesumus domine fidelibus tuis digne sancti Gregorii pontificis tui celebrare mysteria, ut eius quae fideliter exequuntur, et hic experiantur auxilia et aeternis effectibus adprehendant. Per.

2 SECR. Hostias domine quas nomini tuo sacrandas offerimus, sancti Gregorii prosequatur oratio, per quam nos expiari tribuis et defendi. Per.

3 AD COMPL. Prestent domine quaesumus tua sancta presidia, quae intervenientibus beati Gregorii meritis ab omnibus nos absolvant peccatis. Per.

---

265   1 apostolo] tuo *add.B*

---

265   2 A 239; G 235; Ph 245; Rh 168; S 218; Colmar 443; D 65*; Conc. 1390.
3 A 241; G 237; Ph 248; Rh 170; S 220; D 66*; Conc. 1990.

266   Nachtrag Ende 11. Jh.; 1–3 D 68*–70* (Cambrai 162–163).

267   1 A 246; G 243; Ph 257; Rh 171; S 224; Conc. 463.
2 A 247; G 244; Ph 258; Rh 172; S 225; Conc. 1805.
3 A 249; G 246; Ph 260; Rh 174; S 227; Conc. 2801.

268   XII KL. APR. DEPOSITIO S. BENDICTI

1 Ds qui beatum Benedictum ... commendetur.   D 3537
2 SECR. Benedictio tua dne beati Benedicti ... conciliet.   D 3538
3 AD COMPL. Beati Benedicti confessoris tui ... capiamus.   D 3539

269   VIII KL. APR. ADNUNTIATIO S. MARIAE

1 Ds qui de beatae virginis utero .. (70r) .. adiuvemur.   D 140
2 AD MISSAM. Ds qui hodierna die verbum tuum ... valeamus.
                                                               D 141
3 SECR. In mentibus nris dne ... laeticiam.   D 142
4 PREF. Ꝓ Qui[a] per beatae Mariae virginis partum ... mundi edidit
Iesum Christum dnm nrum. Per.   D 1598
5 AD COMPL. Gratiam tuam dne mentibus ... perducamur.   D 143

270   DOMINICA I POST NAT. DOMINI

1 Omps sempit. ds dirige actus .. (70v) .. abundare.   D 1093
2 SECR. Concede qs dne ut oculis ... adquirat.   D 1094
3 AD COMPL. Per huius dne operationem ... compleantur.   D 1095

271   DOMINICA II POST NAT. DOMINI

1 Vota qs dne supplicantis ... convalescant.   D 1096
2 SECR. Oblatum tibi dne ... muniat.   D 1097
3 AD COMPL. Supplices te rogamus omps ds ... concedas.   D 1098

272   DOMINICA II POST THEOPHANIAM

1 Omps sempit. ds qui caelestia ... temporibus.   D 1099
2 SECR. Oblata dne munera ... emunda.   D 1100
3 AD COMPL. Augeatur in nobis dne ... praeparemur.   D 1101

---

268   1 tuum *om.B* | tuis] eius *B* || 2 tui *om.B*

273   DOMINICA III POST THEOPHANIAM

1 Omps sempit. ds infirmitatem ... extende.   D 1102
2 SECR. Haec hostia dne qs emundet .. (71r) .. sanctificet.   D 1103
3 AD COMPL. Quos tantis dne largiris ... digneris.   D 1104

274   DOMINICA IIII POST THEOPHANIAM

1 Ds qui nos in tantis periculis ... vincamus.   D 1105
2 SECR. Concede qs omps ds ut huius ... muniat.   D 1106
3 AD COMPL. Munera tua nos ds a delectationibus ... alimentis.
                                                               D 1107

275   DOMINICA V POST THEOPHANIAM

1 Familiam tuam qs dne continua ... muniatur.   D 1108
2 SECR. Hostias tibi dne placationis ... dirigas.   D 1109
3 AD COMPL. Qs omps ds ut illius salutaris ... accepimus.   D 1110

276   DOMINICA VI POST THEOPHANIAM

1 Conserva populum tuum ds ... percipiat.   D 1111
2 SECR. Haec nos oblatio ds mundet ... protegat.   D 1112
3 AD COMPL. Caelestibus dne pasti ... (71v) appetamus.   D 1113

277   DOMINICA IN SEPTUAGESIMA AD S. LAURENTIUM

1 Preces populi tui qs dne clementer ... liberemur.   D 144
2 SECR. Muneribus nris qs dne ... exaudi.   D 145
3 AD COMPL. Fideles tui ds per tua ... percipiant.   D 146

278   DOMINICA IN SEXAGESIMA AD S. PETRUM (= PAULUM)

1 Ds qui conspicis quia ex nulla ... muniamur.   D 147
2 SECR. Oblatum tibi dne ... muniat.   D 148
3 AD COMPL. Supplices te rogamus omps ds ut quos tuis reficis
sacramentis tibi ... concedas.   D 149

---

273   3 effectibus] nos *add.B*
276   3 qs *om.B*
277   1 qs *add.* B ‖ 3 perpetua] per tua *B*

279 DOMINICA IN QUINQUAGESIMA AD S. PETRUM

1 Preces nras qs dne clementer ... custodi.	D 150
2 SECR. Haec hostia dne qs emundet ... sanctificet.	D 151
3 AD COMPL. Qs omps ds ut qui caelestia ... muniamur.	D 152

280 FERIA IIII COLLECTA AD S. ANASTASIAM

1 Concede nobis dne praesidia .. (72r) .. auxiliis.	D 153
2 AD MISSAM. Praesta dne fidelibus ... percurrant.	D 154
3 SECR. Fac nos qs dne his muneribus ... exordium.	D 155
4 AD COMPL. Percepta nobis dne prebeant ... medelam.	D 156
5 SUPER POPULUM. Inclinantes se dne maiestati ... auxiliis.	D 157

281 FERIA V AD S. GEORGIUM

1 Ds qui culpa offenderis ... averte.	D 158
2 SECR. Sacrificiis praesentibus ... saluti.	D 159
3 AD COMPL. Caelestis doni benedictione ... salutis.	D 160
4 SUPER POPULUM. Parce dne parce populo ... respiret.	D 161

282 FERIA VI AD S. IOHANNEM ET PAULUM

1 Inchoata ieiunia qs dne benigno ... valeamus.	D 162
2 SECR. Sacrificium dne observantiae .. (72v) .. facultatem.	D 163
3 PREF. VD Qui corporali ieiunio ... premia.	D 1546
4 AD COMPL. Spiritum nobis dne tuae caritatis ... uno caelesti ... una facias ... concordes.	D 164
5 SUPER POPULUM. Tuere dne populum ... iniquitas.	D 165

283 SABBATO

1 ORATIO. Observationis huius annuę celebritate lętantes quaesumus domine, ut paschalibus actionibus inherentes plenis eius effectibus gaudeamus. Per.

280　5 sunt] sint *B* | nutriantur] muniamur *B*
281　1 populi] tui *add. B* ‖ 2 dne qs] qs dne *B*

283　Nachtrag Ende 11. Jh.; 1–3 Colmar 443.
　　1 A 292; G 290; Ph 301; Rh 208; S 266; Conc. 2219.

2 SECR. Suscipe domine sacrifitium, cuius te voluisti dignanter immolatione placari, praesta quaesumus, ut huius operatione mundati beneplacitum tibi nostrę mentis offeramus affectum. Per.

3 AD COMPL. Cęlesti⟨s⟩ vitę munere vegetati quaesumus domine, ut quod est nobis in praesenti vita mysterium, fiat ęternitatis auxilium. Per.

4 SUPER POPULUM. Fideles tui ds per tua ... percipiant.   D 146

284   DOMINICA IN QUADRAGESIMA AD S. IOHANNEM IN LATERANIS

1 Ds qui aecclesiam tuam annua ... exequatur.   D 166
2 SECR. Sacrificium dne quadragesimalis ... temperemur.   D 167
3 PREF. ⟨HD⟩ Qui continuatis quadraginta ... percipitur.   D 1547
4 AD COMPL. Tui nobis dne sacramenti libatio .. (73r) .. consortium.   D 168
5 AD VESP. Da nobis qs omps ds et aeternę ... invenire.   D 169
6 AD FONTES. Adesto qs dne supplicationibus ... custodi.   D 170

285   FERIA II AD S. PETRUM AD VINCULA

1 Converte nos ds salutaris nr ... disciplinis.   D 171
2 SECR. Munera nra dne oblata ... emunda.   D 172
3 AD COMPL. Salutaris tui dne munere ... effectu.   D 173
4 SUPER POPULUM. Absolve qs dne nrorum ... averte.   D 174

286   FERIA III AD S. ANASTASIAM

1 Respice dne familiam tuam et pręsta ... castigat.   D 175
2 SECR. Oblatis dne placare ... periculis.   D 176
3 AD COMPL. Qs omps ds ut illius ... accepimus.   D 177
4 SUPER POPULUM. Ascendant ad te dne preces ... nequitiam.   D 178

---

283 2 A 294; G 292; Ph 303; Rh 210; S 268; Conc. 3430.
     3 A 295; G 293; Ph 305; Rh 211; S 269; Conc. 390.
     4 A 296; G 294; Ph 306; Rh 212; S 270; Conc. 1622.
284 4 nos dne sacramenta] nobis dne sacramenti B ‖ 6 misericordia om.B
285 2 munera] nostra add.B
286 2 qs om.B

287   FERIA IIII AD S. MARIAM MAIOREM

1 Preces nras qs dne clementer exaudi ... extende.   D 179
2 ALIA. (73v) Devotionem populi tui ... mente.   D 180
3 SECR. Hostias tibi dne placationis ... dirigas.   D 181
4 AD COMPL. Tui dne perceptione sacramenti ... insidiis.   D 182
5 SUPER POPULUM. Mentes nras qs dne lumine ... valeamus.   D 183

288   FERIA V AD S. LAURENTIUM

1 Devotionem populi tui quaesumus domine benignus.
UT SUPRA.   D 184
2 SECR. Sacrificia dne qs propitius ... ieiuniis.   D 185
3 ⟨AD COMPL. T⟩uorum nos dne largitate ... sempiternis.   D 186
4 ⟨SUPER POPULUM.⟩ Da qs dne populis ... frequentant.   D 187

289   FERIA VI AD APOSTOLOS

1 Esto dne propitius plebi ... auxilio.   D 188
2 SECR. Suscipe qs dne nris oblata ... sanctifica.   D 189
3 AD COMPL. Per huius dne operationem ... compleantur.   D 190
4 SUPER POPULUM. Exaudi nos misericors ds ... ostende.   D 191

290   SABBATO ⟨IN XII LECT.⟩ AD S. PETRUM

1 (74r) Populum tuum dne qs propitius respice ... averte.   D 192
2 ALIA. Ds qui nos in tantis periculis ... vincamus.   D 193
3 ALIA. Protector nr aspice ds ... famulemur.   D 194
4 ALIA. Adesto qs dne supplicationibus ... securi.   D 195
5 ALIA. Preces populi tui dne qs clementer ... liberemur.   D 196
6 ALIA. Qs omps ds vota humilium ... extende.   D 197
7 ALIA. Actiones nras qs dne et aspirando ... finiatur.   D 198
8 AD MISSAM. Ds qui tribus pueris mitigasti ... vitiorum.   D 199

---

287   2 qs benignus] benignus qs *B* ‖ 4 perceptio] perceptione *B*
289   2 potius] propitius *B* ‖ 3 impleantur] compleantur *B*

---

288   1 → B 287,2.

9 SECR. Praesentibus sacrificiis ... operetur.   D 200
10 AD COMPL. Sanctificationibus tuis ... proveniant.   D 201

291   (74v) DIE DOMINICA VACAT

1 Ds qui conspicis omni nos ... mente.   D 202
2 SECR. Sacrificiis praesentibus dne ... saluti.   D 203
3 AD COMPL. Supplices te rogamus ... concedas.   D 204

292   FERIA II AD S. CLEMENTEM

1 Praesta qs omps ds ut familia ... ieiunet.   D 205
2 SECR. Haec hostia dne placationis ... efficiat.   D 206
3 AD COMPL. Haec nos communio dne ... consortes.   D 207
4 SUPER POPULUM. Adesto supplicationibus ... effectum.   D 208

293   FERIA III AD S. BALBINAM

1 Perfice qs dne benignus ... impleamus.   D 209
2 SECR. Sanctificationem tuam nobis ... perducat.   D 210
3 AD COMPL. Ut sacris dne reddamur .. (75r) .. mandatis.   D 211
4 SUPER POPULUM. Propitiare dne supplicationibus ...
laetemur.   D 212

294   FERIA IIII AD S. CECILIAM

1 Populum tuum dne propitius respice ... concede.   D 213
2 SECR. Hostias dne quas tibi ... absolve.   D 214
3 AD COMPL. Sumptis dne sacramentis ... augmentum.   D 215
4 SUPER POPULUM. Ds innocentiae restitutor ... efficaces.   D 216

295   FERIA V AD S. MARIAM

1 Praesta nobis dne qs auxilium ... corporis.   D 217
2 SECR. Praesenti sacrificio nomini ... effectum.   D 218

---

291   2 ut] et *add. B*
292   1 iustitia] iusticiam *B* ‖ 3 caelestibus remediis] caelestis remedii *B* ‖ 4 indulgis]
indulges *B*
295   2 per] ut *B* | et *om.B*

3 AD COMPL. Gratia tua nos qs dne ... acquirat.   D 219

4 SUPER POPULUM. Adesto dne famulis tuis ... conserves.   D 220

296   FERIA VI AD S. VITALEM

1 Da qs omps ds ut sacro nos ... pervenire.   D 221

2 (75v) SECR. Haec in nobis sacrificia ... firmentur.   D 222

3 AD COMPL. Fac nos dne qs accepto pignore ... possimus.   D 223

4 SUPER POPULUM. Da qs dne populo tuo salutem ... defendi.   D 224

297   SABBATO AD SS. MARCELLINUM ET PETRUM

1 Da qs dne nris effectum ieiuniis ... animarum.   D 225

2 SECR. His sacrificiis dne ... alienis.   D 226

3 AD COMPL. Sacramenti tui dne divina ... efficiat.   D 227

4 SUPER POPULUM. Familiam tuam qs dne ... muniatur.   D 228

298   DIE DOMINICA ⟨III⟩ AD S. LAURENTIUM

1 Qs omps ds vota humilium ... extende.   D 229

2 SECR. Haec hostia dne qs mundet ... sanctificet.   D 230

3 AD COMPL. A cunctis nos dne reatibus ... participes.   D 231

299   FERIA II AD S. MARCUM

1 Cordibus nris qs dne gratiam .. (76r) .. excessibus.   D 232

2 SECR. Munus quod tibi dne ... sacramentum.   D 233

3 AD COMPL. Praesta qs omps et misericors ds ... capiamus.   D 234

4 SUPER POPULUM. Subveniat nobis dne misericordia ...

salvari.   D 235

---

295 4 perpetua] perpetuam benignitatem *B*

296 4 mereantur] mereatur *B*

297 1 salutare] salutarem *B* ‖ 2 externis] alienis *B* ‖ 3 poenetrabilia] poenetralia *B* ‖
     4 qui] quae *B*

298 3 Cunctis] A cunctis *B* | propitiatus] propitius *B*

299 1 dne] gratiam tuam *add. B*

300   FERIA III AD S. PUDENTIANAM

1 Exaudi nos omps et misericors ds ... concede.   D 236
2 SECR. Per haec veniat qs dne sacramenta ... perducat.   D 237
3 AD COMPL. Sacris dne mysteriis expiati ... gratiam.   D 238
4 SUPER POPULUM. Tua nos dne protectione ... custodi.   D 239

301   FERIA IIII AD S. SYXTUM

1 Praesta nobis qs dne ut salutaribus ... impetremus.   D 240
2 SECR. Suscipe dne preces populi ... periculis.   D 241
3 AD COMPL. Sanctificet nos dne qua pasti ... acceptos.   D 242
4 SUPER POPULUM.(76v) Concede qs omps ds ut qui ... serviamus.
     D 243

302   FERIA V AD SS. COSMAM ET DAMIANUM

1 Magnificet te dne sanctorum tuorum ... contulisti.   D 244
2 ALIA DE FERIA. Da quaesumus domine rex aeterne cunctorum, ut sacro nos purificatos ieiunio sinceris quoque mentibus ad tua sancta ventura facias pervenire. Per.
3 SECR. In tuorum dne pretiosa morte ... principium.   D 245
4 ALIA. Deus de cuius rore descendit, ut ad mysteria tua purgatis sensibus accedamus, praesta quaesumus, ut in eorum traditione sollemniter honoranda competens tibi deferamus obseqium. Per.
5 AD COMPL. Sit nobis dne sacramentum ... imploratur.   D 246
6 ALIA. Sacramenti tui domine veneranda perceptio et mystico nos mundet effectu et perpetua virtute defendat. Per.
7 SUPER POPULUM. Subiectum tibi populum ... mandatis.   D 247

---

300   1 continentiae] continentiam *B*
301   2 qs *om.B* ‖ 3 quia] qua *B* | mensa] mensae *B* | caelestis] libatio *add. B*
302   1 quia] qua *B* ‖ 3 iustorum] sanctorum *B* ‖ 5 sacramenti tui] sacramentum tuum *B* | quae] quod *B* | beatorum] martirum *add.B*

---

302   2 A 439; G 426; Ph 432; S 376; Conc. 659.
     4 A 441; G 428; Ph 434; S 378; Conc. 806.
     6 A 442; G 430; Ph 430; S 379; Colmar 443; Conc. 3129.

303 FERIA VI AD S. LAURENTIUM

1 Ieiunia nra qs dne benigno favore ... mente.	D 248
2 SECR. Respice dne propitius .. (77r) .. existant.	D 249
3 AD COMPL. Huius nos dne perceptio ... perducat.	D 250
4 SUPER POPULUM. Praesta qs omps ds ut qui in ... vincamus.	D 251

304 SABBATO AD S. SUSANNAM

1 Praesta qs omps ds ut qui se affligendo ... ieiunent.	D 252
2 SECR. Concede qs omps ds ut cuius ... muniat.	D 253
3 AD COMPL. Qs omps ds ut inter eius menbra (sic) ... sanguini.	D 254
4 SUPER POPULUM. Pretende dne fidelibus ... mereantur.	D 255

305 DOMINICA ⟨IIII⟩ IN MEDIO QUADRAGESIMAE AD IERUSALEM

1 Concede qs omps ds ut qui ex merito ... respiremus.	D 256
2 SECR. Sacrificiis praesentibus qs dne intende ... saluti.	D 257
3 AD COMPL. Da nobis misericors ds ut sancta ... sumamus.	D 258
4 SUPER POPULUM. Ds qui in deserti .. (77v) .. impende.	D 259

306 FERIA II AD QUATTUOR CORONATOS

1 Praesta qs omps ds ut observationes sacras ... mente.	D 260
2 SECR. Oblatum tibi dne sacrificium ... muniat.	D 261
3 AD COMPL. Sumptis dne salutaribus ... augmentum.	D 262
4 SUPER POPULUM. Deprecationem nram qs dne ... auxilium.	D 263

307 FERIA III AD S. LAURENTIUM

1 Sacrae nobis qs dne observationis ... auxilium.	D 264
2 SECR. Haec hostia dne qs emundet ... sanctificet.	D 265
3 AD COMPL. Huius nos dne perceptio ... perducat.	D 266
4 SUPER POPULUM. Miserere dne populo ... concede.	D 267

---

303 1 mentem] mente *B*
304 2 huius] cuius *B*
305 2 dne qs] qs dne *B* ‖ 4 transeuntes] transeuntis *B*

308 FERIA IIII AD S. PAULUM

1 Ds qui et iustis praemia ... delictorum.	D 268
2 ALIA. Praesta qs omps ds ut quos .. (78r) .. capiamus.	D 269
3 SECR. Supplices dne te rogamus ut ... sanitatem.	D 270
4 AD COMPL. Sacramenta quae sumpsimus ... auxiliis.	D 271
5 SUPER POPULUM. Pateant aures misericordiae ... postulare.	D 272

309 FERIA V AD S. SILVESTRUM

1 Adesto nobis quaesumus omnipotens deus et per ieiunium corporale mentem nostram operibus tuorum refice mandatorum. Per.

2 SECR. Efficiatur haec hostia domine quaesumus sollemnibus grata ieiuniis, et ut tibi acceptior fiat, purificatis mentibus immoletur. Per.

3 AD COMPL. Sancta tua nos domine quaesumus et vivificando renovent et renovando vivificent. Per dominum.

4 SUPER POPULUM. Populi tui ds instaurator ... securus.   D 276

310 FERIA VI AD S. EUSEBIUM

1 Ds qui ineffabilibus mundum ... auxiliis.	D 277
2 SECR. Munera nos dne qs oblata ... placatum.	D 278
3 AD COMPL. Haec nos dne qs participatio ... adversis.	D 279
4 SUPER POPULUM. (78v) Da qs omps ds ut qui ... gaudeamus.	D 280

---

309   4 institutor] instaurator *B* | impugnantur] impugnatur *B* | placatus] placitus *B*
310   3 et propriis] et a propriis *B*

---

309   1–3 Colmar 443.
    1 A 445; G 349; S 382; Conc. 134.
    2 A 488; G 471; Rh 324; S 414; D 352*; Conc. 1398.
    3 A 489; G 472; Rh 325; S 415; D 353*; Conc. 3182.

311 SABBATO AD S. LAURENTIUM

1 Fiat dne qs per gratiam ... pietati.   D 281
2 SECR. Oblationibus dne qs placare ... voluntates   D 282
3 ⟨PRAEF. ⊔Đ⟩ Qui salutem humani generis ... vinceretur.   D 1837
4 AD COMPL. Tua nos dne qs sancta purificent ... placatos.   D 283
5 SUPER POPULUM. Ds qui sperantibus in te ... valeamus.   D 284

312 DIE DOMINICA ⟨DE PASSIONE⟩ AD S. PETRUM

1 Qs omps ds familiam tuam propitius respice ... mente.   D 285
2 SECR. Haec munera dne qs et vincula ... concilient.   D 286
3 AD COMPL. Adesto nobis dne ds nr et quos tuis mysteriis ...
praesidiis.   D 287

313 FERIA II AD S. CHRISOGONUM

1 Sanctifica qs dne nra ieiunia ... culparum.   D 288
2 SECR. Concede nobis dne ds nr ut haec ... maiestatis.   D 289
3 AD COMPL. Sacramenti tui qs dne participatio .. (79r) .. medelam.
                                                                         D 290
4 SUPER POPULUM. Da qs dne populo tuo salutem ... defendi. D 291

314 FERIA III AD S. CYRIACUM

1 Nra tibi dne qs sint accepta ... aeterna.   D 292
2 SECR. Hostias tibi dne deferimus ... aeterna.   D 293
3 AD COMPL. Da qs omps ds ut quae divina ... propinquare. D 294
4 SUPER POPULUM. Da nobis dne qs perseverantem ... augeatur.
                                                                         D 295

315 FERIA IIII AD S. MARCELLUM

1 Sanctificato hoc ieiunio ... auditum.   D 296
2 SECR. Annue misericors ds ut hostias ... obsequio.   D 297

---

311 2 qs dne] dne qs B ‖ 4 qs dne] dne qs B | operationis suae] operatione sua B ‖ 5
      mereamur] valeamus B
312 1 largiante] largiente B
313 2 ds] nr add. B ‖ 4 operibus] iugiter add.B
314 1 qs dne] dne qs B | gratiae tuae] gratia tua B ‖ 2 quae] nobis add.B

---

311 3 Nachtrag 15. Jh.

3 AD COMPL. Caelestis doni benedictione ... salutis.   D 298
4 SUPER POPULUM. Adesto supplicationibus ... affectum.   D 299

316   FERIA V AD S. APPOLINAREM

1 (79v) Concede misericors deus, ut sicut nos tribuis sollemne tibi deferre ieiunium, sic nobis indulgentiae tuae praebeas benignus auxilium. Per dominum.
2 SECR. Concede nobis domine quaesumus, ut celebraturi sancta mysteria non solum abstinentiam corporalem, sed quod est potius, habeamus mentium puritatem. Per.
3 AD COMPL. Vegetet nos domine semper et innovet tuae mensae libatio, quae fragilitatem nostram gubernet et protegat et in portum perpetuae salutis inducat. Per.
4 SUPER POPULUM. Succurre quaesumus domine populo supplicanti et opem tuam tribue benignus infirmis, ut sincera tibi mente devoti et praesentis vitae remediis gaudeant et futurae. Per.

317   FERIA VI AD S. STEPHANUM

1 Cordibus nris dne spiritum scm benignus ... aeternis.   D 304
2 SECR. Praesta nobis misericors ds ut digne ... salvari.   D 305
3 AD COMPL. Sumpti sacrificii dne perpetua ... depellat.   D 306
4 SUPER POPULUM. Concede qs omps ds ut qui ... serviamus.   D 307

318   SABBATO AD S. PETRUM

1 Proficiat qs dne plebs tibi dicata .. (80r) .. augeatur.   D 308
2 SECR. A cunctis nos dne reatibus ... consortes.   D 309

---

315   4 ut] et *B* | indulgis] indulges *B* | effectum] affectum *B*
317   1 dne] spiritum sanctum *add.B* | maceremur] in corpore *add.B*
318   1 affectum] affectu *B* ‖ 2 Cunctis] A cunctis *B* | tantis mysteriis] tanti mysterii *B*

---

316   1–4 Colmar 443.
    1 A 538; G 511; Rh 359; S 449; D 354*; Conc. 434.
    2 A 539; G 512; Rh 360; S 450; D 355*; Conc. 440.
    3 A 540; G 513; Rh 361; S 451; D 356*; Conc. 3584.
    4 A 541; G 514; Rh 362; S 452; D 357*; Conc. 3323.

3 AD COMPL. Divini saciati muneris ... vivamus.   D 310
4 SUPER POPULUM. Tueatur qs dne dextera ... proficiat.   D 311

319   DIE DOMINICA IN PALMIS AD S. IOHANNEM IN LATERANIS

1 Omps sempit. ds qui humano generi ... mereamur.   D 312
2 SECR. Concede qs dne ut oculis ... acquirat.   D 313
3 AD COMPL. Per huius dne operationem ... compleantur.   D 314

320   FERIA II AD S. PRAXEDEM

1 Da qs omps ds ut qui in tot ... respiraemus. Qui tecum.   D 315
2 SECR. Haec sacrificia nos omps ds ... principium.   D 316
3 AD COMPL. Praebeant nobis dne divinum .. (80v) .. fructu.   D 317
4 SUPER POPULUM. Adiuva nos ds salutaris nr ... gaudentes.   D 318

321   FERIA III AD S. PRISCAM

1 Omps sempit. ds da nobis ita dominicae ... mereamur.   D 319
2 SECR. Sacrificia qs dne nos propensius ... ieiuniis.   D 320
3 AD COMPL. Sanctificationibus tuis omps ds ... proveniant.   D 321
4 SUPER POPULUM. Tua nos misericordia ds ... efficiat.   D 322

322   FERIA IIII AD S. MARIAM MAIOREM

1 Praesta qs omps ds ut qui nris ... liberemur. Qui tecum.   D 323
2 ALIA. Ds qui pro nobis filium tuum crucis ... consequamur.
                                                                  D 324
3 SECR. Purifica nos misericors ds ut aecclesiae ... gratiores. D 325
4 AD COMPL. Largire sensibus nris omps ds ut per ... confidamus.
                                                                  D 326
5 SUPER POPULUM. Respice qs dne super .. (81r) .. tormentum. Qui
tecum.   D 327

---

318   4 ut consolationem praesentem] et consolatione praesenti *B*
319   1 mereatur] mereamur *B*
321   2 nos qs dne] qs dne nos *B*
322   5 dne qs] qs dne *B*

323   FERIA V IN CENA DOMINI

1 Ds a quo et Iudas reatus sui ... largiatur. Qui tecum vivit et regnat.   D 328

2 SECR. Ipse tibi qs dne scę pater omps ds ... monstravit Iesus Christus dns nr. Qui tecum.   D 329

3 Communicantes et diem sacratissimum ... venerantes.   D 330

4 INFRA ACT. Hanc igitur oblationem servitutis ... accipias.   D 331

5 Qui pridie quam pro nra omnium salute ... panem.   D 332

6 AD COMPL. Refecti vitalibus alimentis ... consequamur.   D 337

324   FERIA VI IN PARASCEVE

1 Deus a quo et Iudas reatus sui poenam. UT SUPRA.   D 328

2 LECT. Haec dicit dominus deus: In tribulatione sua (Os 6,1).

3 (81v) TRACT. *Domine audivi auditum tuum et timui.*

4 ORATIO. Deus qui peccati veteris hereditariam mortem, in qua posteritatis genus omne successerat, Christi filii tui domini nostri passione solvisti, da, ut conformes eiusdem facti sicut imaginem terreni naturę necessitate portavimus, ita imaginem caelestis gratiae sanctificatione portemus. Per eundem.

5 LECT. In diebus illis: Dixit dominus ad Moysen et Aaron in terra Ęgipti (Ex 12, 1).

6 TRACT. *Eripe me domine ab homine malo.*

7 PASSIO DOMINI NOSTRI. I.i.t.: Egressus Iesus trans torrentem (Io 18, 1).

---

323   1 passionem suam] passione sua *B* | utriusque] utrisque *B* ‖ 4 suis *om.B* ‖ 5 in sanctas *om.B*

---

324   1 → B 323,1.
      2 → B 653,1.
      4 A 650; G 644; Ph 501; Rh 403; Colmar 443; D 118*; Conc. 1148.
      5 → B 653,2.
      7 → B 653,3.

325 ORATIONES MAIORE⟨S⟩ QUE DICUNTUR

1 Oremus dilectissimi nobis pro aecclesia ... omnipotentem. D 338
2 OREMUS. Flectamus genua. Omps sempit. ds qui gloriam ... perseveret. D 339
3 Oremus et pro beatissimo papa nro N. ... dei. D 340
4 OREMUS. Flectamus genua. Omps sempit. ds cuius iudicio universa
... (82r) augeatur. D 341
5 Oremus et pro omnibus episcopis presbiteris ... dei. D 342
6 OREMUS. Flectamus genua. Omps sempit. ds cuius spiritu ... ser-
viatur. D 343
7 Oremus et pro christianissimo imperatore nro N. ... pacem.
D 344
8 OREMUS. Flectamus genua. Omps sempit. ds in cuius manu ...
comprimantur. Per eumdem D 345
9 Oremus et pro caticuminis nris ... nro. D 346
10 OREMUS. Flectamus genua. Omps sempit. ds qui aecclesiam ...
aggregentur. D 347
11 Oremus dilectissimi nobis deum .. (82v) .. indulgeat. D 348
12 OREMUS. Flectamus genua. Omps sempit. ds mestorum consolatio
... affuisse. D 349
13 Oremus et pro hereticis et scismaticis ... dignetur. D 350
14 OREMUS. Flectamus genua. Omps sempit. ds qui salvas omnes ...
unitatem. D 351
15 Oremus et pro perfidis Iudeis ... nrum. D 352
16 OREMUS. Omps sempit. ds qui etiam iudaicam ... eruantur.
D 353
17 Oremus et pro paganis ... nrum. D 354
18 OREMUS. Flectamus genua. Omps sempit. ds qui non mortem ..
(83r) .. tui. D 355

325 1 et potestates] ac potestates B ‖ 2 confessionem] confessione B ‖ 3 suae] tuae B
‖ 6 fideliter] fidelibus B ‖ 8 manus] manu B | omnia om. B | romanum]
christianum B ‖ 13 et (3) om. B ‖ 15 Christum Iesum] Iesum Christum B ‖ 17 a]
de B

326   ORATIONES IN SABBATO SANCTO PASCHE

1 Ds qui divitias misericordiae ... offensae.   D 1023
2 LECT. LIB. GENESIS. In principio creavit deus caelum (Gn 1,1).
                                            D 362
3 Ds qui mirabiliter creasti ... pervenire.   D 363
4 LECT. LIB. EXODI. Factum est in vigilia matutina (Ex 14, 24). D 364
5 TRACT. Cantemus domino.
6 ORATIO. Ds cuius antiqua miracula ... opereris.   D 365
7 LECT. Apprehendent septem mulieres (Is 4,1).   D 366
8 TRACT. *Vinea facta est.*
9 ORATIO. Ds qui in omnibus aecclesiae ... foecundi.   D 1039
10 LECT. Haec est hereditas domini (Is 54, 17).
11 ORATIO. (83v) Omps sempit. ds spes unica ... virtutum.   D 1047
12 TRACT. *Sicut cervus desiderat ad fontes.*   D 370
13 ORATIO. Omps sempit. ds respice propitius ... sanctificet. D 372

327   IN SABBATO SANCTO PASCHAE

1 Ds qui hanc sacratissimam noctem gloria ... servitutem. D 377
2 SUPER OBL. Suscipe dne qs preces ... proficiant.   D 378
3 PREF. ☩ Te quidem omni tempore sed in hac potissimum nocte ...
gloriosius. REQUIRE IN CRASTINA DIE.   D 379
4 Communicantes et noctem sacratissimam ... resurrectionis. RE-
QUIRE IN CRASTINA.   D 380
5 Hanc igitur oblationis servitutis nostrae. REQUIRE IN CRASTINA.
                                            D 381
6 AD COMPL. Spiritum nobis dne tuae caritatis ... concordes. D 382

---

326 1 in hac *om.B* | regeneratricis] regeneratrici *B* ‖ 3 persistere] resistere *B* ‖ 9 qs
     om.B | tuis] ut *add.B* | et *om.B* | digni] digna *B* | fecunda] fecundi *B* ‖ 11 praeconio
     ... temporum *om.B*
327 1 novam ... progeniem] nova ... progenie *B* ‖ 3 hanc potissimam noctem] hac
     potissimum nocte *B*

---

326 2. 4. 7. 10 → B 654,1. 4. 8. 5.
     5. 8. 12 → B 84,1. 4. 6.

327 3. 4. 5 → B 333, 3. 4. 5.

328 (84r) MISSA PRO FURTU

1 Omnipotens sempiterne deus, qui omnia occulta praenoscis, exaudi et intende orationem nostram et fac furem revertere cum re, quam fraudavit, ut manifestetur nobis, sicut manifestasti furtum Achab in Iericho. Fiat illi contrarium verbum dei, ut compulsus redeat et ostendatur nobis et sicut te nichil latere potest domine, ita manifesta nobis hanc rem. Per dominum.

2 ⟨LECT. AD GALATAS⟩ (Gal 6,1–10) Frs. Et si preoccupatus fuerit homo ... ad domesticos fidei.

3 R̷ GRAD. *Exurge domine et intende iudicium.* ỳ *Effunde framea. Alleluia. Domine exaudi orationem meam et clamor meus ad te veniat.*

4 ⟨EV.⟩ SEC. LUCAM Petite et dabitur vobis (Lc 11,9).

5 OFF. *Domine exaudi orationem meam.*

6 ⟨SECR.⟩ Proficiat quaesumus haec oblatio domine, quam tuae supplices offerimus maiestati ad convertendum et revertendum famulum tuum, (84v) ut prius requiem non habeat, antequam se ostendat nobis, ut qui te contemnendo culpam incurrit, confitendo veniam consequatur. Per.

7 COM. *Erubescant et revereantur.*

8 AD COMPL. Haec nos communio domine purget a crimine et famulum/am tuum/am fac revertere, ut sicut Iosue furtum Achab absconditum in terra invenit, ita nobis patefacere digneris omnia, pro quibus petimus divinam clementiam tuam, ut non in aeternum abscondas iniquitatem suam, sed in praesentia denudat furtum suum et confusus veniat et pęniteat reatum suum et misericordiam tuam consequi mereatur. Per dominum nostrum.

329 ⟨DEDICATIO ECCLESIAE IN CONVERSIONE S. PAULI AD PROCESSIONEM⟩

1 ANT. O gloriosum lumen omnium ęcclesiarum sole splendidius, o vere apostolicum sidus altissimi sancte Paule, qui ęterni regis splendorem tęnebris gentium infudisti, qui in terra positus cęlorum secreta petisti et quę non licent homini loqui pervidisti, illuc supplices tuos post huius carnis terminum, perducere dignare, quos fecisti veritatis lumen agnoscere.

---

328 Cf. FRANZ, Messe, S. 211–213.
    4 FRANZ, Messe, S. 212: Mt 7, 7.

329 Nachtrag 12. Jh.
    1 In conversione s. Pauli, ant. ad laudes et II vesp.: AH 28, Nr.43, S. 118; HESBERT, CA 4030 (III, S. 369); LOR 80.

2 ℞ Visita quęsumus domine habitationem istam et omnes insidias inimici ab ea longe repelle. ℣ Benedic domine domum istam et omnes habitantes in ea. Et.

3 ℞ Benedic domine domum istam et omnes habitantes in illa. Sitque in ea sanitas, humilitas, sanctitas, castitas, virtus, victoria, fides, spes et caritas, benignitas, temperantia, pacientia, spiritualis disciplina et obedientia. Per infinita sęcula. ℣ Conserva domine in ea timentes te pusillos cum maioribus. Fides.

4 ℞ Vidi civitatem sanctam Hierusalem novam descendentem de cęlo a deo paratam et audivi vocem magnam de throno dicentem: Ecce tabernaculum dei cum hominibus et habitabit cum illis. ℣ Et dixit qui sedebat in throno: Ecce nova facio omnia. *Et audivi.*

330 ⟨MEMORIA DOMINI NOSTRI IESU CHRISTI ET SANCTORUM DEFUNCTORUMQUE⟩

(85r) Suscipe sancta trinitas hanc oblationem, quam tibi offerimus in memoriam passionis, resurrectionis et ascensionis domini nostri Iesu Christi et in honorem gloriose semper virginis dei genitricis Marie, illorum et omnium sanctorum tuorum, qui tibi placuerunt ab inicio mundi et eorum, quorum hodie festivitas celebratur et quorum hic nomina et reliquie habentur et omnibus illis proficiat ad honorem, nobis autem ad salutem et remissionem peccatorum et cunctis fidelibus defunctis requiem sempiternam, et ut illi omnes pro nobis intercedere dignentur in celis, quorum memoriam agimus in terris. Per eundem dominum.

331 OFFICIUM DE OTHMARO

1 *Iustus ut palma.*
2 ORATIO. Sancti Othmari confessoris tui domine quaesumus veneranda festivitas salutaris auxilii nobis prestet effectum. Per dominum.
3 GRAD. PS. (Eccli 45,1) *Dilectus deo.* (Ps 20,4) *Domine prevenisti.*
4 *Alleluia. Iustus germinabit.*
5 EV. Homo quidam peregre (Mt 25, 14).
6 OFF. *Desiderium.*

---

329 2–4 Processio in dedicatione ecclesiae (S. Pauli? cf. B 329,1) cf. LOR 235–237; HUOT, L'Ordinaire de Sion, S. 324–326.

330 Nachtrag 14. Jh.; cf. S (3. Ausg. Beigaben 3), S. 247; cf. D 3122 (missa communis).

331 Nachtrag 14. Jh.
2 TURNER, Sacramentaries, S. 213; cf. A 1281 (Passio Iohannis Bapt.); G 1411 (id.); Ph 791 (id.); Rh 812 (id.); S 1140 (id.); D 3238 (nat. unius mart.); Conc. 3198 (id.).
5 → B 821,5.

7 SECR. Sacrificium domine quod desideranter offerimus, gratum tibi beatus Othmarus confessor tuus suffragator efficiat. Per dominum.

8 COM. *Magna est.*

9 COMPL. Quaesumus omnipotens deus, ut beati Othmari confessoris tui sancta praecatio et terrenis nos affectibus incessanter expediat et celestia desiderare perficiat. Per dominum.

332 (85v) ⟨IN VIG. S. PAULI⟩

AD GALATAS. (Gal 1,11–20) ⟨F⟩ratres. Notum vobis facio evangelium quod ... quia non mentior.

333 (86r) DIE DOMINICO SANCTO PASCHĘ

1 Ds qui hodierna die per unigenitum ... prosequere.	D 383
2 SUPER OBL. Suscipe dne qs preces populi ... proficiant.	D 384
3 PRĘF. ĿĐ Te quidem omni tempore sed in hac potissimum die ... reparavit.	D 385
4 Communicantes et diem sacratissimam ... apostolorum.	D 386
5 INFRA ACT. Hanc igitur oblationem ... qs dne.	D 387
6 AD COMPL. (86v) Spiritum nobis dne tuae caritatis ... concordes.	D 388
7 AD VESP. Concede qs omps ds ut qui ... resurgamus.	D 389
8 AD FONTES. Presta qs omps ds ut qui ... mereamur.	D 390
9 AD S. ANDREAM. Praesta qs omps ds ut qui gloriam ... resurgamus.	D 391

334 FERIA II AD S. PETRUM

1 Ds qui sollemnitate paschali mundo ... sempiternam.	D 392
2 SECR. Suscipe dne prȩces populi ... proficiant.	D 393

---

333 3 hanc potissimam diem] hac potissimum die *B* ‖ 4 dei (1) *om.B* ‖ 6 in *om.B*

334 1 qs] dne *add.B* ‖ 2 qs *om.B*

---

331 7 Cf. A 1685 (in basilicis mart.); G 1840 (id); Ph 1230 (id.); S 1511 (id.); cf. D 3229 (nat. unius mart. non pont.); Conc. 3156.
9 Tr 2697.

332 Nachtrag 14. Jh; M 110.

3 Communicantes et diem sacratissimum. UT SUPRA.   D 395
4 Hanc igitur oblationem servitutis nostre. UT SUPRA.   D 396
5 AD COMPL. Spiritum nobis dne tuae caritatis ... concordes. D 397
6 AD VESP. Concede qs omps ds ut qui peccatorum ... liberemur.
                                                                 D 398
7 AD FONTES. Concede qs omps ds ut festa ... teneamus.   D 399
8 AD S. ANDREAM. (87r) Ds qui populum tuum ... prosterne.   D 400

335   FERIA III AD S. PAULUM

1 Ds qui aecclesiam tuam novo ... perceperunt.   D 401
2 SECR. Suscipe dne fidelium preces ... transeamus.   D 402
3 Hanc igitur oblationem. UT SUPRA.   D 403
4 AD COMPL. Concede qs omps ds ut paschalis ... perseveret. D 404
5 AD VESP. Concede qs omps ds ut qui paschalis ... vivamus. D 405
6 AD FONTEM. Praesta qs omps ds ut per haec ... vivamus.   D 406
7 AD S. ANDREAM. Ds qui conspicis familiam ... custodi.   D 407

336   FERIA IIII AD S. LAURENTIUM

1 Ds qui nos resurrectionis dominicae ... mereamur.   D 408
2 SECR. Sacrificia dne paschalibus ... nutritur.   D 409
3 Hanc igitur.   D 410
4 AD COMPL. Ab omni nos qs dne vetustate .. (87v) .. creaturam.
                                                                D 411
5 AD VESP. Praesta qs omps ds ut huius ... sempiternam.   D 412
6 AD FONTEM. Ds qui nos per paschalia ... teneamus.   D 413
7 AD S. ANDREAM. Tribue qs omps ds ut illuc ... substantia.   D 414

---

334   5 in *om.B*
335   4 omps] ds *add.B* ‖ 6 semper in tua] in tua semper *B*
336   2 et nascitur] pascitur *B*

---

334   3.4 → B 333,4.5.

335   3 → B 333,5.

336   3 → B 333,5.

337 FERIA V AD APOSTOLOS

1 Ds qui diversitatem gentium ... actionum.   D 415
2 SECR. Suscipe dne qs munera populorum ... consequantur. D 416
3 Hanc igitur oblationem. UT SUPRA.   D 418
4 AD COMPL. Exaudi dne preces nras ut ... concilient.   D 419
5 AD VESP. Ds qui nobis ad caelebrandum ... precipis.   D 420
6 AD FONTEM. Da qs omps ds ut aecclesia ... laetetur.   D 421
7 AD S. ANDREAM. Multiplica qs dne fidem ... augmentum.   D 422
8 (88r) ⟨ALIA.⟩ Familiam tuam qs dne dextera tua ... prosequatur.
                                                           D 457

338 FERIA V (= VI)

1 Omps sempit. ds qui paschale sacramentum ... effectu.   D 423
2 SECR. Hostias qs dne placatus assume ... auxilii.   D 424
3 Hanc igitur. UT SUPRA.   D 425
4 AD COMPL. Respice dne qs populum ... absolve.   D 426
5 AD VESP. Ds per quem nobis et redemptio ... libertas.   D 427
6 AD FONTEM. Adesto qs dne familiae ... aeternam.   D 428

339 SABBATO AD S. IOHANNEM IN LATERANIS

1 Concede qs omps ds ut qui festa ... mereamur.   D 429
2 SECR. Concede qs dne semper nos per haec ... lęticię.   D 430
3 Hanc igitur oblationem. UT SUPRA.   D 431
4 AD COMPL. Redemptionis nrae munere vegetati ... perficiat.
                                                           D 432
5 (88v) AD VESP. Ds totius conditor creaturae ... asscribi. D 433
6 AD FONTEM. Ds qui multiplicas ecclesiam ... filiorum.   D 434

---

337 2 qs dne] dne qs *B* ‖ 7 et] ut *B*
338 1 affectu] effectu *B* ‖ 4 qs dne] dne qs *B*
339 2 perpetua] perpetuae *B*

---

337 3 → B 333,5.

338 3 → B 333,5.

339 3 → B 333,5.

340   DOMINICA OCT. PASCHĘ

1 Presta qs omps ds ut qui paschalia ... teneamus.   D 435
2 SECR. Suscipe munera qs omps ds exultantis ... laeticiae.   D 436
3 PREF. ⸭ aeterne deus. Te quidem omni tempore sed in hac pre-
cipue die laudare, benedicere et predicare, cum pascha nostrum
immolatus est Christus. Per quem ad aeternam vitam filii lucis
oriuntur, fidelibus regni cęlestis atria reserantur et beati lege com-
mertii divinis humana mutantur. Quia nostrorum omnium mors
cruce Christi perempta est et in resurrectione eius omnium vita
resurrexit. Quem in susceptione nostrae mortalitatis deum maiestatis agnoscimus et in divinitatis gloria deum et hominem confitemur,
qui mortem nostram moriendo destruxit et vitam resurgendo resti-
tuit. Et ideo cum.
4 AD COMPL. Qs dne ds nr ut sacrosancta ... futurum.   D 437

341   ALIĘ ORATIONES ⟨PASCHALES⟩

1 (89r) Largire qs dne fidelibus tuis ... deserviant.   D 438
2 ALIA. Ds qui nos exultantibus animis ... gratulari.   D 439
3 ALIA. Ds qui omnes in Christo renatos ... actionum.   D 440
4 ALIA. Ds qui credentes in te fonte ... amittant.   D 441
5 ALIA. Ds qui pro salute mundi sacrificium ... absolvat Iesus Christus filius tuus dns nr qui tecum vivit.   D 442
6 ALIA. Ds qui ad aeternam vitam ... adveniat Iesus.   D 443
7 ALIA. Ds et reparator innocentiae ... discedant.   D 444
8 ALIA. Ds qui credentes in te populos .. (89v) .. introitum.   D 445
9 ALIA. Omps sempit. ds qui humanam ... conserva.   D 446
10 ALIA. Omps sempit. ds deduc nos ... pastoris. Qui tecum
vivit.   D 447
11 ALIA. Praesta nobis omps et misericors ... portionem.   D 448
12 ALIA. Concede qs omps ds ut veterem ... transtulisti.   D 449
13 ALIA. Repelle dne conscriptum peccati ... vacuasti.   D 450
14 ALIA. Ds qui ad aeternam vitam ... vestiri.   D 451

---

340   4 mysteria] commertia *B*
341   4 renatis in Christo] in Christo renatis *B* ‖ 9 praeparas] reparas *B* ‖ 12
rationibus] actibus *B* ‖ 13 Depelle] Repelle *B* | tui filii] filii tui *B*

---

340   3 A 776; G 730; Ph 554; Rh 453; S 569; CP 1528.

15 ALIA. Ds humani generis conditor .. (90r) .. sectemur.   D 452

16 ALIA. Gaudeat dne plebs fidelis ... augmentis.   D 453

17 ALIA. Ds qui renatis aqua ... promissis.   D 454

18 ALIA. Fac omps ds ut qui paschalibus ... auctoris.   D 455

19 ALIA. Ds qui nos fecisti hodierna die ... gaudere.   D 456

20 ALIA. Familiam tuam qs dne dextera tua ... prosequatur.   D 457

21 ALIA. Deus cuius providentia nec preteritorum momenta deficiunt nec ulla superest expectatio futurorum, tribue permanentem peracte, quae recolimus, sollempnitatis effectum, ut quod recordatione percurrimus, semper in opere teneamus. Per.

22 ALIA. Deus qui renatis fonte baptismatis delictorum indulgentiam tribuisti, praesta misericors, ut recolentibus huius nativitatis insign⟨i⟩a plenam adoptionis gratiam largiaris. Per.

23 ALIA. Clementiam tuam domine suppliciter exoramus, ut paschalis muneris sacramentum, quod fide recolimus, et spe desideramus in(90v)tenti perpetua dilectione capiamus. Per.

24 INFRA ACT. Hanc igitur oblationem famulorum famularumque tuarum quam tibi offerunt annua recolentes mysteria, quibus eos tuis adoptasti regalibus institutis, quaesumus domine placatus intende, pro quibus supplices preces effundimus, ut in eis et collata custodias et promissae beatitudinis premia largiaris. Diesque nostros.

25 AD COMPL. Tua nos quaesumus domine quae sumpsimus sancta purificent et operationis suae remedio nos perficiant esse placatos. Per.

---

341   16 promoveatur] promoveamur *B* || 17 a *om.B* || 19 caelestia regna] celesti regno *B*

---

341   21 A 867; G 837; Ph 645; Rh 536; S 665; D 122*; Conc. 877.
      22 A 868; G 838; Ph 646; S 666; Conc. 1193.
      23 A 869; G 839; Ph 647; S 667; D 123*; Conc. 402.
      24 A 871; G 841; Ph 649; Rh 539; S 669; Conc. 1735.
      25 A 872; G 842; Ph 650; Rh 540; S 670; D 125*; Conc. 3527; (A 867–872; G 837–842; Ph 645–650; Rh 536–540; S 665–670: Pascha annotina); → B 672.

342 IN NAT. S. LEONIS CONF.

1 Exaudi domine preces nostras, quas in sancti confessoris tui atque pontificis Leonis sollemnitate deferimus, ut qui tibi digne meruit famulari, eius intercedentibus meritis ab omnibus nos absolve peccatis. Per dominum.

2 SECR. Sancti Leonis confessoris tui atque pontificis quaesumus domine annua sollemnitas pietati tuae nos reddat acceptos ⟨atque⟩ per haec pie oblationis offitia et illum beata retributio comitetur et nobis gratię tuae dona concilient. Per.

3 AD COMPL. Deus fidelium remunerator animarum presta, ut beati Leonis confessoris tui atque pontificis, cuius venerandam celebramus festivitatem, precibus ipsius indulgentiam consequamur. Per.

343 IN NAT. S. EUFEMIE VIRG.

1 Concede nobis omnipotens deus et martiris Eufemie exultare meritis et benefitię referre suffragia. Per.

2 SECR. Muneribus domine te magnificamus oblatis, quae in sanctis nobis sollemnitatibus Eufemię et gaudia superna concilies et patrocinia sempiterna largiris. Per.

3 AD COMPL. (91r) Sancte nos martiris tuae Eufemie precatio tibi domine grata comitetur et tuam nobis indulgentiam poscere non desistat. Per.

344 XVIII KL. MAI. NAT. SS. TIBURTII, VALERIANI ET MAXIMI

1 Praesta qs omps ds ut qui sanctorum tuorum ... imitemur. D 460
2 SECR. Hostia haec qs dne quam in sanctorum ... conciliet. D 461
3 AD COMPL. Sacro munere satiati supplices ... augmentum. D 462

---

344   2 natalicia] nataliciis *B*

---

342   1–3 Colmar 443.
    1 A 897; G 866; Ph 675; S 692; cf. D 391*; Conc. 1469.
    2 A 899; G 868; Ph 677; S 694; cf. Conc. 3203.
    3 A 900; G 869; Ph 678; S 695; cf. D 393 *; Conc. 814.

343   → B 427 (16. Sept.); 1–3 Colmar 443.
    1 A 901; G 870; Ph 679; S 696; Conc. 451.
    2 A 903; G 872; Ph 681; S 698; Conc. 2149.
    3 A 905; G 874; Ph 683; S 700; Conc. 3188.

345 VIIII KL. MAI. NAT. S. GEORGII MART.

1 Ds qui nos beati Georgii martiris ... consequamur.   D 463
2 SECR. Munera dne oblata sanctifica ... emunda.   D 464
3 AD COMPL. Supplices te rogamus omps ds ut ... deservire.   D 465

346 IN LETANIA MAIORE

1 Mentem familiae tuae qs dne intercedente ... exaudi.   D 466
2 ALIA. Ds qui culpas delinquentium .. (91v) .. sentiamus.   D 467
3 ALIA. Parce dne qs parce populo ... redemisti. Qui tecum.   D 468
4 ALIA. Ds qui culpas nras piis verberibus ... gaudere.   D 469
5 ALIA. Adesto dne supplicationibus nris et sperantes ... auxilio.
                                                          D 470
6 ALIA. Praesta qs omps ds ut ad te ... consequamur.   D 471

347 AD MISSAM

1 Praesta qs omps ds ut qui in afflictione ... muniamur.   D 472
2 SECR. Haec munera qs dne et vincula ... concilient.   D 473
3 PREF. ⅊ Et te auctorem et sanctificatorem ... absolve.
Per Chri - stum.   D 1604
4 AD COMPL. Vota nra qs dne pio favore .. (92r) .. crescamus.   D 474
5 ALIA. Pretende nobis dne misericordiam ... consequamur.   D 475

348 IN VIGILIA ASCENSIONIS DOMINI

1 Presta quaesumus omnipotens pater, ut nostrę mentis intentio quo
sollemnitatis venture gloriosus auctor ingressus est, semper intendat
et quo fide pergit, conversatione perveniat. Per.

---

346 3 et] ut *B*
347 1 adversa omnia] omnia adversa *B* | tua] *superscript. manu posteriori* || 2 dne qs] qs
dne *B*

---

348 1–3 Colmar 443.
      1 G 971; Ph 770; Rh 585; S 766; D 139*; cf. Conc. 2766.

2 SECR. Sacrifitium domine pro filii tui supplices venerabili nunc ascensione deferimus, presta quaesumus, ut et nos per ipsum his commertiis sacrosanctis ad caelestia consurgamus. Per.

3 AD COMPL. Tribue quaesumus domine, ut per haec sacra quae sumpsimus, illuc tendat nostrae devotionis affectus, quo tecum est nostra substantia. Per.

349   (92v) IN DIE ASCENSIONIS DOMINI

1 Concede qs omps ds ut qui hodierna die ... habitemus.   D 497
2 SECR. Suscipe dne munera quae pro filii ... aeternam.   D 498
3 PREF. VD usque per Christum dnm nrm. Qui post resurrectionem ... participes. Et ideo cum angelis.   D 499
4 Communicantes et diem sacratissimam ... sed et.   D 500
5 AD COMPL. Presta nobis qs omps et misericors ds ... effectu.   D 501
6 ALIA. Adesto dne supplicationibus nris ut sicut ... sentiamus. Qui tecum.   D 502
7 ALIA. Ds cuius filius in alta caelorum ... nobis Iesus Christus dns nr qui tecum.   D 503

350   ⟨DOMINICA POST ASCENSIONEM DOMINI⟩

1 Omps sempit. ds fac nos tibi semper ... servire.   D 1126
2 ⟨SECR.⟩ Sacrificia nos dne inmaculata ... vigorem.   D 1127
3 ⟨AD COMPL.⟩ Repleti dne muneribus ... maneamus.   D 1128

351   IN NAT. S. VITALIS

1 Presta qs omps ds ut intercedente beato Vitale .. (93r) .. mente.   D 476
2 SECR. Accepta sit in conspectu tuo ... defertur.   D 477
3 AD COMPL. Refecti participatione muneris ... effectum.   D 478

---

349   6 est *om. B* ‖7 duxit virtute] virtute duxit *B*

---

348   2 G 973; Ph 772; Rh 587; S 768; D 141*; Conc. 3153.
      3 G 975; Ph 774; Rh 589; S 770; D 144*; Conc. 3499.

350   Nachtrag 12./13. Jh.; → B 483.

352   KL. MAI. NAT. APOST. PHILIPPI ET IACOBI

1 Ds qui nos annua apostolorum tuorum ... exemplis.   D 479
2 SECR. Munera dne quae pro apostolorum ... averte.   D 480
3 PREF. ⟨D⟩ Qui ecclesiam tuam in apostolica ... adiuvemur. Per
Christum.   D 1608
4 AD COMPL. Qs dne salutaribus repleti ... adiuvemur.   D 481

353   V NON. MAI. NAT. SS. ALEXANDRI, EVENTII ET THEODOLI

1 Presta qs omps ds ut qui sanctorum tuorum ... liberemur.   D 482
2 SECR. Super has qs hostias dne benedictio ... laetificet. D 483
3 AD COMPL. (93v) Refecti participatione muneris ... effectum. D 484

354   V NON. MAI. INVENTIO S. CRUCIS

1 Ds qui in preclara salutifere ⟨crucis⟩ ... consequamur.   D 3499
2 ALIA. Ds cui cuncta oboediunt creaturae ... infunde.   D 3500
3 SECR. Sacrifitium domine quod immolamus placatus intende, ut ab
omni nos exuat bellorum nequitia et per vexillum sanctę crucis filii
tui ad conterendas potestates adversariorum insidias nos in tua protectione securitate constituat.
4 AD COMPL. Repleti alimonia caelesti[s] et spirituali poculo recreati
quaesumus omnipotens deus, ut ab hoste maligno defendas, quos per
lignum sanctae crucis filii tui arma iusticię pro salute mundi trium-
phare iussisti. Per.

355   II NON. MAI. IOHANNIS APOST. ANTE PORTAM LATINAM

1 Ds qui conspicis quia nos undique mala ... protegat.   D 485
2 SECR. Muneribus nris qs dne precibusque ... exaudi.   D 486
3 AD COMPL. Refecti dne pane caelesti ... (94r) aeternam.   D 487

---

352   3 instituimur] instruimur B
354   2 in (1) om.B | es dignatus] dignatus es B | dira] diri B ‖ 3 immolamus] immo-
      latus B
355   1 gloriosa om.B

---

354   3–4 Colmar 433.
      3 A 941; G 946; Ph 749; Rh 566; S 745; D 131*; Conc. 3158.
      4 A 943; G 948; Ph 751; Rh 567; S 747; D 134*; Conc. 3063.

356   VI ID. MAI. NAT. SS. CORDIANI ET EPIMACHI

1 Da qs omps ds ut qui beatorum mart. ... adiuvemur.   D 488
2 SUPER OBL. Hostias tibi dne beatorum mart. ... subsidium.   D 489
3 POST COM. Qs omps ds ut qui caelestia ... muniamur.   D 490

357   IIII ID. MAI. NAT. S. PANCHRATII

1 Presta qs omps ds ut qui beati Panchratii ... liberemur.   D 491
2 SUPER OBL. Munera qs dne tibi dicata ... intende.   D 492
3 POST COM. Beati Panchratii martiris tui ... capiamus.   D 493

358   III ID. MAI. S. MARIAE AD MARTYRES

1 Concede qs omps ds ad eorum nos gaudia ... gaudere.   D 494
2 SUPER OBL. Super has qs hostias ... laetificet.   D 495
3 POST COM. Supplices te rogamus omps ds ut .. (94v) .. concedas.   D 496

359   VIII KL. IUN. NAT. S. URBANI

1 Da qs omps ds ut beati Urbani ... adiuvemur.   D 504
2 SUPER OBL. Haec hostia dne qs emundet ... sanctificet.   D 505
3 POST COM. Refecti participatione ... effectum.   D 506

360   ORATIONES IN SABBATO SANCTO PENTECOSTEN

1 LECT. LIB. GENESIS. Temptavit deus Abraham (Gn 22,1).   D 507
2 ⟨ORATIO⟩. Ds qui in Habrahe filii tui opere ... adimplere. D 508

---

356   3 Gordiani atque Epimachi] Gordiano atque Epimacho *B*
357   2 nos] nobis *B*
358   2 operetur] expediat *B*
360   2 nobis] ut *add.B* | rectitudinem] in omnibus *add.B*

---

360   1. 3. 5. 7 → B 684,2. 4. 5. 6.

3 LECT. LIB. ⟨DEUTERONOMII⟩. Scripsit Moyses canticum
(Dt 31,22).   D 509
4 ORATIO. Ds qui nos per prophetarum ora ... valeamus.   D 510
5 LECT. ⟨ESAIAE PROPHETAE⟩. Adprehendent septem mulieres
(Is 4,1).   D 511
6 ORATIO. Ds qui nos ad caelebrandum ... futurorum.   D 512
7 LECT. ⟨HIEREMIAE PROHETAE⟩. Audi Israhel mandata vitae
(Bar 3,9).   D 513
8 ORATIO. (95r) Ds incommutabilis virtus et lumen ... teneamus.
    D 514
9 LECT. LIB. Sicut cervus desiderat (Ps 41,2).   D 515
10 ORATIO. Concede qs omps ds ut qui sollempnitatem ... sici-
amus.   D 515
11 ALIA. Omps sempit. ds qui paschale sacramentum quinquaginta
... congregetur.   D 516
12 ALIA. Ds qui sacramento festivitatis ... diffunde.   D 517
13 ALIA. Annue misericors ds ut qui divina ... mandatorum. D 518
14 ALIA. Da nobis qs dne per gratiam spiritus ... aptiores.   D 519

361   ALIAE ORATIONES

1 LECT. LIB. GENESIS. In principio (Gn 1,1).   D 1023
2 Ds qui divitias misericordię tuae .. (95v) .. offense.   D 1023
3 ORATIO. Ds qui mirabiliter creasti hominem ... pervenire. D 1025
4 ORATIO. Ds incommutabilis virtus lumen ... principium.   D 1027
5 ORATIO. Ds fidelium pater summe qui in toto ... intrare. D 1029
6 ORATIO. Ds cuius antiqua miracula .. (96r) .. plenitudo.   D 1031
7 ORATIO. Omps sempit. ds multiplica ... impletum.   D 1033
8 ORATIO. Ds qui ecclesiam tuam semper gentium ... tenearis.
    D 1035
9 ORATIO. Ds qui nos ad caelebrandum paschale ... futurorum.
    D 1037

---

360   10 dono] dona B ‖ 11 congregentur] congregetur B ‖ 13 violando] violanda a B
‖ purificante] purificate B
361   2 ordini] ordinis B | regeneratricis] generatricis B ‖ 3 persistere] consistere B ‖ 6
potentia] potentiae B ‖ 8 tuearis] tenearis B

---

360   9 M 89.

361   1 → B 684,1.

10 ORATIO. Ds qui in omnibus ecclesię tuae ... fecunda.   D 1039
11 ORATIO. Omps sempit. ds qui in omnium operum ... Christus.
                                                                 D 1041
12 (96v) ORATIO. Ds qui diversitatem omnium ... actionum. D 1043
13 ORATIO. Ds celsitudo humilium et fortitudo ... salutem. D 1045
14 ORATIO. Omps sempit. ds spes unica mundi ... virtutum. D 1047
15 ORATIO. Omps sempit. ds respice propitius ... sancificet. D 1048
16 ORATIO. Da qs dne per gratiam spiritus .. (97r) .. aptiores. D 1049

362   SABBATO SANCTO PENTECOSTEN AD MISSAM

1 Presta qs omps ds ut claritatis tuae ... confirmet.   D 520
2 SUPER OBL. Munera dne qs oblata sanctifica ... emunda.   D 521
3 PREF. ꝧ USQUE per Christum dnm nrm. Qui ascendens super
omnes caelos ... dicentes.   D 522
4 Communicantes et diem sacratissimum ... venerantes.   D 523
5 [ALIA.] Hanc igitur oblationem ... accipias.   D 524
6 POST COM. Sci spiritus dne corda nra mundet ... fecundet. D 525

363   (97v) DIE DOMINICO SANCTO PENTECOSTEN

1 Ds qui hodierna die corda fidelium ... gaudere.   D 526
2 (98r) SUPER OBL. Munera dne qs oblata sanctifica et corda. RE-
QUIRE IN VIGILIA.   D 527
3 PREF. VD Qui ascendens. REQUIRE IN VIGILIA.   D 528
4 Communicantes et diem. REQUIRE IN VIGILIA.   D 529
5 Hanc igitur oblationem. REQUIRE IN VIGILIA.   D 530
6 POST COM. Sancti spiritus domine corda nostra. IN VIGILIA. D 531

---

361   10 manifestati] manifestasti B | satorem] factorem B ‖ 11 in (2) om.B ‖ 13
      puerum] famulum B | directio] direptio B | deletis] delictis B ‖ 16 nobis om.B |
      purgate] purificate B
363   1 eius] semper add.B

---

363   2–6 → B 362,2–6.

364 FERIA II

1 Ds qui apostolis tuis scm dedisti spiritum ... pacem.   D 532
2 SUPER OBL. Propitius dne qs haec dona ... aeternum.   D 533
3 POST COM. Adesto dne qs populo tuo et quem ... defende. D 534

365 FERIA III

1 Adsit nobis dne qs virtus spiritus ... adversis.   D 535
2 SUPER OBL. Purificet nos dne qs muneris ... perficiat.   D 536
3 POST COM. Mentes nras qs dne spiritus ... peccatorum.   D 537

366 FERIA IIII

1 Mentes nras qs dne paraclitus qui a te ... veritatem.   D 538
2 ALIA. Presta qs omps et misericors ds ut spiritus ... perficiat.
    D 539
3 (98v) ⟨SUPER OBL.⟩ Accipe qs dne munus ... caelebremus.   D 540
4 AD COMPL. Sumentes dne caelestia ... consequamur.   D 541

367 FERIA VI

1 Da qs aecclesię tuae misericors ds ut sco ... turbetur.   D 542
2 SECR. Sacrificia dne tuis oblata ... succendit.   D 543
3 AD COMPL. Sumpsimus dne sacri dona mysterii ... auxilium. D 544

368 SABBATO IN XII LECTIONIBUS ⟨MENSIS QUARTI⟩

1 Mentibus nris dne spiritum scm benignus ... gubernamur. D 545
2 ALIA. Illo nos igne qs ... accendi. Qui tecum.   D 546
3 ALIA. Ds qui ad animarum medelam ... devotos.   D 547
4 ALIA. Presta qs omps ds ut salutaribus .. (99r) .. impetremus. D 548
5 ALIA. Presta qs omps ds sic nos ab epulis ... ieiunemus. D 549

---

364 1 tuae] piae *add.B*
365 1 qui] quae *B* ‖ 2 ut] et *B* ‖ 3 reparet] repararet *B*
366 3 effectibus] affectibus *B*
367 2 scm spiritum] spiritum scm *B*
368 4 impetremur] impetremus *B*

369   AD MISSAM

1 Ds qui tribus pueris mitigasti ... vitiorum.   D 550
2 SECR. Ut accepta tibi sint dne nra ... offerre.   D 551
3 AD COMPL. Prebeant nobis dne divinum ... fructu. D 552

370   DIE DOMINICA VACAT

1 Deprecationem nram qs dne benignus ... auxilium.   D 553
2 SECR. Munera dne oblata sanctifica ... fiant.   D 554
3 AD COMPL. Haec nos communio dne purget ... consortes. D 555

371   KL. IUN. NAT. S. NICOMEDIS MART.

1 Ds qui nos beati Nicomedis martiris ... consequamur.   D 556
2 SECR. Munera dne oblata sanctifica ⟨et⟩ intercedente ...
emunda.   D 557
3 AD COMPL. Supplices te rogamus omps ds ut .. (99v) .. deservire.
                                       D 558

372   IIII NON. IUN. NAT. SS. MARCELLINI ET PETRI

1 Ds qui nos annua beatorum Marcellini ... exemplis.   D 559
2 SUPER OBL. Hostia[s] haec qs dne quam ... conciliet.   D 560
3 POST COM. Sacro munere saciati supplices ... augmentum. D 561

373   XIIII KL. IUL. NAT. SS. MARCI ET MARCELLIANI

1 Presta qs omps ds ut qui scorum Marci et ... liberemur.   D 562
2 SUPER OBL. Munera dne oblata sanctifica ... intende.   D 563
3 POST COM. Salutaris tui dne munere satiati ... effectu.   D 564

---

370 2 fiat] fiant *B* ‖ 3 caelestibus remediis] caelestis remedii *B*
371 3 quos] quod *B*
372 2 natalicia] nataliciis *B* | absolvat] absolvant *B*
373 1 sanctorum] tuorum *add.B* ‖ 2 tibi dicata] oblata *B*

---

370 1–3 → B 486,1–3.

374   XIII KL. IUL. NAT. SS. PROTASII ET GERVASII

1 Ds qui nos annua ss.tuorum Protasii et ... exemplis.   D 565
2 SUPER OBL. Oblatis dne placare muneribus ... periculis.   D 566
3 POST COM. (100r) Haec nos communio dne purget ... consortes.
                                                              D 567

375   VIIII KL. IUL. VIGILIA S. IOHANNIS BAPTISTAE

1 Presta qs omps ds ut familia tua per viam ... perveniat.   D 568
2 SUPER OBL. Munera dne oblata sanctifica et ... emunda.   D 569
3 POST COM. Beati Iohannis Baptistae nos dne ... placatum.   D 570

376   VIII KL. IUL. NAT. EIUSDEM

1 Concede qs omps ds ut qui beati Iohannis ... muniamur.   D 571
2 SUPER OBL. Munera domine oblata sanctifica. VIDE SURSUM. D 572
3 POST COM. Presta qs omps ds ut qui caelestia...muniamur.   D 573

377   AD MISSAM

1 Ds qui presentem diem honorabilem nobis ... aeterne.   D 574
2 SECR. Tua dne muneribus altaria cumulamus ... monstravit dnm
nrm Iesum Christum.   D 575
3 PREF. (100v) ℞ Et in die festivitatis hodierne ... auctorem. Et ideo
cum angelis.   D 1630
4 AD COMPL. Sumat ecclesia tua ... dnm nrm Iesum.   D 576
5 AD VESP. Ds qui nos beati Iohannis ... adiuvari.   D 577

378   ⟨ALIAE ORATIONES⟩

1 ALIA. Omps sempit. ds da cordibus nris ... edocuisti.   D 578
2 ALIA. Ds qui conspicis quia nos undique ... letifica.   D 579

---

374   3 caelestibus remediis] caelestis remedii *B*
377   2 nativitatem] nativitate *B*
378   1 edocuit] edocuisti *B*

---

376   2 → B 375,2.

3 ALIA. Da qs omps ds intra scae ecclesię ... docuisti.   D 580
4 ALIA. Ds qui nos annua beati Iohannis .. (101r) .. augmentum.

                D 581

5 ALIA. Omps et misericors ⟨ds⟩ qui beatum Iohannem Baptistam ...
mereatur Iesum Christum dnm.   D 582

379   VI KL. IUL. NAT. SS. IOHANNIS ET PAULI

1 Qs omps ds ut nos geminata laeticia ... germanos.   D 583
2 SUPER OBL. Hostias tibi dne scorum ... subsidium.   D 584
3 POST COM. Sumpsimus dne scorum tuorum sollemnia celebrantes
... consequamur.   D 585

380   IIII KL. IUL. NAT. S. LEONIS PAPAE

1 Ds qui beatum Leonem pontificem ... exempla.   D 586
2 SUPER OBL. Annue nobis dne ut anima famuli ... delicta.   D 587
3 POST COM. Ds qui animae famuli tui .. (101v) .. sublevemur. D 588

381   IIII KL. IUL. VIGILIA APOST. PETRI ET PAULI

1 Presta qs omps ds ut nullis nos permittas ... solidasti.   D 589
2 SUPER OBL. Munus populi tui dne qs apostolica ... emunda.   D 590
3 POST COM. Adesto domine plebi ... deserviat   D 603

382   III KL. IUL. NAT. APOSTOLORUM PETRI ET PAULI

1 Ds qui hodiernam diem apostolorum tuorum ... exordium.

                D 594

2 SUPER OBL. Hostias dne quas nomini tuo ... defendi.   D 595
3 PREF. ⅏ Aequum et salutare. Te dne suppliciter exorare ut gregem
... pastores. Et ideo cum angelis.   D 596
4 POST COM. Quos caelesti dne alimento ... custodi.   D 597
5 ALIA. Ds qui apostolo tuo Petro .. (102r) .. liberemur.   D 598

---

378   3 eo] et *B* | iustifica] iustificati *B*
379   2 tuorum *om.B*
380   2 animae] anima *B* | Leoni] Leonis *B* | quem] quam *B* ‖ 3 Leoni] Leonis *B*
381   3 Adesto *B*] esto *codd.*

383 ALIE ORATIONES

1 Omps sempit. ds qui ecclesiam ... perfidorum. D 599
2 ALIA. Familiam tuam dne propitius intuere ... principibus. D 600
3 ALIA. Exaudi nos ds salutaris ... doctrinis. D 601
4 ALIA. Protege dne populum tuum ... conserva. D 602

384 II KL. FESTIVITAS S. PAULI

1 Ds qui multitudinem gentium ... sentiamus. D 604
2 SECR. Ecclesię tuae qs dne preces et hostias ... veniam. D 605
3 AD COMPL. Perceptis dne sacramentis beatis ... medelam. D 606

385 VI NON. IUL. NAT. SS. PROCESSI ET MARTINIANI

1 Ds qui nos scorum tuorum Processi ... gaudere. D 610
2 SECR. (102v) Suscipe dne preces et munera ... adiuvemur. D 611
3 AD COMPL. Corpori sacri et pretiosi ... capiamus. D 612

386 II NON. IUL. OCTAVA APOSTOLORUM

1 Ds cuius dextera beatum Petrum ... consequamur. D 607
2 SECR. Offerimus tibi dne preces et munera ... adiuvemur. D 608
3 ⟨AD COMPL.⟩ Protege domine populum tuum. VERTE FOLIUM,
STATIM INVENIES. D 609

387 VI ID. IUL. NAT. SEPTEM FRATRUM

1 Presta qs omps ds ut qui gloriosos ... sentiamus. D 613
2 SECR. Sacrificiis presentibus dne qs intende ... saluti. D 614
3 AD COMPL. Qs omps ds ut illius salutaris ... accepimus. D 615

---

384 2 prosit] proficiat *B*
385 2 adiuventur] adiuvemur *B* ‖ 3 Corporis] Corpori *B* | pia] pie *B*
386 1 tertium] tertio *B* | aeternae trinitatis] aeternitatis *B* ‖ 2 qs *om.B* | tuorum] qs
add.B
387 2 placatus intende] intende placatus *B*

388   ITEM EODEM DIE ⟨NAT. MACHABAEORUM⟩

1 Fraterna nos domine martyrum tuorum corona laetificet, quae et fidei nostrę prebeat incitamenta virtutum, haec multiplici nos suffragio consoletur. Per.

2 ALIA. Presta quaesumus domine, ut sicut nobis indiscreta pietas horum martirum tuorum beatorum individuę caritatis praebet exemplum, sic (103r) spiritum gratiae tuae coniugiter muniemur, semper imploret. Per.

3 SECR. Iterata mysteria domine pro sanctorum tuorum martyrum devota mente tractamus, quibus nos et presidium crescat et gaudium. Per dominum.

4 AD COMPL. Presta quaesumus omnipotens deus, ut et ideo quorum memoriam sacramenti participatione recolimus, fidem quoque profitiendo sectemur. Per.

389   V ID. IUL. NAT. S. BENEDICTI

1 Intercessio nos dne qs beati Benedicti ... adsequamur.   D 3544
2 SECR. Sacris altaribus dne hostias ... deposcat.   D 3541
3 AD COMPL. Ad gloriam tuam domine prefusis precibus exorare, ut sancti Benedicti patrocinio nos adiuvante debitam nomini tuo servitutem placeamus. Per Christum dominum.
4 ALIA. Protegat nos dne cum tui perceptione ... insignia.   D 3543

---

389   1 qs dne] dne qs *B*

---

388   1–4 Colmar 444 (nat. Machabaeorum; id. titulus: A, G, S).
      1 A 1156; G 1277; S 1028; D 184*; Conc. 1638.
      2 A 1157; G 1278; S 1029; D 185*; Conc. 2740.
      3 A 1158; G 1179; S 1030; D 186*; Conc. 1977.
      4 A 1160; G 1281; S 1032; D 187*; Conc. 2787.

389   3 Als Präfation: A 1123; G 1235; Rh 742; S 997; Conc. 3594; CP 13.

390   IDUS IUL. NAT. S. MARGARETĘ VIRG.

1 Da quaesumus omnipotens deus, ut qui beatę Margarete martiris tuae natalitia colimus, et annua sollempnitatę laetemur et tantę fidei proficiamus exemplo. Per.
2 SECR. Suscipe domine munera, quae in beatae Margaretę martyris tuae sollempnitatę deferimus, eius intercessione et praesens nobis remedium esse facias et futurum. Per.
3 AD COMPL. Da quaesumus domine populo tuo intercedente beatę Margaretae martyre tuae salutem mentis et corporis, ut bonis operibus inherendo tua semper mereatur virtute defendi. Per.

391   ⟨XI KL. AUG.⟩ IN NAT. S. MARIĘ MAGDALENĘ

1 ORATIO. Beatę Marię Magdalenę quaesumus domine suffragiis adiuvemur, cuius precibus exoratur, quadriduanum fratrem vivum ab inferis resuscitasti. Per.
2 SECR. Munera nostra quaesumus domine be⟨atę⟩ Marię Magdalenę gloriosis meritis tibi reddantur accepta, cuius oblationis obsequium unigenitus filius tuus clementer suscepit impensum. Qui tecum.
3 ⟨AD COMPL.⟩ Sumpto domine unico ac salutari remedio corpore ⟨sci⟩licet et precioso sanguine tuo ab omnibus malis sanctę Mar⟨ię⟩ Magdalenę precibus exua⟨mur⟩.
4 EP. ⟨PRIMA S. PAULI APOST. AD TIM.⟩ Fidelis sermo et omni acceptatione dignus (1 Tim 1,15). REQUIRE DOM. III POST EPIPHANIAM FERIA ⟨IIII.⟩
5 EV. Rogabat Iesum ⟨quidam⟩ pharisaeus (Lc 7, 36). REQUIRE FERIA ⟨VI⟩ IEIUNIO QUATTUOR TEMPORUM A⟨UTUM⟩NALI.

390   1 Cf. A 144 (nat. Priscae); G 149 (id.); Ph 156 (id.); S 132 (id.); Conc. 687 (s. Caeciliae).
      3 Cf. A 401; G 382; Ph 390; Rh 288; S 349; Conc. 656.

391   Nachtrag Ende 11. Jh.; 1–3 Colmar 444.
      1 BRUYLANTS II, 68.
      2 BRUYLANTS II, 697; Ao 3427.
      3 BRUYLANTS II, 1093; cf. Ao 3428.
      4 → B 596,1.
      5 → B 767,2.

392   (103v) VIII KL. AUG. NAT. S. IACOBI APOST.

1 Esto domine plebi tuae sanctificator et custos, ut apostoli tui Iacobi munita praesidiis et conversatione tibi placeat et secura deserviat. Per.

2 SECR. Oblationes populi tui domine quaesumus beati apostoli tui Iacobi passio beata conciliet et que nostris non apta[ta] sunt meritis, fiant tibi placita eius deprecatione. Per.

3 PREF. VD aeterne deus. Quia licet nobis salutem semper operetur divine caelebratio sacramenti, propensius tamen confidimus adfuturam, dum sancti apostoli tui Iacobi meritis intervenientibus exhibetur. Per Christum.

4 AD COMPL. Beati apostoli tui Iacobi, cuius hodie festivitate corpore et sanguine tuo nos refecisti, quaesumus domine intercessione nos adiuva, pro cuius sollempnitate percipimus tua sancta laetantes. Per dominum.

393   ⟨NAT. S. CHRISTOPHORI⟩

1 Deus qui beatum Christophorum martyrem tuum inter vincu⟨la⟩ liberum, inter tormenta se⟨cu⟩rum gratię tuę ubertate ⟨ ... ⟩sti quaesumus clementiam tuam, ut merita recolentes nos ⟨ ... ⟩ humiliter poscimus apud ⟨ ... ⟩ impetremus. Per.

2 SECR. Presentia munera tua ⟨ ... ⟩ sancti spiritus perfundantur bene⟨di⟩ccione et beati Christofori martyris tui interventu ⟨cor⟩dibus nostris cęlestis reme⟨ ... ⟩ beatitudinem infundant. Per.

3 AD COMPL. ⟨Be⟩ati Christofori martyris ⟨ ... ⟩ intercessione fac nos domine ⟨ ... ⟩ placita postulare et ⟨pos⟩tulata percipere. Per

394   IIII KL. AUG. NAT. S. FELICIS

1 Infirmitatem nram respice omps ds et quia ... protegat.   D 616
2 SECR. Accepta sit in conspectu tuo ... defertur.   D 617
3 AD COMPL. Spiritum nobis dne tuae caritatis ... concordes. D 618

---

394   3 in *om.B*

---

392   1, 2, 4 Colmar 444.
      1 A 1135; G 1247; Rh 754; S 1009; D 177*; Conc. 1418.
      2 A 1136; G 1248; Rh 755; S 1010; D 178*; Conc. 2206.
      3 A 1137; G 1249; Rh 756; S 1011; cf. D 1640; Conc. 4053.
      4 A 1138; G 1250; Rh 757; S 1012; D 180*; Conc. 259.

393   Nachtrag Ende 11. Jh.

395 ⟨IV KL. AUG. NAT. SS. SIMPLICII, FAUSTINI ET BEATRICIS⟩

1 ORATIO. ⟨Pr⟩esta quaesumus domine, ut sicut populus christianus mar⟨ty⟩rum tuorum Simplicii, ⟨Fa⟩ustini et Beatricis ⟨tem⟩porali sollempnitate ⟨con⟩gaudet, ita perfruatur ⟨aet⟩erna et quod votis cele⟨b⟩rat, compraehendat ef⟨fe⟩ctu. Per.

2 SECR. ⟨H⟩ostias tibi domine pro sanctorum martyrum Simplicii, Faustini et Beatricis commemoratione deferimus suppliciter obsecrantes, ut et indulgentiam nobis pariter conferant et salutem. Per.

3 AD COMPL. Presta quaesumus omnipotens deus, ut sanctorum martyrum tuorum Simplicii, Faustini et Beatricis caelestibus mysteriis celebrata solemnitas indulgentiam nobis tuae propitiationis adquirat. Per.

396 III Kl. AUG. NAT. SS. ABDON ET SENNES

1 Ds qui sanctis tuis Abdon et Sennen .. (104r) .. liberari.   D 619
2 SECR. Haec hostia qs dne quam ... conciliet.   D 620
3 AD COMPL. Per huius dne operationem ... compleantur.   D 621

397 KL. AUG. VINCULA S. PETRI

1 Ds qui beatum Petrum apostolum a vinculis ... exclude.   D 622
2 SECR. Oblatum tibi dne sacrificium ... muniat.   D 623
3 AD COMPL. Corporis sacri et pretiosi ... capiamus.   D 624

398 IIII NON. AUG. NAT. S. STEPHANI

1 Ds qui nos beati Stephani martyris ... gaudeamus.   D 625
2 SECR. Munera tibi dne dicata sanctifica ... intende.   D 626
3 AD COMPL. Haec nos communio dne purget ... consortes.   D 627

---

396 2 Hostia haec] Haec hostia *B* | natalicia] nataliciis *B* ‖ 3 operatione] operationem *B*
398 3 caelestibus remediis] caelestis remedii *B*

---

395 Nachtrag Ende 11. Jh.; 1–3 Colmar 444.
     1 A 1140; G 1257; S 1014; D 181*; Conc. 2671.
     2 A 1141; G 1258; S 1015; D 182*; Conc. 1831.
     3 A 1142; G 1259; S 1016; D 183*; Conc. 3006.

399   III NON. AUG. INVENTIO CORPORIS S. STEPHANI ET ALIO-
RUM

1 (104v) Deus qui es sanctorum tuorum splendor mirabilis, qui
hodierna die beatorum Stephani, Nichodemi, Gamalielis atque Abibon inventionem gloriosam revelasti, da nobis in aeterna laeticia de
eorum societate et intercessione gaudere. Per.
2 SECR. Munera tibi domine nostrae devotionis offerimus, quae et
pro tuorum tibi grata sint honore iustorum et nobis salutaria te
miserante reddantur. Per dominum.
3 AD COMPL. Sumpsimus domine sanctorum tuorum Stephani, Nichodemi, Gamalielis atque Abibon sollempnia caelebrantes sacramenta cęlestia, presta quaesumus, ut quod temporaliter gerimus,
aeternis gaudiis consequamur. Per dominum.

400   VIII ID. AUG. NAT. SYXTI, FELICISSIMI ET AGAPITI

1 Ds qui conspicis quia ex nulla nra virtute ... muniamur.   D 628
2 Ds qui nos concedis scorum martirum ... gaudere.   D 633
3 SECR. Sacrificiis praesentibus dne qs intende ... saluti.   D 629
4 ALIA. Munera tibi dne nrae devotionis ... reddantur.   D 634
5 BENEDICTIO UVAE. Benedic dne hunc fructum novum uvę .. (105r) ..
Christi.   D 631
6 AD COMPL. Presta qs dne ds nr ut cuius ... reddantur.   D 632
7 ALIA. Presta nobis qs dne intercedentibus ... capiamus.   D 635

---

400   3 placatus ... devotioni] placatus et intercedente beato Xysto martire tuo atque
pontifice devotioni B || 4 iustorum] sanctorum B || 5 hos ... quos] hunc fructum
novum ... quem B | atque tranquillitate om. B | ea] eum B || 6 votivae] votiva B ||
7 dne qs] qs dne B

---

399   1 Cf. Conc. 982.
2 Cf. A 1173 (nat. Felicissimi et Agapiti); G 1291 (id.); S 1042 (id.); Conc.
2140.
3 Cf. D 1245 (ad poscenda suffragia sanctorum); cf. Conc. 3340.

401 VII ID. AUG. NAT. S. DONATI MART.

1 Deus qui es tuorum gloria sacerdotum, presta quaesumus, ut sancti confessoris et episcopi tui Donati, cuius festa gerimus, sentiamus auxilium. Per.

2 SECR. Presta quaesumus domine, ut sancti confessoris et episcopi tui Donati, quem ad laudem nominis tui dicatis muneribus honoramus, nobis devotionis fructus adcrescat. Per.

3 AD COMPL. Omnipotens sempiterne deus qui nos sacramentorum tuorum et participes efficis et ministros, presta quaesumus, ut beato sancto tuo Donato eisdem profitiamus et fidei consortio et digni servitio. Per.

402 VI ID. AUG. NAT. S. CYRIACI MART.

1 Ds qui nos annua beati Ciriaci ... imitemur.	D 636
2 SECR. Accepta sit in conspectu tuo dne ... defertur.	D 637
3 AD COMPL. Refecti participatione muneris ... effectum.	D 638

403 V ID. AUG. VIGILIA S. LAURENTII

1 Adesto dne supplicationibus nris et intercessione ... impende.	D 639
2 SECR. Hostias dne quas tibi offerimus .. (105v) .. absolve	D 640
3 AD COMPL. Da qs dne ds nr ut sicut beati ... aspectu.	D 641

404 IIII ID. NAT. S. LAURENTII AD PRIMAM MISSAM

1 Excita dne in ecclesia tua spiritum cui ... docuit.	D 642
2 SECR. Sacrificium nrm tibi dne qs beati ... acceptum.	D 643
3 PREF. ⊕ Et in die sollempnitatis ... supernorum.	D 1647
4 AD COMPL. Supplices te rogamus omps ds ut ... custodias.	D 644

---

402 2 nobis fiat] fiat nobis B
404 2 praecatio] pretiosa B

---

401 1 A 1176; G 1293; S 1044; Conc. 1256.
     2 A 1177; G 1295; S 1045; Conc. 2737.
     3 G 1296; S 1046.

405   EODEM DIE AD MISSAM

1 Da nobis qs omps ds vitiorum nrorum ... superare.   D 645
2 SECR. Accipe qs dne munera dignanter ... concede.   D 646
3 AD COMPL. Sacro munere saciati supplices .. (106r) .. augmentum.   D 647
4 ALIA. Ds cuius caritatis ardore ... muniamur.   D 648

406   III ID. AUG. NAT. S. TIBURTII

1 Beati Tyburtii nos dne foveant continuata ... adiuvari.   D 649
2 SECR. Adesto dne precibus populi tui adesto ... sanctorum. D 650
3 D COMPL. Sumpsimus dne pignus redemptionis ... futurae.   D 651

407   ID. AUG. NAT. S. YPOLITI

1 Da qs omps ds ut beati Ypoliti ... salutem.   D 652
2 SECR. Respice dne munera populi tui ... salutem.   D 653
3 AD COMPL. Sacramentorum tuorum dne communio ... confirmet.   D 654

408   XVIIII KL. SEPT. VIGILIA S. MARIAE ET NAT. S. EUSEBII
      CONF.

1 Ds qui virginalem aulam beatae ... festivitati. Qui vivit. D 658
2 ALIA. (106v) Ds qui nos beati Eusebii ... gradiamur.   D 655
3 SECR. Magna est dne apud clementiam ... intercedat.   D 659
4 ALIA. Laudis tuae dne hostias immolamus ... futuris.   D 656
5 AD COMPL. Concede misericors ds fragilitati ... resurgamus. D 660
6 ALIA. Refecti cibo potuque caelesti ... precibus.   D 657

---

405 3 Laurentio] martire tuo *add.B*
406 2 tibi placeant] placeant tibi *B* || 3 dne (2) *om.B*
408 1 quam habitare] qua habitares *B* || 4 et praesentibus exui] exui praesenti-
     bus *B*

409   XVIII KL. SEPT. ASSUMPTIO S. MARIAE

(107r) ORATIO. Veneranda nobis domine huius diei festivitas opem conferat sempiternam, in qua sancta dei genitrix ⟨mortem⟩ subiit temporalem, nec tamen mortis nexibus deprimi potuit, quae filium tuum dominum nostrum de se genuit incarnatum, cuius intercessione quaesumus, ut mortem evadere possimus animarum. Per eundem.

410   AD MISSAM.

1 Famulorum tuorum qs dne delictis ... salvemur.   D 662
2 SECR. Subveniat dne plebi tuae dei ... sentiamus.   D 663
3 PREF. ⅄ Et te in veneratione scarum virginum ... effudit Iesum Christum dnm nrm. Per quem.   D 1652
4 AD COMPL. Mensae celestis participes ... liberemur.   D 664

411   XVII KL. SEPT. NAT. S. ARNOLFI CONF.

1 Deus qui beatum Arnulfum confessorem tuum atque pontificem doctorem precipium catholicaeque fidei predicatorem eligere dignatus es, presta quaesumus, ut ipso pro nobis interce(107v)dente mereamur peccatorum nostrorum exui malis et tibi domino sinceris mentibus deservire. Per dominum nostrum.
2 SECR. Omnipotens sempiterne deus, qui beatum Arnulfum confessorem tuum atque pontificem et pontificatus officio et fidei munere sublimasti, tribue supplicibus tuis, ut quicquid peccati contagione contractum est in nobis, ipso pro nobis summo antistite tuo intercedente salvemur. Per dominum.
3 AD COMPL. Repleti sumus domine muneribus tuis, quae de festivitate beati Arnulfi confessoris tui atque pontificis percepimus, tribue quaesumus, ut eodem intercedente et eorum medemur effectu et muniamur auxilio. Per dominum.

---

410 1 tuorum] qs *add. B* ‖ 4 a] cunctis *add.B* │ intercessione] intercessionibus *B*

---

409   Colmar 444; S 1093; cf. D 661; Conc. 3586.

411   1–3 Bologna 2547, S. 158.

412 ⟨XVI KL. SEPT.⟩ IN OCTAVA S. LAURENTII

1 Beati Laurentii martyris tui nos faciat domine passio veneranda laetantes et ut eam sufficienter recolamus, efficiat promptiores. Per dominum.

2 SECR. Beati Laurentii martiris tui honorabilem passionem muneribus domine geminatis exequimur, quae licet propriis sit memoranda principiis, indesinenter tamen permanet gloriosa. Per.

3 AD COMPL. Sollemne nobis intercessio beati Laurentii martiris tui quaesumus domine praestet auxilium, ut caelestis mensae participatio quam sumpsit, tribuat aecclesię tuae recensitam laeticiam. Per.

413 XV KL. SEPT. NAT. S. AGAPITI MART.

1 Laetetur aecclesia tua ds beati Agapiti ... consistat.   D 665

2 SECR. Suscipe dne munera quae in eius ... liberari.   D 666

3 (108r) AD COMPL. Saciasti dne familiam ... celebramus.   D 667

414 ⟨EODEM DIE⟩ IN NAT. S. HELENĘ VIRG.

1 Deus qui inter cętera potentiae tuae miracula etiam sexum fragilem virtute rectae intentionis coroboras, presta quaesumus, ut exemplo sanctae Haelene christianissimae reginae, cuius studio desideratum regis nostri lignum retegere dignatus es tectum ea, que Christi sunt, iugiter indagare atque consequi te favente mereamur. Per.

2 SECR. Munera populi tui domine placabilis dextera tua suscipiat et sanctae Helenae suffragantibus meritis devotioni nostrae proficiant et saluti. Per.

3 ⟨AD COMPL.⟩ Refecti corporis sacri pręciosique sanguinis libamine quaesumus omnipotens pater, ut intercessionibus beatae Helenę reginae, cuius festivo gratulamur officio, cunctis malorum nostrorum sordibus exuamur. Per dominum.

---

413   2 eius] tibi *add.B* ‖ 3 semper interventione] interventione semper *B*

---

412   1–3 Colmar 444.
       1 A 1230; G 1353; S 1098; D 192*; Conc. 273.
       2 A 1232; G 1355; S 1100; D 194*; Conc. 271.
       3 A 1234; G 1357; S 1102; D 196*; Conc. 3304.

414   Freiburg i.Br. 360a, f. 112v–113r.

415 ⟨XIIII KL. SEPT.⟩ IN NAT. S. MAGNI MART.

1 Adesto domine supplicationibus nostris et intercedente beato Magno martire tuo ab hostium nos defende propiciatus incursu. Per dominum.

2 SECR. Pręsta quaesumus omnipotens deus, ut nostrae humilitatis oblatio pro tuorum grata sit honore sanctorum, ut nos corpore pariter et mente purificet. Per.

3 AD COMPL. Tua sancta sumentes domine quaesumus, ut beati Magni martiris tui nos foveant continuata praesidia. Per.

416 XI KL. SEPT. NAT. SS. TIMOTHEI ET SYMPHORIANI

1 Auxilium tuum nobis dne qs placatus impende ... extende. D 668

2 ALIA. (108v) Adesto quaesumus domine supplicationibus nostris, ut qui ex iniquitate nostra reos nos esse cognoscimus, beati Simphoriani martiris tui intercessione liberemur. Per dominum.

3 SECR. Accepta tibi sit dne sacratae ... auxilium.　　　　D 669

4 AD COMPL. Divini muneris largitate saciati ... vivamus.　　　D 670

5 ALIA. Quaesumus omnipotens deus, ut qui caelestia alimenta percepimus, intercedente beato Symphoriano martire tuo per haec contra omnia adversa muniamur. Per.

417 VIIII KL. SEPT. NAT. S. BARTHOLOMEI APOST.

1 Omnipotens sempiterne deus qui huius diei venerandam sanctamque laeticiam beati apostoli tui Barthlomęi festivitate tribuisti, da ecclesię tuae quaesumus et amare, quod credidit et praedicare, quod docuit. Per.

415　1 A 1238; G 1361; S 1106; Conc. 98.
　　　2 A 1239; G 1362; S 1107; Conc. 2701.
　　　3 A 1242; G 1365; S 1109; Conc. 3530.

416　2 Cf. A 167 (nat. Vincentii); G 173 (id.); S 152 (id.); D 117 (id.); Conc. 132.
　　　5 Cf. A 169 (nat. Vincentii); G 175 (id.); S 154 (id.); D 119 (id.); Conc. 3001.

417　1 A 1252; G 1382; Rh 799; S 1119; D 202*; Conc. 2399.

2 SECR. Beati apostoli tui Bartholomei cuius sollemnia recensemus quaesumus, ut eius auxilio tua beneficia capiamus, pro quo tibi hostias laudis offerimus. Per dominum.

3 PREF. ᵾ aeterne deus. Qui aecclesiam tuam sempiterna pietate non deseris, sed per apostolos tuos iugiter erudis et sine fine custodis. Per Christum.

4 AD COMPL. Sumpsimus domine pignus salutis aeternae celebrantes beati apostoli tui Bartholomei votiva sollemnia et perpetua merita venerantes. Per.

418   VI KL. SEPT. NAT. S. RUFI MART.

1 Adesto supplicationibus nostris omnipotens deus et beati Rufi intercessionibus confidentes nec minis adversantium nec ullo turbemur incursu. Per.

2 (109r) SECR. Oblatis quaesumus domine placare muneribus et intercedente beato Rufo martire tuo a cunctis nos defende periculis. Per.

3 AD COMPL. Caelestibus refecti sacramentis et gaudiis supplices te rogamus domine deus noster, ut quorum gloriamur triumphis, protegamur auxiliis. Per.

419   V KL. SEPT. NAT. SS. HERMETIS, AUGUSTINI ET S. PELAGII ⟨ET DANIHELIS⟩

1 Ds qui beatum Hermen martirem tuum ... formidare.   D 671

---

417   2 A 1253; G 1383; Rh 800; S 1120; D 203*; Conc. 258.
       3 A 1254; G 1384; Rh 801; S 1121; D 1656; Conc. 3910.
       4 A 1255; G 1385; Rh 802; S 1122; D 204*; Conc. 3337.

418   1 A 1257; S 1124; Conc. 89.
       2 A 1261; S 1125; Conc. 2213.
       3 A 1262; S 1127; Conc. 387.

419   1, 5, 9: Hermetis; 2, 6, 10: Augustini; 3, 7, 11: Pelagii; 4, 8, 12: Danihelis.

2 ALIA. Adesto supplicationibus nostris omnipotens deus et quibus fidutiam sperandae pietatis indulges, intercedente beato Augustino confessore tuo atque pontifice consuetae misericordię tribue benignus effectum. Per dominum nostrum.

3 ALIA. Intercessio domine beati Pelagii martiris tui tuam nobis non desinat placare iusticiam et nostrum tibi devotum efficere famulatum. Per.

4 ALIA. Omnipotens sempiterne deus, qui inter aedaces leonum crucientium fauces famulum tuum Danielem illaesum conservare dignatus es quique etiam eorum dentibus eos devorandos tradidisti, qui prophetam tuum falsis assertionibus extinguere nitebantur, da ergo ęcclesię tuae de tanto gaudere patrono, quem cęli participem fecisti esse in regno. Per.

5 SECR. Sacrificium tibi dne laudis offerimus ... salutem.   D 672

6 ALIA. Sancti Augustini confessoris tui domine nobis pia non desit ora(109v)tio, quae et munera nostra conciliet et tuam nobis indulgentiam semper obtineat. Per.

7 SECR. Munera nostra domine quaesumus propitius assume, et ut digne tuis famulemur altaribus, sancti Pelagii martiris tui nos intercessione custodi. Per dominum.

8 SECR. Hostias domine quas nomini tuo sacrandas offerimus, sancti Danihelis prosequatur oratio, per quam nos expiari tribuis et defendi. Per.

9 AD COMPL. Repleti dne benedictione caelesti ... sentiamus. D 673

10 ALIA. Ut nobis domine tua sacrificia dent salutem, beatus Augustinus confessor tuus pariter et pontifex quaesumus precator accedat. Per.

11 ALIA. Tua sancta sumentes domine quaesumus, ut beati Pelagii martiris tui nos foveant continuata presidia. Per.

---

419   5 ad] peremnem (*sic*) *add.B*

---

419   2 A 1263; G 1393; Rh 804; S 1330; D 205*; Conc. 139.
      3 Cf. A 1267 (nat. Hermetis); G 1397 (id.); S 1128 (id.); Conc. 1944.
      4 Ivrea 56 (XIX), f. 129v.
      6 A 1264; G 1394; Rh 805; S 1331; D 207*; Conc. 3249.
      7 Cf. A 1269 (nat. Hermetis); cf. S 1129 (id.); Conc. 2131.
      8 Ivrea 56 (XIX), f. 129v.
      10 A 1266; G 1396; Rh 806; S 1333; D 208*; Conc. 3577.
      11 Cf. A 1242; (nat. Magni); G 1365 (id.); S 1109 (id.); Conc. 3530.

12 ALIA. Sumentes gaudia sempiterna de participatione sacramenti et festivitate beati Danihelis prophetę tui quaesumus domine vitam nobis perpetuam concede. Per dominum.

420   IIII KL. SEPT. DECOLLATIO S. IOHANNIS BAPTISTAE ⟨ET NAT. S. SABINE⟩

1 Sancti Iohannis Baptistae et martiris tui domine quaesumus veneranda sollemnitas salutaris auxilii nobis praestet effectum. Per.
2 S.SABINE. Ds qui inter cetera potentiae tuae ... gradiamur. D 674
3 SECR. Munera tibi domine pro sancti martyris tui Iohannis Baptistae passione deferimus, quia dum finitur in terris, factus est caelesti sede perpetuus, quaesumus, ut eius obtentu nobis proficiant ad salutem. Per dominum.
4 (110r) ⟨ALIA⟩. Hostias tibi dne beatę Sabine ... subsidium.   D 675
5 AD COMPL. Conferat nobis domine sancti Iohannis utrumque sollemnitas, ut magnifica sacramenta, quae sumpsimus, magnificata veneramur et in nobis potius edita gaudeamus. Per.
6 ALIA. Divini muneris largitate saciati ... vivamus.   D 676

421   III KL. SEPT. NAT. SS. FELICIS ET AUDACTI

1 Maiestatem tuam dne supplices deprecamur ... defendas.   D 677
2 SECR. Hostias dne tuae plebis intende ... salutem.   D 678
3 AD COMPL. Repleti dne muneribus sacris qs ... maneamus.   D 679

422   VI ID. SEPT. NAT. S. MARIAE ⟨ET S. ADRIANI⟩

1 Supplicationem servorum tuorum ds ... eruamur.   D 680
2 ALIA. Famulis tuis qs dne caelestis ... incrementum.   D 681

---

419 12 Ivrea 56 (XIX), f. 129v.
421 3 tuarum *om.B*
422 1 conplacatus *om.B* ‖ 6 praebeant] conferat B (*manu posteriori*)

---

420 A 1281; G 1411; Ph 791; Rh 812; S 1140; D 209*; Conc. 3198.
       3 A 1283; G 1413; Ph 793; Rh 814; S 1142; D 211*; Conc. 2143.
       5 A 1285; G 1415; Ph 795; Rh 815; S 1144; D 215*; Conc.505.

3 S.ADRIANI. Presta quaesumus omnipotens deus, ut qui beati Adriani martiris tui natalitia colimus, a cunctis malis imminentibus eius intercessionibus liberemur. Per.

4 (110v) SECR. Unigeniti tui dne nobis succurrat ... acceptam Iesus Christus dns nr.   D 682

5 ALIA. Munera quaesumus domine tibi dicata sanctifica et intercedente beato Adriano martire tuo per eadem nos placatus intende. Per.

6 AD COMPL. Sumpsimus dne celebritatis annuę ... aeterne.   D 683

7 ALIA. Beati Adriani martiris tui domine intercessione placatus presta quaesumus, ut quę temporaliter gerimus, perpetua salvatione capiamus. Per.

423   V ID.SEPT. NAT. S. GORGONII MART.

1 Sanctus Gorgonius domine sua nos intercessione laetificet et pia faciat sollemnitate gaudere. Per.

2 SECR. Grata sit tibi domine nostrae servitutis oblatio, pro qua sanctus Gorgonius martir intervenit. Per.

3 AD COMPL. Familiam tuam deus suavitas illa contingat et vegetet, quae in martire tuo Gorgonio Christi tui bono iugiter odore pascatur. Per.

424   III ID. SEPT. NAT. SS. PROTI ET IACINCTI

1 Beati Proti nos dne et Hyacincti foveat ... tueatur.   D 684
2 SECR. Pro scorum Proti et Hyacincti munera ... operentur. D 685
3 AD COMPL. Percepta nos dne tua sca purificent ... oratio.   D 686

---

422   3 Cf. G 965 (nat. Pancratii); D 491 (id.); D 218*; Conc.2770.
       5 Cf. G 966 (nat. Pancratii); D 492 (id.); D 219*; Conc. 2136.
       7 Cf. G 967 (nat. Pancratii); D 493 (id.); D 220*; Conc. 281.

423   1 A 1307; G 1435; Ph 824; S 1166; D 221*; Conc. 3257.
       2 A 1308; G 1436; Ph 825; S 1167; D 222*; Conc. 1647.
       3 A 1310; G 1438; Ph 827; S 1169; D 224*; Conc. 1589.

425 XVIII KL. OCT. EXALTATIO SANCTĘ CRUCIS ⟨ET SS. CORNELII ET CYPRIANI⟩

1 Ds qui unigeniti tui dni nri .. (111r) .. liberentur.   D 690

2 Deus qui hodierna die nos exaltatione sancte crucis annua sollempnitate letificas, presta, ut cuius mysteria in terra cognovimus, eius redemptionis premia consequamur. Per.

3 CORNELII ET CYPRIANI. Infirmitatem nram qs ... averte.   D 687

4 SECR. Iesu Christi dni nri corpore saginati ... effectum.   D 691

5 ALIA. Adesto dne supplicationibus nris quas ... adiuvemur. D 688

6 AD COMPL. Qs omps ds ut quos divina tribuis ... periculis. D 692

7 ALIA. Qs dne salutaribus repleti mysteriis ... adiuvemur.   D 689

426 XVII KL. OCT. NAT. S. NICOMEDIS

1 Adesto dne populo tuo ut beati Nicodemis ... adiuvemur. D 693

2 SECR. Suscipe dne munera propitius oblata ... oratio.   D 694

3 AD COMPL. Purificent nos dne sacramenta ... absolutos.   D 695

427 XVI KL. OCT. NAT. S. EUFEMIAE VIRG. ⟨ET SS. LUCIAE ET GEMINIANI⟩

1 Omps sempit. ds qui infirma (111v) mundi ... sentiamus.   D 696

2 ALIA. Presta dne precibus nris cum ... subsequamur.   D 699

3 SECR. Presta qs dne ds nr ut sicut in tuo ... oblatio.   D 697

4 ALIA. Vota populi tui dne propitius ... suffragiis.   D 700

5 AD COMPL. Sanctificet nos dne qs tui perceptio ... acceptos. D 698

6 ALIA. Exaudi dne preces nras et scorum ... auxiliis.   D 701

428 XII KL. OCT. VIGILIA S. MATHEI APOST.

1 Da nobis omnipotens deus, ut beati Mathei apostoli et evangelistae, quam prevenimus, veneranda sollemnitas et devotionem nobis augeat et salutem. Per.

---

425 1 vivificam] eius add. B ‖ 4 sanctificatus vexillum] vexillum sanctificatum B ‖ 5 meritis] precibus B ‖ 7 caelebramus] eorum add. B

426 1 adiuvetur] adiuvemur B

427 3 eorum] quorum B ‖ 4 propitiatus] propitius B

---

425 2 Nachtrag 13. Jh.; A 1319; G 1448; Ph 841; Rh 835; S 1178; D 226*; Conc. 1119.

428 1 A 1346; G 1476; Ph 868; Rh 844; S 1205; D 236*; Conc. 604.

2 SECR. Apostolicę reverentię culmen offerimus sacris mysteriis imbuendum, praesta domine quaesumus, ut beati Mathei evangelistae suffragiis, cuius natalicia prae[m]imus, haec plebs tua semper et sua vota depromat et desiderata percipiat. Per.

3 AD COMPL. Beati Mathei evangelistę quaesumus domine supplicatione placatus et veniam nobis tribue et remedia sempiterna concede. Per.

429 (112r) XI KL. OCT. NAT. S. MATHEI EVANG.

1 Beati Mathei evangelistae quaesumus domine precibus adiuvemur, ut quod possibilitas nostra non obtinet, eius nobis intercessione donetur. Per.

2 SECR. Supplicationibus apostolicis beati Mathei evangelistae quaesumus ecclesię tuae domine commendetur oblatio, cuius magnificis praedicationibus eruditur. Per.

3 AD COMPL. Perceptis domine sacramentis beato Matheo apostolo tuo et evangelista interveniente deprecamur, ut quae pro illius cęlebrata sunt gloria, nobis proficiant ad medelam. Per.

430 X KL. OCT. NAT. S. MAURICII CUM SOCIIS

1 Ds qui es omnium scorum tuorum splendor ... adiuvemur.
D 3601

2 SECR. Respice dne munera quae pro passione ... perpetua. D 3598

3 PREF. ⅏ et iustum est. Tibi enim semper gratias agere et laudes decantare, dne scae pater omps aeterne ds per Christum dnm nrm. Quoniam .. (112v) .. confessione cum angelis et archangelis. D 3599

4 AD COMPL. Caelestibus refecti sacramentis ... auxiliis. D 3600

---

430 1 beatorum] martirum *add.B* | tantae] eorum *B* ‖ 2 in] pro passione *B* ‖ 3 quantum] quanta *B* | et (2) *om.B*

---

428 2 A 1347; G 1477; Ph 869; Rh 845; S 1206; D 237*; Conc. 208.
    3 A 1348; G 1478; Ph 870; Rh 846; S 1207; D 238*; Conc. 270.

429 1 A 1349; G 1479; Ph 871; Rh 847; S 1208; D 239*; Conc. 263.
    2 A 1350; G 1480; Ph 872; Rh 848; S 1209; D 240*; Conc. 3358.
    3 A 1352; G 1482; Ph 874; Rh 850; S 1211; D 242*; Conc. 2564.

431   MENSE VII DIE DOMINICO ⟨XVII POST OCT. PENTECOSTEN⟩

1 Absolve qs dne tuorum delicta populorum ... liberemur.   D 702
2 SECR. Pro nrae servitutis augmento ... exequaris.   D 703
3 AD COMPL. Qs omps ds ut quos divina tribuis ... periculis.   D 704

432   FERIA IIII AD S. MARIAM

1 Misericordiae tuae remediis qs dne ... reparetur.   D 705
2 ALIA. Presta dne qs familię supplicanti ... ieiunent.   D 706
3 SECR. Haec hostia dne qs emundet nra ... sanctificet.   D 707
4 AD COMPL. Sumentes dne dona cęlestia ... capiamus.   D 708

433   FERIA VI AD APOSTOLOS

1 Presta qs omps ds ut observationes sacras ... mente.   D 709
2 SECR.(113r) Accepta tibi sint dne qs nri dona ... perducant.   D 710
3 AD COMPL. Qs omps ds ut de perceptis ... sumamus.   D 711

434   SABBATO IN XII LECTIONIBUS

1 Omps sempit. ds qui per continentiam ... futura.   D 712
2 ALIA. Da nobis qs omps ds ut ieiunando ... fortiores.   D 713
3 ALIA. Tuere qs dne familiam tuam ... consequamur.   D 714
4 ALIA. Presta qs dne sic nos ab epulis ... ieiunemus.   D 715
5 ALIA. Ut nos dne tribuis sollempne ... subsidium.   D 716

435   AD MISSAM

1 Ds qui tribus pueris mitigasti ... vitiorum.   D 717
2 SECR. Concede qs omps ds ut oculis tuae ... adquirat.   D 718
3 AD COMPL. Proficiant in nobis dne qs ... capiamus.   D 719

---

432   2 qs dne] dne qs *B* ‖ 4 sumentes] dne *add.B*
433   3 exibente] exhibentes *B*
434   3 largiante] largiente *B*
435   3 Perficiant] Proficiant *B*

436 DIE DOMINICA VACAT

1 Omps sempit. ds misericordiam tuam ostende ... sentiamus.

D 720

2 (113v) SECR. Sacrificiis presentibus qs dne intende ... saluti. D 721
3 AD COMPL. Quaesumus omnipotens deus, ut illius salutaris capiamus effectum, cuius per hęc pie devotionis officia ad caelestem
gloriam transeamus. Per.   cf. D 722

437 V KL. OCT. NAT. SS. COSME ET DAMIANI

1 Presta qs omps ds ut qui scorum ... liberemur.   D 723
2 SECR. Scorum tuorum nobis dne pia non desit ... obtineat. D 724
3 AD COMPL. Protegat dne qs populum tuum ... scorum.   D 725

438 III KL. OCT. DEDICATIO S. MICHAHELIS

1 Ds qui miro ordine angelorum ministeria ... muniatur.   D 726
2 SECR. Hostias tibi dne laudis offerimus ... concedas.   D 727
3 PREF. ᵾ Sci Michaelis archangeli ... principatum.   D 1677
4 AD COMPL. Beati archangeli tui Michahelis .. (114r) .. mente.
                                                          D 728

439 ⟨NON. OCT.⟩ IN NAT. S. MARCI CONF.

1 Exaudi dne qs preces nras et interveniente ... intende. D 729
2 SECR. Accepta tibi sit dne sacre plebis ... auxilium.   D 730
3 AD COMPL. Da qs populis dne fidelibus scorum ... muniri. D 731

440 ⟨EODEM DIE⟩ IN NAT. SS. MARCELLI ET APULEI

1 Sanctorum tuorum nos domine Marcelli et Apulei beata merita
prosequamur et sua semper faciant amore ferventes. Per dominum.

---

436 2 dne qs] qs dne *B*
437 3 participatione] participatio *B*
438 2 eadem] easdem *B*
439 3 dne fidelibus populis] populis dne fidelibus *B*

---

440 1 A 1403; G 1540; Ph 941; S 1258; Conc. 3251.

2 SECR. Maiestatem tuam nobis domine quaesumus haec hostia reddat immolanda placata⟨m⟩ tuorum digna postulatione sanctorum. Per.

3 AD COMPL. Sacramentis domine muniamur acceptis et sanctorum tuorum Marcelli et Apulei contra omnes nequitia intuentes armis caelestibus protegamur. Per.

441   KL. OCT. NAT. S. REMEDII

1 Adiuva nos domine deprecatione sanctorum tuorum, ut intercessione beati confessoris tui atque pontificis Remedii, ut cuius hodie debitum sollemnitatis diem cum lęticia spiritali veneramur, auxilium apud te sentiamus. Per.

2 SECR. Respice domine super hęc munera, quę tibi in beati confessoris tui Remedii commemoratione deferimus et pro nostris offensionibus immolamus. Per dominum.

3 AD COMPL. Deus fidelium remunerator animarum presta quaesumus, ut perpetua sancta sacrificia, quae in beati confessoris tui Remedii comme(114v)moratione percepimus, peccatorum nostrorum indulgentiam mereamur. Per.

442   VII ID. OCT. NAT. SS. DIONISII, RUSTICI ET ELEUTHERII

1 Magnificantes domine clementiam tuam suppliciter exoramus, ut qui nos sanctorum tuorum Dionisii, Rustici et Eleutherii frequentibus facis nataliciis interesse, perpetuis tribuas gaudere consortes. Per dominum nostrum.

2 SECR. Accepta tibi sit in conspectu tuo domine nostrę devotionis oblatio pro tuorum honore sanctorum Dionisii, Rustici et Eleutherii, et eorum nobis fiat supplicatione salutaris, pro quorum sollemnitate defertur. Per.

---

440   2 A 1404; G 1541; Ph 942; S 1259; Conc. 2054.
   3 A 1405; G 1542; Ph 943; S 1260; Conc. 3126.

441   1 Cf. D 3340 (nat. unius conf.); cf. Ao 4319 (nat. Remigii).
   2 Cf. D 3341 (nat. unius conf.); cf. Ao 4325; cf. Conc. 3113.
   3 Cf. D 3577 (vig. unius sancti [Remagli]); cf. Ao 4327; cf. Conc. 814.

442   1 Cf. A 1670 (nat. plur. conf.); G 1801 (id.); S 1495 (id.); D 3362 (id.); Conc. 2036.
   2 Cf. A 920 (nat. Vitalis); S 724 (id.); D 1898 (missa communis sanctorum); Conc. 26.

3 AD COMPL. Iugiter nos domine sanctorum tuorum Dionisii, Rustici et Eleutherii vota lętificent et patrocinia nobis martyrum ipsorum semper festivitates exhibeant. Per.

443 II ID. OCT. NAT. S. CALISTI PAPAE

1 Ds qui nos conspicis ex nra infirmitate ... restaura.   D 732
2 SECR. Mysterii nobis dne prosit oblatio ... confirmet.   D 733
3 AD COMPL. Qs omps ds ut et reatum nrm ... effectum.   D 734

444 XV KL. NOV. NAT. S. LUCĘ EVANG.

1 Subveniat quaesumus domine pro nobis sanctus tuus Lucas evangelista, qui crucis mortificatione⟨m⟩ iugiter in suo corpore pro tui nominis honore portavit. Per.

2 SECR. Donis caelestibus da quaesumus domine libera mente servire, ut munera, quę deferimus, interveniente Lucę evangelistae et medelam nobis operantur et gloriam. Per.

3 AD COMPL. Praesta quaesumus omnipotens aeterne deus, ut id, quod de sancto (115r) altari tuo accepimus, precibus beati Lucę evangelistae sanctificet animas nostras, per quod tuti esse possimus. Per.

445 VI KL. NOV. VIGILIA APOST. SYMONIS ET IUDE

1 Concede quaesumus omnipotens deus, ut sicut apostolorum tuorum Symonis et Iudae gloriosa natalitia prevenimus, sic a⟨d⟩ tua benefitia promerenda maiestatem tuam pro nobis ipsi preveniant. Per dominum.

---

443 2 Mystica] Mysterii *B*
444 1 Subveniat *B*] Interveniat *codd.*

---

442 3 Cf. A 180 (nat. Emerentiani et Macharii); G 185 (id.); Ph 189 (id.); S 164 (id.); Conc. 1981.

444 1 A 1419; G 1558; Ph 957; Rh 900; S 1274; D 271*; Conc. 1951.
     2 A 1420; G 1559; Ph 958; Rh 901; S 1275; D 272*; Conc. 1380.
     3 A 1422; G 1561; Ph 960; Rh 902; S 1277; D 274*; Conc. 2744.

445 1–3 Cf. D 3168–3170 (vig. plur. apost.).
     1 A 1435; G 1568; Ph 971; Rh 908; S 1283; D 275*; Conc. 499.

2 SECR. Muneribus nostris domine apostolorum Symonis et Iudę festa precedimus, ut que conscientia⟨e⟩ nostrae prepediuntur obstaculis, illorum meritis grata reddantur. Per.

3 AD COMPL. Sumpto domine sacramento suppliciter deprecamur, ut intercedentibus beatis apostolis, quod temporaliter gerimus, ad vitam capiamus aeternam. Per.

446   V KL. NOV. NAT. EORUNDEM

1 Deus qui nos per beatos apostolos tuos Symonem et Iudam ad cognitionem tui nominis venire tribuisti, da nobis eorum gloriam sempiternam te proficiendo caelebrare et caelebrando proficere. Per dominum.

2 SECR. Gloriam dne scorum ... celebremus.   D 3182

3 PREF. ℟ Te in tuorum apostolorum ... repromissa.   D 1684

4 AD COMPL. Perceptis domine sacramentis suppliciter rogamus, ut intercedentibus apostolis tuis Symonem et Iudam (*sic*), quae pro illorum veneranda gerimus passione, nobis proficiant (115v) ad medelam. Per.

447   II KL. NOV. VIGILIA OMNIUM SANCTORUM

1 Dne ds nr multiplica super nos gratiam ... leticiam.   D 3647

2 SECR. Altare tuum dne ds muneribus ... praecurrimus.   D 3648

3 AD COMPL. Sacramentis dne et gaudiis ... exibentur.   D 3650

---

446   2 eandem] eadem *B*
447   1 sancta] sanctam *B*

---

445   2 A 1436; G 1569; Ph 972; Rh 909; S 1284; D 276*; Conc. 2152.
      3 A 1438; G 1571; Ph 974; Rh 910; S 1286; D 278*; Conc. 3350.

446   1 A 1439; G 1572; Ph 975; Rh 911; S 1287; cf. D 3180 (nat. plur. mart.); D 279*; Conc. 1123.
      4 A 1443; G 1576; Ph 979; Rh 915; S 1291; D 3183 (nat. plur. mart.); D 283*; Conc. 2568.

448 KL. NOV. FESTUM OMNIUM SANCTORUM

1 Omps sempit. ds qui nos omnium sanctorum ... largiaris. D 3652
2 SECR. Munera tibi nrae devotionis ... reddantur. D 3653
3 PREF. ⊞ Clementiam tuam suppliciter obsecrantes ... affectum. Et ideo. D 3654
4 AD COMPL. Da qs dne fidelibus populis ... muniri. D 3655
5 ALIA. Omps sempit. ds qui nos omnium ... aspectu. D 3656

449 (116r) EODEM DIE NAT. S. CESARI MART.

Adesto dne martirum deprecatione scorum ... suffragari. D 735

450 AD MISSAM.

1 Ds qui nos beati martiris tui Cęsarii ... imitetur. D 736
2 SECR. Hostias tibi dne beati Cesarii ... subsidium. D 737
3 AD COMPL. Qs omps ds ut qui celestia ... muniamur. D 738

451 VI ID. NOV. SS. QUATTUOR CORONATORUM

1 Presta qs omps ds ut qui gloriosos martires ... sentiamus. D 739
2 SECR. Benedictio tua dne larga descendat ... efficiat. D 740
3 AD COMPL. Caelestibus refecti sacramentis ... auxiliis. D 741

452 V ID. NOV. NAT. S. THEODORI

1 Ds qui nos beati Theodori mart. tui confessione ... fulciri. D 742
2 SECR. Suscipe dne fidelium preces ... gloriam ⟨transeamus⟩. D 743
3 (116v) AD COMPL. Presta nobis dne qs intercedente ... capiamus.
  D 744

453 III ID. ⟨NOV.⟩ NAT. S. MENNE MART.

1 Presta qs omps ds ut qui beati Menne ... roboremur. D 745
2 SECR. Muneribus nris qs dne precibusque ... exaudi. D 746
3 AD COMPL. Da qs dne ds nr ut sicut tuorum ... aspectu. D 747

---

448 1 intercessoribus] intercessionibus *B* ‖ 3 effectu] affectum *B* ‖ 5 temporalis vitae] temporali *B*
450 1 imitemur] imitetur *B*
451 1 Simpronianum] Simphorianum *B* | Simplicium] Simphorianum *B*

454   EODEM DIE NAT. S. MARTINI EP.

1 Ds qui conspicis quia ex nulla nra virtute ... muniamur.   D 748
2 SECR. Da misericors ds ut haec nos ... adversis.   D 749
3 PREF. VD Cuius munere beatus Martinus ... mereamur.   D 1688
4 AD COMPL. Presta qs dne ds nr ut quorum festivitate .. (117r) ..
reddantur.   D 750

455   XI KL. DEC. VIGILIA S. CECILIAE

1 Sancte martiris tuae domine Cecilię supplicationibus tribue nos
foveri, ut cuius venerabilem sollemnitatem prevenimus obsequio,
eius intercessionibus commendemur et meritis. Per dominum.
2 SECR. Muneribus nostris domine sancte Cecilię martire (*sic*) tuae
festa precedimus, ut qui conscientię nostrae prepedimur obstaculis,
illius merita reddantur accepta. Per.
3 AD COMPL. Qs omps ds ut quorum nos ... imitatores.   D 3386

456   X KL. DEC. NAT. S. CECILIĘ

1 Deus cui beata Cecilia ita castitatis devotione[m] complacuit, ut
coniugem suum Valerianum adfinem fratremque suum Tyburcium
tibi fecerit consecrari, nam et angelo deferente mitigantium odori-
feras florumque coronas palmamque martyrii perceperunt, quaesumus, ut ea intercedente pro nobis benefitia tui muneris percipere
mereamur. Per dominum nostrum.
2 SECR. Haec hostia dne placationis et laudis ... efficiat.   D 752

---

454 2 nobis] nos *B* ‖ 3 pergendi ducatum] ducatum pergendi *B* | informemur]
informemus *B* | te opitulante *om.B*
455 3 nos (2) *om.B*

---

455 1 A 1493; G 1627; Ph 1028; Rh 944; S 1339; cf. D 3383 (vig. unius virg.);
Conc. 3187.
    2 A 1494; G 1628; Ph 1029; Rh 945; S 1340; cf. D 3384 (vig. unius virg.);
Conc. 2151.

456 1 A 1497; G 1631; Ph 1032; Rh 947; S 1343; Conc 768.

3 PREF. ⊬ aeterne deus. Qui perficis in infirmitate virtutem, cui beata Cecilia gloriosaque dispecto mundi coniugio ad consortia superna contendens nec aetatem mutabili praedicata est, nec inlecebris est revocata, nec sexus fragilitate deterrita, sed inter puellares annuos, inter saeculi blandimenta, inter supplitia persequentium multiplice⟨m⟩ victoriam virgo casta martira implevit, et ad potiorem triumphum secum ad regna caelestia, cui fuerat nupta, perduxit. Per Christum dominum.

4 AD COMPL. Haec nobis domine gratia tua quaesumus semper exerceat, ut divinis instauret nostra corda mysteriis et sanctae Caecilie martyre tuae commemorati(117v)one laetificet. Per dominum nostrum.

457   IN OCTAVA S. CECILIE VIRG.

1 Ds qui nos annua beatę Cęcilię ... exemplo.	D 751
2 SECR. Haec hostia dne placationis et laudis ... efficiat.	D 752
3 AD COMPL. Saciasti dne familiam tuam ... cęlebramus.	D 753

458   XIIII KL. DEC. NAT. S. CLEMENTIS

1 Ds qui nos annua beati Clementis ... imitemur.	D 754
2 SECR. Munera nra dne oblata sanctifica ... emunda.	D 755
3 PREF. ⊬ Et in hac die quam beati ... egregius.	D 1693
4 AD COMPL. Corporis sacri et pretiosi ... capiamus.	D 756

---

457   2 interveniente] inveniente *B*
458   2 munera] nostra *add.B* ‖ 3 passio] passione *B*

---

456   3 A 1500; G 1634; Ph 1034; Rh 949; S 1345; cf. D 3679; Conc. 3995.
      4 A 1501; G 1635; Ph 1035; Rh 950; S 1346; cf. D 3403 (nat. unius virg.); Conc. 1701.

457   D 751–753 de nat. s. Caeciliae.

459 EODEM DIE NAT. S. FELICITATIS

1 Presta qs omps ds ut beatae Felicitatis ... precibus.   D 757
2 SECR. Vota populi tui dne propiciatus .. (118r) .. suffragiis.   D 758
3 ⟨AD COMPL.⟩ Supplices te rogamus ... disponas.   D 759

460 VIII KL. DEC. NAT. S. CHRISOGONI

1 Adesto dne supplicationibus nris ut qui ... liberemur.   D 760
2 SECR. Oblatis dne qs placare muneribus ... periculis.   D 761
3 AD COMPL. Tui dne perceptio sacramenti ... insidiis.   D 762

461 III KL. DEC. NAT. S. SATURNINI

1 Ds qui nos beati Saturnini martyris tui ... adiuvari.   D 763
2 SECR. Munera dne tibi dicata sanctifica ... intende.   D 764
3 AD COMPL. Sanctificet nos dne qs tui ... acceptos.   D 765

462 EODEM DIE VIGILIA ANDREE APOST.

1 Qs omps ds ut beatus Andreas ... exuamur.   D 766
2 SECR. Sacrandum tibi dne munus offerimus ... imploramus.
    D 767
3 AD COMPL. Perceptis dne sacramentis ... medelam.   D 769

463 II KL. DEC. NAT. S. ANDREE APOST.

1 (118v) Maiestatem tuam dne suppliciter ... intercessor.   D 770
2 SECR. Sacrificium nrm tibi dne qs beati ... acceptum.   D 771
3 PREF. ℣ per Christum dnm nrm. Qui ecclesiam tuam in apostolicis ... tacemus. Et ideo cum.   D 772
4 AD COMPL. Sumpsimus dne divina mysteria ... perficias.   D 773
5 AD VESP. Da qs nobis dne ds nr beati ... impendas.   D 774

---

459   3 AD COMPL.] SECR. *B*
460   3 perceptione] perceptio *B*
461   1 natalicia] natalitio *B* | nos] nobis *B*
462   1 apostolus] tuum *add.B* ‖ 2 quod] quo *B*
463   3 quia] qui *B* | Andreae] apostoli tui *add.B* ‖ 7 dne populum tuum] populum
tuum dne *B* | servire] famulari *B*

6 ALIA. Adiuvet aecclesiam tuam tibi dne ... praedicator.   D 775
7 ALIA. Exaudi populum tuum dne cum sci ... famulari.   D 777
8 ALIA. Beati Andreae apostoli tui supplicatione quaesumus domine plebs tua benedictionem percipiat, ut de eius meritis et feliciter glorietur et sempiternis valeat consortiis sociata laetari. Per.

464   VIII ID. DEC. NAT. S. NICOLAI

1 Deus qui beatum Nicholaum pontificem tuum innumeris decorasti miraculis, tribue nobis quaesumus, ut eius meritis et precibus a gehennę in(119r)cendiis liberemur. Per dominum nostrum.
2 SECR. Sancti Nicholai confessoris tui atque pontificis quaesumus domine annua sollemnitas pietati tuae nos reddat acceptos, ut per haec pie obligationis offitia et illum beata retributio comitetur et nobis gratię tuae dona conciliet. Per.
3 AD COMPL. Deus fidelium remunerator animarum, presta, ut beati Nicholai confessoris tui atque pontificis, cuius venerandam cęlebramus festivitatem, precibus indulgentiam consequamur. Per.

465   III ID. DEC. NAT. S. DAMASI PAPE

1 Misericordiam tuam nobis domine quaesumus interveniente beato Damaso confessore tuo clementer impende et nobis peccatoribus ipsius propitiare suffragiis. Per dominum.
2 SECR. Da nobis quaesumus domine semper haec tibi vota gratanter persolvere, quibus sancti confessoris tui Damasi depositione⟨m⟩ recolimus et praesta, ut in eius semper laude tuam gloriam praedicemus. Per.
3 AD COMPL. Sumptum domine cęlestis remedii sacramentum ad perpetuam nobis provenire gratiam beatus Damasus pontifex obtineat. Per.

463 8 A 1536; G 1669; Ph 1065; Rh 969; S 1376; Conc. 256.

464 1 BRUYLANTS II, 299; Ao 4846.
     2 BRUYLANTS II, 1031 (sancti N.).
     3 Cf. A 900 (nat. Leonis); G 869 (id.); Ph 678 (id.); S 695 (id.); D 3343 (nat. unius conf.); Conc. 814.

465 1 A 1574; G 1708; S 1413; cf. D 3318 (nat. unius conf.); Conc. 2102.
     2 A 1575; G 1709; Ph 1109; S 1414; Conc. 622.
     3 A 1576; G 1710; Ph 1110; S 1415; Conc. 3351.

466   IDUS DEC. NAT. S. LUCIAE

1 Exaudi nos ds salutaris nr ut sicut ... affectu.   D 784

2 ⟨SECR.⟩ Accepta tibi sit dne sacratae ... auxilium.   D 785

3 ⟨AD COMPL.⟩ Satiasti dne familiam tuam ... cęlebremus.   D 786

467   XII KL. IAN. NAT. S. THOMĘ APOST.

1 Da nobis quaesumus domine beati apostoli tui Thoma⟨e⟩ sollemnitatibus gloriari, (119v) ut eius semper et patrociniis sublevemur et
fidem congrua devotione sectemur. Per.

2 SECR. Debitum domine nostrae reddimus servitutis suppliciter
exorantes, ut suffragiis beati Thomae apostoli in nobis munera tuea-
ris, cuius honorando confessionem laudis tibi hostiam immolamus.
Per.

3 ⟨PREF. UD⟩ eterne deus. Qui ecclesiam tuam in apostolicis tribuisti consistere
fundamentis, de quorum collegio beati N. apostoli tui sollempnia celebrantes tua
domine praeconia non tacemus. Et ideo.

4 AD COMPL. Conserva domine populum tuum et quem sanctorum
tuorum pręsidiis non desinis adiuvari, perpetuis tribue gaudere
remediis. Per.

⟨COMMUNE SANCTORUM⟩

468   IN VIGILIA ET IN NAT. APOSTOLORUM

1 Vigilia et natale unius apostoli. REQUIRE IN FESTIVITATE SANCTI
MATHEI APOSTOLI.

2 Vigilia et natale plurimorum apostolorum. REQUIRE IN
FESTIVITATE APOSTOLORUM SYMONIS ET IUDAE.

---

466 3 caelebramus] cęlebremus B

---

467   1 A 1621; G 1757; Ph 1151; Rh 1024; S 1456; D 301*; Conc. 609.
     2 A 1622; G 1758; Ph 1152; Rh 1025; S 1457; D 302*; Conc. 700.
     3 Nachtrag 13. Jh.; A 1623; G 1759; Ph 1153; Rh 1026; S 1458; Conc.
     3908.
     4 A 1624; G 1761; Ph 1154; Rh 1027; S 1459; D 303*; Conc. 518.

468   1 → B 428; 429.
     2 → B 445; 446.

469   IN VIGILIA UNIUS MARTYRIS SIVE CONFESSORIS

1 Qs omps ds ut nra devotio quę natalicia ... accumulet.   D 3205

2 SECR. Propiciare domine supplicationibus nostris et interveniente pro nobis sancto N.: martire tuo sive confessore his sacramentis cęlestibus servientes ab omni culpa liberos esse concede, ut purificante nos gratia tua hisdem, quibus famulamur mysteriis, emundemur. Per dominum.

3 PREF. ⅏ aeterne deus. Gloriosi N. martyris sive confessoris pia certamina pręcurrendo, cuius honorabilis annua recursione sollemnitas et perpetua semper est et nova, quia in conspectu tuae maiestatis permanet mors tuorum pretiosa sanctorum. Per Christum dominum.

4 AD COMPL. Sca tua dne de beati N. martiris ... expleri.   D 3207

470   IN NAT. EORUNDEM

1 (120r) Pręsta qs omps ds ut beati N. martiris ... roboremur.
                                                                    D 1227

2 SECR. Oblatis domine placare muneribus et intercedente beato N. martire tuo a cunctis nos defende periculis. Per dominum.

3 PREF. ⅏ Et in pręsenti festivitate ... gloria.   D 1711

4 AD COMPL. Qs omps ds ut qui cęlestia ... muniamur.   D 3211

---

469   1 martyris] tui sive confessoris *add.B* ‖ 4 martyris] sive confessoris tui *add. B* | quam] et sollemnia quae *B*

470   3 implorare] imploret *B* ‖ 4 beato martyre tuo ill.] beato N. martyre tuo *B* | per haec *om.B*

---

469   2 Cf.20A 1649 (nat. unius conf.); G 1782 (id.); Rh 1041 (id.); S 1477 (id.); Conc. 2869.
3 Cf. A 1636 (vig. unius sancti); G 1767 (vig. unius sancti sive mart.); S 1464 (vig. unius sancti); D 1710 (vig. unius mart.); CP 428 (Laurentii); Conc. 3759.

470   2 Cf. A 1261 (nat. Rufi); S 1125 (id.); Conc. 2213.

471   IN VIGILIA PLURIMORUM MARTYRUM

1 Omnipotens sempiterne deus qui in sanctorum tuorum cordibus flammam tuae dilectionis accendis, da mentibus nostris eandem fidei caritatisque virtutem, ut quorum triumphos vel sollemnia preimus, eorum proficiamus exemplis pariterque protegamur auxiliis. Per dominum.

2 SECR. Salutari sacrificio dne populus ... adquiritur.   D 3260

3 PREF. ꝋ aeterne deus. Et te in honore sanctorum tuorum ill. glorificare, qui et illis pro certaminis constantia beatitudinem tribuisti sempiternam et infirmitati nostrę talia pręstitisti suffragia, quae pro eorum meritis possis audire dignanter. Per Christum.

4 AD COMPL. Sumpsimus domine sanctorum tuorum commemoratione cęlestia sacramenta, quorum suffragiis quaesumus largiaris, ut quod tempo(120v)raliter gerimus, aeternis gaudiis consequamur. Per dominum.

472   IN NAT. PLURIMORUM MARYRUM

1 Ds qui nos concedis scorum martyrum tuorum ... gaudere.
     D 1230

2 SECR. Munera tibi dne nrę devotionis ... reddantur.   D 1231

3 PREF. ꝋ Qui scorum martirum tuorum N. ... capiamus.   D 1713

4 AD COMPL. Pręsta qs dne ds nr ut quorum ... reddantur. cf. D 750

473   IN NAT. UNIUS CONFESSORIS

1 Da qs omps ds ut beati N. confessoris tui ... salutem.   D 1233

2 SECR. Sci confessoris tui N. nobis dne pia ... obtineat.   D 3337

---

471   2 sacris] sanctis *B* | martyribus] sive confessoribus *add.B*
472   1 societate] et intercessione *add.B* ‖ 2 iustorum] sanctorum *B* ‖ 3 tuorum] N. *add.B*
473   1 tui] atque pontificis *add.B* ‖ 2 tibi *om.B*

---

471   1 Cf. A 1676 (nat. plur. mart.); Ph 1220 (id.); S 1501 (id.); cf. D 3262 (id.); Conc. 2411.
    3 Cf. A 1667 (nat. plur. sanct.); G 1792 (id.); Ph 1201 (id.); Rh 1051 (id.); S 1492 (id.); Conc. 3724.
    4 Cf. A 154 (nat. Fabiani); S 1470 (nat. unius mart.); D 1245 (ad poscenda suffragia sanct.); Conc. 3340.

3 PREF. ⱧⰔ Et in hac die quam transitu ... meritis.   D 1714
4 AD COMPL. Ut nobis dne tua sacrificia dent ... accedat.   D 3315

474   (121r) IN NAT. PLURIMORUM CONFESSORUM

1 Ds qui nos scorum confessorum tuorum N. ... gaudere.   D 1236
2 SECR. Suscipe dne preces et munera ... adiuvemur.   D 1237
3 PREF. ⱧⰔ aeterne deus. Maiestatem tuam supplici devotione exorare, ut per beatorum confessorum tuorum N. intercessionem, quorum festa celebramus, mereamur tuum obtinere auxilium. Per Christum.   cf. D 1716
4 AD COMPL. Corporis sacri et prętiosi ... capiamus.   D 1238

475   IN VIGILIA SANCTARUM VIRGINUM

1 Sce martiris tuae N. vel virginis dne supplicationibus ... meritis.   D *837*
2 SECR. Muneribus nris dne scae N. martiris ... accepta.   D *838*
3 AD COMPL. Adiuvent nos domine quaesumus haec mysteria, quę sumpsimus, et beatę martyris tuae N. vel virginis intercessio veneranda. Per.

476   IN NATALE VIRGINUM

1 Ds qui inter caetera potentię tuae miracula ... gradiamur. D 1239
2 SECR. Suscipe munera dne quę in beatę ... (121v) liberari.   D 1241
3 PREF. ⱧⰔ Quoniam sicut humanum genus ... triumphatur.   D 3426
4 AD COMPL. Auxilientur nobis dne sumpta ... confirment.   D 1242

---

473   3 sequi] pia devotione *add.B* | adiuvari] adiuti *B* ‖ 4 ill. *om.B*
474   1 sanctorum] confessorum *add.B* ‖ 2 sint digna] digna sint *B*
475   1 ill.] N. vel virginis *B* | fovere] refoveri *B* | obsequio] obsequiis *B* ‖ 2 tuae] vel virginis *add.B* | praecedimus] praedicemus *B* | praepedimus] prepediuntur *B*
476   2 illius *om.B* | martyris] vel virginis *add.B* | scimus] confidimus *B* ‖ 3 confessionis] consensionis *B* ‖ 4 tua] vel virgine *add.B*

---

475   3 A 1659 (nat. virg.); G 1837 (nat. virg. vel mart.); Ph 1196 (nat. omnium virg.); Rh 1046 (nat. virg.); S 1487 (id.); D 3396 (id.); Conc. 151.

477 〈NAT. S. FIDIS〉

ORATIO. Quesumus omnipotens deus, ut nobis beate Fidis virginis et martyris tue veneranda solempnitas salutis praestet in eternum, cuius admiranda vita salutare praebet exemplum. Per.

478 IN DEDICATIONE ECCLESIAE

1 Ds qui nobis per singulos annos huius ... laetetur.   D 1262
2 SECR. Annue dne precibus nris ut quicumque ... mereamur.
                                                               D 1263
3 PREF. Ⱶᴅ Pro annua dedicatione tabernaculi .. (122r) .. rogatus indulge.   D 4168
4 AD COMPL. Ds qui de vivis atque electis ... augmentis.   D 1265
5 ALIA. Ds qui ecclesiam tuam sponsam ... mereatur. Per.   D 1264

〈DOMINICAE POST PASCHA USQUE AD NATIVITATEM DOMINI〉

479   DOMINICA I POST OCT. PASCHAE

1 Ds qui in filii tui humilitate ... perfrui.   D 1114
2 SECR. Benedictionem dne nobis conferat ... perficiat.   D 1115
3 AD COMPL. Praesta nobis omps ds ut vivificationis ... gloriemur.
                                                               D 1116

480   DOMINICA II

1 Ds qui errantibus ut in viam possint .. (122v) .. sectari.   D 1117
2 SECR. His nobis dne mysteriis conferatur ... caelestia.   D 1118
3 AD COMPL. Sacramenta quae sumpsimus dne qs ... auxiliis.
                                                               D 1119

---

478 3 respice] qs *add.B* | fidelis populus] populus fidelis *B* | interpellatus] fueris *add.B* | laverit] elaverit *B* ‖ 5 cuius ... tibi] cuius dedicationis est hodie tibi *B*
479 1 laetitiam concede] concede laeticiam *B*
480 1 sectari] septari *B* ‖ 2 quae] quo *B* ‖ 3 qs dne] dne qs *B*

---

477 Nachtrag 13./14. Jh.; cf. Ao 4372 (Fidis, 6. Okt.).

481 DOMINICA III

1 Ds qui fidelium mentes unius efficis ... gaudia.   D 1120
2 SECR. Ds qui nos per huius sacrificii ... assequamur.   D 1121
3 AD COMPL. Adesto dne ds nr ut per haec quę ... exuamur. D 1122

482 DOMINICA IIII POST OCT. ⟨PASCHAE⟩

1 Ds a quo cuncta bona procedunt ... faciamus.   D 1123
2 SECR. Suscipe dne fidelium preces cum ... transeamus.   D 1124
3 AD COMPL. Tribue nobis dne caelestis ... percipere.   D 1125

483 DOMINICA POST ASCENSIONEM

1 Omps sempit. ds fac nos tibi semper ... servire.   D 1126
2 SECR. Sacrificia nos dne immaculata ... vigorem.   D 1127
3 POST COM. Repleti dne muneribus sacris da qs ... maneamus.   D 1128

484 DOMINICA I POST OCT. PENTECOSTEN

1 Ds in te sperantium fortitudo adesto .. (123r) .. placeamus. D 1129
2 SECR. Hostias nras dne tibi dicatas ... subsidium.   D 1130
3 AD COMPL. Tantis dne repleti muneribus ... cessemus.   D 1131

485 DOMINICA II POST OCT. PENTECOSTEN

1 Sci nominis tui dne timorem et amorem ... institutis.   D 1132
2 SECR. Oblatio nos dne tuo nomini dicando ... actionem.   D 1133
3 AD COMPL. Sumptis muneribus dne qs ut cum ... effectus. D 1134

---

481 2 summae] summaeque *B* | effecisti] esse fecisti *B* ‖ 3 periculis] peccatis *B*
483 3 semper actione] accione semper *B*
485 1 pariter *om.B*

---

483 Nachtrag 13./14. Jh.; → 350.

486   DOMINICA III POST OCT. PENTECOSTEN

1 Deprecationem nram qs dne benignus ... auxilium.   D 1135
2 SECR.ˈ Munera dne oblata sanctifica ... fiant.   D 1136
3 AD COMPL. Haec nos dne communio purget ... consortes. D 1137

487   DOMINICA IIII POST OCT. PENTECOSTEN

1 Protector in te sperantium ds sine quo ... aeterna.   D 1138
2 SECR. Respice dne munera supplicantis ... concede.   D 1139
3 (123v) Ad COMPL. Sca tua nos dne sumpta ... expiatos.   D 1140

488   DOMINICA V POST OCT. PENTECOSTEN

1 Da nobis dne qs ut et mundi cursus ... lętetur.   D 1141
2 SECR. Oblationibus qs dne placare ... voluntates.   D 1142
3 AD COMPL. Mysteria nos dne sca purificent ... tueantur.   D 1143

489   DOMINICA VI POST OCT. PENTECOSTEN

1 Ds qui diligentibus te bona invisibilia ... consequamur. D 1144
2 SECR. Propitiare dne supplicationibus ... salutem.   D 1145
3 AD COMPL. Quos caelesti dne dono saciasti ... insidiis.   D 1146

490   DOMINICA VII POST OCT. PENTECOSTEN

1 Ds virtutum cuius est totum quod est obtimum (*sic*) ... custodias.   D 1147
2 SECR. Propiciare dne supplicationibus .. (124r) .. consequamur.
                                                            D 1148
3 AD COMPL. Repleti sumus dne muneribus tuis ... auxilio. D 1149

---

486 1 effectum] affectum *B* ‖ 3 communio dne] dne communio *B*
488 1 qs dne] dne qs *B*
489 1 affectum] *postea corr. ex* effectum ‖ 3 dona] dono *B*
490 1 pietatis] pietati *B*

---

486 1–3 → B 370.

491 DOMINICA VIII POST OCT. PENTECOSTEN

1 Ds cuius providentia in sui dispositione ... concedas.   D 1150
2 SECR. Ds qui legalium differentiam hostiarum ... salutem. D 1151
3 AD COMPL. Tua nos dne medicinalis operatio ... perducat. D 1152

492 DOMINICA VIIII POST OCT. PENTECOSTEN

1 Largire nobis dne qs semper spiritum ... valeamus.   D 1153
2 SECR. Suscipe munera qs dne quae tibi de ... perducant. D 1154
3 AD COMPL. Sit nobis dne reparatio mentis ... effectum. D 1155

493 DOMINICA X POST OCT. PENTECOSTEN

1 Pateant aures misericordię tuae dne ... postulare.   D 1156
2 SECR. Concede nobis haec qs dne (124v) ... exercetur. D 1157
3 AD COMPL. Tui nobis dne communio sacramenti ... unitatem.
                                                        D 1158

494 DOMINICA XI POST OCT. PENTECOSTEN

1 Ds qui omnipotentiam tuam parcendo ... consortes.   D 1159
2 SECR. Tibi dne sacrificia dicata reddantur ... praestares. D 1160
3 AD COMPL. Qs dne ds nr ut quos divinis ... auxiliis. D 1161

495 DOMINICA XII POST OCT. PENTECOSTEN

1 Omps sempit. ds qui habundantia pietatis ... presumit. D 1162
2 SECR. Respice dne qs nram propitius ... subsidium.   D 1163
3 AD COMPL. Sentiamus dne qs tui ... gloriemur.   D 1164

496 DOMINICA XIII POST OCT. PENTECOSTEN

1 Omps et misericors ds de cuius munere ... curramus.   D 1165
2 (125r) SECR. Hostias qs dne propitius intende ... honorem. D 1166
3 AD COMPL. Vivificet nos qs dne huius ... munimen.   D 1167

---

493 2 quoties] quociens *B*
495 1 abundantiam] habundantia *B*

497   DOMINICA XIIII POST OCT. PENTECOSTEN

1 Omps sempit. ds da nobis fidei spei et ... precipis.   D 1168
2 SECR. Propitiare dne populo tuo ... concedas.   D 1169
3 AD COMPL. Sumptis dne cęlestibus ... augmentum.   D 1170

498   DOMINICA XV POST OCT. PENTECOSTEN

1 Custodi dne qs ecclesiam tuam propitiatione ... dirigatur. D 1171
2 SECR. Concede nobis dne qs ut haec hostia ... potestatis. D 1172
3 AD COMPL. Purificent semper et muniant ... effectum.   D 1173

499   DOMINICA XVI POST OCT. PENTECOSTEN

1 Ecclesiam tuam dne miseratio continuata ... gubernetur. D 1174
2 SECR. Tua nos dne sacramenta custodiant ... incursus.   D 1175
3 AD COMPL. Mentes nras et corpora possideat ... effectus.   D 1176

500   FERIA IIII MENSIS VII

1 Exultate deo. MISSA: REQUIRE RETRO.
2 Misericordię tuę remediis.

501   (125v) DOMINICA XVI (= XVII) POST OCT. PENTECOSTEN

1 Tua nos dne qs gratia semper et preveniat ... intentos.   D 1177
2 SECR. Munda nos dne sacrificii presentis ... participes.   D 1178
3 AD COMPL. Purifica dne qs mentes nras ... auxilium.   D 1179

502   DOMINICA XVII (= XVIII) POST OCT. PENTECOSTEN

1 Da qs dne populo tuo diabolica ... sectari.   D 1180
2 SECR. Maiestatem tuam dne suppliciter ... futuris.   D 1181
3 AD COMPL. Sanctificationibus tuis omps ... provenia⟨n⟩t. D 1182

---

497   1 mereamur] meremur *B*

---

500   Nachtrag
      1 → B 432,1.
      2 → B 432,1.

503 DOMINICA XVIII (= XVIIII) POST OCT. PENTECOSTEN

1 Dirigat corda nra dne qs tuae miserationis ... possumus. D 1183
2 SECR. Ds qui nos per huius sacrificii ... assequamur. D 1184
3 AD COMPL. Gratias tibi referimus dne sacro ... perficias. D 1185

504 DOMINICA XVIIII (= XX) POST OCT. PENTECOSTEN

1 Omps et misericors ds universa nobis ... exequamur. D 1186
2 SECR. Haec munera qs dne quae oculis tuae ... concede. D 1187
3 (126r) AD COMPL. Tua nos dne medicinalis ... mandatis. D 1188

505 DOMINICA XX (= XXI) POST OCT. PENTECOSTEN

1 Largire qs dne fidelibus tuis indulgentiam ... deserviant. D 1189
2 SECR. Caelestem nobis prebeant haec ... expurgent. D 1190
3 AD COMPL. Ut sacris dne reddamur digni ... mandatis. D 1191

506 DOMINICA XXI (= XXII) POST OCT. PENTECOSTEN

1 Familiam tuam qs dne continua pietate custodi ... devota. D 1192
2 SECR. Suscipe dne propitius hostias quibus ... restitui. D 1193
3 AD COMPL. Immortalitatis alimoniam ... sectemur. D 1194

507 DOMINICA XXII (= XXIII) POST OCT. PENTECOSTEN

1 Ds refugium nrum et virtus adesto piis ... consequamur. D 1195
2 SECR. Da misericors ds ut haec salutaris ... adversis. D 1196
3 AD COMPL. Sumpsimus dne sacri dona mysterii ... auxilium.
D 1197

508 DOMINICA XXIII (= XXIIII)

1 Excita dne qs tuorum fidelium voluntates ... percipiant. D 1198
2 SECR. (126v) Propitius esto dne supplicationibus ... transeamus.
D 1199
3 AD COMPL. Concede nobis dne qs ut sacramenta ... curetur.
D 1200

509   DOMINICA V ANTE NAT. DOMINI

1 Excita dne potentiam tuam et veni ... salvari. Qui vivis.   D 778
2 SECR. Haec sacra nos dne potenti virtute ... principium.   D 779
3 PREF. ⅏ USQUE per Christum dnm. Cuius primi adventus mysterium ... expectare.   D 1695
4 AD COMPL. Suscipiamus dne misericordiam ... precedamus. D 780

510   DOMINICA IIII ANTE NAT. DOMINI

1 Excita dne corda nra ad praeparandas ... mereamur.   D 781
2 SECR. Placare qs dne humilitatis nrae ... praesidiis.   D 782
3 AD COMPL. Repleti cibo spiritalis alimoniae ... caelestia.   D 783

511   DOMINICA III ANTE NAT. DOMINI

1 Aurem tuam qs dne precibus .. (127r) .. illustra. Qui vivis.   D 787
2 SECR. Devotionis nrae tibi qs dne hostia ... operetur.   D 788
3 AD COMPL. Imploramus dne clementiam ... praeparent.   D 789

512   FERIA IIII AD S. MARIAM

1 Presta qs omps ds ut redemptionis nrae ... largiatur.   D 790
2 ALIA. Festina qs ne tardaveris dne et ... confidunt.   D 791
3 SECR. Accepta tibi sint dne qs nra ieiunia ... perducant.   D 792
4 AD COMPL. Salutaris tui dne munere saciati ... effectu.   D 793

513   FERIA VI AD APOSTOLOS

1 Excita dne qs potentiam tuam et veni ut hi ... liberentur. D 794
2 SECR. Muneribus nris qs dne precibusque ... exaudi.   D 795
3 AD COMPL. Tui nos dne sacramenti libatio ... consortium. D 796

514   SABBATO IN XII LECTIONIBUS AD S. PETRUM

1 Ds qui conspicis quia ex nra pravitate ... consolemur. Qui
vivis.   D 797

---

511   1 gratiae] gratia *B*
513   1 qs dne] dne qs *B*

2 ALIA. Concede qs omps ds ut qui sub peccati .. (127v) .. liberemur.   D 798
3 ALIA. Indignos nos qs dne famulos tuos ... laetifica.   D 799
4 ALIA. Presta qs omps ds ut filii tui ventura ... concedat.   D 800
5 ALIA. Preces populi tui qs dne clementer ... consolemur.   D 801

515   AD MISSAM.

1 Ds qui tribus pueris mitigasti ... vitiorum.   D 802
2 SECR. Sacrificiis presentibus dne qs intende ... saluti.   D 803
3 AD COMPL. Qs dne ds nr ut sacrosancta ... futurum.   D 804

516   DOMINICA I ANTE NAT. DOMINI

1 Excita dne potentiam tuam et veni et magna ... acceleret. D 805
2 SECR. Sacrificiis presentibus dne qs intende ... saluti.   D 806
3 AD COMPL. Sumptis muneribus dne qs ut cum ... effectus.   D 807

517   ALIAE ORATIONES ⟨DE ADVENTU⟩

1 Excita dne potentiam tuam et veni et quod ... operare. Qui
vivis.   D 808
2 ALIA. Conscientias nras qs dne visitando .. (128r) .. mansionem.
Qui tecum vivit.   D 809
3 ALIA. Prope esto dne omnibus ... presentemur.   D 810
4 ALIA. Concede qs omps ds ut magnę ... laetiores.   D 811
5 ALIA. Mentes nras qs dne lumine tuae ... securi. Qui vivis. D 812
6 ALIA. Preces populi tui qs dne clementer ... percipiant. Per eundem
dnm nrm Iesum.   D 813

---

514   2 quia] qui B (corr.ex quia)
515   2 dne] qs add.B | placatus intende] intende placatus B
516   2 dne] qs add.B | placatus intende] intende placatus BB
517   2 veniente ... nro] veniens Iesus Christus filius tuus dns nr B ‖ 4 lectiores]
      laetiores B ‖ 5 largiante] largiente B ‖ 6 aeternae vitae] vitae aeternę B

⟨MISSAE VOTIVAE⟩

518 DOMINICA DE S. TRINITATE

1 *Benedicta sit sancta trinitas a⟨t⟩que.* ℟ GRAD. *Benedicamus patrem.*
2 ORATIO. Omps sempit. ds qui dedisti famulis ... adversis.   D 1806
3 AD CORINTHIOS (2 Cor 13, 13). Frs. 'Gratia domini nostri Iesu
Christi et caritas dei et communicatio sancti spiritus sit semper cum
omnibus nobis'.
4 LECT. EP. B. PAULI AD ROMANOS (Rm 11,33–36). Frs. 'O altitudo divitiarum ... in
saecula saeculorum. Amen'.
5 ℟ GRAD. *Benedictus es domine qui.* ℣ *Benedictus es in throno.*
6 *Alleluia. Benedictus es domine.*
7 SEC. IOHANNEM (Io 15,26–16,4). I.i.t. Dixit Iesus discipulis suis:
'Cum venerit paraclytus quem ego mittam .. (128v) .. vobis'.
8 OF. *Benedictus sit deus.*
9 SECR. Sanctifica qs dne ds per tui nominis ... aeternum.   D 1807
10 PREF. ⒣ Qui cum unigenito filio tuo ... aequalitas. Quam laudant.   D 1808
11 COM. Benedicimus.
12 ⟨AD COMPL.⟩ Proficiat nobis ad salutem ... confessio.   D 1809
13 ⟨ALIA⟩ Dne ds pater omps famulos ... laetemur. Per eundem. In
unitate eiusdem spiritus sci. Per.   D 1810

519 FERIA II DE SAPIENTIA

1 ANT. *Lex domini inreprehensibilis.* ⟨PS.⟩ (18,2) *Caeli enarrant.*
2 Ds qui per coaeternam tibi sapientiam ... curramus.   D 1814
3 (129r) LECT. LIB. SAPIENTIAE (Sap 9,1–5). In diebus illis: Dixit
Salomon: 'Ds patrum meorum et dne misericordiae qui fecisti omnia
... ancillae tuae'.

---

518   2 semper *om.B* ‖ 9 sancti *om.B* ‖ 13 laetemur] laetentur *B*

---

518   3 Cf. FRERE, S. 64; → B 794,1.
       4 FRERE, S. 64.
       7 → B 794,2.

519   3 → B 795,1.

4 ℟ *Domine dominus noster.*

5 *Alleluia. Lauda anima.*

6 SEC. MATTHEUM (Mt 11,25–30). 'I.i.t. respondens Iesus dixit: Confiteor tibi pater dne caeli ... onus meum leve'.

7 OF. Revela oculos meos *et considerabo.*

8 SECR. Sanctificetur qs dne huius ... salutem.   D 1815

9 PREF. ⟶ Qui tui nominis agnitionem ... aeternam.   D 1816

10 (129v) COM. *Servite domino in timore.*

11 AD COMPL. Infunde qs dne per haec sca ... diligamus.   D 1817

12 ALIA. Deus qui misisti filium tuum ... habitationem.   D 1818

520   FERIA III DE DONO SCI SPIRITUS POSTULANDO

1 *Dum sanctificatus.*

2 Ds cui omne cor patet ... mereamur. Per eiusdem.   D 2325

3 AD CORINTHIOS (1 Cor 12,7–11). Frs. 'Unicuique datur manifestatio spiritus ... prout vult'.

4 ⟨℟⟩ *Beata gens.* ⟨℣⟩ *Verbo domini.*

5 *Alleluia. Emitte.*

6 SEC. IOHANNEM (Io 15,8–11) I.i.t. Dixit Iesus discipulis suis: 'In hoc clarificatus est pater .. (130r) .. impleatur'.

7 OF. *Emitte spiritum tuum.*

8 SECR. Haec oblatio dne ds ... habitatio. Per eiusdem.   D 2326

9 PREF. ⟶ Qui inspicis cogitationum secreta ... agamus.   D 2327

10 COM. *Spiritus qui a patre procedit.*

11 AD COMPL. Sacrificium salutis nrae tibi ... mysterium.   D 2328

12 ALIA. Concede qs omps ds scm nos spiritum ... mereamur ⟨accipere⟩. Per eiusdem.   D 2329

---

519   8 deus *om.B* ‖ 11 deus *om.B*

520   2 perfecte te] te perfecte *B* ‖ 11 nobis] nos *B* ‖ 12 spiritum nos sanctum] sanctum nos spiritum *B*

---

519   5 → B 211,20.

      6 → B 795,2.

520   3 → B 796,1.

      6 Pf 227b; → B 796,2.

521   FERIA IIII AD ANGELICA SUFFRAGIA POSTULANDA

1 ANT. *Adorate deum omnes.*
2 Perpetuum nobis dne tuae miserationis ... deesse.   D *704*
3 LECT. LIB. APOCALIPSIS IOHANNIS AP. (Apc 19,9–10). In diebus illis:
Dixit michi angelus: 'Scribe ... deum adora'.
4 R/ *Benedicite domino.* V/ *Benedic.*
5 *Alleluia. Laudate deum omnes angeli.*
6 SEC. IOHANNEM (Io 5,1–4). I.i.t. 'Ascendit Iesus Hierosolimam. Est
autem Hierosolimis probatica .. (130v) .. detinebatur'.
7 OF. *Stetit angelus iuxta aram templi.*
8 SUPER OBL. Hostias tibi dne laudis offerimus ... concedas. D 1857
9 PREF. ⅊ Quamvis enim illius sublimis ... ministrorum.   D 1858
10 COM. *Benedicite omnes angeli domini.*
11 POST COM. Repleti dne benedictione caelesti ... auxilio.   D 1859
12 ALIA. Plebem tuam qs dne perpetua pietate ... laetetur.   D 1860

522   FERIA V ⟨DE CARITATE⟩

1 ANT. *Deus in loco sancto.* PS. (67,2) *Exurgat.*
2 Omps sempit. ds qui iustitiam .. (131r) .. precipis.   D 2302
3 AD CORINTHIOS (1 Cor 13,4–8) Frs. 'Caritas paciens ... excidet'.
4 R/ *Ecce quam bonum.* V/ *Sicut unguentum.*
5 *Alleluia. Diligam te domine.*
6 SEC. IOHANNEM (Io 13,33–35). I.i.t. Dixit Iesus discipulis suis:
'Filioli adhuc modicum ... invicem'.
7 OF. *Meditabor in.*
8 SUPER OBL. Mitte dne qs ... purificet. Per eiusdem.   D 2303

---

521   2 praestitisti] presti *B* ‖ 8 eadem] easdem *B* | accipias et] accipiet *B* ‖ 9 piae] tuae
B ‖ 11 imploramus] implorantes *B*
522   8 nra corda] corda nra *B*

---

521   3 → B 797,1.
       6 → B 797,2.

522   3 → B 798,1.
       6 → B 798,2.

9 PREF. ᴅ aeterne deus. Qui plenitudinem mandatorum in tua proximique diclectione sanxisti, hanc nobis gratiam largire propicius, ut quia in multis offendimus omnes, tua caritas abundet in nobis, per quam peccati mundantur. Per Christum.

10 COM. *Tu mandasti.*

11 POST COM. Spiritum nobis dne tuae caritatis ... uno caelesti ... una facias ... concordes.   D 2304

12 ALIA. Ds vita fidelium .. (131v) .. repleantur.   D 2305

523   FERIA VI DE SANCTA CRUCE

1 *Nos autem.*

2 Ds qui unigeniti tui pretioso sanguine ... gaudere.   D 1835

3 AD GALATAS (Gal 6,14). Frs. 'Michi autem absit gloriari ... mundo'.

4 R⁄ GRAD. *Christus factus est.* ℣ *Propter quod et deus.*

5 *Alleluia. Dulce lignum. Dextera dei.*

6 SEC. IOHANNEM (Io 3,13–15). I.i.t. Dixit Iesus ad Nicodemum: 'Nemo ascendit in caelum ... aeternam'.

7 OF. *Protege domine.*

8 ⟨SUPER OBL.⟩ Haec oblatio dne ab omnibus ... offensa.   D 1836

9 PRᴇF. ᴅ Qui salutem humani generis ... vinceretur.   D 1837

10 COM. *Nos autem gloriari.*

11 ⟨AD COMPL.⟩ Adesto nobis dne ds nr et quos sanctae crucis ... praesidiis.   D 1838

12 ⟨ALIA⟩. Deus qui in preclara salutifere crucis inventione hodierne nobis festivitatis gaudia dicasti, tribue ut vitalis ligni tuitione ab omnibus muniamur adversis. Per.

---

522   11 una] tua *B*

523   2 filii *om.B* | sanctificari] sanctificare *B* | eos] ut *B* | quoque] facias *add.B* ‖ 9 in ligno quoque] per lignum quoque *B* ‖ 11 fecisti] facis *B*

---

522   9 Cf. L 599 (oratio).

523   3 → B 799,1.

6 KLAUSER, S. 163²⁶⁵ (Exaltatio crucis); Pf 230b; → B 799,2.

12 Cf. D 1839.

524   SABBATO DE SANCTA MARIA

1 (132r) Salve sancta parens enixa puerpera. PS. (44,12) *Quia concupivit rex decorem.*

2 ORATIO. Concede nos famulos tuos qs dne ds ... laeticia.   D 1841

3 LECT. LIB. SAPIENTIE (Prv 31,25–29). 'Fortitudo et decor indumentum ... supergressa es universas'.

4 ℟ Benedicta *et venerabilis es.* ℣ Virgo *dei genitrix.*

5 *Alleluia. Post partum virgo inviolata.*

6 SEC. LUCAM (Lc 11,'27–28). I.i.t. 'Extollens vocem quaedam mulier ... custodiunt illud'.

7 OF. *Felix namque es sacra virgo Maria et omnis.*

8 SECR. Tua dne propiciatione et beatae ... prosperitatem.   D 1842

9 PREF. ⟨ᵾᴅ⟩ Et in veneratione beate Marie semper virginis collaudare, benedicere et predicare, que et unigenitum tuum sancti spiritus obumbratione concepit et virginitatis gloria permanente lumen eternum mundo effudit Iesum Christum dominum nostrum. Per quem.

10 ⟨COM.⟩. *Beata viscera Marię.*

11 AD COMPL. Sumptis dne salutis nrae subsidiis ... maiestati.   D 1843

12 ALIA. Omps ds nos famulos tuos dextera ... futura.   D 1844

525   MISSA COTTIDIANA DE OMNIBUS ⟨SANCTIS⟩

1 (132v) Ds qui nos beatę Marię semper virginis ... exemplo. D 1865

2 SECR. Munera tibi dne nrę devotionis ... reddantur.   D 1866

3 AD COMPL. Presta nobis qs dne intercedentibus ... capiamus.

                                                              D 1867

4 ALIA. Fac nos dne qs scę Mariae semper ... adversis.   D 1868

5 ALIA. Adesto dne supplicationibus nris et intercessione omnium ... inpende.   D 1869

---

524   12 deus] nos *add.B*

525   1 beatorum] spirituum *add.B* ‖4 beatorum] spirituum *add.B* | confessorum ... simul] confessorum virginum atque omnium simul *B* | protegamur auxilio *om.B*

---

524   → B 238.
      3 → B 800,1.
      6 KLAUSER, S. 161[239] (Assumptio); → B 800,2.
      9 Nachtrag 13./14. Jh.; cf. CP 366.

526 MISSA PRO SALUTE VIVORUM

1 ANT. Inclina *domine aurem.*

2 Pretende dne fidelibus tuis ill. dexteram ... mereantur.   D 887

3 LECT. (Iac 5,16). Carissimi. 'Confitemini alterutrum'.

4 R̞ GRAD. Protector noster. ẙ *Domine deus virtutum.*

5 SEC. LUCAM (Lc 11,9) I.i.t. Dixit Iesus discipulis suis: 'Petite et dabitur vobis'.

6 OF. *Sperent in te.*

7 SECR. Propitiare dne supplicationibus nris .. (133r) .. consequamur.   D 1301

8 PREF. ⅃Ð aeterne deus. Humili devotione implorantes misericordiam tuam, ut fideles tuos sereno vultu respicias et omnia peccata eorum dimittas ac miserationis tuę largitatem super eos clementer infundas. Per Christum dominum.

9 INFRA ACT. Hanc igitur oblationem, quam tibi offerimus pro famulis et famulabus tuis, ut salutem corporis et animę consequi mereantur.

10 COM. Inlumina faciem tuam.

11 AD COMPL. Gratiae tuę qs dne supplicibus tuis ... futurae. D 877

12 ALIA. Da famulis et famulabus tuis qs dne ... vellantur.   D 1303

527 MISSA PRO AMICIS VIVENTIBUS

1 Ds qui caritatis dona per gratiam ... perficiant.   D 1304

2 SECR. Miserere qs dne famulis tuis pro ... adquirant.   D 1305

3 AD COMPL. Divina libantes mysteria qs dne ... maiestati. D 1306

4 ALIA. Ds qui supplicum tuorum .. (133v) .. mereantur.   D 1307

5 OF. Dispersit dedit *pauperibus.*

---

526 2 tuis] ill. *add.B* ‖ 7 has ... quas] hanc oblationem fidelium tuorum quam *B*
527 1 infudisti] infundis *B* | placita sunt] sunt placita *B* ‖ 2 deus *om.B* ‖ 4 ill. et ill. *om.B*

---

526 3 → B 677,1; CoL 82 ⟨in letania maiore⟩; cf. B 840,1.
     5 → B 328,4; cf. B 840,2.

528 MISSA PRO ELEMOSYNARIIS

1 Deus qui post baptismi sacramentum secundam abolitionem peccatorum elemosinis indidisti, respice propitius famulos tuos, quorum
operibus tibi gratię referuntur. Fac eos premio beatos, quos fecisti
pietate devotos. Recipiant pro parvis magna, pro terrenis caelestia,
pro temporalibus sempiterna. Per.
2 LECT. AD CORINTHIOS (2 Cor 9,6). Frs. 'Qui parce seminat'.
3 R/ Dispersit dedit. V/ *Potens in terra.*
4 SEC. LUCAM (Lc 12,32) I.i.t. Dixit Iesus discipulis suis: 'Nolite
timere pusillus grex, quia complacuit patri'.
5 OF. *Domine deus in simplicitate cordis mei.*
6 SECR. Ds qui tuorum corda fidelium per ... iuvare.   D 2432
7 COM. Amen dico vobis quod uni.
8 AD COMPL. Omps et misericors ds famulos tuos ... accepta.   D 2436

529 MISSA COMMUNIS

1 Scorum tuorum intercessionibus qs .. (134r) .. consortio.   D 1448
2 SECR. Propitiare dne supplicationibus ... perveniant.   D 1449
3 AD COMPL. Purificet nos qs dne et divini ... peccatorum.   D 1450

530 MISSA UNIVERSALIS

1 Omps sempit. ds qui vivorum ... consequantur.   D 3085
2 SECR. Ds cui soli cognitus est numerus ... retineat.   D 3086
3 AD COMPL. (134v) Purificent nos omps ... delictorum.   D 3087

---

528 6 consortiis] consortibus *B*
529 1 familiaritate] vel consanguinitate *add.B*
530 1 clementia] omnium *add.B* ‖ 2 quaeso] quaesumus *B* | fidelium] defunctorum
     add.B ‖ 3 hoc] tuum *add.B*

---

528 1 G 2784 (pro his qui agape faciunt); Ph 1801 (id.); cf. D 2431 (id.); cf. Conc.
     1170.
     2 → B 742,1.

531 MISSA COMMUNIS

1 Exaudi nos quaesumus omnipotens et misericors deus et pietate tua nostrorum omnium solve vincula delictorum et intercedente beata Maria semper virgine cum omnibus sanctis tuis regem nostrum et episcopum seniorem nostrum et omnes congregationes illi commissas atque locum istum et nos famulos tuos in omni bonitate custodi omnesque affinitate et familiaritate nobis iunctos nec non et omnes christianos a vitiis purga, virtutibus illustra, pacem et salutem nobis tribue, hostes visibiles et invisibiles remove, ⟨car⟩nalia desideria ex⟨tin⟩gue, aeris temperiem ⟨fru⟩gesque terre nobis tribue, inimicis [nostris] ac discordantibus veram caritatem largire et omnibus fidelibus vivis [et] atque defunctis in terra viventium vitam pariter et requiem ęternam concede. Per.

2 SECR. Ds qui singulari corporis tui hostia ... concede.   D 3131

3 AD COMPL. Sumpta quaesumus domine sacramenta omnia crimina nostra detergant omnemque pravitatem et infirmitatem et hosticam rabiem atque subitaneam mortem meritis sanctę dei genitricis Mariae omniumque sanctorum a nobis procul repellant et omnibus fidelibus vivis atque defunctis prosint ad veniam, pro quorum tibi sunt oblata salute. Per.

532 MISSA PRO CONGREGATIONE

1 *Respice domine in testamentum.*

2 Omps sempit. ds qui facis (135r) mirabilia ... infunde.   D 1308

3 LECT. EP. AD TESALONICENSES (1 Thess 5,14). Frs. 'Rogamus vos corripite inquietos consolamini'.

4 ℞ *Convertere domine.* ℣ *Domine refugium.*

5 ⟨SEC.⟩ IOHANNEM (Io 17,1). I.i.t. 'Sublevatis Iesus oculis in celum'.

6 OF. Iubilate deo *omnis.*

7 SECR. Hostias dne famulorum tuorum placatus ... medelam.
      D 1309

---

531 2 et (2)] atque *B*
532 2 abbatem] episcopum *B* ‖ 7 celebramus] caelebrant *B*

---

531 1 Cf. D 3130 (pro vivis sive defunctis).
     3 Cf. D 3132 (id.).

8 ɪɴꜰʀᴀ ᴀᴄᴛ. Hanc igitur oblationem dne famulorum quam tibi
offerunt ob devotionem ... dnm nrm. Diesque nros.   D 2244
9 ᴀᴅ ᴄᴏᴍᴘʟ. Quos caelesti recreas munere ... concede.   D 1310
10 ᴀʟɪᴀ. Da famulis tuis quaesumus domine bonos mores placatus
institue tu in eis, quod tibi placitum sit, dignanter infunde, ut digni
sint et tua valeant beneficia promereri. Per.
11 ⟨ᴀʟɪᴀ⟩. Famulos tuos qs dne benignus ... custodiam.   D 2247

533   MISSA SPECIALIS PRO CONGREGATIONE

1 Defende qs beata Maria semper virgine .. (135v) .. insidiis. D 2255
2 ꜱᴇᴄʀ. Suscipe qs clementer omps ds ... adversitatibus.   D 2256
3 ᴀᴅ ᴄᴏᴍᴘʟ. Sumptis redemptionis nrae ... subsidium.   D 2258
4 ᴀʟɪᴀ. Copiosa protectionis beneficia qs ... inveniat.   D 2259

534   MISSA PRO SUSCEPTIS IN CONFESSIONEM

1 ᴀɴᴛ. Sicut oculi *servorum.*
2 Ds qui iustificas impium et non vis ... separentur.   D 2358
3 ʟᴇᴄᴛ. ᴇᴘ. ʙ. ɪᴀᴄᴏʙɪ ᴀᴘ. (Iac 5,16). Carissimi. 'Confitemini alterutrum peccata vestra'.
4 ℟ *Propitius esto domine.*
5 ꜱᴇᴄ. ʟᴜᴄᴀᴍ (Lc 15,1). I.i.t. 'Erant adpropinquantes ad Iesum
puplicani et peccatores'.
6 ᴏꜰ. *Bonum est confiteri domino et psallere.*
7 ꜱᴇᴄʀ. Suscipe clementissime pater hostias ... mereantur.   D 2359

---

532   8 et dignanter] dignanter *B* | eos] nos *B* | confessione *om.B* | petentibus]
     repetentibus *B* | praestabis] praesta *B*‖ 10 Da famulis *B*] Tu famulis *codd.*
533   1 beato ill.] beata Maria semper virgine *B* ‖ 3 nobis tuae protectionis *om.B* ‖ 4
     tuae *om.B* | familia] tua *add.B* | et (1)] ut *B* | beati ill.] beatę Mariae semper
     virginis *B* | tuorum *om.B*
534   2 famulum tuum] famulos tuos *B* | confidentem] confidentes *B* | famuletur]
     famulentur *B* | separetur] separentur *B* ‖ 7 hostiam] hostias *B* | quam] quas *B* ‖

---

532   10   G 2594 (orationes monachorum); Ph 1608 (id.); D 409*; Conc. 3506.
534   3   CoL 82 (in letania maiore).

8 INFRA ACT. Hanc igitur oblationem servitutis nostrę, quam tibi offerimus pro famulis tuis, ut remissionem omnium peccatorum suorum consequi mereantur quaesumus domine placatus accipias et miserationis tuae (136r) largitate concedas, ut fiat illis ad veniam delictorum et ad optatam emendationem, ut hic bene valeant vivere et ad aeternam beatitudinem pervenire. Diesque.

9 COM. *Dico vobis dicit dominus.*

10 AD COMPL. Purificent nos qs dne sacramenta ... glorientur.

D 2356

535   CONTRA TEMPTATIONES ET COGITATIONES IMPIAS CARNIS

1 Omps mitissime ds qui sicienti populo ... accipere.   D 2340

2 LECT. EP. B. PAULI AP. AD ROMANOS (Rm 8,26) Frs. 'Spiritus autem adiuvat infirmitatem nostram'.

3 Rȷ *Dirigatur oratio mea.*

4 SEC. LUCAM (Lc 7,37). I.i.t. 'Mulier, quae erat in civitate peccatrix'.

5 OF. *In te speravi domine.*

6 SECR. Hanc igitur oblationem qs dne ds ... extingui.   D 2341

7 COM. *Redime me deus Israel.*

8 AD COMPL. Sacrificium quod tuae dne ds ... solatium.   D 2343

9 ALIA. Gratiam sci spiritus dne ds cordibus ... effectum.   D 2344

536   MISSA SACERDOTIS PROPRIA

1 ANT. *Ne derelinquas me domine deus meus.*

2 (136v) Suppliciter te ds pater omps ... absolvere.   D 2078

3 LECT. EP. B. PAULI AP. AD ROMANOS (Rm 7,22). Frs. 'Condelector legi dei secundum interiorem hominem'.

---

534   10 dne qs *add.B* | ill. *om.B* | conscientiae reatu] reatu conscientię suę *B* | constringuntur] constringitur *B* | de *om.B*

535   6 igitur *add.B*

---

534   8 Cf. G 1865 (missa pro devotis sive speciale); D 1291 (missa votiva); cf. Conc. 1767.

536   3 → B 842,1.

4 ℞ *Ego dixi domine.*
5 SEC. IOHANNEM (cf. Io 10,25). I.i.t.: Dixit Iesus discipulis suis:
'Amen, amen dico vobis, qui credit in me opera, quę ego facio'.
6 OF. *Miserere michi domine secundum magnam.*
7 SECR. Ds misericordię ds pietatis ... accipere.   D 2079
8 INFRA ACT. Hanc igitur oblationem servitutis meae ... promerear.
Diesque.   D 2086
9 COM. *Domine deus meus in te speravi.*
10 AD COMPL. Misericors et miserator dne ... culparum.   D 2089
11 ALIA. Ds qui vivorum es salvator .. (137r) .. suscipiat.   D 2082

537   ALIA MISSA

1 ANT. *Fac mecum dne signum.*
2 Omps sempit. ds qui me peccatorem sacris ... merear.   D 2100
3 ⟨LECT.⟩ AD TIMOTHEUM (1 Tim 1,15–17). Karissime. 'Fidelis
sermo et omni acceptatione dignus ... saeculorum. Amen'.
4 ℞ *Ab occultis meis.* ℣ *Si mei non fuerint.*
5 SEC. LUCAM (Mc 11,24–25). I.i.t. Dixit Iesus discipulis suis: 'Omnia quęcumque orantes petitis ... peccata vestra'.
6 OF. *Gressus meos dirige domine.*
7 SECR. Da qs clementissime pater per ... sempiternam.   D 2101
8 COM. *Ab occultis meis munda me domine.*
9 AD COMPL. Sumentes dne ds salutis nrae ... salutem.   D 2103

538   (137v) MISSA SACERDOTIS

1 *Exaudi deus orationem.*
2 Da qs omps ds meorum michi veniam ... merear.   D 2153
3 ⟨LECT.⟩ (Lam 3,22). In diebus illis. Locutus est Hieremias propheta dicens: 'Misericordię domini multe, quia non sumus'.
4 ℞ Adiutor meus. ℣ *Confundantur.*

---

536   7 gratiae] gratia *B* | et (2)] ut *B* | labentibus] latentibus *B* ‖ 11 emundatis]
      emendatis *B*
537   7 ad (2) *om.B*
538   2 rectitudinem] rectitudine *B*

---

537   5 Cf. B 842,2.

5 SEC. LUCAM (Lc 18,9). I.i.t. 'Dicebat Iesus ad quosdam, qui in se confidebant tamquam iusti'.

6 OF. *De profundis clamavi.*

7 SECR. Suscipe clementissime pater hostiam ... merear.   D 2154

8 PREF. ⅏ aeterne deus.Implorantes tuę maiestatis misericordiam, ut michi famulo tuo mole peccatorum gravato veniam meorum largiri digneris delictorum, ut ab omnibus inimicis vinculis liberatus tuis toto corde inheream mandatis et te solum semper tota virtute diligam et ad tuę quandoque beatitudinis visionem pervenire merear. Per Christum.

9 COM. *Redime me deus Israel.*

10 AD COMPL. Presta qs omps ds per beatę Marię ... merear.D 2156

539   ITEM ALIA

1 Omps sempit. ds gloriam pietatis .. (138r) .. permittas.   D 2200

2 ℞ *Ad dominum cum tribularer.*

3 OFF. *Domine in simplicitate cordis mei.*

4 SECR. Ds qui te precipis a peccatoribus ... remissionem.   D 1282

5 COM. *Voce mea ad dominum clamavi.*

6 AD COMPL. Ds qui me indignum sacris ... sempiternam.   D 2180

540   MISSA VOTIVA

1 ANT. *Iustus es domine et.*

2 Omps sempit. ds mise⟨re⟩re famulo tuo ill. ... perficiat.   D 1293

3 ⟨LECT.⟩ (Gal 6,1). Frs. 'Si praeoccupatus fuerit homo in aliquo delicto'.

---

538   10 meorum] michi *add.B*

539   1 supplici] humili *B* ‖ 4 exorare] exorari *B* | offerre] offerri *B* | peccatorum omnium] omnium peccatorum *B* ‖ 6 corporis et sanguinis] corpore et sanguine *B* | nostri] Iesu Christi *add. B* | te ... deprecor *om.B* | dne *om.B* | et quod] quam *B* | manum] tuam *add.B* | ingredi in] intrare *B*

---

538   8 Cf. D 1724 (missa votiva); cf. D 2155 (missa sacerdotis propria); CP 458 (pro amico); Conc. 3768.

540   3 Cf. B 839,1.

4 ℞ *Salvum fac servum tuum.*

5 ⟨SEC.MARCUM⟩ (Mc 11,23). Dixit Iesus discipulis suis: 'Amen dico vobis, quia quicumque dixerit huic monti: Tollere et mittere in mare'.

6 OF. *Sperent in te omnes.*

7 SECR. Proficiat dne qs hẹc oblatio ... dirigatur.   D 1294

8 (138v) PREF. ℞ Implorantes tuẹ maiestatis ... mereatur.   D 1724

9 COM. *Inlumina faciem.*

10 AD COMPL. Sumentes dne perpetuẹ ... protegas.   D 1295

11 ALIA. Famulụm tuum ill. qs dne tua semper ... securus. D 1296

541   MISSA CONTRA TEMPTATIONES ET COGITATIONES IMPIAS CARNIS

1 Omps mitissime ds respice propitius preces ... mereatur. D 2330

2 ⟨LECT.⟩ (Iac 5,13). Frs. 'Tristatur aliquis vestrum'.

3 SEC. MATHAEUM (Lc 7,1). I.i.t. 'Intravit Iesus Capharnaum'.

4 SECR. Has tibi dne offerimus oblationes ... digneris.   D 2331

5 PREF. ℞ Humiliter tuam deprecantes ... mereatur.   D 2332

6 AD COMPL. Per hoc qs dne sacrificium ... temptationibus. D 2333

7 ALIA. Ds qui inluminas .. (139r) .. valeat.   D 2334

542   MISSA PRO INFIRMIS

1 ANT. *De necessitatibus meis.*

2 Omps sempit. ds salus aeterna credentium ... actionem. D 1392

3 ALIA. Omps et misericors ds qui subvenis ... nominis tui. D 2768

4 ⟨LECT.⟩ (Iac 5,13). Frs. 'Tristatur aliquis vestrum'.   M 185

---

540 7 qs dne] dne qs *B* ‖ 10 tuam] tua *B* | tuum] ill. *add.B*

541 1 nostrum] famuli tui ill. *B* | mereamur] mereatur *B* ‖ 4 deus *om.B* | nostra] famuli tui ill. *B* | nostram] illius *B* ‖ 5 meae] famuli tui ill. *B* | merear] mereatur *B* ‖ 6 emunda] emundes *B* ‖ 7 nostrum] famuli tui ill. *B* | maiestati tuae] maiestatem tuam *B* | valeamus] valeat *B*

542 2 famulis tuis] famulo tuo *B* | quibus] quo *B* | referant] referat *B*

---

540 5 Cf. B 839,2.

541 2 → B 542,4; 559,3; 843,1.

542 4 → B 549,3; 843,1.

5 ℞ Miserere *michi domine.* ℣ *Conturbata sunt.*

6 *Alleluia. Qui sanat.*

7 SEC. MATTHAEUM (Lc 7,1). I.i.t. Intravit Iesus Capharnaum.   M 185

8 OF. *Bonum est confiteri domino.*

9 SECR. Ds sub cuius nutibus vitae nrę ... laetemur.   D 1393

10 COM. *Memento verbi tui servo tuo domine.*

11 AD COMPL. Ds infirmitatis humanę ... mereatur.   D 1394

543   MISSA PRO ITER AGENTE

1 *Prosperum iter.*

2 Preces nras qs dne clementer exaudi ut ... custodi.   D 2742

3 ⟨LECT.⟩ (Gn 46,1). In diebus illis. 'Profectus est Israel cum omnibus'.

4 ℞ *Vias tuas domine.*

5 *Alleluia. Angelus domini bonus.*

6 SEC. MARCUM (Mt 10,7). I.i.t. Dixit Iesus discipulis suis: 'Euntes praedicate dicentes, quia adpropinquabit'.

7 OF. *Perfice gressus meos.*

8 (139v) ⟨SECR.⟩ Propitiare dne supplicationibus nris et hanc oblationem ... custodias.   D 2745

9 COM. *Tu mandasti mandata.*

10 AD COMPL. Sumpta dne caelestis sacramenti ... proficiant.   D 2744

11 ALIA. Exaudi domine preces nostras et iter famuli tui ill. propitius comitare atque misericordiam tuam, sicut ubique es, ita ubique largire, quatenus a cunctis adversitatibus tua opitulatione defensus gratiarum tibi referat actionem. Per dominum.

---

542 9 Deus] sub *add.B* | hostias ... quibus] hostiam filii tui ill. pro quo *B* | aegrotantibus] aegrotante *B* | quorum] cuius *B* | eorum] eius *B* ‖ 11 infirmos nros] infirmum famulum tuum ill. *B* | adiuti] adiutus *B* | mereantur] mereatur *B*

543 2 et] ut *B* | conserva] custodi *B* ‖ 10 et eum ... perducant *om.B*

---

542 7 → B 843,2.

543 3 → B 838,1.
     6 → B 837,2.
     11 G 2798; Ph 1815; cf. D 1314 (pro fratribus in via dirigentibus); Conc. 1458.

544 CONTRA TEMPTATIONES CARNIS

1 Ure igne sci spiritus renes nros ... placeamus.   D 2320
2 SECR. Disrumpe dne vincula peccatorum ... gratiam.   D 2321
3 PREF. ⅏ et iustum est USQUE: Salva nos ex ore leonis ... purifica. Per
Christum dnm nrm.   D 2322
4 AD COMPL. Dne adiutor et protector nr ... presentari.   D 2323

545 MISSA PRO PACE

1 (140r) Ds a quo sca desideria recta consilia ... tranquilla.   D 1343
2 SECR. Ds qui credentes in te populos ... securos.   D 1344
3 ALIA. Ds auctor pacis et amator quem nosse ... timeamus. D 1345

546 MISSA PRO PECCATIS

1 Ineffabilem misericordiam tuam dne ... eripias.   D 1346
2 SECR. Purificet nos dne qs muneris ... perficiat.   D 1347
3 AD COMPL. Presta dne qs ut terrenis ... tendamus.   D 1348

547 ITEM MISSA PRO PECCATIS

1 ANT. *Salus populi ego sum.*
2 Parce dne parce peccatis nris ... auxilium.   D 2485
3 ⟨LECT. HIEREMIAE PROPH.⟩ (Ier 14,7–9) 'Si iniquitates nrae
.. (140v) .. ne derelinquas nos, dne ds nr'.
4 ℞ *Ad dominum cum tribularer.* ℣ *Domine libera.*
5 *Alleluia. Eripe me de inimicis.*
6 EV. ⟨SEC.⟩ MARCUM (Mc 11,22) I.i.t. Dixit Iesus discipulis suis:
'Habete fidem dei. Amen dico vobis, quia quicumque'.
7 OF. *Populum humilem.*
8 SECR. Sacrificia tibi dne cum ecclesię ... perficiant.   D 2486
9 COM. *Quis dabit ex Sion salutare.*
10 AD COMPL. Parce dne parce peccantibus ... corrigendi.   D 2493

---

544   1 casto] et *add.B* ||2 hostias] hostiam *B* || 4 nr] adiuva nos et *add.B* | nra] vel
     add.B | ereptaque] ereptamque *B*
547   8 dne tibi] tibi dne *B* | nostra corda] corda nostra *B* || 10 peccantibus] nobis
     add.B

548 MISSA AD POSTULANDAM HUMILITATEM

1 Ds qui superbis resistis et gratiam prestas ... subiecti.   D 2345
2 SECR. Haec oblatio dne qs nobis remissionem ... aeterna.   D 2346
3 AD COMPL. Huius dne perceptio sacramenti ... perducat.   D 2347

549 MISSA PRO CARITATE

1 Ds qui diligentibus te facis cuncta .. (141r) .. mutari.   D 2293
2 SECR. Ds qui nos ad imaginem tuam ... adprehendi.   D 2294
3 AD COMPL. Libera nos dne ab omni malo ... concordes.   D 2300

550 MISSA PRO PECCATIS

1 Exaudi qs dne supplicum preces et confitentium ... pacem.
                                                          D 1323
2 SECR. Hostias tibi dne placationis offerimus ... dirigas.   D 1324
3 PREF. ℞ Te dne suppliciter implorantes ... inimicis.   D 2683
4 INFRA ACT. Hanc igitur oblationem domine quam tibi offerimus pro peccatis atque offensionibus nostris, ut omnium delictorum nostrorum veniam consequamur, quaesumus domine.
5 AD COMPL. Presta nobis qs dne aeterne ... vitemus.   D 1326
6 ALIA. Ds cui proprium est misereri ... absolvat.   D 1327

551 ⟨ORATIONES TEMPORE QUOD ABSIT MORTALITAS⟩

1 Ds qui non mortem sed poenitentiam (141v) ... amoveas.   D 2584
2 SECR. Subveniat nobis qs dne sacrificii ... incursu.   D 2585
3 AD COMPL. Exaudi nos ds salutaris nr et intercedente ... securum.   D 2590

---

548 1 unigenitus] filius *add.B* ‖ 2 saeculi auferas] auferas saeculi *B* ‖ 3 sacramenti perceptio] perceptio sacramenti *B*
549 2 a *om.B*
550 5 nobis] qs dne *add.B*
551 2 dne qs] qs dne *B* | a *om.B* ‖ 3 beato ... tuo] beata Maria semper virgine *B*

---

550 4 Cf. A 2180 (missa pro devoto); Ph 1241 (id.); Rh 1313 (id.); D 1325 (missa pro peccatis); Conc. 1723.

552   MISSA AD POSTULANDAM PLUVIAM

1 Ds in quo vivimus movemur et sumus ... appetamus.   D 1366
2 LECT. HIEREMIE PROPHETAE (Ier 14,19–22). In diebus illis. Dixit
Hieremias: 'Numquid proiciens abiecisti ... omnia haec dns ds nr'.
3 (142r) ⟨EV.⟩ (Mt 15,32–39) I.i.t. Dixit Iesus discipulis suis: 'Misereor turbae quia triduo iam ... discipuli eius cum eo'.

4 SUPER OBL. Oblatis qs dne placare muneribus ... auxilium. D 1368
5 POST COM. Tuere nos dne tua sca sumentes ... peccatis.   D 1369
6 SUPER POPULUM. Da nobis qs dne pluviam ... infunde.   D 1364

553   MISSA PRO SERENITATE

1 Ad te nos dne clamantes exaudi et aeris ... sentiamus.   D 1372
2 ALIA. Dne ds qui in mysterio aquarum .. (142v) .. correctos.   D 1370
3 LECT. HIEREMIE PROPHETE (Lam 2,19–20; 3,53–58). In diebus illis.
Locutus est Hieremias dicens: 'Consurge lauda in nocte ... mensuram ⟨palmae⟩. – Lapsa est in lacum ... redemptor vitae meae, dne ds
meus'.
4 ⟨EV.⟩ (Lc 8,22–25). I.i.t. 'Factum est in una dierum et ipse ascendit in naviculam .. (143r) .. oboedierunt ei'.

5 SUPER OBL. Praeveniat nos qs dne gratia ... salutem.   D 1373
6 POST COM. Plebs tua dne capiat sacrę ... adiuvatur.   D 1374
7 ALIA. Qs omps ds clementiam tuam ut ... digneris.   D 1371

554   MISSA PRO PESTE ANIMALIUM

1 Ds qui humanae fragilitati necessaria ... vastitatem.   D 2608
2 SUPER OBL. Sacrificiis dne placare oblatis ... inpende.   D 1350
3 PRĘF. ⅏ Qui ideo malis praesentibus ... laudemus.   D 1731
4 POST COM. Benedictionem tuam dne populus .. (143v) .. inveniat.
    D 1351

---

552 4 Oblatis] qs *add.B* ‖ 5 qs *om.B* | 6 dne qs] qs dne *B*
553 2 nobis *om.B* | inundantium] inundantiam *B* ‖ 5 intercessionem] omnium *add.B*
    | proficiant] proficiat *B* ‖ 7 inpertire] inpertiri *B* (*corr. ex* inpertire)
554 1 quorum] pro *add.B* | vastitate] vastitatem *B* ‖ 2 placatus] placare *B* | oblatis] et
    add.B ‖ 4 tibi] semper *add.B*

---

552 2 → B 833,1.
     3 → B 833,3.

553 3 → B 834,1.
     4 → B 834,2.

555 IN TEMPORE BELLI

1 Ds regnorum omnium regumque ... utamur. D 1330
2 SUPER OBL. Sacrificium dne quod immolamus ... in tuae ... constituat. D 1333
3 POST COM. Sacrosancti corporis et sanguinis ... cunctorum. D 1334

556 CONTRA PAGANOS

1 Deus qui sordes nostrorum peccatorum districtę percutis gladio paganorum, pręces ecclesię tuae miseratus intende et concede, ut eorum potestatem tibi serviendo evadamus, quorum feritatem te contempnendo incurrimus. Per.
2 SUPER OBL. Hostia domine tuae maiestati oblata christiani nominis inimicos deprimat nosque in perpetuę pacis securitate constituat. Per.
3 POST COM. Reprime quaesumus omnipotens deus gentem in sua feritate confidentem, ut eorum feritati non subiaceant, quos tanta mysteria reparant atque tui nominis sit gloria pax christianitati concessa. Per.

557 MISSA PRO REGE

1 Qs omps ds ut famulus tuus rex nr ill. .. (144r) .. pervenire.
D 1270
2 SUPER OBL. Munera dne qs oblata ... proficiant. D 1271
3 POST COM. Haec dne oratio salutaris ... hereditatem. D 1272

558 ITEM ALIA

1 Deus regnorum omnium et christiani ... potens. D 1266
2 SUPER OBL. Suscipe dne preces et hostias ... libertas. D 1267
3 POST COM. Deus qui ad praedicandum ... bellorum. Per. D 1269

---

555 1 regumque] regum qui *B*
557 1 famulum tuum illum] famulus tuus rex nr ill. *B* ‖ 3 ill.] regem nrm *add.B*
558 1 servis ... illis] servo tuo imperatori nro ill. *B* | sunt principes] est princeps *B* | sint potentes] sit potens *B* ‖ 3 regis] regni *B* | romanum] christianum *B* | famulis ... nris] famulo tuo imperatori nro *B*

559   MISSA PRO FEBRICITANTIBUS

1 ANT. *Iustus es domine.*

2 Inclina domine pias aures tuas ad desideria supplican(144v)tum et quod devoto corde poscimus, benignus admitte, ut huic famulo tuo ill., qui typhi cottidiani, biduani, triduani vel quatriduani aut qualibet reliquarum febrium vexatione fatigatur, fidelis famuli tui Sigismundi precibus clementer occuras, ut dum nobis illius patefacis merita, praesenti egroto conferas medicinam. Per dominum.

3 ⟨LECT.⟩ (Iac 5,13). Frs. 'Tristatur aliquis vestrum oret'.

4 ℞ *Salvum fac servum tuum.* ℣ *Auribus percipe.*

5 *Alleluia. Diligam te domine.*

6 SEC. LUCAM (Mt 8,14–17). I.i.t. 'Cum venisset Iesus in domum Petri vidit socrum ... portavit'.

7 OF. *In te speravi domine dixi.*

8 SUPER OBL. Offerimus tibi domine munera et vota in honore electi tui Sigismundi martyris et sociorum eius Domnini, Basilini, Petri, Pyrri, Pyrrini, Restituti, Basilii, Desiderii pro praesenti egroto, qui cottidiano vel biduano vel tertiano vel quartano typho laborat, ut ab eo omnes febrium ardores repelli iubeas et tuo semper in omnibus muniatur auxilio. Per dominum.

9 PRĘF. ⅃Đ aeterne deus. Qui[a] per sanctos apostolos et martyres tuos diversa sanitatum dona largiri dignatus es, ideo intentis precibus deprecamur, ut presenti famulo tuo ill., qui cottidiani vel biduani seu tertiani aut quartani typhi vexatione fatigatur, (145r) intercessio fidelis famuli tui Sigismundi regis et martyris tui ac sociorum eius Domnini, Basilini, Petri, Pyrri, Pyrrini, Restituti, Basilii, Desiderii clementer succurrat, ut ad sanitatem pristinam eum revocare digneris. Per Christum.

10 COM. *Inclina aurem.*

11 POST COM. Domine sancte pater omnipotens aeterne deus te suppliciter deprecamur, ut accipienti fratri nostro sacrosanctum filii tui domini nostri Iesu Christi corpus et sanguinem tam corporis quam animae salus donetur. Per.

---

559   Cf. FRANZ, Messe, S. 191–203 (missa Sigismundi).
    2 FRANZ, Messe, S. 198; cf. D 2799 (missa s. Sigismundi pro febribus).
    3 → B 542,4; 843,1.
    8 FRANZ, Messe, S. 200 (nomina sociorum desunt).
    9 FRANZ, Messe, S. 201; cf. CP 1152.
    11 FRANZ, Messe, S. 201.

560 ⟨MISSA PRO PATRE ET MATRE⟩

(144v) 1 Deus qui nos patrem et matrem honorare precepisti, miserere clementer animabus patris et matris mee, eorum peccata dimitte meque eas in eterne claritatis gaudio fac videre. Per.
2 SECR. Suscipe sacrificium domine, quod tibi pro animabus p⟨atris⟩ et m⟨atris⟩ mee offero eisque gaudium sempiternum in regione vivorum concede meque sanctorum felicitati coniunge. Per.
3 COMPL. Celestis participacio sacramenti domine p⟨atris⟩ et m⟨atris⟩ mee animabus requiem et lucem obtineat perpetuam meque cum illis gratia tua in vita coronet eterna. Per Christum.

561 (145r) BENEDICTIONES SUPER INFIRMUM

1 Benedicat te ds pater ... perducat. Per dnm.   D 3995
2 ALIA. Perseverare te Christus in suo sancto servitio faciat et perducat te in vitam aeternam. Partem merearis habere cum sanctis et
electis dei, indulgeat tibi dominus omnia peccata tua. Misereatur tui
·Christus filius dei. Semper te sanum et incolomem et protectum ab
omnibus insidiis inimicorum omnium. Custodiat te pater omnipotens, qui te creavit per unicum filium suum dominum nostrum, qui
cum eo et spiritu sancto vivit et regnat in saecula saeculorum.
Amen.

562 MISSA IN AGENDA MORTUORUM

1 Inclina dne aurem tuam ad preces nras ... consortem.   D 1403
2 ALIA. Annue nobis dne ut anima famuli ... peccatorum.   D 1405
3 ⟨LECT.⟩ (2 Mcc 12,43). In diebus illis. Vir fortissimus Iuda 'collatione facta duodecim'.

---

561 1 sanet] sanat B | illuminet] inluminat B | salvet] salvat B | inradiet] irra-
     diat B
562 1 supplices] suppliciter B ‖ 2 animam] anima B

---

560 Nachtrag 13./14. Jh.
       1 BRUYLANTS II, 407.
       2 BRUYLANTS II, 1134.
       3 BRUYLANTS II, 106.

561 2 Cf. PRG 142,2 (II, S. 257).

562 3 → B 844,1.

4 SEC. IOHANNEM (Io 5,21–24). (145v) I.i.t. Dixit Iesus discipulis suis et turbis Iudaeorum: 'Sicut enim pater suscitat mortuos ... in vitam'.

5 SECR. Annue nobis dne ut animae famuli ... delicta.   D 1011

6 INFRA ACT. Hanc igitur oblationem quam tibi pro requie animę famuli tui ill. offerimus, quaesumus domine, ut placatus accipias et tua pietate concedas, ut mortalitatis nexibus absolutam inter fideles tuos habere constituas mansionem. Diesque.

7 AD COMPL. Presta quaesumus domine, ut anima famuli tui ill. his purgata sacrificiis indulgentiam pariter et requiem capiat sempiternam. Per.

563   ITEM MISSA PRO DEFUNCTIS

1 Ds cui proprium est misereri et preces ... mereantur.   D 3056

2 SECR. Hostias tibi dne humili ... consequantur.   D 3057

3 (146r) PREF. ⅊ Qui nobis in Christo ... mereantur.   D 3058

4 INFRA ACT. Hanc igitur oblationem dne qs placatus ... efficiantur. Diesque.   D 3059

5 AD COMPL. Divina libantes sacramenta ... indulgentiam.   D 3060

6 ALIA. Ds vita viventium spes morientium ... laetentur.   D 3061

564   ITEM ALIA

1 Ds veniae largitor ... ut nomina ... conscribi.   D 3051

2 SECR. Presta quaesumus omnipotens et misericors deus, ut animae, pro quibus hoc sacrificium laudis tuae offerimus maiestati, per huius virtutem sacramenti a peccatis omnibus expiatę lucis perpetuae te miserante recipiant consortium. Per.

---

562   5 famuli ... episcopi] famuli tui ill. B
563   1 absolutae] absolutos B ‖ 4 suppliciter] supplices B | absoluti] absolutę B

---

562 4 KLAUSER, S. 171[358]; CoV 468.
      6 Cf. G 2971 (unius defuncti laici); Ph 1929 (in annua die); Rh 1383 (unius defuncti laici); D 1418 (unius defuncti); Conc. 1760.
      7 BRUYLANTS II, 845.

564 2 Cf. D 2865 (pro fratribus defunctis); BRUYLANTS II, 877.

3 Hanc igitur oblationem, quam tibi pro animabus famulorum (146v) famularumque tuarum offerimus, quaesumus domine, ut placatus accipias et tua dignatione concedas, ut mortis vinculis absoluti transire mereantur ad vitam. Diesque

4 AD COMPL. Proficiat qs dne ad ... habitationem.   D 3054

565   ITEM MISSA PRO DEFUNCTIS

1 Propitiare qs dne animabus famulorum ... possideat.   D 1433
2 SECR. Hostias tibi dne humili placatione ... consequantur. D 1434
3 AD COMPL. Fidelium deus omnium animarum conditor et redemptor famulis et famulabus tuis cunctorum remissionem tribue peccatorum, ut quam semper optaverunt indulgentiam, consequantur. Per.
4 ALIA. Animabus famulorum famularumque ... participes. D 1440

566   ⟨ITEM ALIA⟩

1 ⟨Fid⟩elium ds omnium conditor et redemptor ... consequantur. Per te Iesum
Christum.   D 1437
2 Hostias qs dne quas tibi pro animabus ... premium.   D 1438
3 POST COM. ⟨Anima⟩bus qs dne omnium ... participes. Qui cum patre.   D 1440

567   PRO DEFUNCTIS FRATRIBUS

1 Ds veniae largitor et humanae salutis ... concedas.   D 2862
2 SECR. Ds cuius misericordiae .. (147r) .. peccatorum.   D 2863
3 INFRA ACT. Hanc igitur oblationem, quam tibi ... ascribi.
Diesque.   D 2864
4 AD COMPL. Presta qs misericors ds ut ... beatitudinem.   D 2865

---

564   4 obsecramus] deprecamur *B*
565   1 expeditae] expeditas *B* ‖ 4 qs dne *om.B* | illorum et illarum] qs dne *B*
566   1 famulorum ... tuarum] omnium fidelium defunctorum *B* ‖ 2 famulorum ...
        tuarum] omnium fidelium defunctorum *B* ‖ 3 famulorum ... illarum] omnium
        fidelium defunctorum *B* | peccatis] omnibus *add.B*
567   1 beato ... nro] beata Maria semper virgine *B* ‖ 2 propitius *om.B* | cunctorum ...
        tribue] tribue cunctorum remissione⟨m⟩ *B*

---

564   3 G 2986; Ph 1997; Conc. 1756.

565   3 Ph 1989; D 2983; Conc. 1628.

566   Nachtrag 14. Jh.

568   MISSA IN DIE DEPOSITIONIS DEFUNCTI

Adesto dne qs pro anima famuli tui ... extergas.   D 2881

569   IN DIE III VEL VII VEL XXX

1 Quaesumus dne ut famulo ... infundere.   D 2882
2 SECR. Adesto dne supplicationibus nris et hanc oblationem ...
assume.   D 2883
3 PREF. ᴞ per Christum dnm. Per quem salus mundi .. (147v) ..
restituas. Per quem.   D 1735
4 INFRA ACT. Hanc igitur oblationem dne quam tibi offerimus pro
anima famuli tui ill. ... vitam. Diesque.   D 2884
5 AD COMPL. Omps sempit. ds collocare ... praecipias.   D 2885

570   MISSA IN ANNIVERSARIO

1 Ds indulgentiarum dne da famulo tuo ill. ... claritatem.   D 2900
2 SECR. Propitiare dne supplicationibus nris ... digneris.   D 1430
3 INFRA ACT. Hanc igitur oblationem dne quam tibi offerimus pro
anima .. (148r) .. portionem. Diesque.   D 1431
4 AD COMPL. Suscipe dne preces nras ... deleantur.   D 1432

571   MISSA IN CYMETERIO

1 Ds in cuius miseratione animae fidelium ... laetentur.   D 1444
2 SECR. Pro animabus dne famulorum famularumque ... aeternam.   D 1445
3 AD COMPL. Ds fidelium lumen animarum ... claritatem.   D 1447

---

568   ill. om.B | ei] in eum B
569   1 cuius] tercium vel add.B | aut] vel B | electorum] tuorum digneris add.B |
      infunde] infundere B || 2 tertium] vel add.B || 3 ill. (2)] depositionis tertium vel
      septimum vel tricesimum B || 4 tertium] vel add.B | quo (2)] qua B | absolutus]
      absoluta B | ad] perennem add.B || 5 corpus et om.B | cuius] depositionis add.B |
      tertium] vel add.B | depositionis om.B | tuae] eius B
570   1 largiaris oramus om.B || 2 et spiritu om.B || 3 mortalitatis] mortalibus B | fideles
      om.B || 4 ill. om.B
571   1 Deus] in add. B | famulis] et famulabus add.B | et illis vel omnibus om.B || 2
      animabus] dne add.B | tuorum illorum et illarum et] famularumque tuarum B |
      omnium catholicorum] et ubique in Christo B | exuti] exutae B || 3 vel (1)] et B |
      ill. et ill. vel om.B | sedis quietem] sedem quietis B

572   MISSA PRO UNO DEFUNCTO

1 Omps sempit. ds cui numquam sine spe ... aggregari.   D 1416
2 SECR. Propitiare qs dne animae famuli tui ... condonetur. D 1417
3 AD COMPL. Presta qs omps ds ut (148v) animam ... beatorum.

                                                            D 1419

573   MISSA PRO FEMINA DEFUNCTA

1 Qs dne pro tua pietate miserere animae ... restitue.   D 3015
2 SECR. His sacrificiis domine placatus intende, suscipe animam
famulae tuae N. a peccatis omnibus exutam, sine quibus a culpa
nemo liber existit, ut per haec pię placationis officia perpetuam
misericordiam consequantur. Per.
3 PREF. VD aeterne deus. Tuam immensae pietatis suppliciter deprecamur clementiam, ut animam famulae tuae ab omnibus propitiatus
absolvas delictis atque omnium electorum precibus ad vitam feliciter
pervenire facias perpetuam. Per Christum.
4 INFRA ACT. Hanc igitur oblationem, quam tibi offerimus pro anima
famulae tuae, quaesumus domine placatus accipias, ut per haec
humanę salutis subsidia in tuorum numero electorum sortem perpetua censeatur. Per.
5 AD COMPL. Inveniat qs dne anima ... sacramentum.   D 3017

574   MISSA PRO EPISCOPO DEFUNCTO

1 Ds qui inter apostolicos sacerdotes ... consortio.   D 2812
2 SECR. Suscipe qs dne pro anima .. (149r) .. premium.   D 2814
3 AD COMPL. Propitiare dne supplicationibus ... sociari.   D 2817

---

572   1 illius *om.B* ‖ 2 ill. *om.B* | quia] qui *B* | in (2) *om.B* | catholica] et *add.B* ‖ 3 ill.
       om.B
573   1 ill. *om.B* | et] atque *B* | exutam] exuta *B* ‖ 5 ill. *om.B* | misericordiae]
       gracię *B*
574   1 pontificale] pontificalem *B* ‖ 2 tui ill. *om.B* | ut] et *B* ‖ 3 anima] animam *B* | ill.
       sacerdotis in vivorum regione] in regione vivorum *B*

---

573   2 Cf. D 3016.
      3 CP 1608.
      4 Cf. D 2994 (unius defuncti).

575 MISSA PRO SACERDOTE DEFUNCTO

1 Presta qs dne ut anima famuli tui ill. ... exultet.   D 2833
2 SECR. Suscipe domine quaesumus hostias pro anima famuli tui ill. presbyteri, ut per haec salutis nostrae sacrificia perpetuam tuae beatitudinis misericordiam consequatur. Per.
3 INFRA ACT. Hanc igitur oblationem servitutis nostrae, quam tibi offerimus pro anima famuli tui ill. presbyteri quaesumus domine, ut placatus accipias eamque mortalibus nexibus absolutam inter tuos fideles ministros habere perpetuam iubeas portionem. Diesque.
4 AD COMPL. Presta qs omps ds ut animam ... consortem.   D 4070

576 MISSA PRO INIMICIS VEL ANGUSTIIS

1 Deus invisibilis et inestimabilis cuius misericordie non est numerus, qui secreta medullarum et archana cordium rimaris, qui omnes actus et cogitationes meas inspicis, qui etiam peccata mea omnium hominum facinoribus graviora esse cognoscis, qui forsitan ab inimicis me pulsare permittis, ut ab iniquitatibus me revoces, te, quamvis indignus, suppliciter exoro, quatinus et michi paciencie virtutem tribuas eisque, quicquid in te et in me deliquere, indulgeas, de persecutione etiam mea illos compescas necnon me egenum et indignum ab illorum (149v) et omnium inimicorum meorum insidiis eripias, ab omnibus quoque peccatis clementer absolvas et ad gaudia sempiterna perducas. Per dominum.
2 ⟨ALIA⟩ Presta quesumus omnipotens et misericors deus, ut omnes fremitus inimicorum meorum tui auxilii et paciencię clipeo munitus vincam et illi, qui in me sua conantur feritate affigere, omnium sanctorum tuorum intercessione superentur. Per dominum.
3 SECR. Suscipe clementissime pater hanc oblationem quam ego indignus presumo offerre pro omnibus me persequentibus, quatinus et illorum mentes corrigas, iniustitiam illorum veritati et iusticie subicias, sufferentiam michi concedas, malitias illis dimittas meque omnium [malitiam illis dimittas meque omnium] malorum sectatorem de vinculis criminum absolvas et saltim in ultimo electorum tuorum gradu me adunari precipias. Per dominum.
4 ⟨AD COMPL.⟩ Omnipotens deus cuius multitudo miserationum omnem humanam excellit estimationem, quesumus inmensam clementiam tuam, ut per hec sancta, que sumpsimus, omnibus inimicis meis, quicquid in me et in te peccati commiserint, misericorditer indulgeas eisque spiritum caritatis infundas, peccata michi dimittas et post huius vite terminum in sanctorum tuorum consortio me adunari percipias. Per.

---

575   1 episcopi] presbiteri *B* ‖ 4 anima] animam *B* | tui] ill. presbyteri *add.B*

---

576   Nachtrag 14. Jh.

577   (150r) IN OCT. DOMINI

LECT. EP. B. PAULI AP. AD GALATAS (Gal 3,23–4,2). 'Frs. Prius enim quam venerit
fides ... a patre'.

578   IN VIGILIA TEOPHANIE

⟨LECT.⟩ AD ROMANOS (Rm 3,19–26). Frs. 'Scimus quoniam quęcumque lex loquitur
... qui ex fide est Iesu Christi dni nri'.

---

577   Nachtrag 12. Jh.; cf. B 587,1.

578   Nachtrag 12. Jh.; CoL 10; cf. B 589,1.

IV. LECTIONARUM

VERZEICHNIS DER IN DER EDITION DES LEKTIONARS VERWENDETEN SIGLEN

Wo nichts anderes vermerkt ist, stellen die Ziffern bei den Quellenangaben die Nummern in den entsprechenden Editionen dar.

Nicht aufgenommen sind die Siglen zur Bezeichnung der biblischen Bücher; dazu vgl. Verzeichnis der Bibelstellen.

CoA = WILMART A., Le Lectionnaire d'Alcuin, in: EL 51, 1937, S. 136–197 (Comes Alkuins).

CoL = FRERE W.H., Studies in early Roman liturgy III. The Roman Epistle-Lectionary (Alcuin Club collection 32), London 1935, S. 1–24 (Comes von Leningrad).

CoP = AMIET R., Un «Comes» carolingien inédit de la Haute-Italie (Paris, BN, ms. lat. 9451), in: EL 73, 1959, S. 335–367.

CoV = REHLE S., Lectionarium Plenarium Veronense (Bibl. Cap., Cod. LXXXII), in: SE 22, 1974/75, S. 321–376.

Eg = Codex Egberti der Stadtbibliothek Trier. Textband von H. SCHIEL, Basel 1960.

FRERE = FRERE W.H., Studies in early Roman liturgy III. The Roman Epistle-Lectionary (Alcuin Club collection 32), London 1935.

Fu = BÖHNE W., Ein Fuldaer Perikopenbuch des 11. Jahrhunderts, in: Archiv für mittelrheinische Kirchengeschichte 41, 1989, S. 403–490.

KLAUSER = KLAUSER Th., Das römische Capitulare Evangeliorum (LQF 28), Münster i.W. ²1972.

Lu = BÖHNE W., Ein neuer Zeuge stadtrömischer Liturgie aus der Mitte des 7. Jahrhunderts. Das Evangeliar Malibu, CA, USA, Paul Getty-Museum, vormals Sammlung Ludwig, Katalog-Nr. IV 1, in: ALW 27, 1985, S. 35–69.

M = WILMART A., Le Comes de Murbach, in: RBén 30, 1913, S. 25–29.

Pf = STREITER G., Das Lektionar von Pfäfers. Untersuchung von Ms III des Stiftsarchivs St.Gallen (Fonds Pfäfers), in: ZSKG 78, 1984, S. 11–109.

Po = BÖHNE W., Das Perikopenbuch Kaiser Heinrichs II. in der Gräflich Schönbornschen Bibliothek zu Pommersfelden, in: ALW 32, 1990, S. 9–26.

⟨PER ANNI CIRCULUM⟩

579 ⟨IN VIGILIA NAT. DOMINI⟩

1 ⟨LECT. EP. B. PAULI AP. AD ROMANOS⟩ (Rm 1, 1–6). (150v) 'Paulus (151r) servus Iesu Christi vocatus apostolus ... et vos vocati Iesu Christi' dni nri.   M 1
2 Lect. Esaię proph. (Is 62,1–4'). Haec dicit dns: 'Propter Syon ... quia complacuit dno in te'.   M 1
3 Sec. Matheum (Mt 1, '18–21). I.i.t.'Cum esset desponsata mater Iesu Maria Ioseph .. (151v) .. a peccatis eorum'.   M 1

580 IN NOCTE NAT. DOMINI

1 LECT. EP. B. PAULI AP. AD TITUM (Tit 2, 11–15'). Karissime. 'Apparuit gratia dei salvatoris nri ... Haec loquere et exhortare', in Christo Iesu dno nro.   M 2
2 LECT. ESAIAE PROPH. (Is 9, 2. 6–7'). Haec dicit dns: 'Populus qui ambulabat ... Parvulus enim ... in sempiternum'.   M 2
3 Seq. s. ev. sec. Lucam (Lc 2, '1–14). I.i.t. 'Exiit edictum a cesare Augusto .. (152r) .. bonae voluntatis'.   M 2

581 IN PRIMO MANE

1 LECT. AD TITUM (Tit 3, '4–7). Karissime. 'Apparuit benignitas et humanitas .. (152v) .. heredes simus secundum spem vitae aeternę', in Christo Iesu dno nro.   M 3
2 LECT. ESAIAE PROPH. (Is 61, 1–3; 62, '11–12'). Haec dicit dns: 'Spiritus dni ... redempti a dno' deo nro.   M 3
3 SEC. LUCAM (Lc 2, '15–20). I.i.t. 'Pastores loquebantur ... et viderant sicut dictum est ad illos'.   M 3

582 (153r) IN DIE NAT. DOMINI

1 LECT. AD HEBREOS (Hbr 1, 1–12). Frs. 'Multifariam multisque modis ... et anni tui non deficient'.   M 4
2 LECT. ESAIAE PROPH. (Is 52, 6–10). Haec dicit dns: '⟨P⟩ropter hoc sciet .. (153v) .. salutare dei nri'.   M 4
3 INITIUM S. EV. SEC. IOHANNEM (Io 1, 1–14). 'In principio erat verbum ... plenum gratiae et veritatis'.   M 4

583   IN NAT. S. STEPHANI PROTOMART.

(154r) 1 LECT. ACT. AP. (Act 6, 8–10; 7, 54–60'). In diebus illis. 'Stephanus plenus gratia ... obdormivit in dno'.   M 5
2 SEC. MATHEUM (Mt 23, 34–39). I.i.t. Dicebat Iesus turbis Iudęorum
et principibus sacerdotum: 'Ecce ego mitto .. (154v) .. in nomine
dni'.   M 5

584   IN NAT. S. IOHANNIS EV.

1 LECT. LIB. SAP. (Eccli 15, 1–2'; 3–6). 'Qui timet deum facit bona ...
hereditavit illum' dns ds nr.   M 6
2 SEC. IOHANNEM (Io 21, '19–24). I.i.t. Dixit Iesus Petro. 'Sequere
me .. (155r) .. quia verum est testimonium eius'.   M 6

585   IN NAT. INNOCENTUM

1 LECT. LIB. APOC. IOHANNIS AP. (Apc 14, 1–5). In diebus illis. 'Vidi
supra montem Syon ... ante thronum dei'.   M 7
2 SEC. MATHEUM (Mt 2, '13–18). I.i.t. 'Angelus dni apparuit .. (155v) ..
quia non sunt'.   M 7

586   IN NAT. S. SILVESTRI

1 EP. Ecce sacerdos magnus (cf. Eccli 44,16).   M 7
2 EV. 'Homo quidam peregre' (Mt 25, 14). REQUIRE IN NAT. UNIUS
CONF.   M 7

587   IN OCT. DOMINI

1 LECT. 'Apparuit gratia salvatoris nostri' (Tit 2, 11). REQUIRE IN
VIG. DOMINI IN NOCTE.   M 8
2 SEC. LUCAM (Lc 2, 21). I.i.t. 'Postquam consummati sunt ... in utero
conciperetur'.   M 8

---

586 1 → B 821,1; 847,1.
     2 → B 821,5.

587 1 → B 580,1; cf. +577: Gal 3,19. – 4,2, FRERE, S. 51.

588 DOMINICA I POST NAT. DOMINI

1 LECT. EP. AD GALATAS (Gal 4, '1–7). Frs. 'Quanto tempore heres
.. (156r) .. heres per deum'.　　　　　　　　　　　　　　　　M 9
2 SEC. LUCAM (Lc 2, 33–40). I.i.t. 'Erant Ioseph et Maria ... et gratia
dei erat cum illo'.　　　　　　　　　　　　　　　　　　　　M 9

589 IN VIG. EPIPHANIE

1 LECT. Apparuit benignitas (cf. Tit 3,'4). REQUIRE IN NAT. DOMINI
MANE.　　　　　　　　　　　　　　　　　　　　　　　　　M 10
2 SEC. MATHEUM (Mt 2, 19–23). I.i.t. 'Defuncto Herode .. (156v) ..
quoniam Nazareus vocabitur'.　　　　　　　　　　　　　　　M 10

590 IN THEOPHANIA

1 LECT. ESAIĘ PROPH. (Is 60, 1–6). 'Surge illuminare Hierusalem ... et
laudem dno adnuntiantes'.　　　　　　　　　　　　　　　　M 11
2 SEC. MATHEUM (Mt 2, 1–12). 'Cum natus esset Iesus .. (157r) .. in
regionem suam'.　　　　　　　　　　　　　　　　　　　　M 11

591 DOMINICA I POST THEOPHANIAM

1 LECT. EP. B. PAULI AP. AD ROMANOS (Rm 12, 1–5). Frs. 'Obsecro vos
.. (157v) .. singuli autem alter alterius membra'. In Christo Iesu dno
nro.　　　　　　　　　　　　　　　　　　　　　　　　　　M 12
2 SEC. LUCAM (Lc 2, 42–52). I.i.t. 'Cum factus esset Iesus ... apud
deum et homines'.　　　　　　　　　　　　　　　　　　　M 12

591A ⟨FERIA IIII⟩

SEC. MATHEUM (Mt 3, 13–17). I.i.t. 'Venit Iesus a Galilea .. (158r) .. in
quo mihi complacui'.　　　　　　　　　　　　　　　　　　M 12²

---

589 1 → B 581,1; cf. ⁺578: Rm 3,19–26, CoL 10.

592   IN OCT. THEOPHANIAE

1 LECT. ESAIĘ PROPH. (cf. Is 25; 28; 35; 41 etc.). In diebus illis dixit
Esaias: Domine deus meus honorificabo te, laudem tribuam nomini
tuo, qui facis mirabiles res. Consilium tuum antiquum verum fiat.
Domine, excelsum est brachium tuum, deus Sabaoth, corona spei,
quę ornata est gloria. Exultet desertum, exultent solitudines Iordanis
et populus meus videbit altitudinem domini, maiestatem dei. Et erit
congregatus et redemptus per deum, et veniens in Syon cum lęticia et
laeticia sempiterna erit super caput eius, laus et exultatio. Et aperiam
in montibus flumina, in mediis campis fontes disrumpam et terram
sicientem sine aqua confundam. Ecce puer meus exaltabitur et ele-
vabitur et sublimis erit valde. Haurietis aquas in gaudio de fontibus
salvatoris et dicetis in illa die: Confitemini domino et invocate
nomen eius. Notas facite in populis ad inventiones eius, mementote,
quoniam excelsum est nomen eius. Cantate domino, quoniam
magnifice fecit, adnuntiate hoc universa terra, dicit dominus (158v)
omnipotens.   M 13
2 SEC. IOHANNEM (Io 1, '29–34). I.i.t. 'Vidit Iohannes Iesum venientem ... quia hic est filius dei'.   M 13

593   DOMINICA II POST THEOPHANIAM

1 LECT. AD ROMANOS (Rm 12, 6–16'). Frs. 'Habentes donationes
.. (159r) .. sed humilibus consentientes'.   M 14
2 SEC. IOHANNEM (Io 2, '1–11). I.i.t. 'Nuptię factae sunt ... et crediderunt in eum discipuli eius'.   M 14

594   FERIA IIII

1 LECT. AD COLOSENSES (Col 1, '25–28). Frs. Audistis 'dispensatio-
nem dei quę data .. (159v) .. omnem hominem perfectum in Christo
Iesu' dno nro.   M 14^2
2 SEC. LUCAM (Lc 4, 14–22'). I.i.t. 'Regressus est Iesus ... quę pro-
cedebant de ore ipsius'.   M 14^2

595   DOMINICA III POST THEOPHANIAM

1 AD ROMANOS (Rm 12, '16–21). Frs. 'Nolite esse prudentes .. (160r) ..
sed vince in bono malum'.   M 15

2 sec. matheum (Mt 8, 1–13). I.i.t. 'Cum descendisset Iesus .. (160v) .. et sanatus est puer in illa hora'. M 15

596 FERIA IIII

1 ad timotheum (1 Tim 1, 15–17). Karissime. 'Fidelis sermo ... honor et gloria in saecula saeculorum. Amen'. M 15²
2 sec. marcum (Mc 3, 1–5). I.i.t.'Introivit Iesus in synagogam ... restituta est manus illi'.

597 FERIA VI

sec. matheum (Mt 4, 23–25'). I.i.t. 'Circuibat Iesus totam Galileam ... secutę sunt eum tur(161r)bae multae'.

598 DOMINICA IIII ⟨POST THEOPHANIAM⟩

1 lect. ep. b. pauli ap. ad romanos (Rm 13, 8–10). Frs. 'Nemini quicquam debeatis ... plenitudo ergo legis est dilectio'. M 16
2 sec. matheum (Mt 8, 23–27). I.i.t. 'Ascendente Iesu in naviculam ... venti et mare oboediunt ei'. M 16

599 FERIA IIII

1 ad romanos (Rm 5, 18–21). Frs. 'Sicut per unius delictum .. (161v) .. per Iesum Christum dnm nrm'. M 16²
2 sec. lucam (Lc 9, 57–62). I.i.t. 'Factum est ambulantibus illis ... aptus est regno dei'.

600 IN PURIFICATIONE S. MARIĘ

1 lect. lib. sapientię (Eccli 24, 23–31). 'Ego quasi vitis fructificavi ... vitam aeternam habebunt'. M 17
2 sec. lucam (Lc 2, 22–32). (162r) I.i.t. 'Postquam impleti sunt ... gloriam plebis tuae Israel'. M 17

---

596 2 Klauser, S. 15²²; 60²⁵; 103²¹; CoP 47; Lu 21. – M 15²: Mt 4,23–25.

597 Fu 19. – M 15³: Mc 3,6–15.

599 2 Fu 22. – M 16²: Mc 6,1–6; cf. M 16³: Feria VI (Lc 9,57–62).

601   DOMINICA V POST THEOPHANIAM

1 LECT. EP. B. PAULI AP. AD COLOSENSES (Col 3, 12–17). Frs. 'Induite
vos sicut electi .. (162v) .. agentes deo et patri per' Iesum Christum
dnm nrm.   M 18
2 SEC. MATHEUM (Mt 11, 25–30). 'I.i.t. Respondens Iesus dixit:
Confiteor ... et onus meum leve'.   M 18

602   FERIA IIII

1 AD CORINTHIOS (1 Cor 1, 26–31). Frs. '⟨V⟩idete vocationem vestram .. (163r) .. in dno glorietur'.
2 SEC. MARCUM (Mc 10, 13–16). I.i.t. 'Offerebant Iesu parvulos ...
benedicebat eos'.   M 18[2]

603   DOMINICA IN SEPTUAGESIMA

1 AD CORINTHIOS (1 Cor 9, 24–10, 4). Frs. 'Nescitis quod ... petra
autem erat Christus'.   M 19
2 SEC. MATHEUM (Mt 20, 1–16). I.i.t. Dixit Iesus discipulis suis:
'Simile est regnum .. (163v/164r) .. vero electi'.   M 19

604   FERIA IIII

1 AD HEBREOS (Hbr 4, 11–16). Frs. 'Festinemus ingredi in illam
requiem ... in auxilio oportuno'.   M 19[2]
2 SEC. MARCUM (cf. Mc 9, '29–36; Mt 13, 9). I.i.t. Egressus Iesus ibat
per 'Galileam nec volebat .. (164v) .. aures audiendi audiat'.   M 19[2]

605   FERIA VI

SEC. LUCAM (Lc 9, 51–56). I.i.t. 'Factum est dum complerentur ... in
aliud castellum'.   M 19[3]

606   DOMINICA IN SEXAGESIMA

1 AD CORINTHIOS (2 Cor 11, 19–12, 9). Frs. 'Libenter suffertis insi-
pientes .. (165r/v) .. in me virtus Christi'.   M 20
2 SEC. LUCAM (Lc 8, 4–15). I.i.t. 'Cum turba plurima .. (166r) .. et
fructum afferunt in pacientia'.   M 20

---

602 1 FRERE, S. 56.

607 FERIA IIII

1 AD HEBREOS (Hbr 12, 3–9). Frs. 'Recogitate dnm nrm Iesum Christum qui talem sustinuit ... et vivemus'. M 20²
2 SEC. MATHEUM (Mt 12, 30–37). I.i.t. Dixit Iesus phariseis: 'Qui non est mecum .. (166v) .. ex verbis tuis condemnaberis'. M 20²

608 DOMINICA IN QUINQUAGESIMA

1 AD CORINTHIOS (1 Cor 13, 1–13). Frs. 'Si linguis hominum loquar .. (167r) .. maior autem his est caritas'. M 22
2 SEC. LUCAM (Lc 18, 31–43). I.i.t. 'Assumpsit Iesus duodecim discipulos suos .. (167v) .. dedit laudem deo'. M 22

609 FERIA IIII ⟨IN CAPITE IEIUNII⟩

1 LECT. IOHEL PROPH. (Ioel 2, 12–19). Haec dicit dns ds: 'Convertimini ad me ... in gentibus', dicit dns omps. M 23
2 SEC. MATHEUM (Mt 6, 16–21). (168r) I.i.t. Dixit Iesus discipulis suis: 'Cum ieiunatis ... et cor tuum'. M 23

610 FERIA V

1 LECT. ESAIE PROPH. (Is 38, 1–6). 'In diebus illis egrotavit Ezechias .. (168v) .. et protegam eam', dicit dns omps. M 24
2 EV. Cum introisset Iesus Capharnaum (Mt 8, 5). REQUIRE DOM. POST THEOPHANIAM III. M 24

611 FERIA VI

1 LECT. ESAIAE PROPH. (Is 58, 1–9'). Haec dicit dns ds: 'Clama ne cesses .. (169r) .. et dicet ecce adsum', quia misericors sum dns ds tuus. M 25
2 SEC. MATHEUM (Mt 5, 43–6, 4). I.i.t. Dixit Iesus discipulis suis: 'Audistis quia dictum est ... in absconso (*sic*) reddet tibi'. M 25

---

609 2 demoliuntur] exterminat *B superscript*

---

610 2 → B 595,2.

612   SABBATO

1 LECT. ESAIĘ PROPH. (Is 58, '9–14). Haec dicit dns: 'Si abstuleris
.. (169v) ..·locutum est' haec.   M 26
2 SEC. MARCUM (Mc 6, 47–56). I.i.t. 'Cum sero esset .. (170r) .. salvi
fiebant'.   M 26

613   DOMINICA INITIO QUADRAGESIMAE

1 LECT. EP. B. PAULI AP. AD CORINTHIOS (2 Cor 6, '1–10). Frs.
'⟨H⟩ortamur vos .. (170v) .. et omnia possidentes'.   M 27
2 SEC. MATHEUM (Mt 4, 1–11). I.i.t. 'Ductus est Iesus in desertum ...
et ministrabant ei'.   M 27

614   FERIA II

1 LECT. EZECHIELIS PROPH. (Ez 34, 11–16). 'Haec dicit dns ds: Ecce
ego ipse requiram oves meas .. (171r) .. in iudicio' et iusticia, dicit dns
omps.   M 28
2 SEC. MATHEUM (Mt 25, 31–46). I.i.t. Dixit Iesus discipulis suis:
'Cum venerit filius hominis .. (171v) .. in vitam aeternam'.   M 28

615   FERIA III

1 LECT. ESAIAE PROPH. (Is 55, 6–11). In diebus illis locutus est Esaias
propheta dicens: 'Quęrite dnm .. (172r) .. ad quę misi illud', dicit dns
omp.   M 29
2 SEC. MATHEUM (Mt 21, 10–17). I.i.t. 'Cum intrasset Iesus Hierosolimam ... ibique' docebat eos de regno dei.   M 29
vos corripite inquietos ... in adventu dni nri Iesu Christi servetur'.   M 33
7 SEC. MATHEUM (Mt 17, '1–9). I.i.t. 'Assumpsit Iesus Petrum
.. (177r) .. a mortuis resurgat'.   M 33

620   DOMINICA II IN QUADRAGESIMA

1 AD TESALONICENSES (1 Thess 4, '1–7). 'Fratres rogamus vos et
obsecramus ... sanctificationem', in Christo Iesu dno nro.   M 34
2 SEC. MATHEUM (Mt 15, 21–28). I.i.t. 'Egressus Iesus secessit in
partes Tyri .. (177v) .. ex illa hora'.   M 34

616 FERIA IIII

1 LECT. LIB. EXODI (Ex 24, 12–18). In diebus illis. 'Dixit dns ad
Moysen: Ascende ad me .. (172v) .. et quadraginta noctibus'.   M 30
2 ALIA LECT. LIB. REGUM (3 Rg 19, '3–8). In diebus illis. Venit Helias
'in Bersabeę ... usque ad montem dei ⟨H⟩oreb'.   M 30
3 (173r) SEC. MATHEUM (Mt 12, 38–50). I.i.t. Accesserunt ad Iesum
scribę et pharisęi 'dicentes: Magister .. (173v) .. mater est'. M 30

617 FERIA V

1 LECT. EZECHIELIS PROPH. (Ez 18, 1–9). In diebus illis. 'Factus est
sermo dni ... vita vivet, ait dns' omps.   M 31
2 SEC. IOHANNEM (Io 8, 31–47'). I.i.t. 'Dicebat Iesus ad eos .. (174r) ..
verba dei audit'.   M 31

618 FERIA VI

1 LECT. EZECHIELIS PROPH. (Ez 18, 20–28). Haec dicit dns ds:
'Anima quę peccaverit .. (174v) .. et non morietur', dicit dns
omps.   M 32
2 SEC. IOHANNEM (Io 5, 1–15). I.i.t. 'Erat dies festus Iudęorum
.. (175r) .. qui fecit eum sanum'.   M 32

619 SABBATO IN XII LECTIONIBUS

1 LECT. LIB. DEUTERONOMII (Dt 26, 15–19). In diebus illis. Locutus
est Moyses ad dnm dicens: 'Respice .. (175v) .. sicut locutus est'
tibi.   M 33
2 LECT. LIB. DEUTERONOMII (Dt 11, 22–25). In diebus illis. Dixit
Moyses filiis Israhel: 'Si custodieritis ... sicut locutus est vobis' dns ds
vester.   M 33
3 LECT. LIB. MACHABEORUM (2 Mac 1, 23; 1, 2–5). In diebus illis.
'Orationem faciebant sacerdotes .. (176r) .. in tempore malo' dns ds
vester.   M 33
4 LECT. LIB. SAPIENTIAE (Eccli 36, 1–10). 'Miserere nri ... mirabilia'
dne ds nr.   M 33
5 LECT. DANIHELIS PROPH. (Dn 3, 49–55). In diebus illis. 'Angelus
dni descendit cum Azaria .. (176v) .. superexaltatus in saecula'. M 33
6 LECT. EP. AD TESALONICENSES (1 Thess 5, 14–23). Frs. 'Rogamus

621   FERIA II

1 LECT. DANIHELIS PROPH. (Dn 9, '15–19). In diebus illis oravit
Danihel dicens: 'Dne ds nr ... tuum', (178r) dne ds nr.   M 35
2 SEC. IOHANNEM (Io 8, '21–29). I.i.t. Dixit Iesus turbis Iudęorum:
'Ego vado ... facio semper'.   M 35

622   FERIA III

1 LECT. LIB. REGUM (3 Rg 17, 8–16). In diebus illis. 'Factus est sermo
dni ad Heliam .. (178v) .. in manu Heliae'.   M 36
2 SEC. MATHEUM (Mt 23, 1–12). I.i.t. 'Locutus est Iesus ad turbas
.. (179r) .. qui se humiliaverit exaltabitur'.   M 36

623   FERIA IIII

1 LECT. LIB. HESTHER (Est 13, 9–11. 15–17). In diebus illis. Oravit
Hester ad dnm dicens: 'Dne rex omps ... et ne perdas ora canentium
te', dne ds nr.   M 37
2 SEC. MATHEUM (Mt 20, 17–28). I.i.t. 'Ascendens Iesus Hierosolimam .. (179v) .. redemptionem pro multis'.   M 37

624   FERIA V

1 LECT. HIEREMIAE PROPH. (Ier 17, 5–10). 'Haec dicit dns ds: Maledictus homo .. (180r) .. iuxta fructum adinventionum suarum', dicit
dns omps.   M 38
2 SEC. IOHANNEM (Io 5, 30–47). I.i.t. Dixit Iesus turbis Iudęorum:
'Non possum ego a meipso .. (180v) .. quomodo verbis meis crede-
tis'.   M 38

625   FERIA VI

1 LECT. LIB. GENESIS (Gn 37, '6–22). In diebus illis. Dixit Ioseph
fratribus suis: 'Audite somnium .. (181r) .. patri suo'.   M 39
2 SEC. MATHEUM (Mt 21, '33–46). I.i.t. Dixit Iesus discipulis suis et
turbis Iudęorum: 'Homo erat paterfamilias .. (181v) .. eum habe-
bant'.   M 39

626 SABBATO

1 LECT. LIB. GENESIS (Gn 27, 6–40'). In diebus illis. Dixit Rebecca 'filio suo Iacob .. (182r/183r) .. erit benedictio tua'.   M 40
2 SEC. LUCAM (Lc 15, '11–32). I.i.t. Dixit Iesus discipulis suis: 'Homo quidam habuit .. (183v/184r) .. inventus est'.   M 40

627 DOMINICA III ⟨IN QUADRAGESIMA⟩

1 AD TESALONICENSES (Eph 5, 1–9). Frs. 'Estote imitatores dei ... iusticia et veritate'.   M 41
2 SEC. LUCAM (Lc 11, 14–28). I.i.t. 'Erat Iesus eiciens demonium .. (184v) .. et custodiunt illud'.   M 41

628 FERIA II

1 LECT. LIB. REGUM (4 Rg 5, 1–15'). (185r) In diebus illis. 'Naaman princeps militie .. (185v) .. nisi tantum dns ds Israhel'.   M 42
2 SEC. LUCAM (Lc 4, '23–30). I.i.t. dixerunt pharisei ad Iesum: 'Quanta audivimus facta .. (186r) .. per medium illorum ibat'.   M 42

629 FERIA III

1 LECT. LIB. REGUM (4 Rg 4, 1–7). In diebus illis. 'Mulier quedam clamabat ... vivite de reliquo'.   M 43
2 SEC. MATHEUM (Mt 18, 15–22). I.i.t. Respiciens Iesus discipulos suos dixit Symoni Petro: 'Si peccaverit .. (186v) .. usque septuagies septies'.   M 43

630 FERIA IIII

1 LECT. LIB. EXODI (Ex 20, 12–24'). Haec dicit dns ds: 'Honora patrem tuum .. (187r) .. fuerit nominis mei'.   M 44
2 SEC. MATHEUM (Mt 15, 1–11). I.i.t. 'Accesserunt ad Iesum ab Hierosolimis scribe .. (187v) .. non coinquinat hominem'.   M 44

631 FERIA V

1 LECT. HIEREMIE proph. (Ier 7, 1–7). In diebus illis. 'Factum est verbum dni ad me dicens: Sta in porta .. (188r) .. usque in seculum', dicit dns omps.   M 45

2 SEC. IOHANNEM (Io 6, 27–35). I.i.t. Dixit Iesus turbis: 'Operamini non cibum ... non sitiet umquam'.   M 45

632   FERIA VI

1 LECT. LIB. NUMERI (Nm 20, '2–3'. '6–13). In diebus illis convene-runt filii Israhel ad 'Moysen et Aaron et versi in seditionem dixe-runt': da nobis aquam ut bibamus. 'Ingressusque .. (188v) .. et sanc-tificatus est in eis'.   M 46
2 SEC. IOHANNEM (Io 4, 5–42). I.i.t. 'Venit Iesus in civitatem Sama-riȩ .. (189r/190r) .. hic est vere salvator mundi'.   cf. M 46

633   SABBATO

1 ⟨LECT.⟩ DANIHELIS PROPH. (Dn 13, 1–62). In diebus illis. 'Erat vir in Babylone .. (192r) .. salvatus est sanguis innoxius in die illa'.
    M 47
2 SEC. IOHANNEM (Io 8, 1–11). I.i.t. 'Perrexit Iesus in montem Oli-veti ... iam noli peccare'.   M 47

634   DOMINICA IIII IN QUADRAGESIMA

1 AD GALATAS (Gal 4, 22–31). Frs. 'Scriptum est quoniam Abraham .. (192v) .. Christus nos liberavit'.   M 48
2 SEC. IOHANNEM (Io 6, '1–14). I.i.t. 'Abiit Iesus trans mare Galileȩ .. (193r) .. qui venturus est in mundum'.   M 48

635   FERIA II

1 LECT. LIB. REGUM (3 Rg 3, 16–28). In diebus illis. 'Venerunt duȩ mulieres meretrices .. (193v) .. ad faciendum iudicium'.   M 49
2 SEC. IOHANNEM (Io 2, 13–25). I.i.t. 'Prope erat pascha Iudȩorum .. (194r) .. quid esset in homine'.   M 49

---

632 2 M 46: Io 4,6–42.

636 FERIA III

1 LECT. LIB. EXODI (Ex 32, 7–14'). In diebus illis. 'Locutus est dns ad Moysen dicens: Descende de monte .. (194v) .. quod locutus fuerat', et misertus est populo suo dns ds ṅr.   M 50
2 SEC. IOHANNEM (Io 7, 14–31'). I.i.t. 'Iam die festo mediante .. (195r) .. multi crediderunt in eum'.   M 50

637 FERIA IIII

1 LECT. EZECHIHELIS PROPH. (Ez 36, 23–28). Hac (sic) dicit dns ds: 'Sanctificabo nomen meum .. (195v) .. ego ero vobis in deum', dicit dns omps.   M 51
2 ALIA LECT. ESAIAE PROPH. (Is 1, 16–19). Haec dicit dns ds: 'Lavamini mundi estote ... bona terrę comedetis', dicit dns omps.   M 51
3 SEC. IOHANNEM (Io 9, 1–38). I.i.t. 'Preteriens Iesus vidit hominem caecum .. (196r/197r) .. procidens adoravit eum'.   M 51

638 FERIA V

1 LECT. LIB. REGUM (4 Rg 4, '25–38'). In diebus illis. Venit mulier Sunamitis ad Heliseum 'in montem Carmeli .. (197v) .. reversus est in Galgala'.   M 52
2 SEC. IOHANNEM (Io 5, '17–29). I.i.t. Dixit Iesus turbis Iudęorum: 'Pater meus usque modo operatur .. (198r) .. in resurrectionem iudicii'.   M 52

639 FERIA VI

1 LECT. LIB. REGUM (3 Rg 17, '17–24). In diebus illis. 'Egrotavit filius mulieris .. (198v) .. in ore tuo verum est'.   M 53
2 SEC. IOHANNEM (Io 11, 1–45). I.i.t. 'Erat quidam languens Lazarus .. 199r/200r) .. crediderunt in eum'.   M 53

640 SABBATO

1 LECT. ESAIĘ PROPH. (Is 49, 8–15). 'Haec dicit dns. In tempore placito exaudivi te ... non obliviscar tui', dicit dns omps.   M 54

2 LECT. ESAIĘ PROPH. (Is 55, 1–11'). Haec dicit dns ds: 'Omnes sitientes venite .. (200v) .. de ore meo', dicit dns omps.   M 54

3 SEC. IOHANNEM (Io 8, '12–20). I.i.t. Dicebat Iesus turbis Iudęo-rum: 'Ego sum lux mundi .. (201r) .. venerat hora eius'.   M 54

641   DOMINICA DE PASSIONE DOMINI

1 LECT. EP. B.PAULI AP. AD HEBREOS (Hbr 9, 11–15). Frs. 'Christus assistens pontifex .. (201v) .. qui vocati sunt eternę hereditatis', in Christo Iesu dno nro.   M 55

2 SEC. IOHANNEM (Io 8, 46–59). I.i.t. Dicebat Iesus turbis Iudęorum et principibus sacerdotum: 'Quis ex vobis .. (202r) .. et exivit de templo'.   M 55

642   FERIA II

1 LECT. IONAE PROPH. (Ion 3, 1–10'). In diebus illis. 'Factum est verbum dni ad Ionam prophetam .. (202v) .. misertus est' populo suo, dns ds nr.   M 56

2 SEC. IOHANNEM (Io 7, '32–39'). I.i.t. 'Miserunt principes ... cre-dentes in eum'.   M 56

643   FERIA III

1 LECT. DANIELIS PROPH. (Dn 14, '27–42). In diebus illis. 'Congregati sunt Babylonii .. (203r) .. de lacu leonum'.   M 57

2 SEC. IOHANNEM (Io 7, '1–13). I.i.t. 'Ambulabat Iesus in Galilea .. (203v) .. propter metum Iudęorum'.   M 57

644   FERIA IIII

1 LECT. LIB. LEVITICI (Lv 19, '10–19'). In diebus illis locutus est dns ad Moysen dicens: 'Ego dns ds vester.. (204r) .. leges meas custodite', ego enim sum dns ds vester.   M 58

2 SEC. IOHANNEM (Io 10, 22–38). I.i.t. 'Facta sunt encenia .. (204v) .. et ego in patre'.   M 58

645 FERIA V

1 LECT. DANIHELIS PROPH. (Dn 3, '35–45). In diebus illis oravit
Danihel dnm dicens: Dne ds 'ne despicias populum tuum neque
auferas misericordiam .. (205r) .. omnem terram' dne ds nr.   M 59
2 SEC. IOHANNEM (Io 7, '40–53). I.i.t. 'Cum audissent quidam de
turba sermones Iesu 'dicebant: Hic est .. (205v) .. in domum
suam'.   M 59

646 FERIA VI

1 LECT. HIEREMIAE PROPH. (Ier 17, '13–18). In diebus illis dixit
Hieremias: 'Dne omnes qui te derelinquunt ... duplici contricione
contere eos', dne ds nr.   M 60
2 SEC. IOHANNEM (Io 11, 47–54). I.i.t. 'Collegerunt pontifices
.. (206r) .. cum discipulis suis'.   M 60

647 SABBATO

1 LECT. HIEREMIE PROPH. (Ier 18, 18–23'). In diebus illis. Dixerunt
impii Iudęi ad invicem: 'Venite cogitemus ... in tempore furoris tui',
dne ds nr.   M 61

(206v) 2 SEC. IOHANNEM (Io 6, 54–72). I.i.t. Dixit Iesus discipulis
suis: 'Amen amen dico vobis nisi manducaveritis .. (207r) .. cum esset
unus ex duodecim'.   M 61

648 DOMINICA IN PALMIS

1 LECT. EP. B. PAULI AP. AD PHILIPENSES (Phil 2, 5–11). Frs. 'Hoc enim
sentite ... in gloria est dei patris'.   M 62
2 PASSIO DNI NRI IESU CHRISTI SEC. MATHEUM (Mt 26, '1–27, 66). I.i.t.
'Dixit Iesus discipulis suis: ⟨S⟩citis .. (207v/212r) .. signantes lapidem
cum custodibus'.   M 62

649 FERIA II

1 LECT. ESAIAE PROPH. (Is 50, 5–10). In diebus illis dixit Esaias: 'Dns
ds aperuit ... super dno deo suo'.   M 63
2 SEC. IOHANNEM (Io 12, 1–36). I.i.t. 'Ante sex dies paschę
.. 212v/213v) .. et abscondit se ab eis'.   M 63

650   FERIA III

1 LECT. HIEREMIAE PROPH. (Ier 11, 18–20). In diebus illis. Dixit
Hieremias: 'Dne demonstrasti mihi ... relevavi causam meam', dne
ds meus.   M 64
2 LECT. LIB. SAPIENTIAE (Sap 2, 12–22). In diebus illis. Dixerunt
impii Iudęi apud semetipsos: Venite 'circumveniamus iustum
.. (214r) .. honorem animarum' suarum, dicit dns omps.   M 64
3 PASSIO DNI NRI IESU CHRISTI SEC. MARCUM (Mc 14, 1–15, 46). I.i.t.
'Erat autem pascha .. (214v/218r) .. ad ostium monumenti'.

651   FERIA IIII

1 LECT. ESAIĘ PROPH. (Is 62, '11; 63, 1–7'). Haec dicit dns ds: 'Dicite
filię Syon .. (218v) .. quę reddidit nobis' dns ds nr.   M 65
2 LECT. ESAIĘ PROPH. (Is 53, 1–12). In diebus illis dixit Esaias: Dne
'quis credidit auditui .. (219r) .. pro transgressoribus oravit' ut non
perirent, dicit dns omps.   M 65
3 PASSIO DNI NRI IESU CHRISTI SEC. LUCAM (Lc 22,1 – 23,53). I.i.t.
'Appropinquabat dies festus .. 219v/223r) .. positus fuerat'. M 65

652   FERIA V

1 LECT. EP. B. PAULI AP. AD CORINTHIOS (1 Cor 11, 20–32). Frs.
'Convenientibus vobis .. (223v) .. damnemur'.   M 66
2 SEC. IOHANNEM (Io 13, 1–32). I.i.t. 'Ante diem festum paschę
.. 224r/v) .. continuo clarificabit eum'.   M 66

653   IN PARASCEVE

1 LECT. OSEĘ PROPH. (Os 6, 1–6). Hęc dicit dns ds: 'In tribulatione
sua .. (225r) .. plus quam holocaustum'.   M 67
2 LECT. LIB. EXODI (Ex 12, 1–11). In diebus illis. 'Dixit dns ad
Moysen et Aaron .. (225v) .. id est transitus dni'.   M 67
3 PASSIO DNI NRI IESU CHRISTI SEC. IOHANNEM (Io 18, '1–19, 42). I.i.t.
'Egressus est Iesus .. (226r/228v) .. posuerunt Iesum'.   M 67

---

650 2 CoV 132 (Einschub von anderer Hd.); Eg 76; Pf 62b. – M 64: Io
      12,24–43.

654 INCIPIUNT LECTIONES IN SABBATO SANCTO PASCHE

1 LECT. LIB. GENESIS (Gn 1,1–2,2). 'In principio creavit ds .. (229r/v) .. quod patrarat'. M 68

2 LECT. LIB. GENESIS (Gn 5,'31–8,21'). (230r)'Noe vero .. (230v/231v) .. odoratusque est dns odorem suavitatis'. M 68

3 LECT. LIB. GENESIS (Gn 22, '1–19). In diebus illis. 'Temptavit ds Abraham .. (232r) .. habitavit ibi'. M 68

4 LECT. LIB. EXODI (Ex 14,24–15,1'). Factum est in 'vigilia .. (232v) .. et dixerunt'. M 68

Canticum. *Cantemus domino.*

5 LECT. ESAIẹ PROPH. (Is 54,'17 – 55,1'). 'Haec est hereditas ... ad aquas'. REQUIRE SABB. EBD. IIII IN QUADRAGESIMA. M 68

6 LECT. HIEREMIAE PROPH. (Bar 3, 9–38). 'Audi Israhel mandata vitẹ .. (233r/v) .. conversatus est'. M 68

7 LECT. EZECHIELIS PROPH. (Ez 37, 1–14'). In diebus illis. 'Facta est super me .. (234r) .. requiescere vos faciam', dicit dns omps. M 68

8 LECT. ESAIẹ PROPH. (Is 4, 1–6). Haec dicit dns ds: 'Apprehendent septem mulieres .. (234v) .. et a pluvia'. M 68

Canticum. *Vinea facta est.*

9 LECT. In diebus illis. 'Dixit dominus ad Moysen in terra Aegypti'. (Ex 12, 1). REQUIRE PRIDIE. M 68

10 LECT. In diebus illis. 'Factum est verbum domini ad Ionam' prophetam. (Ion 3, 1). REQUIRE FERIA II EBD. V IN QUADRAGESIMA.
M 68

11 LECT. LIB. DEUTERONOMII (Dt 31, 22–30). In diebus illis. 'Scripsit Moyses canticum .. (235r) .. usque complevit'. M 68

Canticum. *Adtende cẹlum et loquar.*

12 LECT. DANIHELIS PROPH. (Dn 3,1–24). 'Nabuchodonosor rex fecit .. (235v/236r) .. benedicentes dnm'. M 68

Canticum. *Sicut cervus desiderat.*

655 SABBATO SANCTO PASCHAE

1 LECT. EP. B. PAULI AP. AD COLOSENSES (Col 3, 1–4). (236v) Frs. 'Si conresurrexistis cum Christo ... cum ipso in gloria'. M 69

---

654 1. 4. 5. 8. → B 326, 2. 4. 10. 7; 84,2.
    9 → B 653,2.
    10 → B 642,1.

2 SEC. MATHEUM (Mt 28, 1–7). I.i.t. 'Vespere autem sabbati ... ecce
dixi vobis'.   M 69

656   DOMINICA SANCTI PASCHAE

1 LECT. EP. B. PAULI AP. AD CORINTHIOS (1 Cor 5, 7–8). Frs. 'Expur-
gate vetus fermentum ... (237r) sinceritatis et veritatis'.   M 70
2 SEC. S. EVANG. SEC. MARCUM (Mc 16, '1–7). I.i.t. 'Maria Magdalenae
... sicut dixit vobis'.   M 70

657   FERIA II

1 LECT. ACT. AP. (Act 10, 37–43). In diebus illis. Stans Petrus in
medio plebis dixit: Viri fratres 'vos scitis .. (237v) .. omnes qui credunt
in eum'.   M 71
2 SEC. LUCAM (Lc 24, 13–35). I.i.t. 'Exeuntes duo ex discipulis Iesu
ibant in castellum .. (238r) .. in fractione panis'.   M 71

658   FERIA III

1 LECT. ACT. AP. (Act 13, 16'. 26–33'). In diebus illis. 'Surgens Paulus
.. (238v) .. resuscitans Iesum' Christum dnm nrm.   M 72
2 SEC. S. EV. SEC. LUCAM (Lc 24, '36–47'). I.i.t. 'Stetit Iesus in medio
.. (239r) .. remissionem peccatorum in omnes gentes'.   M 72

659   FERIA IIII

1 LECT. ACT. AP. (Act 3, '12–15. 17–19). In diebus illis. Aperiens
Petrus os suum dixit: 'Viri Israhelite ... vestra peccata'.   M 73
2 SEQ. S. EV. SEC. IOHANNEM (Io 21, 1–14). I.i.t. 'Manifestavit se Iesus
.. (239v) .. cum resurrexisset a mortuis'.   M 73

660   FERIA V

1 LECT. ACT. AP. (Act 8, 26–40). In diebus illis. 'Angelus dni locutus
est ad Phylippum .. 240r/v .. donec veniret Cęsaream' nomen dni Iesu
Christi.   M 74

2 SEC. IOHANNEM (Io 20, 11–18). I.i.t. 'Maria autem stabat ad monumentum ... et hęc dixit mihi'. M 74

661 FERIA VI

1 LECT. EP. B. PETRI AP. (1 Petr 3, 18–22'). Karissimi. 'Christus semel pro peccatis nris .. (241r) .. qui est in dextera dei'. M 75
2 SEQ. S. EV. SEC. MATHEUM (Mt 28, 16–20). I.i.t. 'Undecim discipuli abierunt in Galileam ... usque ad consummationem saeculi'. M 75

662 SABBATO

1 LECT. EP. B. PETRI AP. (1 Petr 2, 1–10). Karissimi. 'Deponentes omnem maliciam .. (241v) .. misericordiam consecuti'. M 76
2 SEC. IOHANNEM (Io 20, 1–9). I.i.t. 'Una sabbati Maria Magdalenę venit mane .. (242r) .. quia oportet eum a mortuis resurgere'. M 76

663 DOMINICA OCT. PASCHAE

1 LECT. EP. B. IOHANNIS AP. (1 Io 5, 4–10'). Karissimi. 'Omne quod natum est ex deo ... habet testimonium dei in se'. M 77
2 SEC. IOHANNEM (Io 20, 19–31). I.i.t. 'Cum esset sero die illo .. (242v) .. vitam habeatis in nomine eius'. M 77

664 FERIA IIII

1 AD HEBREOS (Hbr 13, 17–21). Frs. 'Oboedite prepositis vestris .. (243r) .. in saecula saeculorum. Amen'. M 77²
2 SEC. MARCUM (Mc 16, 9–13'). I.i.t. 'Surgens Iesus mane prima sabbati ... nunciaverunt cęteris'. M 77²

665 FERIA VI

SEC. MATHEUM (Mt 28, 8–15). I.i.t. 'Exierunt mulieres cito de monumento .. (243v) .. usque in hodiernum diem'. M 77³

666 DOMINICA I POST OCT. PASCHAE

1 LECT. EP. B. PETRI AP. (1 Petr 2, '21–25). Karissimi. 'Christus passus est pro nobis ... animarum vestrarum'. M 78

2 SEC. IOHANNEM (Io 10, 11–16). I.i.t. Dixit Iesus discipulis suis: 'Ego sum pastor bonus ... unus pastor'. M 78

667 ⟨FERIA IIII⟩

1 LECT. EP. B. PETRI AP. (1 Petr 1, 18–25'). (244r) Karissimi. 'Scientes quod non curruptibilibus ... manet in ęternum'. M 78²
2 SEC. LUCAM (Lc 24, 1–12). I.i.t. 'Una sabbati valde diluculo .. (244v) .. quod factum fuerat'. M 78²

668 FERIA VI

SEC. MATHEUM (Mt 9, 14–17). I.i.t. 'Accesserunt ad Iesum discipuli Iohannis ... et ambo conservantur'. M 78³

669 DOMINICA II POST OCT. PASCHAE

1 LECT. EP. B. PETRI AP. (1 Petr 2, 11–19'). 'Karissimi. Obsecro vos .. (245r) .. Hęc est enim gratia', in Christo Iesu dno nro. M 79
2 SEC. IOHANNEM (Io 16, 16–22). I.i.t. Dixit Iesus discipulis suis: 'Modicum et iam .. (245v) .. nemo tollet a vobis'. M 79

670 FERIA IIII

1 LECT. EP. B. IOHANNIS AP. (1 Io 2, '1–8). Karissimi. 'Haec scribo vobis ... iam lucet', per Iesum Christum dnm nrm. M 79²
2 SEC. IOHANNEM (Io 3, 25–36). I.i.t. 'Facta est quęstio .. (246r) .. ira dei manet super eum'. M 79²

671 FERIA VI

SEC. IOHANNEM (Io 12, 46–50). I.i.t. Dixit Iesus discipulis suis: 'Ego lux in mundum veni .. (246v) .. sic loquor'. M 79³

672 IN PASCHA ANNOTINA

1 LECT. LIB. APOC. IOHANNIS AP. (Apc 5, 1–10'). In diebus illis. 'Vidi in dextera sedentis .. (247r) .. regnum et sacerdotes' et regnabunt in saecula saeculorum. Amen.
2 EV. Erat homo ex phariseis Nichodemus nomine (Io 3, 1). REQUIRE IN OCTAVAS PENTECOSTEN. M 80

673 DOMINICA III ⟨POST OCT. PASCHAE⟩

1 LECT. EP. B. IACOBI AP. (Iac 1, 17–21). Karissimi. 'Omne datum optimum ... quod potest salvare animas vestras'. M 82
2 SEC. IOHANNEM (Io 16, '5–14). I.i.t. Dixit Iesus discipulis suis: 'Vado ad eum .. (247v) .. et adnuntiabit vobis'. M 82

674 FERIA IIII

1 AD TESALONICENSES (1 Thess 5, 5–11). Frs. 'Omnes vos filii lucis estis ... sicut et facitis' in Christo Iesu dno nro. M 82²
2 SEC. IOHANNEM (Io 17, '11–26). I.i.t. Respiciens Iesus discipulos suos dixit: 'Pater sancte .. (248r) .. et ego in ipsis'. M 82²

675 FERIA VI

SEC. IOHANNEM (Io 13, 33–36). I.i.t. Dixit Iesus discipulis suis: 'Filioli adhuc modicum .. (248v) .. sequeris autem postea'. M 82³

676 DOMINICA IIII ⟨POST OCT. PASCHAE⟩

1 LECT. EP. B. IACOBI AP. (Iac 1, 22–27). Karissimi. 'Estote factores verbi ... ab hoc saeculo'. M 84
2 SEC. IOHANNEM (Io 16, '23–30). I.i.t. Dixit Iesus discipulis suis: 'Amen amen dico vobis si quid .. (249r) .. a deo existi'. M 84

---

672 1 Cf. CoP 532: Apc 4,11 – 5,13.
    2 → B 692,2.

677   IN LETANIA MAIORE

1 LECT. EP. B. IACOBI AP. (Iac 5, 16–20). Karissimi. 'Confitemini alterutrum ... operit multitudinem peccatorum'.   M 85
2 SEC. LUCAM (Lc 11, '5–13). I.i.t. Dixit Iesus discipulis suis: 'Quis vestrum habebit amicum .. (249v) .. petentibus se'.   M 85

678   IN NAT. SS. PHILIPPI ET IACOBI

1 LECT. LIB. SAPIENTIȨ (Sap 5, '1–5). 'Stabunt iusti in magna constantia ... inter sanctos sors illorum est'.   M 81
2 SEC. IOHANNEM (Io 14, 1–13'). (250r) I.i.t. Dixit Iesus discipulis suis: 'Non turbetur cor vestrum ... hoc faciam'.   M 81

679   IN VIG. ASCENSIONIS DOMINI

1 LECT. ACT. AP. (Act 4, 32–35). (250v) In diebus illis. 'Multitudinis credentium erat cor ... opus erat'.   M 86
2 SEC. IOHANNEM (Io 17, '1–11'). I.i.t. 'Sublevatis Iesus oculis in cȩlum .. (251r) .. ego ad te vado'.   M 86

680   IN ASCENSIONE DOMINI

1 LECT. ACT. AP. (Act 1, 1–11). 'Primum quidem sermonem feci .. (251v) .. euntem in cȩlum'.   M 87
2 SEC. MARCUM (Mc 16, '14–20). I.i.t. 'Recumbentibus undecim discipulis ... sequentibus signis'.   M 87

681   FERIA VI

SEC. LUCAM (Lc 24, '49–53'). I.i.t. Dixit Iesus discipulis suis: 'Ego mittam promissum .. (252r) .. benedicentes deum'.

---

679 2 venio] vado B

---

681 KLAUSER, S. 153[152]; Fu 126; Pf 83; → B 845. – M 88[3]: Io 15,7–11.

682 DOMINICA I POST ASCENSIONEM DOMINI

1 LECT. EP. B. PETRI AP. (1 Petr 4, '7–11'). Karissimi. 'Estote prudentes ... per Iesum Christum' dnm nrm. M 88
2 SEC. IOHANNEM (Io 15, 26–16, 4). I.i.t. Dixit Iesus discipulis suis: 'Cum venerit paraclytus .. (252v) .. dixi vobis'. M 88

683 FERIA IIII

1 AD HEBREOS (Hbr 2, '9–18; 3,1). Frs. 'Vidimus Iesum Christum propter passionem ... temptantur auxiliari. Unde fratres ... Iesum' Christum dnm nrm. M 88²
2 SEC. IOHANNEM (Io 15, 7–11). I.i.t. Dixit Iesus discipulis suis: 'Si manseritis in me .. (253r) .. impleatur'.

684 IN VIG. PENTECOSTEN LECTIONES

1 ⟨LECT.⟩ In principio creavit deus (Gn 1, 1). M 89
2 ⟨LECT.⟩ Temptavit deus Abraham (Gn 22, '1). M 89
3 ⟨LECT.⟩ Factum est in vigilia matutina (Ex 14,24) CUM CANTICO. M 89
4 ⟨LECT.⟩ Scripsit Moyses (Dt 31, 22) CUM CANTICO. M 89
5 ⟨LECT.⟩ Apprehendent septem mulieres (Is 4, 1) CUM CANTICO. M 89
6 ⟨LECT.⟩ Audi Israhel (Bar 3, 9) CUM CANTICO. M 89
7 LECT. ACT. AP. (Act 19, '1–8). In diebus illis. '⟨C⟩um Apollo esset .. (253v) .. suadens de regno dei'. M 89
8 SEC. IOHANNEM (Io 14, 15–21). I.i.t. Dixit Iesus discipulis suis: 'Si diligitis me ... meipsum'. M 89

685 IN DIE SANCTO PENTECOSTEN

1 LECT. ACT. AP. (Act 2, 1–11). In diebus illis. 'Cum complerentur dies pentecostes .. (254r) .. magnalia dei'. M 90

---

683 2 KLAUSER, S. 153¹⁵⁴; CoP 228; Lu 105; CoV 202. – M 88²: Lc 24,49–53; cf. M 88³: Feria VI (Io 15,7–11).

684 1 → 361,1.
2. 4. 5. 6 → B 360,1. 3. 5. 7.

2 SEQ. S. EV. SEC. IOHANNEM (Io 14, '23–31'). I.i.t. Dixit Iesus discipulis suis: 'Si quis diligit me .. (254v) .. sic facio'.   M 90

686   FERIA II

1 LECT. ACT. AP. (Act 10,34. 42–48'). In diebus illis. 'Aperiens Petrus os suum ... in nomine dni nri Iesu Christi'.   M 91
2 SEC. IOHANNEM (Io 3, 16–21). I.i.t. Dixit Iesus discipulis suis. 'Sic enim dilexit .. (255r) .. in deo sunt facta'.   M 91

687   FERIA III

1 LECT. ACT. AP. (Act 8, 14–17). In diebus illis. 'Cum audissent apostoli ... accipiebant spiritum sanctum'.   M 92
2 SEC. IOHANNEM (Io 10,1–10). I.i.t. Dixit Iesus discipulis suis: 'Amen amen dico vobis qui non .. (255v) .. abundantius habeant'.   M 92

688   FERIA IIII

1 LECT. ACT. AP. (Act 2, 14–21). In diebus illis. 'Stans Petrus cum undecim ... nomen domini salvus erit'.   M 93
2 SEQ. S. EV. SEC. IOHANNEM (Io 6, 44–52). I.i.t. Dixit Iesus discipulis suis: 'Nemo potest venire .. (256r) .. pro mundi vita'.   M 93

689   FERIA V

1 LECT. ACT. AP. (Act 8, 5–8). In diebus illis. 'Philippus descendens in civitatem ... in illa civitate'.   M 94
2 SEQ. S. EV. SEC. LUCAM (Lc 9, 1–6). I.i.t. 'Convocatis Iesus duodecim apostolis .. (256v) .. curantes ubique'.   M 94

690   FERIA VI

1 LECT ACT. AP. (Act 10, 34; 2, 22–28). In diebus illis. 'Aperiens Petrus os suum ... cum facie tua'.   M 95
2 SEQ. S. EV. SEC. LUCAM (Lc 5, 17–26). I.i.t. 'Factum est in una dierum .. (257r) .. vidimus mirabilia hodie'.   M 95

691 SABBATO

1 LECT. ACT. AP. (Act 13, '44–52). 'Convenit universa civitas audire
.. (257v) .. gaudio et spiritu sancto'. M 96
2 SEC. LUCAM (Lc 4, 38–43'). I.i.t. 'Surgens Iesus de sinagoga ...
evangelizare regnum dei'. M 96

692 DOMINICA OCT. PENTECOSTEN

1 LECT. LIB. APOC. IOHANNIS AP. (Apc 4, 1–10'). 'Vidi ostium aper-
tum in cęlo .. (258r) .. in saecula saeculorum'. Amen. M 97
2 SEC. IOHANNEM (Io 3, 1–16). I.i.t. 'Erat homo ex phariseis Nichodemus nomine .. (258v) .. sed habeat vitam ęternam'. M 97

693 FERIA IIII

1 LECT. EP. B. PAULI AP. AD CORINTHIOS (1 Cor 15, 12–23'). Frs. 'Si
autem Christus prędicatur .. (259r) .. in suo ordine'. Per Iesum Christum dnm nrm. M 97²
2 SEQ. S. EV. SEC. LUCAM (Lc 12, 11–21). I.i.t. Dixit Iesus discipulis
suis. 'Cum inducent vos .. (259v) .. in deum dives'. M 97²

694 FERIA VI

SEC. LUCAM (Lc 20, 27–40). I.i.t. 'Accesserunt ad Iesum quidam
saduceorum ... interrogare'. M 97³

695 DOMINICA II ⟨POST PENTECOSTEN⟩

1 LECT. EP. B. IOHANNIS AP. (1 Io 4, '16–21). Karissimi. 'Ds caritas est
.. (260r) .. diligat et fratrem suum'. M 98
2 SEC. LUCAM (Lc 16, 19–31). I.i.t. Dixit Iesus discipulis suis parabolam hanc: 'Homo quidam erat dives .. (260v) .. si quis ex mortuis
resurrexerit credent'. M 98

696 FERIA IIII

1 LECT. AD COLOSENSES (Col 3, 5–11). Frs. 'Mortificate membra
vestra .. (261r) .. sed omnia et in omnibus Christus' qui est benedictus
in saecula saeculorum. Amen. M 98²

2 SEC. MATHEUM (Mt 5, 17–19). I.i.t. Dixit Iesus discipulis suis: 'Nolite putare ... in regno celorum'.   M 98²

697   FERIA VI

SEC. LUCAM (Lc 17, '1–10). I.i.t. Dixit Iesus discipulis suis: 'Impossibile est .. (261v) .. quod debuimus facere fecimus'.   M 98³

698   DOMINICA III POST PENTECOSTEN

1 LECT. EP. B. IOHANNIS AP. (1 Io 3, 13–18). Karissimi. 'Nolite mirari ... sed opere et veritate'.   M 99
2 SEQ. S. EV. SEC. LUCAM (Lc 14, '16–24). I.i.t. Dixit Iesus similitudinem hanc: 'Homo quidam fecit cęnam magnam .. (262r) .. gustabit cęnam meam'.   M 99

699   INCIPIUNT LECTIONES MENSIS IIII FERIA IIII

1 LECT. LIB. SAPIENTIAE (Sap 1, 1–7). 'Diligite iustitiam ... scientiam habet vocis'.   M 100
2 LECT. ESAIE PROPH. (Is 44, 1–2; 43, 25–26; 44, '2–3). Haec dicit dns ds: 'Audi Iacob serve meus .. (262v) .. super generationem tuam', dicit dns omps.   M 100
3 SEC. LUCAM (Lc 9, '12–17'). I.i.t. 'Accedentes discipuli ad Iesum ... et saturati sunt'.   M 100

700   FERIA IIII IN EBD. MENSIS IIII

1 ORATIO. Omnipotens et misericors d⟨eus⟩ apta nos tuę propit⟨ius⟩ voluntati, quoniam sicut ⟨eius⟩ praetereuntes tramite⟨m de⟩viamus, sic integro te⟨no⟩re dirigamur ad illius ⟨semper⟩ ordinem recurrentes. ⟨Per⟩.
2 Da nobis mentem domine quę tibi sit placita, ⟨quia⟩ talibus iugiter quic⟨quid⟩ est prosperum, ministra⟨bis. Per⟩.
3 Sollempnibus ieiuniis expiatos suo nos domine mysterio congruentes ⟨hoc⟩ sacrum munus efficiat, ⟨q⟩uia tanto nobis salubrius a⟨dh⟩erit, quanto id de⟨vo⟩tius sumpserimus. Per.

---

700   1–4 Nachtrag Ende 11. Jh.
    1 G 1096; S 877; Conc. 2267.
    2 G 1097; S 878; Conc. 598.
    3 G 1098; S 879; Conc. 3305.

4 Quos ieiunia voti⟨va⟩ castigant, tua domine ⟨sa⟩cramenta vivificent, ut terrenis affectibus mitigatis facilius ⟨caeles⟩tia capiamus. Per.

701 FERIA VI

1 LECT. IOHEL PROPH. (Ioel 2, 23–24. 26–27). Haec dicit dns ds: 'Exultate filii Sion .. (263r) .. non confundetur populus meus in eternum', ait dns omps.   M 101

2 SEQ. S. EV. SEC. LUCAM (Lc 8, 41–56). I.i.t. 'Venit ad Iesum vir cui nomen Iairus .. (263v) .. factum fuerat'.   M 101

702 FERIA VI IUN.

1 (262v) ORATIO. ⟨U⟩t nobis domine terrenarum frugum tribuas uber⟨ta⟩tem, fac mentes nostras cę⟨le⟩sti fertilitate fęcundas. Per.

2 SECR. ⟨Omni⟩potens sempiterne deus qui ⟨no⟩n sacrificiorum ambitione ⟨pl⟩acaris, sed studio pię de⟨vo⟩tionis intendis, da fami⟨lię⟩ tuę spiritum rectum et ha⟨be⟩re cor mundum, ut fides ⟨eorum⟩ hęc dona tibi conciliet ⟨et h⟩umilitatis oblata com⟨men⟩det. Per.

3 AD COM. ⟨An⟩nue quaesumus omnipotens deus, ut sa⟨cra⟩mentorum tuorum gesta re⟨cole⟩ntes et temporali secu⟨rita⟩te relevemur et erudiamur ⟨lega⟩libus institutis. Per.

703 (263v) SABBATO IN XII LECTIONIBUS

1 LECT. IOHEL PROPH. (Ioel 2, '28–32'). Haec dicit dns ds: 'Effundam de spiritu meo ... salvus erit'.   M 102

2 LECT. LIB. LEVITICI (Lv 23, 9–11. 15–16'. 20–21). In diebus illis. 'Locutus est dns ad Moysen .. (264r) .. generationibus vestris', dicit dns omps.   M 102

3 LECT. LIB. DEUTERONOMII (Dt 26, 1–11'). In diebus illis. Dixit Moyses: Audi Israhel quę ego precipio tibi hodie. 'Cum intraveris ... quę dns ds tuus dederit tibi'.   M 102

---

700   4 G 1099; S 880; Conc. 3028.

702   1–3 Nachtrag Ende 11. Jh.
        1 G 1101; Rh 667; S 881; Conc. 3576.
        2 G 1103; Rh 668; S 883; Conc. 2420.
        3 G 1104; Rh 669; S 884; Conc. 199.

4 LECT. LIB. LEVITICI (Lv 26, 3–12). (264v) In diebus illis. Dixit dns ad
Moysen: 'Si in preceptis meis ambulaveritis ... vosque eritis populus
meus', dicit dns omps.　　　　　.　　　　　　　　　　　　　　　M 102

5 HIC LEGITUR DANIHEL (Dn 3, 49–51).　　　　　　　　　　　M 102

6 AD ROMANOS (Rm 5, 1–5). Frs. 'Iustificati igitur ex fide ... qui datus
est nobis'.　　　　　　　　　　　　　　　　　　　　　　　　M 102

7 SEC. MATHEUM (Mt 20, 29–34). (265r) I.i.t. 'Egrediente Iesu ab
Iericho ... secuti sunt eum'.　　　　　　　　　　　　　　　　　M 102

704　(263v) ⟨SABBATO IN XII LECT.⟩

1 ⟨In⟩tret oratio.
2 ORATIO. ⟨Pr⟩esta quaesumus domine famulis tuis, ⟨ta⟩lesque nos concede fieri
⟨tu⟩ę gratię largitate, ut bo⟨na⟩ tua et fiducialiter impe⟨tr⟩emus et sine difficultate
⟨su⟩mamus. Per.
3 Alleluia. Emitte spiritum.
4 ⟨R⟩ ⟩ Propitius esto. ℣ Adiuva nos.
5 Da nobis domine quaesumus regnum ⟨t⟩uum iustitiamque semper inquirere,
⟨u⟩t quibus indigere nos perspicis, ⟨cl⟩ementer facias habundare. Per.
6 (264r) Alleluia. Spiritus domini replevit orbem ⟨terrarum⟩.
7 Deus qui nos de praesentibus ad⟨iu⟩mentis esse vetuisti sollicit⟨os⟩, tribue
quaesumus, ut pie secta⟨ntibus⟩, quę tua sunt universa, n⟨o⟩bis salutaria condone⟨ntur⟩.
8 GRAD. Iacta.
9 Alleluia. Paraclitus.
10 (264v) Deus qui misericordia tua praevenis non petentes, da nobis affectum
maiestatem tuam iugiter deprecandi, ut pietate perpetua supplicibus potiora defendas. Per.
11 GR. Ad dominum dum tribularer.
12 Alleluia. Veni sancte.
13 Deus qui non despicis corde contritos et afflictos miseriis, populum tuum ieiunii
ad te devotione clamantem propitiatus exaudi, ut quos humiliavit adversitas, attollat reparationis tuę prosperitas. Per.
14 AD MISSAM. Deus qui tribus pueris mitigasti.

704　1–16 Nachtrag Ende 11. Jh.
　　2 G 1106; Rh 671; S 886; Conc. 2659.
　　5 G 1107; Rh 672; S 887; Conc. 589.
　　7 G 1108; Rh 673; S 888; Conc. 1112.
　　10 G 1109; Rh 674; S 889; Conc. 1070.
　　13 G 1110; S 890; Conc. 1086.
　　14 G 1111; Rh 1014; S 891; Conc. 1226.

15 (265r) SECR. Domine deus noster qui in his potius creaturis, quas ad fragilitatis nostrę praesidium condidisti, tuo quoque nomini munera iussisti dicanda constitui, tribue quaesumus, ut et vitę nobis praesentis auxilium et ęternitatis efficiant sacramentum. Per.

16 AD COMPL. Sumptum quaesumus domine venerabile sacramentum et praesentis vitę subsidio nos foveat et ęternę. Per.

705   DOMINICA IIII POST PENTECOSTEN

1 LECT. EP. B. PETRI AP. (1 Petr 5, 6–11). Karissimi. 'Humiliamini sub potenti manu dei ... in saecula seculorum. Amen'.   M 103
2 SEC. LUCAM (Lc 15, 1–7'). I.i.t. 'Erant appropinquantes ad Iesum .. (265v) .. poenitentiam agente'.   M 103

706   FERIA IIII

1 LECT. EP. B. PAULI AP. AD COLOSENSES (Col 3, 17–24'). Frs.'Omne quodcumque facitis ... accipitis retributionem hereditatis'. Per Iesum Christum dnm nrm.   M 103²
2 SEC. MATHEUM (Mt 5, 25–29). (266r) I.i.t. Dixit Iesus discipulis suis: 'Esto consentiens adversario ... in gehennam'.   M 103²

707   FERIA VI

SEC. MARCUM (Mc 11, 11–23). I.i.t. 'Introivit Iesus Hierosolimam in templum .. (266v) .. quia quodcumque dixerit fiat ei'.   cf. M 103³

708   DOMINICA V POST PENTECOSTEN

1 LECT. AD ROMANOS (Rm 8, 18–23). Frs. 'Existimo enim ... redemptionem corporis nri'. In Christo Iesu dno nro.   M 104
2 SEC. LUCAM (Lc 6, 36–42). I.i.t. Dixit Iesus discipulis suis: 'Estote misericordes .. (267r) .. de oculo fratris tui'.   M 104

---

704   15 G 1112; Rh 675; S 892; Conc. 1306.
       16 G 1114; Rh 676; S 893; Conc. 3352.

707   M 103³, Fu 152: Mc 11,15–23; KLAUSER, S. 156¹⁸⁴: Mc 11,11–18.

709   FERIA IIII

1 LECT. AD HEBREOS (Eph 1, 16–21'). Frs. 'Non cesso gratias agere
pro vobis ... omne nomen quod nominatur', in seculo seculorum.
2 SEC. MATHEUM (Mt 21, 23–27). (267v) ⟨I⟩.i.t. '⟨C⟩um venisset Iesus
in templum ... in qua potestate hęc facio'.   M 104²

710   FERIA VI

SEQ. S. EV. SEC. MATHEUM (Mt 17, 10–17'). I.i.t. 'Interrogaverunt
Iesum discipuli dicentes .. (268r) .. exiit ab eo dęmonium'.   M 104³

711   IN VIG. S. IOHANNIS BAPT.

1 LECT. HIEREMIĘ PROPH. (Ier 1, 4–10). In diebus illis. 'Factum est
verbum dni ... et plantes', dicit dns omps.   M 105
2 INITIUM S. EV. SEC. LUCAM (Lc 1, 5–17). 'Fuit in diebus Herodis
.. (268v) .. parare dno plebem perfectam'.   M 105

712   IN NAT. S. IOHANNIS BAPT.

1 LECT. ESAIĘ PROPH. (Is 49, 1–3. 5–7). Haec dicit dns: 'Audite insulę
... qui elegit te'.   M 106
2 SEC. LUCAM (Lc 1, 57–68). I.i.t. 'Elizabeth impletum est tempus
pariendi .. (269r) .. plebis suae'.   M 106

713   IN NAT. EIUSDEM AD PRIOREM MISSAM

1 LECT. LIB. SAPIENTIĘ (Eccli 49, 1–4. 9; 50, 6–7). 'Memoria iusti in
compositione odoris .. (269v) .. refulsit in templo dei'.
2 SEC. LUCAM (Lc 1, 18–25). I.i.t. 'Dixit Zacharias ad angelum ...
inter homines'.

---

709 1 FRERE, S. 57. – M 104²: Col 3,12–17.

713 → B 846.
     2 Eg 131.

714 DOMINICA VI POST PENTECOSTEN

1 LECT. EP. B.PETRI AP. (1 Petr 3, '8–15'). Karissimi. Omnes unanimes in oratione estote 'conpatientes fraternitatis .. (270r) .. in cordibus vestris'. M 107

2 SEQ. S. EV. SEC. LUCAM (Lc 5, '1–11). I.i.t. 'Cum turbę irruerent ... secuti sunt eum'. M 107

715 (270v) FERIA IIII

1 LECT. AD TIMOTHEUM (1 Tim 2, 1–7). Karissime. 'Obsecro primum omnium fieri ... veritate', in Christo Iesu dno nro. M 107²

2 SEC. MATHEUM (Mt 11, 25–30). 'I.i.t. Respondens Iesus dixit: Confiteor tibi pater ... et onus meum leve'. M 107²

716 FERIA VI

SEC. MARCUM (Mc 10, 13–16). I.i.t. 'Offerebant Iesu parvulos .. (271r) .. benedicebat eos'. M 107³

717 IN VIG. APOSTOLORUM

1 LECT. ACT. AP. (Act 3, 1–10). 'Petrus et Iohannes ascendebant in templum .. (271v) .. acciderat illi'. M 108

2 SEC. IOHANNEM (Io 21, '15–19'). I.i.t. Dixit Iesus Petro: 'Simon Iohannis diligis me ... clarificaturus esset deum'. M 108

718 IN NAT. S. PETRI

1 LECT. ACT. AP. (Act 12, '1–11). In diebus illis. 'Misit Herodes rex .. (272r) .. de omni expectatione plebis Iudeorum'. M 109

2 SEQ. S. EV. SEC. MATHEUM (Mt 16, 13–19). I.i.t. 'Venit Iesus in partes Cesareae Philippi .. (272v) .. in caelis'. M 109

719 IN FESTIVITATE S. PAULI

1 LECT. ACT. AP. (Act 9, 1–22). In diebus illis. 'Saulus adhuc spirans minarum .. (273r) .. quoniam hic est Christus'. M 111

2 SEQ. S. EV. SEC. MATHĘUM (Mt 19, '27–29'). (273v) I.i.t. Dixit Symon Petrus ad Iesum: 'Ecce nos reliquimus ... possidebit'. M 111

720   DOMINICA VII POST PENTECOSTEN

1 LECT. EP. B. PAULI AP. AD ROMANOS (Rm 6, '3–11). Frs. 'Quicumque baptizati sumus ... in Christo Iesu dno nro'.   M 112
2 SEQ. S. EV. SEC. MATHEUM (Mt 5, 20–24). (274r) I.i.t. Dixit Iesus discipulis suis: Amen 'dico vobis ... munus tuum'.   M 112

721   FERIA IIII

1 LECT. EP. B. PAULI AP. AD HEBREOS (Hbr 12,'28–13, 8). Frs. 'Habemus gratiam .. (274v) .. in saecula' saeculorum. Amen.   M 112²
2 SEC. MARCUM (Mc 10, 17–21). I.i.t. 'Cum egressus esset Iesus in viam ... veni sequere me'.   M 112²

722   FERIA VI

SEC. MATHEUM (Mc 5, '1–20). I.i.t. Venit Iesus 'in regionem Gerasenorum .. (275r) .. omnes mirati sunt'.   M 112³

723   OCT. APOSTOLORUM

1 LECT. LIB. SAPIENTIAE (cf. Eccli 44, '10–15). Hi sunt 'viri misericordiae, quorum iustitiae oblivionem non acceperunt, cum semine eorum permanent bona, hereditas sancta nepotes eorum et in testamentis stetit semen eorum et filii eorum propter eos (275v) usque in aeternum manent, generatio eorum et gloria eorum non derelinquetur. Corpora eorum in pace sepulta sunt et nomen eorum vivet in sęcula. Sapientiam eorum narrabunt omnes populi et laudem eorum pronuntiat omnis ecclesia' sanctorum.   M 113
2 SEC. MATHEUM (Mt 14, '22–33). I.i.t. 'Iussit Iesus discipulos suos ascendere ... filius dei es'.   M 113

724   DOMINICA VIII ⟨POST PENTECOSTEN⟩

1 LECT. EP. AD ROMANOS (Rm 6, 19–23). Frs. 'Humanum dico propter infirmitatem .. (276r) .. gratia autem dei vita etęrna, in Christo Iesu dno nro'.   M 114
2 SEC. MARCUM (Mc 8, '1–9). I.i.t. 'Cum multa turba esset cum Iesu .. (276v) .. et dimisit eos'.   M 114

725   FERIA IIII

1 LECT. AD ROMANOS (Rm 8, 1–6). Frs. 'Nihil damnationis est his ...
vita et pax' in Christo Iesu dno nro.   M 114²
2 SEQ. S. EV. SEC. MATHEUM (Mt 16, 1–12). I.i.t. 'Accesserunt ad
Iesum pharisei et saducei temptantes .. (277r) .. sed a doctrina phariseorum et saduceorum'.   M 114²

726   FERIA VI

SEC. MATHEUM (Mt 12, 1–7). 'I.i.t. abiit Iesus sabbato per sata ...
numquam condemnassetis innocentes'.   M 114³

727   (277v) DOMINICA VIIII ⟨POST PENTECOSTEN⟩

1 LECT. EP. AD ROMANOS (Rm 8, 12–17'). 'Fratres debitores sumus ...
coheredes autem Christi'.   M 115
2 SEQ. S. EV. SEC. MATHEUM (Mt 7, 15–21). I.i.t. Dixit Iesus discipulis
suis: 'Adtendite a falsis prophetis ... ipse intrabit in regnum celorum'.   M 115

728   FERIA IIII

1 LECT. AD ROMANOS (Rm 5, '8–11'). Frs. 'Quoniam cum adhuc
peccatores essemus .. (278r) .. sed et gloriamur in deo per Iesum
Christum dnm nrm'.   M 115²
2 SEC. MARCUM (Mc 9, '37–45'). I.i.t. Dixit Iohannes ad Iesum: 'Magister vidimus quendam .. (278v) .. et ignis non extinguitur'. M 115²

729   FERIA VI

SEC. MATHEUM (Mt 23, 13. 15–23). I.i.t. Dixit Iesus turbis Iudeorum
et principibus sacerdotum: 'Ve vobis scribe ... illa non omittere'.
                                                          M 115³

730   DOMINICA X ⟨POST PENTECOSTEN⟩

1 AD CORINTHIOS (1 Cor 10, '6–13'). (279r) Frs.'Non simus concupiscentes malorum ... ut possitis sustinere'.   M 116

---

727 DOMINICA VIII *B*

2 SEC. LUCAM (Lc 16, 1–9). I.i.t. 'Dixit Iesus discipulis suis: Homo quidam erat dives .. (279v) .. in etẹrna tabernacula'.   M 116

731   FERIA IIII

1 LECT. AD ROMANOS (Rm 6, 16–18). Frs. 'Nescitis quoniam ... servi facti estis iustitiae' in Christo Iesu dno nro.   M 116²
2 SEC. LUCAM (Lc 16, 10–15). I.i.t. Dixit Iesus discipulis suis: 'Qui fidelis est in minimo .. (280r) .. ante deum'.   M 116²

732   FERIA VI

SEC. MATHEUM (Mt 14, 15–21). I.i.t. 'Vespere autem facto ... exceptis mulieribus et parvulis'.

733   DOMINICA XI ⟨POST PENTECOSTEN⟩

1 LECT. AD CORINTHIOS (1 Cor 12, 2–11). Frs. 'Scitis quoniam cum gentes essetis .. (280v) .. prout vult'.   M 118
2 SEC. LUCAM (Lc 19, 41–47'). I.i.t. 'Cum adpropinquaret Iesus Hierusalem ... in templo'.   M 118

734   FERIA IIII

1 AD CORINTHIOS (1 Cor 15, 39–46). Frs. 'Non omnis caro .. (281r) .. deinde quod spiritale' in Christo Iesu dno nro.   M 118²
2 SEC. LUCAM (Lc 21, 20–26'). I.i.t. Respondens Iesus discipulis suis dixit: 'Cum videritis Hierusalem ... supervenient universo orbi'.

735   FERIA VI

SEC. LUCAM (Lc 21, 34–36). (281v) I.i.t. Dixit Iesus discipulis suis: 'Attendite vobis ne forte ... ante filium hominis'.   M 118³

---

732 Lu 145. – M 1163: Lc 11,37–46.

734 2 Eg 154. – M 1182: Lc 21,34–36.

736 IN NAT. S. IACOBI FRATRIS IOHANNIS

1 SEC. MATHEUM (Mt 10, '5–8). I.i.t. Misit Iesus duodecim discipulos suos 'precipiens eis et dicens: In viam gentium ... gratis date'.
2 SEC. MATHEUM (Mt 20, 20–23). I.i.t. 'Accessit ad Iesum mater filiorum Zebedei ... paratum est a patre meo'.

737 IN NAT. SS. SEPTEM FRATRUM ⟨MACHABAEORUM⟩

1 LECT. LIB. SAPIENTIAE (cf. Prv 31, 10–31) (282r) 'Mulierem fortem .. (282v) .. opera eius'.   M 119
2 SEC. MATHEUM (Mt 12, '46–50). I.i.t. 'Loquente Iesu ad turbas: Ecce mater ... et mater est'.   M 119

738 DOMINICA XII POST PENTECOSTEN

1 LECT. AD CORINTHIOS (1 Cor 15, 1–10'). Frs. 'Notum vobis facio evangelium .. (283r) .. et gratia eius in me vacua non fuit'.   M 120
2 SEC. LUCAM (Lc 18, 9–14). I.i.t. 'Dixit Iesus ad quosdam qui in se confidebant ... et qui se humiliat exaltabitur'.   M 120

739 FERIA IIII

1 LECT. AD CORINTHIOS (1 Cor 6, 15–20). Frs. 'Nescitis quoniam corpora vestra .. (283v) .. in corpore vestro'.   M 120[2]
2 SEC. MATHEUM (Mt 12, 30–37). I.i.t. Dixit Iesus phariseis: 'Qui non est mecum ... ex verbis tuis condemnaberis'.   M 120[2]

740 FERIA VI

SEC. LUCAM (Lc 17, 20–37). I.i.t. 'Interrogatus Iesus a phariseis quando venit regnum dei .. (284r) .. congregabuntur aquilae'. M 120[3]

741 IN VIG. S. LAURENTII

1 Confitebor tibi domine rex (Eccli 51, 1).   M 121
2 EV. Si quis vult post me (Mt 16, 24).   M 121

736　1. 2 M 117: Lc 12,2–8.

741　1. 2 → B 823,6. 13.

742 IN NAT. S. LAURENTII

1 AD ROMANOS (2 Cor 9, '6–10). Frs. 'Qui parce seminat .. (284v) .. incrementa frugum iustitię vestrę'.   M 122
2 SEC. IOHANNEM (Io 12, 24–26). I.i.t. Dixit Iesus discipulis suis: 'Amen amen dico vobis nisi granum ... pater meus' qui est in cęlis'.   M 122

743 IN VIG. ASSUMPTIONIS S. MARIAE

1 Sapientia laudavit (Eccli 24,1). REQUIRE IN NAT. VIRG.
2 SEQ. S. EV. SEC. LUCAM (Lc 11, '27–32). I.i.t. 'Extollens vocem quędam mulier .. (285r) .. et ecce plus Iona hic'.

744 IN ASSUMPTIONE S. MARIĘ

1 LECT. LIB. SAPIENTIĘ (Eccli 24, '11–20). 'In omnibus requiem quęsivi ... dedi suavitatem odoris'.   M 123
2 SEC. LUCAM (Lc 10, '38–42). (285v) I.i.t. 'Intravit Iesus in quoddam castellum ... quae non auferetur ab ea'.   M 123

745 DOMINICA XIII POST PENTECOSTEN

1 AD ROMANOS (2 Cor 3, 4–9). Frs. 'Fiduciam talem habeamus (*sic*) per Christum ... abundat ministerium iustitię in gloria'.   M 124
2 SEC. MARCUM (Mc 7, '31–37). I.i.t. 'Exiens Iesus de finibus Tyri .. (286r) .. surdos feci audire et mutos loqui'.   M 124

746 FERIA IIII

1 AD CORINTHIOS (2 Cor 4, 5–10). Frs. 'Non predicamus nosmetipsos ... in cordibus (*sic*) nris manifestetur'.   M 124[2]
2 SEC. MATHEUM (Mt 9, 27–35). I.i.t. 'Transeu⟨n⟩te Iesu secuti sunt eum duo cęci .. (286v) .. et omnem infirmitatem'.   M 124[2]

---

743   1 → B 826,5.
     2 Eg 162; KLAUSER, S. 161[239]: in die (Lc 11,27–28).

747 FERIA VI

SEC. MATHEUM (Mt 11, 20–24). I.i.t. 'Coepit Iesus exprobrare civita-
tibus ... quam tibi'.   M 124³

748 IN NAT. S. BARTHOLOMEI AP.

1 Iam non estis hospites et advenę (Eph 2,'19). REQUIRE IN NAT.
OMNIUM APOSTOLORUM.   M 125
2 SEC. LUCAM (Lc 22, 24–30). (287r) I.i.t. 'Facta est contentio ...
duodecim tribus Israhel'.   M 125

749 IN DECOLLATIONE S. IOHANNIS

1 LECT. Iustum deduxit dominus (Sap 10,10). REQUIRE IN NAT. UNIUS
MARTIRIS.
2 SEC. MARCUM (Mc 6, '17–29). I.i.t. 'Misit Herodes rex tenuit
Iohannem .. (287v) .. et posuerunt illud in monume⟨n⟩to'.   M 126

750 DOMINICA XIIII POST PENTECOSTEN

1 AD GALATAS (Gal 3, 16–22). Frs. 'Abrahae dictę sunt promissiones
.. (288r) .. daretur credentibus'.   M 127
2 SEC. LUCAM (Lc 10, '23–37). I.i.t. Dixit Iesus discipulis suis: 'Beati
oculi .. (288v) .. et tu fac similiter'.   M 127

751 FERIA IIII

1 LECT. AD CORINTHIOS (2 Cor 5, 1–11). Frs. 'Scimus quoniam si
terrestris domus nra .. (289r) .. manifestos nos (*sic*) esse'. Per Iesum
Christum dnm nrm.   M 127²
2 SEC. MATHEUM (Mt 12, '14–21). I.i.t. Abeuntes 'pharisei consilium
faciebant ... in nomine eius gentes sperabunt'.   M 127²

752 FERIA VI

SEC. LUCAM (Lc 13, '22–30). I.i.t. Dum iret Iesus 'per civitates
.. (289v) .. qui erant (*sic*) novissimi'.   M 127³

---

748 1 → B 819,1.

749 1 → B 823,3. – M 126: Prv 10,28.

753   DOMINICA XV POST PENTECOSTEN

1 LECT. AD GALATAS (Gal 5, '16–24). Frs. 'Spiritu ambulate ... cum vitiis et concupiscentiis'.   M 128
2 SEC. LUCAM (Lc 17, '11–19). I.i.t. 'Dum iret Iesus in Hierusalem .. (290r) .. quia fides tua te salvum fecit'.   M 128

754   FERIA IIII

1 LECT. AD CORINTHIOS (2 Cor 6, 14–7,1). Frs. 'Nolite iugum ducere ... in timore dei'. Per Iesum Christum dnm nrm.   M 128[2]
2 SEC. MARCUM (Mc 1, 40–45). I.i.t. 'Venit ad Iesum leprosus .. (290v) .. conveniebant ad eum undique'.   M 128[2]

755   FERIA VI

SEC. MARCUM (Mc 10, '46–52). I.i.t. 'Proficiscente Iesu de Iericho ... sequebatur eum in via'.

756   IN NATIVITATE S.MARIAE

1 LECT. LIB. SAPIENTIAE (Prv 8, 22–35). 'Dns possedit me .. (291r) .. hauriet salutem a dno'.
2 INITIUM S. EV. SEC. MATHEUM (Mt 1, 1–16). 'Liber generationis Iesu Christi .. (291v) .. qui vocatur Christus'.   M 127[4]

757   DOMINICA XVI POST PENTECOSTEN

1 LECT. AD GALATAS (Gal 5, 25–6, 10). Frs. 'Si vivimus spiritu .. (292r) .. maxime autem ad domesticos fidei'.   M 129
2 SEC. MATHEUM (Mt 6, 24–33). I.i.t. Dixit Iesus discipulis suis: 'Nemo potest duobus dominis servire .. (292v) .. hęc omnia adicientur vobis'.   M 129

---

755   M 128[3]: Lc 19,12–28.

756   1 Pf 190a. – M 127[4]: Eccli 24,11–20.

758 FERIA IIII

1 LECT. AD COLOSENSES (Col 1, 12–18). Frs. 'Gratias agentes deo patri ... primatum tenens' Iesus Christus dns nr.　　　　M 129²
2 SEC. MATHEUM (Mt 5, '33–42). I.i.t. Dixit Iesus discipulis suis: 'Audistis quia dictum est .. (293r) .. ne avertaris'.　　　　M 129²

759 FERIA VI

SEQ. S. EV. SEC. LUCAM (Lc 20, 1–8). I.i.t. 'Factum est in una dierum docente Iesu ... in qua potestate haec facio'.　　　　M 129³

760 DOMINICA XVII 〈POST PENTECOSTEN〉

1 LECT. AD EFFESIOS (Eph 3, '13–21). Frs. Obsecro vos 'ne deficiatis .. (293v) .. saeculi saeculorum. Amen'.　　　　M 130
2 SEC. LUCAM (Lc 7, '11–16). I.i.t. 'Ibat Iesus in civitatem quę vocatur Naim ... quia ds visitavit plebem suam'.　　　　M 130

761 FERIA IIII

1 AD COLOSENSES (Col 2, 8–13). Frs. 'Videte ne quis vos decipiat .. (294r) .. omnia delicta', in Christo Iesu dno nro.　　　　M 130²
2 SEC. MATHEUM (Mt 19, '16–21). I.i.t. 'Accedens ad Iesum quidam ait illi: Magister bone ... et veni sequere me'.

762 FERIA VI

SEC. MARCUM (Mc 8, '22–26). I.i.t. Venit Iesus a 'Bethsaida et addu-cu〈n〉t ei caecum .. (294v) .. nemini dixeris'.　　　　M 130³

763 IN EXALTATIONE S. CRUCIS

1 LECT. Frs. 'Hoc enim sentite in vobis' (Phil 2, 5). REQUIRE IN DOM. PALMARUM.　　　　M 128⁴

761　2 Eg 179. – M 130²: Mc 7,31–37.

763　1 → B 648,1.

2 EV. Erat homo ex phariseis (Io 3, 1). REQUIRE IN OCT. PENTE-
COSTEN.

764   DOMINICA XVIII POST PENTECOSTEN

1 AD EFFESIOS (Eph 4, 1–6). Frs. 'Obsecro itaque vos ego vinctus in
dno ... qui super omnes et per omnia et in omnibus nobis', qui est
benedictus in secula seculorum. Amen.   M 131
2 SEC. LUCAM (Lc 14, '1–11). I.i.t. 'Cum intraret Iesus in domum
cuiusdam principis phariseorum .. (295r) .. exaltabitur'.   M 131

765   IN NAT. S. MATHEI AP.

1 ⟨LECT.⟩ Frs. 'Unicuique nostrum data est gratia' (Eph 4, 7).
REQUIRE IN NAT. OMNIUM APOSTOLORUM.   M 133
2 SEC. MATHEUM (Mt 9, '9–13). I.i.t. 'Vidit Iesus hominem sedentem
in teloneo ... sed peccatores'.

766   FERIA IIII MENSIS QUARTI (= SEPTIMI)

1 LECT. AMOS PROPH. (Am 9, 13–15'). (295v) Haec dicit dns ds: 'Ecce
dies venient ... quam dedi eis. Dicit dns' omps.   M 134
2 LECT. LIB. ESDRAE (2 Esr 8, '1–10). In diebus illis. 'Congregatus est
.. (296r) .. Gaudium etenim dni est fortitudo nra'.   M 134
3 ⟨R⟩ Propicius. ⟨V⟩ *Adiuva.*
4 SEC. MARCUM (Mc 9, 16–28). I.i.t. 'Respondens unus de turba dixit
.. (296v) .. nisi in oratione et ieiunio'.   M 134

767   FERIA VI

1 LECT. ESAIE PROPH. (Os 14, 2–10'). Haec dicit dns: 'Convertere
Israhel ad dnm ... et iusti ambulabunt in eis'.   M 135
2 SEC. LUCAM (Lc 7, 36–50). I.i.t. 'Rogabat Iesum quidam phariseus
.. (297r) .. vade in pace'.   M 135

---

763   2 → B 692,2; KLAUSER, S. 163[265*]. – M 128[4]: Lc 11,47–54.

765   1 → B 819,2.
      2 KLAUSER, S. 164[278]; Eg 183; Pf 196b. – M 133: Mt 19,27(–29).

768   SABBATUM IN XII LECTIONIBUS

1 LECT. LIB. LEVITICI (Lv 23, 26–32). In diebus illis. 'Locutus est dns
ad Moysen dicens: (297v) Decimo ... celebrabitis sabbata vestra', dicit
dns omps.   M 136
2 ⟨R⟩ Propicius. ⟨V⟩ Adiuva.
3 LECT. LIB. LEVITICI (Lv 23, 39–43). In diebus illis. Locutus est dns
ad Moysen dicens: 'Quinto decimo die mensis septimi ... cum edu-
cerem eos de terra Egypti ego dns ds vester'.   M 136
4 (298r) LECT. MICHEE PROPH. (Mi 7, 14. 16'. 18–20). Dne ds nr 'pasce
populum tuum ... a diebus antiquis', dne ds nr.   M 136
5 ⟨R⟩ Ad dominum.
6 LECT. ZACHARIE PROPH. (Za 8, 14–19). In diebus illis factum est
verbum domini ad me dicens. 'Haec dicit dns ds exercituum ...
pacem diligite', dicit dns exercituum.   M 136
7 ⟨R⟩ Iacta cogitatum.
8 (298v) HIC LEGITUR DANIEL (Dn 3, 49–51).   M 136
9 LECT. EP. B. PAULI AP. AD HEBREOS (Hbr 9, 2–12). Frs. 'Tabernaculum factum est primum ... redemptione inventa'.   M 136
10 ⟨R⟩ Laudate.
11 (299r) SEC. LUCAM (Lc 13, 6–17). I.i.t. 'Dicebat Iesus turbis similitudinem hanc: Arborem fici ... ab eo'.   M 136
12 ⟨OFF.⟩ Domine deus salutis.

769   (299v) DOMINICA XVIIII ⟨POST PENTECOSTEN⟩

1 LECT. AD CORINTHIOS (1 Cor 1, 4–8). Frs. 'Gratias ago deo meo ... in
die adventus dni nri Iesu Christi'.   M 137
2 SEC. MATHEUM (Mt 22, '35–23, 12). I.i.t. Accesserunt ad Iesum
pharisei 'et interrogavit eum unus .. (300r) .. qui se humiliaverit
exaltabitur'.   M 137

770   FERIA IIII

1 ⟨LECT⟩. Mortificate membra vestra (Col 3, 5). REQUIRE RETRO IN
EBD. II POST PENTECOSTEN.   M 137[2]

---

768   3 CoL 128b; Pf 117a. – M 136[2]: Lv 23,34–43.
       8 → B 619,5.

770   1 → B 696,1.

2 SEC. MATHEUM (Mt 13, '24–30). I.i.t. Dixit Iesus discipulis suis parabolam hanc: 'Simile factum est regnum caelorum homini qui seminavit .. (300v) .. congregate in horreum meum'.   M 137²

771   FERIA VI

SEC. MATHEUM (Mt 13, '31–35). I.i.t. Dixit Iesus discipulis suis parabolam hanc: 'Simile est regnum caelorum grano synapis ... a constitutione mundi'.   M 137³

772   IN DEDICATIONE BASILICE S. MICHAELIS

1 LECT. LIB. APOCALYPSIS IOHANNIS AP. (Apc 1, '1–5). In diebus illis significavit ds 'que oportet .. (301r) .. in sanguine suo'.   M 138
2 SEC. MATHEUM (Mt 18, '1–10). I.i.t. 'Accesserunt discipuli ad Iesum dicentes: Quis putas ... qui in (301v) caelis est'.   M 138

773   DOMINICA XX POST PENTECOSTEN

1 LECT. AD EPHESIOS (Eph 4, 23–28). Frs. 'Renovamini spiritu mentis vestre ... tribuat necessitatem pacienti'.   M 139
2 SEC. MATHEUM (Mt 9, 1–8). I.i.t. 'Ascendens Iesus in naviculam ... qui dedit potestatem talem hominibus'.   M 139

774   (302r) FERIA IIII

1 AD THESSALONICENSES (2 Thess 2,14–3,5). 'Fratres state et tenete traditiones ... paciencia Christi'.   M 139²
2 SEC. MATHEUM (Mt 13, '36–43). I.i.t. 'Accesserunt discipuli ad Iesum dicentes: Dissere nobis parabolam zizaniorum .. (302v) .. qui habet aures audiendi audiat'.   M 139²

775   FERIA VI

SEC. MARCUM (Mc 13, 14–23). I.i.t. Interrogatus Iesus a discipulis de consummatione saeculi dixit eis: 'Cum autem videritis abominationem ... ecce praedixi vobis omnia'.   M 139³

776 DOMINICA XXI POST PENTECOSTEN

1 AD EFFESIOS (Eph 5, 15–21). 'Fratres videte quomodo caute ambu-
letis .. (303r) .. in timore Christi'. M 140
2 SEC. MATHEUM (Mt 22, 1–14). I.i.t. Loquebatur Iesus cum discipulis suis 'in parabolis dicens: Simile factum est ... pauci vero
electi'. M 140

777 FERIA IIII

(303v) 1 AD TESSALONICENSES (2 Thess 3, 6–13). Frs. 'Denuntiamus
vobis ... benefacientes', in Christo Iesu dno nro. M 140²
2 SEC. LUCAM (Lc 14, '12–15). I.i.t. Dicebat Iesus cuidam principi
phariseorum: 'Cum facis prandium .. (304r) .. in regno dei'. M 140²

778 FERIA VI

SEC. LUCAM (Lc 6, 22–35'). I.i.t. dixit Iesus discipulis suis: 'Beati eritis
cum vos oderint .. (304v) .. merces vestra multa' in caelis. M 140³

779 DOMINICA XXII ⟨POST PENTECOSTEN⟩

1 AD EFFESIOS (Eph 6, '10–17). 'Fratres confortamini in dno ... quod
est verbum dei'. M 141
2 SEC. IOHANNEM (Io 4, '46–53). I.i.t. 'Erat quidam regulus .. (305r) ..
credidit ipse et domus eius tota'. M 141

780 FERIA IIII

1 LECT. AD TIMOTHEUM (1 Tim 6, 7–14). Karissime. 'Nihil intulimus
in hunc mundum ... usque in adventum dni nri Iesu Christi'.
2 SEC. LUCAM (Lc 6, '6–11). I.i.t. Factum est ut intraret Iesus sabbato
'in synagogam et doceret. Et erat ibi homo .. (305v) .. quidnam face-
rent de Iesu'. M 141²

---

780 1 FRERE, S. 57. – M 141²: 1 Tim 2,1–7.

781   FERIA VI

SEC. MATHEUM (Mt 8, 14–17). I.i.t. 'Cum venisset Iesus in domum
Petri ... egrotationes portavit'.   M 141³

782   IN NAT. SS. SYMONIS ET IUDĘ

1 ⟨LECT.⟩ Frs. 'Scimus quoniam diligentibus deum' (Rm 8, 28).
REQUIRE IN NAT. OMNIUM APOSTOLORUM.   M 144
2 SEC. IOHANNEM (Io 14, 21–24). I.i.t. Dixit Iesus discipulis suis:
'Qui habet mandata mea .. (306r) .. qui misit me patris'.

783   DOMINICA XXIII ⟨POST PENTECOSTEN⟩

1 AD PHILIPENSES (Phil 1, '6–11). Frs. Confido in dno Iesu 'quia qui
coepit ... in gloriam et laudem dei'.   M 142
2 SEC. MATHEUM (Mt 18, 23–35). I.i.t. Dixit Iesus discipulis suis:
Simile 'est regnum caelorum homini regi .. (306v) .. de cordibus
vestris'.   M 142

784   FERIA IIII

1 LECT. AD TIMOTHEUM (1 Tim 1, 5–12'). Karissime. 'Finis praecepti
est caritas ... confortavit Christo Iesu dno nro'.
2 SEC. MARCUM (Mc 11, '23–26). I.i.t. Dixit Iesus discipulis suis:
'Quicumque dixerit huic monti .. (307r) .. dimittet vobis peccata
vestra'.   M 142²

785   FERIA VI

SEC. MARCUM (Mc 4, '24–34). I.i.t. Dixit Iesus discipulis suis: 'Videte
quid audiatis ... disserebat omnia'.   M 142³

---

782   1 → 819,3.
      2 KLAUSER, S. 39²¹²* (vig. ss. Symonis et Iudae). – M 144: Io 15,17.

784   1 FRERE, S. 57. – M 142²: 1 Tim 2,1–7.

786 (307v) IN VIG. OMNIUM SANCTORUM

1 LECT. LIBRI APOCALYPSIS IOHANNIS AP. (Apc 5, 6–12). 'Vidi in medio throni ... gloriam et benedictionem'in saecula saeculorum.
2 ⟨R⟩ *Ecce ego.*
3 EV. Descendens Iesus de monte stetit in loco campestri (cf. Lc 6, 17).

787 IN FESTIVITATE OMNIUM SANCTORUM

1 LECT. LIBRI APOCALYPSIS IOHANNIS AP. (Apc 7, 2–12). In diebus illis. 'Vidi angelum descendentem ab ortu solis .. (308r) .. et fortitudo deo nro in saecula saeculorum. Amen'.
2 ⟨EV.⟩ I.i.t. 'Videns Iesus turbas' (Mt 5, 1–12'). REQUIRE IN NAT. PLURIMORUM MARTYRUM.

788 DOMINICA XXIIII ⟨POST PENTECOSTEN⟩

1 LECT. AD PHILIPENSES (Phil 3, 17–21). (308v) Frs. 'Imitatores mei estote ... sibi omnia', Iesus Christus dns nr. M 145
2 SEC. MATHEUM (Mt 22, 15–21). I.i.t. 'Abeuntes pharisei consilium inierunt ... et quę sunt dei deo'. M 145

789 FERIA IIII

1 AD TIMOTHEUM (2 Tim 1, 8–13). Karissime. 'Noli erubescere testimonium dni nri .. (309r) .. in Christo Iesu' dno nro. M 145^2
2 SEC. MATHEUM (Mt 17, 23–26). I.i.t. 'Cum venisset Iesus et discipuli eius Capharnaum ... da eis pro me et te'. M 145^2

790 FERIA VI

SEC. MARCUM (Mc 7, '1–8'). I.i.t. Convenerunt ad Iesum 'pharisęi et quidam de scribis .. (309v) .. tenetis traditionem hominum'. M 145^3

---

786 1 FRERE, S. 43^{189}; Pf 206a.

787 1 FRERE, S. 43^{190}; Pf 207a.
2 Eg 200; Pf 207b; → 824,5.

791   DOMINICA XXV ⟨PENTECOSTEN⟩

1 AD COLOSENSES (Col 1, '9–11). Frs. 'Non cessamus pro vobis ... cum gaudio', in Christo Iesu dno nro.   M 146
2 SEC. MATHEUM (Mt 9, 18–22). I.i.t. 'Loquente Iesu ad turbas ecce princeps unus accessit .. (310r) .. ex illa hora'.   M 146

792   FERIA IIII

1 AD ROMANOS (Rm 11, 25–36). Frs. 'Nolo enim vos ignorare misterium hoc ... ipsi gloria in sęcula saeculorum. Amen'.   M 146^2
2 SEC. MARCUM (Mc 12, '28–34'). I.i.t. Interrogavit Iesum unus de scribis 'quod esset primum omnium mandatum .. (310v) .. non es longe a regno dei'.   M 146^2

793   FERIA VI

SEC. MARCUM (Mc 6, '1–6'). I.i.t. Venit Iesus 'in patriam ... propter incredulitatem eorum'.   M 146^3

⟨MISSAE VOTIVAE⟩

794   DIE DOMINICA DE S. TRINITATE

1 AD CORINTHIOS (2 Cor 13, '11–13'). (311r) Frs. 'Gaudete, perfecti estote ... sit cum omnibus vobis'.
2 EV. 'Cum venerit paraclitus quem ego mittam' (Io 15, 26). REQUIRE DIE DOMINICA POST ASCENSIONEM DOMINI.

795   FERIA II ⟨DE SAPIENTIA⟩

1 LECT. LIB. SAPIENTIAE (Sap 9, 1–5'). In diebus illis dixit Salomon. 'Deus patrum meorum ... filius ancillę tuę'.

---

794   1 FRERE, S. 64; Pf 225a; → B 518,3.
     2 → 682,2; Pf 225b; → B 518,7.

795   1 FRERE, S. 64; Pf 226a; → B 519,3.

2 EV. Respondens Iesus dixit: Confiteor tibi pater (Mt 11, '25).
REQUIRE DOM. V POST THEOPHANIAM.

796 FERIA III DE DONO SANCTI SPIRITUS POSTULANDO

1 AD CORINTHIOS (1 Cor 12, 7–11). Frs. 'Unicuique datur manifestatio spiritus ... prout vult'.
2 SEC. IOHANNEM (Io 14, 15–17). I.i.t. Dixit Iesus discipulis suis: 'Si
diligitis me .. (311v) .. in vobis erit'.

797 FERIA IIII AD ANGELICA SUFFRAGIA POSTULANDA

1 LECT. LIB. APOCALYPSIS IOHANNIS AP. (Apc 19, 9–10'). In diebus
illis. 'Dixit mihi angelus: Scribe ... deum adora'.
2 SEC. IOHANNEM (Io 5, 2–4). Hierosolimis est super 'Propatica
piscina ... detinebatur infirmitate'.

798 FERIA V DE CARITATE

1 AD CORINTHIOS (1 Cor 13, 4–8'). Frs. 'Caritas patiens est ... caritas
nunquam excidet'.
2 SEC. IOHANNEM (Io 13, 33–35). (312r) I.i.t. Dixit Iesus discipulis
suis: 'Filioli adhuc modicum vobiscum sum ... ad invicem'.

799 FERIA VI DE CRUCE

1 AD GALATAS (Gal 6, 14). Frs. 'Mihi absit gloriari ... mundo'.
2 SEC. IOHANNEM (Io 12, 32–36'). I.i.t. Dixit Iesus discipulis suis et
turbis Iudęorum: 'Ego si exaltatus fuero ... ut filii lucis sitis'.

---

795 2 → 601,2; Pf 226b; → B 519,4.

796 1 FRERE, S. 64; Pf 227a; → B 520,3.
    2 Cf. KLAUSER, S. 154[155] (sabb. pent.); cf. B 520,6.

797 1 FRERE, S. 65; Pf 228a; → B 521,3.
    2 Pf 228b; → B 521,6.

798 1 FRERE, S. 65; Pf 229a; → B 522,3.
    2 Pf 229b; → B 522,6.

799 1 FRERE, S. 65; Pf 230b; → B 523,3.
    2 Cf. B 523,6.

800   SABBATO DE SANCTA MARIA

1 LECT. LIB. SAPIENTIAE (Prv 31, 25–29). 'Fortitudo et decor indumentum ... supergressa es universas'.
(312v) 2 SEC. LUCAM (Lc .11, '27–28). I.i.t. 'Extollens vocem quędam
mulier ... custodiunt illud'.

⟨PER ANNI CIRCULUM⟩

801   IN VIG. S. ANDREĘ AP.

1 LECT. LIB. SAPIENTIAE (Prv 10,6; Eccli 44, 26–27; 45, '2–4. 6'. 7'.
8'. 9'). 'Benedictio dni super caput iusti ... corona glorię'.   M 148
2 SEC. IOHANNEM (Io 1, '35–51). I.i.t. 'Stabat Iohannes et ex discipulis eius duo .. (313r) .. supra filium hominis'.   M 148

802   IN NAT. S. ANDREĘ AP.

1 LECT. AD ROMANOS (Rm 10, 10–18). Frs. 'Corde enim creditur ad
iusticiam .. (313v) .. et in fines orbis terrę verba eorum'.   M 149
2 SEC. MATHEUM (Mt 4, 18–22). I.i.t. 'Ambulans Iesus iuxta mare
Galileae ... secuti sunt eum'.   M 149

INCIPIUNT LECTIONES DE ADVENTU DOMINI

803   ⟨DOMINICA V ANTE NAT. DOMINI⟩

1 LECT. HIEREMIĘ PROPH. (Ier 23, 5–8). 'Ecce dies venient .. (314r) .. et
habitabunt in terra sua', dicit dns omps.   M 147
2 SEC. IOHANNEM (Io 6, 5–14). I.i.t.'Cum sublevasset oculos Iesus
.. (314v) .. qui venturus ⟨est⟩ in mundum'.   M 147

---

800   1 FRERE, S. 65; Pf 231a; → B 524,3.
      2 Pf 231b; → B 524,6.

804 FERIA IIII

1 AD TESALONICENSES (1 Thess 1, '2–6). Frs. Gratias agere debemus 'deo semper pro omnibus ... gaudio spiritus sancti'.   M 147[2]
2 SEC. MATHEUM (Mt 8, 14–22). I.i.t. 'Cum venisset Iesus in domum Petri .. (315r) .. sepelire mortuos suos'.

805 ⟨FERIA VI⟩

SEC. LUCAM (Lc 12, '13–31). I.i.t. Dixit ad Iesum 'quidam de turba .. (315v) .. hęc omnia adicientur vobis'.

806 DOMINICA IIII ANTE NAT. DOMINI

1 LECT. EP. AD ROMANOS (Rm 13, '11–14'). Frs. 'Scientes quia hora est ... sed induimini dnm Iesum Christum'.   M 150
2 SEC. MATHEUM (Mt 21, 1–9'). I.i.t. 'Cum appropinquassent Hierosolimis .. (316r) .. in nomine dni'.   M 150

807 FERIA IIII

1 LECT. EP. B. PETRI AP. (Iac 5, 8–10). Karissimi. 'Patientes estote et confirmate corda vestra ... in nomine dni'.   M 150[2]
2 SEC. MATHEUM (Mt 3, '1–6). I.i.t. 'Venit Iohannes Baptista praedicans ... con(316v)fitentes peccata sua'.   M 150[2]

808 ⟨FERIA VI⟩

SEC. LUCAM (Lc 3, 7–18). I.i.t. 'Dicebat Iohannes ad turbas ... evangelizabat populum'.   M 150[3]

809 DOMINICA III ANTE NAT. DOMINI

(317r) 1 LECT. EP. B. PAULI AP. AD ROMANOS (Rm 15, 4–13). Frs. 'Quęcumque scripta sunt ... virtute spiritus sancti'.   M 151

---

804   2 KLAUSER, S. 167[308]; CoP 396; CoV 369. – M 147[2]: Lc 10,3–11.

805   KLAUSER, S. 167[310]; CoP 397; CoV 370. – M 147[3]: Mc 13,33–37.

2 SEC. LUCAM (Lc 21, 25–33). I.i.t. Dixit Iesus discipulis suis: 'Erunt signa in sole .. (317v) .. non transibunt'. M 151

810 FERIA IIII

1 LECT. MALACHIE PROPH. (Malach 3, 1–5'; 4, 1–6'). Haec dicit dns: 'Ecce ego mitto angelum .. (318r) .. ad patres eorum'. M 151²
2 SEC. MATHEUM (Mt.11, 11–15). I.i.t. Dixit Iesus turbis et discipulis suis: 'Amen dico vobis ... qui habet aures audiendi audiat'. M 151²

811 FERIA VI

SEC. LUCAM (Lc 10, 3–9). I.i.t. Dixit Iesus discipulis suis: 'Ite ecce ego mitto .. (318v) .. appropinquabit regnum dei'.

812 DOMINICA II ANTE NAT. DOMINI

1 AD CORINTHIOS (1 Cor 4, 1–5). Frs. 'Sic nos existimet homo ... laus erit unicuique a deo'. M 152
2 SEC. MATHEUM (Mt 11, 2–10). I.i.t. 'Cum audisset Iohannes in vinculis opera Christi .. (319r) .. ante te'. M 152

813 FERIA IIII MENSIS DECIMI

1 LECT. ESAIAE PROPH. (Is 2, 2–5). In diebus illis. Dixit Esaias propheta: 'Erit in novissimis diebus ... et ambulemus in lumine dni' dei nri. M 153
2 ALIA LECT. ESAIE PROPH. (Is 7, 10–15). In diebus illis. 'Locutus est dns ad Achaz dicens .. (319v) .. et eligere bonum'. M 153
3 SEC. LUCAM (Lc 1, '26–38'). I.i.t. 'Missus est angelus Gabrihel ... secundum verbum tuum'. M 153

---

811 M 151³: Mt 1,1–16.

813 2 → B 859,1.
    3 → B 859,2.

814 (319r) ⟨DE S. MARIA⟩

1 COLL. Deus qui de beate Marie.   D 140
2 SECR. In mentibus nris ... pervenire leticiam. Qui.   D 142
3 POSTCOM. Graciam tuam ... perducamur. Per eundem.   D 143

815 (319v) FERIA VI

1 LECT. ESAIĘ PROPH. (Is 11, 1–5). Haec dicit dns ds: 'Egredietur
virga de radice Iesse .. (320r) .. renum eius'.   M 154
2 SEC. LUCAM (Lc 1, 39–47). 'Exurgens autem Maria in diebus illis ...
in deo salutari meo'.   M 154

816 SABBATUM XII LECT.

1 LECT. ESAIĘ PROPH. (Is 19, '20–22). In diebus illis. 'Clamabunt ad
dnm a facie tribulantis .. (320v) .. sanabit eos' dns ds nr.   M 155
2 LECT. ESAIAĘ PROPH. (Is 35, 1–7). Haec dicit dns ds: 'Laetabitur
deserta et invia ... in fontes aquarum', dicit dns omps.   M 155
3 LECT. ESAIĘ PROPH. (Is 40, 9–11'). Haec dicit dns: 'Super montem
excelsum .. (321r) .. levabit' eos, dns ds nr.   M 155
4 LECT. ESSAIAĘ PROPH. (Is 45, 1–8). 'Haec dicit dns Christo meo
Cyro ... ego dns creavi eum'.   M 155
5 HIC LEGITUR DANIHEL (Dn 3, 49–51).   M 155
6 AD THESALONICENSES (2 Thess 2, 1–8). 'Frs. Rogamus vos per
adventum dni .. (321v) .. adventus sui'.   M 155
7 SEC. LUCAM (Lc 3, 1–6). 'Anno quintodecimo imperii Tyberii
caesaris ... (322r) et videbit omnis caro salutare dei'.   M 155

817 DOMINICA PROXIMA NAT. DOMINI

1 LECT. AD PHILIPENSES (Phil 4, 4–7). Frs. 'Gaudete in dno semper ...
intelligentias vestras, in Christo Iesu' dno nro.   M 156
2 SEC. IOHANNEM (Io 1, '19–28). I.i.t. 'Miserunt Iudęi ab Hierosolimis sacerdotes .. (322v) .. Iohannes baptizans'.   M 156

---

814   2 hominem ... per] et *B*

---

814   1–4 Nachtrag 14. Jh.

⟨COMMUNE SANCTORUM⟩

818   IN VIG. APOSTOLORUM

1 LECT. LIB. SAPIENTIĘ (Eccli 31, 8–11). 'Beatus vir (*sic*) qui inventus est ... enarrabit omnis ecclesia sanctorum'.
2 SEC. IOHANNEM (Io 15, 5–11). I.i.t. Dixit Iesus discipulis suis. 'Ego sum vitis ... et gaudium vestrum impleatur'.

819   (323r) IN NAT. APOSTOLORUM

1 LECT. AD EPHESIOS (Eph 2, '19–22). Frs. 'Iam non estis hospites ... in habitaculum dei in spiritu sancto'.
2 AD EPHESIOS (Eph 4, 7–13'). Frs. 'Unicuique nostrum data est gratia ... in mensuram ętatis plenitudinis Christi' dni nri.
3 AD ROMANOS (Rm 8, 28–39). Frs. 'Scimus quoniam diligentibus .. (323v) .. quę est in Christo Iesu dno nro'.
4 SEC. IOHANNEM (Io 15, 12–16). I.i.t. Dixit Iesus discipulis suis: 'Hoc est pręceptum meum, .. (324r) .. det vobis'.
5 SEC. IOHANNEM (Io 15, 17–25). I.i.t. Dixit Iesus discipulis suis: 'Haec mando vobis ... quia odio me habuerunt gratis'.

820   IN VIG. UNIUS SACERDOTIS

1 LECT. EP. B. PAULI AP. AD TIMOTHEUM (2 Tim 4, 1–8'). (324v) Karissime. 'Testificor coram deo ... adventum eius'.   M 158
2 SEC. MATHEUM (Mt 24, 42–47). I.i.t. Dixit Iesus discipulis suis: 'Vigilate quia nescitis qua hora ... quoniam super (325r) omnia bona sua constituet eum'.   M 158

---

818   1 CoL 147b; CoP 449; CoV 425.
        2 CoP 450; Lu 208; CoV 426; Po 107; Pf 216b (vig. unius apostoli).

819   1 CoL 148a; CoP 451; CoV 427.
        2 CoL 148b; CoP 452; CoV 428.
        3 CoL 148c; CoP 453; CoV 429.
        4 CoP 455; Lu 209 (Io 15,12–14); CoV 431; Po 108.
        5 CoP 456; Lu 210; CoV 432; Po 109.

821   IN NAT. SACERDOTUM

1 LECT. LIB. SAPIENTIAE (cf. Eccli 44, 16.20; 45, 20). Ecce sacerdos
magnus ... in odorem suavitatis.   M 159
2 LECT. LIB. SAPIENTIAE (Eccli 47, '9–13'; 24, 1–4'). 'Dedit dns
confessionem sancto .. (325v) .. benedictos benedicetur'.   M 159
3 LECT. EP. B. PAULI AP. AD EBREOS (Hbr 13, 9–16). Frs. 'Doctrinis
variis et peregrinis ... talibus enim hostiis promeretur ds'.   M 159
4 LECT. EP. B.PAULI AP. AD HEBREOS (Hebr 7, '23–27'). Frs. 'Plures
facti sunt .. (326r) .. se offerendo' dns nr Iesus Christus.   M 159
5 SEC. MATHEUM (Mt 25, '14–21'). I.i.t. Dixit Iesus discipulis suis
parabolam hanc: 'Homo quidam peregre proficiscens ... intra in
gaudium dni tui'.   M 159
6 SEC. LUCAM (Lc 11, 33–36). I.i.t. Dixit Iesus discipulis suis: 'Nemo
lucernam (326v) accendit ... inluminabit te'.   M 159
7 Sec. Lucam (Lc 19, '12–26'). I.i.t. Dixit Iesus discipulis suis parabolam hanc: 'Homo quidam nobilis abiit .. (327r) .. ab eo'.

822   IN VIG. UNIUS MARTYRIS SIVE CONFESSORIS

1 LECT. LIB. SAPIENTIAE (Eccli 39, 6–13). Iustus 'cor suum tradet ... a
generatione in generationem'.   M 160
2 SEC. MATHEUM (Mt 10, 34–42). I.i.t. Dixit Iesus discipulis suis:
'Nolite arbitrari .. (327v) .. non perdet mercedem suam'.   M 160

823   IN NAT. UNIUS MARTYRIS SIVE CONFESSORIS

1 LECT. LIB. SAPIENTIAE (Eccli 14,22; 15, 3–4'. '6). 'Beatus vir qui in
sapientia sua ... ⟨h⟩aereditabit illum' dns ds nr.   M 161
2 LECT. LIB. SAPIENTIAE (Sap 4, 7–14'. 15). 'Iustus autem si morte
.. (328r) .. et respectus in electo illius'.   M 161
3 LECT. LIB. SAPIENTIAE (Sap 10, '10–14'). 'Iustum deduxit dns per
vias rectas ... dedit illi claritatem aeternam' dns ds nr.   M 161
4 LECT. LIB. SAPIENTIAE (Prv 3, 13–20). 'Beatus homo qui invenit
sapientiam .. (328v) .. et nubes rore concrescunt'.

---

821 7 KLAUSER, S. 169[333] (nat. papae).

823 4 CoL 147a (vig. omnium apostolorum).

5 LECT. LIB. SAPIENTIAE (Eccli 39, 1. '2–5). 'Sapientiam omnium antiquorum ... in omnibus (*sic*) temptabit'.

6 LECT. LIB. SAPIENTIAE (Eccli 51, 1–8. 12'). 'Confitebor tibi dne rex ... et liberas eos de manibus' angustię dne ds nr.

7 LECT. LIB. SAPIENTIAE (Eccli 45, 1-'6). 'Dilectus deo et hominibus cuius memoria .. (329r) .. legem vitę et disciplinę'.

8 UNDE SUPRA. LECT. EP. B. PAULI AP. AD CORINTHIOS (2 Cor 1, 3–7). Frs. 'Benedictus ds et pater ... sic eritis et consolationis', in Christo Iesu dno nro.   M 161

9 LECT. EP. B. PAULI AP. AD TIMOTHEUM (2 Tim 2,8–10; 3, 10–12). Karissime. 'Memor esto dnm Iesum Christum resurrexisse .. (329v) .. persecutionem patiuntur'.   M 161

10 AD CORINTHIOS (1 Cor 4, '9–14). Frs. 'Spectaculum facti sumus ... meos karissimos moneo', in Christo Iesu dno nro.   M 161

11 AD THESSALONICENSES (2 Thess 1, 3–10'). Frs. 'Gratias agere debemus .. (330r) .. qui crediderunt' Iesum Christum dnm nrm.

12 SEC. MATHEUM (Mt 10, '26–33). I.i.t. Dixit Iesus discipulis suis: 'Nihil opertum quod non reveletur ... in caelis'.   M 161

13 SEC. MATHEUM (Mt 16, '24–28). I.i.t. Dixit Iesus discipulis suis: 'Si quis vult post me venire .. (330v) .. in regno suo'.

14 SEC. IOHANNEM (Io 12, 24–26). I.i.t. Dixit Iesus discipulis suis: 'Amen amen dico vobis nisi granum frumenti ... honorificabit eum pater meus' qui est in cęlis.

15 SEC. LUCAM (Lc 8, 16–21). I.i.t. Dixit Iesus discipulis suis: 'Nemo lucernam accendens operit .. (331r) .. qui verbum dei audiunt et faciunt'.

16 SEC. LUCAM (Lc 14, 26–33). I.i.t. Dixit Iesus discipulis suis: 'Si quis venit ad me ... non potest meus esse discipulus'.   M 161

17 SEC. MARCUM (Mc 8, 34–38). I.i.t. 'Convocata turba Iesus cum discipulis suis dixit eis: Si quis vult me sequi .. (331v) .. cum angelis sanctis'.

18 SEC. LUCAM (Lc 9, 23–27). I.i.t. 'Dicebat Iesus ad omnes: Si quis vult post me venire ... donec videant regnum dei'.   M 161

---

823   5 FRERE, S. 62.
     6 CoL 116 (vig. s. Laurentii).
     7 FRERE, S. 62.
   11 CoL 151h.
   13 Eg 233; → B 856.
   14 Eg 230.

19 SEC. LUCAM (Lc 10, 16–20). I.i.t. Dixit Iesus discipulis suis: 'Qui vos audit .. (332r) .. nomina vestra scripta sunt in cęlis'.

824   IN NAT. PLURIMORUM SANCTORUM

1 LECT. LIB. SAPIENTIAE (Prv 15, 2–3. 6–'9). 'Lingua sapientium ornat scientiam ... diligitur a dno'.   M 162
2 LECT. LIB. SAPIENTIAE (Sap 5, 16–20. cf. 22). 'Iusti in perpetuo vivent ... sumet scutum inexpugnabile aequitatem'. Ibunt directe promissiones et ad certum locum deducet illos dns ds nr.   M 162
3 LECT. EP. B. PETRI AP. (1 Petr 1, 3–7'; 5, 10–11). (332v) Karissimi. 'Benedictus ds et pater ... in saecula saeculorum. Amen'.   M 162
4 SEC. LUCAM (Lc 12, 35–44). I.i.t. Dixit Iesus discipulis suis: 'Sint lumbi vestri pręcincti .. (333r) .. constituet illum'.   M 162
5 SEC. MATHEUM (Mt 5, 1–12'). I.i.t. 'Videns Iesus turbas ... copiosa est in cęlis'.   M 162
6 SEC. LUCAM (Lc 6, 17–23'). I.i.t. 'Descendens Iesus de monte stetit in loco campestri .. (333v) .. multa est in caelo'.

825   IN NAT. PLURIMORUM MARTYRUM

1 LECT. LIB. SAPIENTIAE (Sap 3, 1–8). 'Iustorum animae in manu dei sunt ... et regnabit dns illorum in perpetuum'.   M 163
2 (334r) UNDE SUPRA. LECT. LIB. SAPIENTIAE (Prv 10, 28–32; 11,3. 6. 8–11'). 'Expectatio iustorum ... exaltabitur civitas'.   M 163
3 LECT. LIB. SAPIENTIAE (Sap 10, 17–20). 'Reddet ds mercedem ... laudaverunt pariter' dne ds nr.   M 163
4 LECT. LIB. SAPIENTIAE (Eccli 2, 18–21). 'Qui timent deum .. (334v) .. usque ad inspectionem illius'.   M 162
5 AD HEBREOS (Hbr 10, 32–38'). Frs. 'Rememoramini pristinos dies ... ex fide vivit'.   M 163
6 AD HEBREOS (Hbr 11, 33–39'). Frs. Sancti 'per fidem vicerunt regna .. (335r) .. et hi omnes testimonio fidei probati' inventi sunt, in Christo Iesu dno nro.   M 163
7 SEC. MATHEUM (Mt 10, 16–22). I.i.t. Dixit Iesus discipulis suis: 'Ecce ego mitto vos ... hic salvus erit'.   M 163

---

824 6 KLAUSER, S. 125[245] (Quattuor Coronati).

8 SEC. LUCAM (Lc 21, 9–19). I.i.t. Dixit Iesus discipulis suis: 'Cum audieritis pręlia .. (335v) .. animas vestras'.   M 163

9 SEC. LUCAM (Mt 24, 3–13). I.i.t. 'Sedente Iesu super montem Oliveti .. (336r) .. hic salvus erit'.

10 SEC. LUCAM (Lc 12, '1–9). I.i.t. Dixit Iesus discipulis suis: 'Attendite a fermento phariseorum ... coram angelis dei'.

11 SEC. IOHANNEM (Io 15, 1–11). I.i.t. Dixit Iesus discipulis suis: 'Ego sum vitis vera .. (336v) .. et gaudium vestrum impleatur'.

826   IN NAT. VIRGINUM

1 LECT. ⟨AD CORINTHIOS⟩ (1 Cor 7, 25–34'). 'De virginibus pręceptum dni non habeo .. (337r) .. ut sit sancta et corpore et spiritu', in Christo Iesu dno nro.   M 164

2 LECT. LIB. SAPIENTIAE (cf. Sap 7,'30 – 8,4'). 'Sapientia vincit malitiam. Attingit ergo ... disciplinę dei'.   M 164

3 LECT. LIB. SAPIENTIAE (Eccli 51, 1–12). 'Confitebor tibi dne rex .. (337v) .. et liberas eos de manu' odientium dne ds nr.   M 164

4 LECT. LIB. SAPIENTIAE (Eccli 51, 13–17'). Dne ds meus. 'Exaltasti super terram ... et laudem dicam' nomine tuo, dne ds nr.   M 164

5 LECT. LIB. SAPIENTIAE (Eccli 24, 1–5'. '21–22). 'Sapientia la⟨u⟩dabit animam suam .. (338r) .. honoris et gratię'.   M 164

6 AD TIMOTHEUM (2 Tim 4, 17–18). Karissime. 'Dns mihi astitit ... ipsi gloria in secula seculorum'.

7 AD CORINTHIOS (2 Cor 10, 17–11, 2). Frs. 'Qui gloriatur in dno glorietur ... virginem castam exhibere Christo'.

8 SEC. MATHEUM (Mt 13, 44–52). I.i.t. Dixit Iesus discipulis suis: 'Simile est regnum caelorum thesauro .. (338v) .. et vetera'.   M 164

9 SEC. MATHEUM (Mt 25, 1–13). I.i.t. Dixit Iesus discipulis suis: 'Simile erit regnum cęlorum decem virginibus ... quia nescitis diem neque horam'.   M 164

---

825 9 Eg 236.
     10 KLAUSER, S. 156[187] (Iohannes et Paulus).
     11 KLAUSER, S. 166[300] (Simon et Iudas).

826 6 FRERE, S. 62.
     7 CoL 18.

827   IN DEDICATIONE ECCLESIAE

1 LECT. LIB. APOCALYPSIS IOHANNIS AP. (Apc 21, 2–5'). (339r) In diebus illis. 'Vidi civitatem sanctam Hierusalem nova⟨m⟩ ... ecce nova fatio omnia'.

2 UNDE SUPRA. AD CORINTHIOS (1 Cor 3, '8–15). Frs. 'Unusquisque propriam mercedem accipiet ... quasi per ignem'.

3 SEC. LUCAM (Lc 6, 43–48). (339v) I.i.t. Dixit Iesus discipulis suis: 'Non est arbor bona ... fundata enim erat supra petram'.

4 UNDE SUPRA. LECT. LIB. APOCALIPSIS IOHANNIS AP. (Apc 21, '9–27). In diebus illis venit angelus 'et locutus est mecum dicens ... 340r/v) in libro vitę et agni'.

5 SEC. LUCAM (Lc 19, 1–10). I.i.t. '⟨I⟩ngressus Iesus perambulabat Hiericho ... quod perierat'.

⟨MISSAE RITUALES⟩

828   IN ORDINATIONE DIACONI

1 LECT. EP. B. PAULI AP. AD TIMOTHEUM (1 Tim 3, '8–13). Karissime. Diaconos constitue 'pudicos non bilingues .. (341r) .. multam fiduciam quę est in Christo Iesu' dno nro.   M 165

2 EV. I.i.t. Dixit Iesus discipulis suis: 'Amen amen dico vobis nisi granum frumenti cadens in terram' (Io 12, 24). REQUIRE IN NAT. S. LAURENTII.   M 165

---

827   1 CoL 159a; CoP 494; CoV 471.
      2 CoL 159b; CoP 495; CoV 472.
      3 KLAUSER, S. 170³³⁸; CoP 496; Lu 234; CoV 473; Fu 280.
      4 CoL 160; CoP 497; CoV 474.
      5 KLAUSER, S. 170³³⁹; CoP 498; Lu 235; CoV 475; Po 122; Fu 281.

828   2 → B 742,2.

829   IN ORDINATIONE PRESBITERORUM

1 AD TIMOTHEUM (Tit 1, 1–9'). Karissime. 'Paulus servus dei ... in doctrina sana'. Per Iesum Christum dnm nrm.   M 166
2 SEC. IOHANNEM. 'Vigilate ergo quia nescitis' diem (Mt 24, 42). REQUIRE IN VIG. SACERDOTIS.   M 166

830   IN ORDINATIONE EPISCOPI

1 LECT. EP. B. PAULI AP. AD TIMOTHEUM (1 Tim 3,1–7'). Karissime. 'Fidelis sermo si quis episcopatum desiderat .. (341v) .. qui foris sunt' ut doctrinam dni nri ornet in omnibus.   M 167
2 SEQ. S. EV. SEC. MARCUM (Mc 6, '6–13). I.i.t. 'Circuibat Iesus castella in circuitu ... et sanabant'.

831   AD SPONSAM BENEDICENDAM

1 AD CORINTHIOS (1 Cor 6, 15). Frs. 'Nescitis quoniam corpora vestra membra Christi sunt'. REQUIRE IN DOM. XII POST PENTECOSTEN IN FERIA IIII.
2 EV. I.i.t. Loquebatur Iesus cum discipulis suis 'in parabolis dicens: Simile est regnum caelorum homini regi' (Mt 22, 1'). REQUIRE IN DOM. XXI POST PENTECOSTEM.

(deest folium)

---

829   2 → B 820,2.

830   2 KLAUSER, S. 170[345]; Lu 224; CoV 401; Fu 277.

831   1 → B 739,1; CoL 162; CoP 436; Lu 229; CoV 412.
      2 → B 776,2; CoP 437; Lu 229; CoV 413.

⟨MISSAE VOTIVAE⟩

832   ⟨PRO TEMPORE BELLI⟩

⟨EV. SEC. MATTHEUM⟩ (Mt 24, 3–13). ⟨ I.i.t. 'Sedente Iesu ...⟩ (342r) et odio habebunt invicem ... hic salvus erit.

833   IN STERILITATE PLUVIĘ

1 LECT. HIEREMIĘ PROPH. (Ier 14, 19–22). In diebus illis locutus est Hieremias ad dnm dicens: 'Numquid proiciens abiecisti Iudam ... tu enim fecisti omnia haec', dne ds nr.
2 UNDE SUPRA. LECT. (Ier 17, 5'). 'Haec dicit dns: Maledictus homo qui confidit in hominem et ponit in carnem'.
3 SEC. MATHEUM (Mt 15, '32–39'). I.i.t. Dixit Iesus discipulis suis: 'Misereor turbę .. (342v) .. ascendit in naviculam' et discipuli eius cum eo.

834   PRO UBERTATE PLUVIĘ

1 LECT. HIEREMIĘ PROPH. (Lam 2, 19–20; 3, 53–58). In diebus illis. Locutus est Hieremias dicens: 'Consurge lauda in nocte ... redemptor vitę meae' dns ds meus.
2 SEC. LUCAM (Lc 8, 22–25). I.i.t. 'Factum est in una dierum .. (343r) .. et oboediunt ei'.

---

832   Mt 24,3–13: KLAUSER 170[349]; CoP 444; Lu 231; CoV 420; Po 104; Fu 284.

833   1 CoL 166; CoP 445; CoV 421; → 552,2.
      2 CoL 167; CoP 446; CoV 422.
      3 KLAUSER, S. 169[330]; CoP 447; Lu 232; CoV 423; Po 105; Fu 285; → B 552,3.

834   1 CoL 168; → B 553,3.
      2 KLAUSER, S. 169[329]; CoP 448; Lu 233; CoV 424; Po 106; Fu 286; → B 553,4.

835   IN CONVENTU IUDICUM

1 Karissime. Obsecro primum omnium fieri orationes (1 Tim 2, 1).
REQUIRE RETRO FERIA IIII IN EBD. VI POST PENTECOSTEN.
2 SEC. LUCAM (Lc 18, 18–30). I.i.t. 'Interrogavit Iesum quidam
princeps .. (343v) .. et in seculo futuro vitam aeternam'.

836   CONTRA IUDICES MALE AGENTES

1 LECT. ESAIE PROPH. (Is 5, 8–25). Haec dicit dns: 'Ve qui coniu⟨n⟩-
gitis domum .. (344r) .. sed adhuc manus eius extenta'.
2 SEC. LUCAM (Lc 18, '1–7'). I.i.t. Dixit Iesus discipulis suis parabolam hanc: 'Quoniam oportet semper orare .. (344v) .. quia cito faciet
vindictam illorum'.   M 179

837   PRO ITER AGENTIBUS

1 LECT. LIB. GENESEOS (Gn 24, 7'). In diebus illis locutus est Abraham dicens: 'Dns ds celi ... angelum suum coram te'.   M 181
2 SEC. MATHEUM (Mt 10, 7. 11–15). I.i.t. Dixit Iesus discipulis suis:
'Euntes predicate dicentes quia appropinquabit regnum celorum. In
quamcumque autem civitatem .. (345r) .. illi civitati'.   M 181

838   ITEM QUANDO AD REGEM PERGIT

1 LECT. LIB. GENESEOS (Gn 46, 1–4'). In diebus illis. 'Profectus est
Israel ... ego inde adducam te revertentem'.
2 EV. Euntes predicate dicentes (Mt 10, 7).

---

835   1 → B 715,1; CoL 169; CoP 499; CoV 476.
      2 KLAUSER, S. 171³⁵⁰; CoP 504; CoV 481; Fu 287.

836   1 CoL 170; CoP 509.

837   1 Cf. 543,3: Gn 46,1.
      2 → B 543,6.

838   1 CoL 172b; CoP 515; CoV 487.
      2 KLAUSER, S. 171³⁵³; CoP 516; Lu 240; CoV 488; Fu 290.

839   AD MISSAM VOTIVAM

1 LECT. ESAIĘ PROPH. (Is 18, '7'; 19, '4'.19'.21.'22.24). Haec dicit dominus deus: In die illa. 'Defertur munus domino exercituum et rex fortis dominabitur eorum. In die illa erit altare domino in medio terrę et cognoscetur dominus et colent eum in hostiis et muneribus et vota vovebunt domino et solvent et revertentur ad dominum et placebitur eis et sanabit eos. In die illa erit Israel benedictio in medio terrę, cui benedixit dominus exercituum dicens: Benedictus populus meus et opus manuum mearum, hereditas mea Israel', dicit dominus omnipotens.   M 182
2 SEC. MARCUM (Mc 12, 41–44). I.i.t. 'Sedens Iesus contra gazophilatium .. (345v) .. misit totum victum suum'.   M 182

840   PRO SALUTE VIVORUM

1 LECT. Orationem faciebant sacerdotes dum offerrent sacrificium (cf. 2 Mcc 1, 23).   M 184
2 SEC. MARCUM (Mc 11, 23–26). I.i.t. Dixit Iesus discipulis suis. 'Amen dico vobis quia si quis dixerit huic monti ... dimittet vobis peccata vestra'. Qui habet aures audiendi audiat.   M 184

841   PRO ELEMOSYNAS FACIENTIBUS

1 LECT. ESAIĘ PROPH. (Is 58, '6–9'). Haec dicit dns ds: 'Hoc est ieiunium .. (346r) .. assum' quia misericors sum dns ds tuus.   M 183
2 EV. FERIA IIII EBD. XXI POST PENTECOSTEN. I.i.t. Dicebat Iesus cuidam principi pharisęorum: 'Cum facis prandium aut caenam' (Lc 14, '12).

839   1 Cf. B 540,3: Gal 6,1.
      2 Cf. B 540,5: Mc 11,23.

840   1 Cf. B 526,3: Iac 5,16.
      2 Cf. B 526,5: Lc 11,9.

841   1 Cf. B 528,2: 2 Cor 9,6.
      2 → B 777,2; cf. 528,4: Lc 12,32.

842   PRO SEMETIPSO

1 LECT. AD ROMANOS (Rm 7, 22–25). Frs. 'Condelector legi dei ... per Iesum Christum dnm nrm'.
2 EV. I.i.t. Dixit Iesus discipulis suis: 'Amen dico vobis, quia si quis dixerit huic monti tollere et mittere' (Mc 11, 23).

843   PRO INFIRMO

1 LECT. EP. B.IACOBI AP. (Iac 5, 13–16'). Karissimi. 'Tristatur aliquis vestrum ... ut salvemini'.   M 185
2 SEC. LUCAM (Lc 7, '1–10). I.i.t. 'Intravit Iesus Capharnaum .. (346v) .. qui languerat sanum'.   M 185

844   IN VIGILIIS DEFUNCTORUM

1 LECT. LIB. MACHABEORUM (2 Mcc 12, 43–46). In diebus illis. Vir fortissimus Iuda 'collatione facta duodecim milia dragmas argenti .. (347r) .. ut a peccatis solverentur'.   M 186
2 LECT. AD TESSALONICENSES (1 Thess 4, 13–18). Frs. 'Nolumus vos ignorare de dormientibus ... in verbis istis'.   M 186
3 LECT. LIB. APOC. IOHANNIS AP. (Apc 14, 13). In diebus illis. 'Audivi vocem de cęlo ... sequuntur illos'.
4 SEC. IOHANNEM (Io 6, 37–40). I.i.t. Dixit Iesus discipulis suis: 'Omne quod dat mihi pater .. (347v) .. et resuscitabo eum ego in novissimo die'.   M 186
5 SEC. IOHANNEM (Io 11, 21–27). I.i.t. 'Dixit Martha ad Iesum ... in mundum venisti'.   M 186
6 ⟨SEC. LUCAM⟩ (Lc 12, 9–12). 'Qui autem negaverit ... quę oportent dicere'.

---

842   1 FRERE, S. 63; → 536,3.
     2 → B 537,5.

843   1 → B 542,4.
     2 → B 542,7.

844   1 CoL 175; CoP 489; CoV 464; → B 562,3.
     3 Pf 235a; FRERE, S. 63.
     6 CoV 468: Io 5,21–24.

7 LECT. ZACHARIAE PROPH. (Za 11, '12–13, 9). Haec dicit dns ds: 'Si bonum est in oculis vestris .. (348r/349r) .. ipse dicet dns ds nr'.

845 FERIA VI POST ASCENSAM DOMINI

SEC. LUCAM (Lc 24, '44–53). I.i.t. Dixit Iesus discipulis suis: 'Haec sunt verba .. (349v) .. laudantes et benedicentes deum'.

846 IN NAT. S. IOHANNIS BAPT. AD PRIOREM MISSAM

1 LECT. LIB. SAPIENTIĘ (Eccli 49, 1–4. 9; 50, 6–7). 'Memoria iusti in compositionem odoris .. (350r) .. in templo dei'.
2 SEC. LUCAM (Lc 1, 18–25). I.i.t. 'Dixit Zacharias ad angelum ... obprobrium meum inter homines'.

INCIPIT ADBREVIATIO LECTIONUM ET EVANGELIORUM DE SINGULIS FESTIVITATIBUS SANCTORUM

847 IN NAT. S. SILVESTRI

1 LECT. Ecce sacerdos magnus (cf. Eccli 44, 16). REQUIRE IN NAT. SACERDOTUM.   M 7²
2 EV. Homo quidam peregre (Mt 25, 14). REQUIRE IN NAT. SACERDOTUM.   M 7²

848 IN NAT. S. FELICIS

1 LECT. Testificor coram deo (2 Tim 4, 1). REQUIRE IN NAT. SACERDOTUM.   M 13²
2 EV. Qui vos audit (Lc 10, 16). REQUIRE IN NAT. UNIUS MART.

---

845 → B 681.

846 → B 713.

847 1 → B 821,2; 586,1.
     2 → B 821,5; 586,2.

848 1 → B 820,1.
     2 → B 823,19; KLAUSER, S. 141¹⁴; CoP 555. – M13²: Lc 12,35.

849   IN NAT. S. MARCELLI

1 LECT. Plures facti sunt (Hbr 7, '23).   M 14[4]
2 EV. Vigilate quia nescitis (Mt 24,42). IN NAT. SACERDOTUM. M 14[4]

850   IN NAT. S. PRISCĘ

1 LECT. Sapientia vincit (Sap 7, 30).
2 EV. (350v) Simile est regnum celorum thesauro (Mt 13, 44). REQUIRE
IN NAT. VIRG.

**851   IN NAT. S. SEBASTIANI. REQUIRE IN NAT. PLURIMORUM SANC-
TORUM.**

1 LECT. Sancti per fidem (Hebr 11, 33).   M 15[4]
2 EV. Ego sum vitis vera (Io 15, 1).
3 Descendens Iesus de monte (Lc 6, 17).   M 15[4]

852   IN NAT. S. AGNAE. REQUIRE IN NAT. VIRG.

1 LECT. Confitebor tibi (Eccli 51,1).
2 EV. Simile est regnum celorum decem virginibus (Mt 25,1).

---

849 1 → B 821,4.
     2 → B 820,2.

850 1 → B 826,2.
     2 → B 826,8.

851 1 → B 825,6.
     2 → B 825,11.
     3 → B 824,6.

852 1 → B 826,3. – M 155: 2 Cor 10,17 – 11,2.
     2 → B 826,9; KLAUSER, S. 14[333]; CoP 58; CoV 22; cf. Lu 26. – M 15[5]: Mt
     13,44.

853 IN NAT. S. VINCENTII

1 LECT. Dilectus deo (Eccli 45, 1).
2 LECT. Memor esto dominum nostrum (2 Tim 2, 8).   M 15⁶
3 EV. Amen amen dico vobis nisi granum (Io 12, 24). REQUIRE IN
NAT. UNIUS MART.   M 15⁶

854 OCT. S. AGNAE. ⟨REQUIRE⟩ IN NAT. VIRG.

1 LECT. Sapientia laudabit animam suam (Eccli 24, 1)
2 EV. Simile est regnum celorum (Mt 13, 44).

855 IN NAT. S. AGATHE. ⟨REQUIRE⟩ IN NAT. VIRG.

1 LECT. Qui gloriatur in domino (2 Cor 10, 17).
2 EV. Simile est regnum (Mt 25, 1).   M 17²

856 IN NAT. UNIUS MART.

EV. Si quis vult post me (Mt 16, '24).

**857 ⟨IN NAT.⟩ S. VALENTINI. ⟨REQUIRE⟩ IN NAT. PLURIMORUM
MART.**

1 LECT. Reddet deus (Sap 10, 17).   M 18⁵
2 EV. Si quis vult (Lc 9, 23).

---

853 1 → B 823,7.
     2 → B 823,9.
     3 → B 823,14; 742,2.

854 1 → B 826,5.
     2 → B 826,8.

855 1 → B 826,7. – M 17²: Eccli 51,1–8; → B 823,6.
     2 → B 826,9.

856 → B 823,13.

857 1 → B 825,3.
     2 → B 823,18; KLAUSER, S. 144⁵⁶. – M 185: Mt 23,34.

858   IN NAT. S. GREGORII

1 LECT. Qui timet deum (Eccli 15,1). REQUIRE IN NAT. S.
IOHANNIS
2 EV. Homo quidam nobilis (Lc 19,12).

859   IN ADNUNTIATIONE S. MARIĘ. ⟨REQUIRE⟩ IN FERIA IIII
MENSIS DECIMI

1 LECT. Locutus est dominus ad Achaz (Is 7,10).   M 21⁴
2 EV. Missus est Gabrihel (Lc 1,26).   M 21⁴

860   IN NAT. S. BENEDICTI

1 LECT. Beatus vir qui in sapientia (Eccli 14, 22). REQUIRE IN NAT.
UNIUS MART.   M 21³
2 EV. Ecce nos reliquimus (Mt 19, 27).   M 21³

861   IN NAT. SS. TIBURTII, VALERIANI ET MAXIMI

1 LECT. Iustorum anime (Sap 3, 1). REQUIRE IN NAT. PLURIMORUM
MART.
2 EV. Hoc est praeceptum (Io 15, 12). IN NAT. APOSTOLORUM.

---

858   1 → B 584,1. – M 21²: Eccli 47,9.
      2 → B 821,7. – M 21²: Lc 12,35.

859   1 → B 813,2.
      2 → B 813,3.

860   1 → B 823,1.
      2 → B 719,2.

861   1 → B 825,1. – M 184: Prv 15,2.
      2 → B 819,4; KLAUSER, S. 151¹²³. – M 28⁴: Mt 5,1.

862 IN NAT. S. GEORGII

1 ⟨LECT⟩. Iustum deduxit dominus (Sap 10, 10).
2 EV. Convocata turba Iesus cum discipulis suis dixit eis (Mc 8, 34).
3 EV. Si quis vult me sequi (Mc 8, 34). REQUIRE IN NAT. UNIUS MART.

863 IN NAT. S. VITALIS

1 ⟨EV.⟩ Ego sum vitis vera et pater (Io 15, 5). REQUIRE IN VIG. APOSTOLORUM. M 80²
2 LECT. Iustus si morte preocupatus (Sap 4, 7). REQUIRE IN NAT. UNIUS MART. M 80²

864 IN VIG. AP. PHILIPPI ET IACOBI

1 LECT. Multitudinis credentium (Act 4, 32). REQUIRE IN VIG. ASCENSIONIS DOMINI.
2 EV. (351r) Sec. Iohannem (Io 16, 20–22). I.i.t. Dixit Iesus discipulis suis: 'Amen amen dico vobis quia plorabitis ... a vobis'.

865 ⟨IN NAT. AP. PHILIPPI ET IACOBI⟩

LECTIO ET EVANGELIUM IN NAT. IPSORUM SCRIPTUM EST IN ORDINE SUO.

---

862 1 → B 823,3.
     2 → B 823,17.
     3 → B 823,17.

863 1 → B 818,2.
     2 → B 823,2.

864 1 → B 679,1.

865   → B 678.

866   IN NAT. S. ALEXANDRI ET CETERORUM

1 LECT. Sancti per fidem (Hbr 11, 33). REQUIRE IN NAT. PLURIMORUM
MART.
2 EV. Haec mando vobis ·(Io 15, 17).

867   DE INVENTIONE S. CRUCIS

1 LECT. EP. B. PAULI AP. AD GALATAS (Gal 5,10–12; 6,12–14). Frs.
'Confido de vobis in dno Iesu quod nihil aliud sapiatis .. (351v) ..
crucifixus est et ego mundo'.   M 83
2 EV. Erat homo ex phariseis (Io 3, 1). REQUIRE IN OCT.
PENTECOSTEN.   M 83

868   IN NAT. SS. GORDIANI ET EPIMACHI

1 ⟨LECT.⟩ Iustorum animę (Sap 3, 1).
2 EV. Videns Iesus turbas (Mt 5, 1). REQUIRE IN NAT. PLURIMORUM
MART.

869   IN NAT. SS. NEREI ET ACHILLEI ATQUE PANCRATII

1 LECT. Iusti in perpetuo (Sap 5, 16). REQUIRE IN NAT. PLURIMORUM
MART.   M 83²
2 SEC. MATHEUM (Mt 19, 3–11). I.i.t. 'Accesserunt ad Iesum pharisęi
... sed quibus datum est'.

---

866   1 → B 825,6.
      2 → B 819,5; KLAUSER, S. 152¹³³.

867   2 → B 692,2.

868   1 → B 825,1.
      2 → B 824,5.

869   1 → B 824,1.
      2 KLAUSER, S. 152¹³⁷; CoP 211; Lu 95; CoV 186. – M 83²: Mt 10,16
      (–22).

870 IN NAT. S. URBANI

1 LECT. Plures facti sunt (Hbr 7, 23). M 97⁴

2 EV. Vigilate (Mt 24, 42). REQUIRE IN NAT. SACERDOTUM.

871 IN NAT. SS. MARCELLINI ET PETRI

1 LECT. Iustorum animę (Sap 3, 1). M 97⁵

2 EV. Cum audieritis prelia (Lc 21, 1). REQUIRE IN NAT. PLURIMORUM
MART. M 97⁵

872 (352r) IN NAT. SS. GERVASII ET ⟨PROTASII⟩

1 ⟨LECT.⟩ Sancti per fidem (Hbr 11, 33). REQUIRE IN NAT.
PLURIMORUM ⟨MART.⟩

2 ⟨EV.⟩ sec. Marcum (Mc 13, 1–13). I.i.t. 'Cum egrederetur Iesus de
⟨templo⟩ .. (352v) .. in finem hic salvus ⟨erit.⟩ '

873 ⟨IN NAT. SS.⟩ IOHANNIS ET PAULI

1 ⟨LECT. Hi sunt viri⟩ (cf. Eccli 44, 10). REQUIRE IN OCT. APO-
STOLORUM PETRI ET PAULI. M 107⁴

2 EV.⟨Ego sum vitis vera⟩ (Io 15, 1). REQUIRE IN NAT. PLURIMORUM
MART. M 107⁴

---

870 1 → B 821,4.
  2 → B 820,2; KLAUSER, S. 153¹⁴⁹. – M 97⁴: Lc 11,33.

871 1 → B 825,1.
  2 → B 825,8.

872 1 → B 825,6. – M 102⁵: Prv 10,28.
  2 KLAUSER, S. 156¹⁷⁹; Fu 144. – M 102³: Io 15,17.

873 1 → B 723,1.
  2 → B 825,11.

874   ⟨IN NAT. S.LEO⟩NIS PAPE

1 LECT. Ecce sacerdos (Eccli 44, 16).   M 77⁴
2 ⟨EV. Homo⟩ quidam peregre proficiscens (Mt 25, 14). REQUIRE IN
NAT. SACERDOTUM.   M 77⁴

875   ⟨IN NAT. SS. PROCE⟩SSI ET MARTINIANI

1 LECT. ⟨Stabunt iusti (Sap 5, 1). REQUIRE IN NAT.⟩ PHILIPPI ET
IACOBI.   M 112⁴
2 EV. Sedente Iesu supra (Mt 24, 3). ⟨REQUIRE IN NAT. PLURI⟩MORUM
MART.   M 112⁴

876   IN VIG. S. IA⟨COBI APOST⟩OLI

1 LECT. Beatus vir qui in⟨ventus⟩ (Eccli 31, 8). ⟨REQUIRE IN VIG.⟩
APOSTOLORUM.
2 SEC. LUCAM (Lc 10, '1–9). ⟨I.i.t. 'De⟩signavit dns et alios septua-
ginta duos .. (353r) .. appropinquabit in vos regnum dei'.

877   ⟨DE S. MARIA VIRG.⟩

LECT. LIB. SAPIENTIĘ (Prv 8, 22–35). 'Dns possedit me ... et hauriet salutem a
dno'.

---

874   1 → B 821,1.
      2 → B 821,5.

875   1 → B 678,1.
      2 → B 825,9.

876   1 → B 818,1.
      2 Lu 228: Lc 10,1–7 (in adventu episcopi).

877–880 Nachtrage 12. Jh.

877 → B 756.

878 (353v) AD KATHEDRAM S. PETRI AP.

1 LECT. EP. PETRI AP. (1 Petr 1, 1–7). Frs. 'Petrus apostolus Iesu Christi electis advenis ... in revelatione Iesu Christi' dni nri.   M 21

2 EV. Venit Iesus in partes Cesaree (Mt 16, 13). REQUIRE IN NAT. IPSIUS.   M 21

879 IN NAT. S. MATHIĘ AP.

1 LECT. ACT. APOST. (Act 1, 15–26). 'In diebus illis. Exurgens Petrus in medio fratrum ... et adnumeratus est cum undecim apostolis'.

2 SEC. MATHEUM (Mt 10, '5–8). I.i.t. Misit Iesus duodecim discipulos suos praecipiens eis et dicens: 'In viam gentium ... gratis date'.

880 ⟨SEQUENCIA DE S. MARIA MAGDALENA⟩

Laus tibi Christe ... pergens ⟨*cuncta ... gloria*⟩. AH 50, Nr. 268, S. 346f.

---

878   2 → B 718,2.

879   1 FRERE, S. 70.

V. RITUALE

VERZEICHNIS DER IN DER EDITION DES RITUALE
VERWENDETEN SIGLEN

Wo nichts anderes vermerkt ist, stellen die Ziffern bei den Quellenangaben die Nummern in den entsprechenden Editionen dar.

B   = HÄNGGI A.-LADNER P., Missale Basileense saec. XI («Codex Gressly»), 2 Teile (Spicilegium Friburgense 35), Freiburg/Schweiz 1993.

Biburg = ARX W. VON, Das Klosterrituale von Biburg (Budapest, Cod. Lat.m.ae. Nr.330, 12. Jh.) (Spicilegium Friburgense 14), Freiburg/Schweiz 1970.

Conc.   = DESHUSSES J.-DARRAGON B., Concordances et tableaux pour l'étude des grands Sacramentaires. T. I: Concordance par pièces (Spicilegii Friburgensis subsidia 9), Fribourg 1982.

CP   = MOELLER E., Corpus praefationum, 5 vol. (CC 161, 161A-D), Turnhout 1980–1981.

D   = DESHUSSES J., Le sacramentaire grégorien. Ses principales formes d'après les plus anciens manuscrits. Edition comparative. T. 1: Le Sacramentaire. Le Supplément d'Aniane; t. 2: Textes complémentaires pour la messe; t. 3: Textes complémentaires divers (Spicilegium Friburgense 16, 24, 28), Fribourg ³1992, ²1988, ²1991.

F   = RICHTER G.-SCHÖNFELDER A., Sacramentarium Fuldense saeculi X (Quellen und Abhandlungen zur Geschichte der Abtei und der Diözese Fulda 9), Fulda 1912.

Florian = FRANZ A., Das Rituale von St. Florian aus dem zwölften Jahrhundert, Freiburg i.Br. 1904.

G   = DUMAS A., Liber Sacramentorum Gellonensis, 2 vol. (CC 159, 159A), Turnhout 1981.

Ph   = HEIMING O., Liber sacramentorum Augustodunensis (CC 59B), Turnhout 1984 (Philipps-Sakramentar).

PRG   = VOGEL C.-ELZE R., Le Pontifical romano-germanique du dixième siècle, 3 vol. (Studi e Testi 226, 227, 269), Città del Vaticano 1963–1972.

RiAo   = AMIET R., Rituale Augustanum, 2 vol. (Monumenta Liturgica Ecclesiae Augustanae 12, 13), Aosta 1991.

RiRh   = HÜRLIMANN G., Das Rheinauer Rituale (Zürich Rh 114, Anfang 12. Jh.) (Spicilegium Friburgense 5), Freiburg/Schweiz 1959.

881 (354r) INCIPIT MINOR BENEDICTIO AQUAE IN COTTIDIANIS 〈ET〉 DOMINICIS DIEBUS

1 Exorcizo te creatura salis per deum ... adiuratus per eum qui.
D 4266

2 ALIA. Inmensam clementiam tuam ... nequitiae. D 4267

3 EXORCISMUS AQUAE. Excorcizo te creatura aquae ... dni nostri Iesu Christi qui venturus est. D 4268

4 ITEM ALIA. Deus qui ad salutem humani generis ... et elemento huic VERTE FOLIUM CITO (354v) multimodis ... impugnationibus defensa. D 4269

5 BENEDICTIO SALIS ET AQUAE. HIC MISCEANTUR. Deus invicte virtutis auctor ... adesse dignetur. D 4270

6 ORATIO QUANDO AQUA ASPERGITUR IN DOMO. Exaudi nos dne sce pater ... habitaculo D 4271

882 INCIPIT BENEDICTIO MAIOR AQUAE

1 INPRIMIS DICAT: *Deus in adiutorium meum intende. Domine ad adiuvandum* (355r) *me festina* CUM *Gloria.* ANT. *Haec est generatio querentium dominum, querentium faciem dei Iacob.* PS. (23,1) *Domini est terra.* ANT. *Afferte domino filii dei, adorate dominum in aula sancta eius.* PS. (28,1) *Afferte.* ANT. *Secundum magnam misericordiam tuam domine misere mei.* PS. (50,3) *Miserere mei deus.*

---

881 1 per deum verum *om.B* | per deum (4) *om.B* | aspersus] aspersum *B* ‖ 3 effugandam] effugandum *B* ‖ 4 effunde] infunde *B* ‖ 5 potens] potenter *B*

---

881 1–6 = D 1451–1456.
    1 → B 882,12.
    2 → B 882,16.
    3 → B 882,10.
    4 → B 882,11.

882 1 Cf. PRG 183,1 (II, S. 342); FRANZ, Ben. I, S. 163.

2 ⟨LETANIA⟩

1	Kyrrieleison	38	S. Cosma or.
2	Christe eleison	39	S. Damiane or.
3	Christe audi nos	40	S. Georgi or.
4	Salvator mundi adiuva nos	41	S. Silvester or.
5	S. Maria or.	42	S. Gregori or.
6	S. Michael or.	43	S. Martine or.
7	S. Gabrihel or.	44	S. Bricci or.
8	S. Raphael or.	45	S. Leo or.
9	S. Iohannes or.	46	S. Hilari or.
10	S. Petre or.	47	S. Augustine or.
11	S. Paule or.	48	S. Columbane or.
12	S. Andrea or.	49	S. Galle or.
13	S. Iacobe or.	50	S. Otmare or.
14	S. Iohannes or.	51	S. Magne or.
15	S. Thoma or.	52	S. Sulpici or.
16	S. Philippe or.	53	S. Pirmini or.
17	S. Bartholomę or.	54	S. Benedicte or.
18	S. Matheae or.	55	S. Remedi or.
19	S. Symon or.	56	S. Caliste or.
20	S. Taddeę or.	57	S. Eusebi or.
21	S. Mathia or.	58	S. Felicitas or.
22	S. Barnaba or.	59	S. Perpetua or.
23	S. Luca or.	60	S. Petronilla or.
24	S. Marce or.	61	S. Anastasia or.
25	S. Stephane or.	62	S. Eufemia or.
26	S. Laurenti or.	63	S. Sabina or.
27	S. Clemens or.	64	S. Agnes or.
28	S. Xyste or.	65	S. Agathes or. (355v)
29	S. Felicissime or.	66	S. Lucia or.
30	S. Agapite or.	67	S. Cecilia or.
31	S. Corneli or.	68	S. Christina or.
32	S. Cypriane or.	69	S. Iuliana or.
33	S. Alexander or.	70	S. Otilia or.
34	S. Eventi or.	71	S. Attala or.
35	S. Theodole or.	72	S. Regula or.
36	S. Iohannes or.	73	S. Afra or.
37	S. Paule or.	74	S. Margareta or.

75 S. Walpurga or.
76 S. Verena or.
77 S. Barbara or.
78 S. Emerentiana or.
79 S. Columba or.
80 S. Digna or.
81 S. Sophia or.
82 Omnes ss. angeli or.
83 Omnes ss. archangeli or.
84 Omnes ss. throni or.
85 Omnes ss. dominationes or.
86 Omnes ss. principatus or.
87 Omnes ss. potestates or.
88 Omnes ss. virtutes or.
89 Omnes ss. cherubim or.
90 Omnes ss. seraphim or.
91 Omnes ss. superni cives or.

92 Omnes ss. patriarche or.
93 Omnes ss. prophete or.
94 Omnes ss. apostoli or.
95 Omnes ss. doctores or.
96 Omnes ss. evangeliste or.
97 Omnes ss. martires or.
98 Omnes ss. confessores or.
99 Omnes ss. sacerdotes or.
100 Omnes ss. levitę or.
101 Omnes ss. monachi or.
102 Omnes ss. heremite or.
103 Omnes ss. virgines or.
104 Omnes ss. vidue or.
105 Omnes ss. coniugate or.
106 Omnes ss. continentes or.
107 Omnes ss. poenitentes or.
108 Omnes ss. innocentes or.

109 Omnes ss. infantes or.
110 Omnes sancti orate pro nobis
111 Propitius esto parce nobis dne
112 Propitius esto libera nos dne
113 Ab omni malo l. n. d.
114 Ab omni morbo l. n. d.
115 A clade et peste l. n. d.
116 A periculo mortis l. n. d.
117 A subitanea morte l.⟨n.⟩ d.
118 A morte perpetua l. ⟨n.⟩ d.
119 Ab ira tua l. n. d.
120 Per crucem tuam l.⟨n.⟩d.
121 Per passionem tuam l.⟨n.⟩d.
122 Per resurrectionem tuam
123 Per ascensionem tuam
124 Per magnitudinem adventus tui l.n.d.
125 Per s. genitricem tuam
126 Peccatores te rogamus audi ⟨nos⟩
127 Ut pacem nobis dones te r.
128 Ut sanitatem nobis dones te r.
129 Ut aeris temperiem bonam nobis

130 Ut domnum apostolicum in sancta religione conservare digneris

131 Ut regem nostrum et exercitum christianorum conservare
digneris

132 Ut eis vitam et sanitatem atque victoriam donare digneris⟩ te
rogamus

133 Ut populo christiano pacem et unanimitatem largiri
digneris te r.

134 Ut ei vitam et sanitatem atque victoriam donare ⟨digneris⟩ t. r.
audi

135 Ut aecclesiam tuam sublimare digneris t. r. a. (356r)

136 Ut nostram congregationem in sancta religione
conservare digneris t. r.

137 Ut nos exaudire digneris te r. audi

138 Fili dei te rogamus audi nos

139 Agnus dei qui tollis peccata mundi, parce nobis dne

140 Agnus dei qui tollis peccata mundi, dona nobis pacem

141 Agnus dei qui tollis peccata mundi, miserere nobis

142 Christe audi nos, te rogamus

143 Kyrrieleison

144 Christeeleyson

145 Kirieleison

3 Deus cuius antiqua miracula aetiam omni saeculo choruscare
sentimus,dum quod uni populo a persecutione Aegypti ad liberan-
dum dextere tuae potentia contulisti, id in salutem gentium per
aquae regenerationem operare et presta, ut in Abrahę filios et in
Israheliticam dignitatem totius mundi transeat plenitudo. Per.
4 LECT. EP. B. PAULI AP. AD CORINTIOS (1 Cor 10, 1–4) Frs. Nolumus
autem 'vos ignorare ... erat Christus'.
5 ⟨GRAD.⟩ *Adiutor in oportunitatibus.*
6 SEQ. S. EV. SEC. MATHEUM (5,13–16) I.i.t. Dixit Iesus discipulis suis:
'Vos estis sal terrae ... patrem nostrum (356v) qui in caelis est'.

---

882 3 Cf. D 1031; PRG 183,2 (II, S. 342); Biburg 23.
    4 PRG 183,4 (II, S. 342); FRANZ, Ben. I, S. 164,2; Biburg 24; → B 844,2.
    5 PRG 183,6 (II, S. 343).
    6 PRG 183,7 (II, S. 343); FRANZ, Ben. I, S. 164,4; Biburg 26.

7 Dominus vobiscum. OREMUS. Exorcizo te creatura aquae per deum vivum, per deum sanctum, per deum totius creaturae, ut te mundam exhibeas contra omnem morbum atque insidias inimici, ut ubicumque aspersa fueris, sit propitio deo domus ipsa defensa, sicut defensae fuerunt domus Hebreorum per signum sanguinis agni, sic defendatur domine domus famulorum famularumque tuarum per apersionem huius aquae. In ipsius nomine te exorcizo aqua, qui verbo suo fontis (*sic*) manare praecepit. In ipsius nomine te exorcizo, qui filios Israhel per medium mare eduxit. In ipsius nomine te exorcizo, qui super te pedibus ambulavit. In ipsius nomine te exorcizo, quem Iohannes in te baptizavit, ut omnis spiritus erroris et omnes fantasiae doemonum tua aspersione effugientur et separantur per virtutem domini nostri Iesu Christi, qui venturus est iudicare vivos et mortuos et saeculum per ignem, qui est benedictus in saecula saeculorum. Amen.

8 EXORCISMUS AQUAE. Exorcizo te creatura aquae in nomine dei patris omnipotentis et in nomine domini nostri Iesu Christi, ut omnis spiritus inmundus et incursio sathanę separetur ab hac creatura aquae. Proinde ergo efficere aqua exorcizata ad effugandum omnem fantasiam inimici et ipsum inimicum eradicare et explantare in nomine dei patris omnipotentis et in nomine domini nostri Iesu Christi, qui venturus est.

9 EXORCISMUS AQUAE. Te autem creatura aquae adiuro per deum vivum, per deum sanctum. Per eum te adiuro, qui te in principio separavit ab arida. Adiuro te per deum vivum, qui fontes paradysi emanare praecepit et in quatuor fluminibus exire iussit et totam terram rigare praecepit. Adiuro te per eum, qui te in Chana Galileae sua potentia convertit in vinum. Adiuro te per eum, qui in te (357r) Neaman Syrum a sua lepra mundavit et per manus Helisei prophetae inmissione salis dulcoravit. Efficere ergo aqua sancta, aqua benedicta, aqua lavens sordes et emundans peccata. Adiuro te per deum vivum, ut te mundam exhibeas, nec in te aliquam fantasiam retineas, sed efficiaris fons exorcizatus, ut ubicumque aspersus fueris, sive in domo, sive in angulis cubiculorum, sive in agro, sive super homines,

---

882 7 PRG 183,12 (II, S. 344–345); FRANZ, Ben. I, S. 164,6; Florian 134f.; Biburg 27.

8 PRG 183,8 (II, S. 345); cf. D 4284; FRANZ, Ben. I, S. 165,7; Biburg 28.

9 PRG 181,24 (II, S. 339); cf. D 4278; cf. FRANZ, Ben. I, S. 165,8; Biburg 29.

sive super peccora vel iumenta, vel si quis ex te gustaverit, fias ei
defensaculum vitae, remedium sanitatis. Ipse quoque diabolus elon-
getur et effugetur, tamquam elongatum est caelum a terra, lux a
tenebris, iustus ab iniusto, dulce ab amaro, sic separetur ille spiritus
inmundus ab omni habitatione famulorum famularumque dei, vel ab
his locis, ubi haec unda respersa fuerit per verbum et virtutem
domini nostri Iesu Christi, qui venturus.

10 EXORCISMUS AQUAE. Excorcizo te creatura aquę in nomine dei
patris omnipotentis ... dni nostri Iesu Christi, qui venturus. D 4268

11 BENEDICTIO AQUAE. Deus qui ad salutem humani generis .. (357v) ..
defensa.   D 4269

12 EXORCISMUS SALIS. Exorcizo te creatura salis per deum ... adiuratus per eum qui.   D 4266

13 EXORCISMUS SALIS. Exorcizo te creatura salis per deum vivum, per
deum sanctum, per deum totius creaturae, qui te per Heliseum
prophetam in aquam mitti iussit, ut sanaretur sterilitas aquę, qui
divina voce oris sui locutus est ad discipulos suos dicens: Vos estis sal
terrae, qui per apostolum suum Paulum dicere dignatus est: Sit
sermo vester sapientiae sale conditus. Ideoque efficiare sal exorci-
zatum ad effugandum et expellendum inimicum omnemque virtutem putredinis eius, in nomine domini nostri Iesu Christi, qui.

14 BENEDICTIO SALIS. Benedic omps ds hanc creaturam salis tua
benedictione caelesti ... qui venturus est.   D 4279

15 ITEM ALIA. Ds invisibilis inaestimabilis qui per cuncta diffusus es
.. (358r) .. custodiat.   D 4346

16 BENEDICTIO SALIS. Inmensam clementiam ... nequitiae. D 4267

---

882 11 adesto] propicius add.B | effunde] infunde B | creatura mysterii tui tibi]
     creaturę tuae mysteriis tuis B | dominus ... locis] locis vel in domibus B |
     effugiat] effugatur atque discedat B | ab ... impugnationibus] ab omni sit
     impugnatione B ‖ 12 per deum (4)] per dnm B ‖ 14 sci sps] sps sci B | quam]
     quem B ‖ 15 ut] super add.B | benedictionem et] benedictionem tuam per B

---

882 10 → B 881,3.
     11 → B 881,4.
     12 → B 881,1.
     13 Cf. PRG 183,8 (II, S. 343); FRANZ, Ben. I, S. 166,10; cf. Florian 133;
     Biburg 30.
     14 FRANZ, Ben. I, S. 166,11; Biburg 31.
     15 FRANZ, Ben. I, S. 171,6.
     16 → B 881,2.

17 HIC INSUFFLAT TER ET MISCET. BENEDICTIO AMBORUM. Deus cui super cherubim et seraphim sublimi throno sedenti omnis profunditas abyssi, omnis latititudo perspicua est, deus cuius aeternis legibus omnis natura concluditur, deus cuius voluntati quicquid resistit, infirmum est, quicquid sevit inimicus et inmundus spiritus tuis sermonibus evictum est, deus qui malignorum destruis vires et adversantia per famulos tuos temptamenta inimicii extinguis, te domine supplices exoramus, ut ad defensionem nostram placatus aspicias et salis et aquae huius creaturam gratiae tuae benedictione sanctifices et necessariis purificationibus facias efficaces, ut quicquid liquore eius fuerit aspersum, ab omni inmunditia spirituum inmundorum vacuum fiat et liberum, nichil tibi pestilentia morbidum, nichil ullius terroris sit inquietum. Omnem illic doemonum, omnem adversariam potestatem per huius creaturae tuae salis et aquae aspersionem deprecatio tuae invocationis expellat, nec ullas ibi diaboli ministrorumque eius insidias nocere aut ledere permittas, ubi de tuo (358v) auxilio praesumitur, et virtus tui nominis invocatur. Per.

18 BENEDICTIO AMBORUM. Praesta dne tuum salubre remedium ... sanitatem.   D 4277

19 ITEM BENEDICTIO AMBORUM. Aeterne domine deus omnipotens officii nostri functione inmeriti deprecamur, ut haec permixtio salis et aquae in nomine clementiae tuae sanctificata, cum per manus nostras fuerit emissa, vel quolibet modo assumpta, expulsis cunctis machinamentis doemonum ex eodem loco fugata deficiant et sanctorum angelorum custodia semper inibi mansura consistat. Per.

20 ⟨PREF.⟩ Dominus vobiscum. Et cum spiritu tuo. Sursum corda. Habemus ad dominum. Gratias agamus domino deo nostro. Dignum et iustum est.

┼Đ Aequum et salutare, nos tibi semper et ubique gratias agere, domine deus caeli et terrae, cuius virtuti subiecta sunt universa, cuius

882 16 corporis] mentibus *B* ‖ 23 nequitias potens] potenter *B* | trementes] trementer *B*

882 17 PRG 183,26 (II, S. 348); FRANZ, Ben. I, S. 169,23; Biburg 44; cf. D 4285.
     18 PRG 183,28 (II, S. 348); FRANZ, Ben. I, S. 168,19; Biburg 45.
     19 PRG 183,27 (II, S. 348); FRANZ, Ben. I, S. 168,18; Biburg 46.
     20 PRG 183,31 (II, S. 349) FRANZ, Ben. I, S. 169,20; cf. Florian 136; Biburg 47–48.

verbo procurata sunt omnia, submitte spiritum tuum super hanc creaturam aquae, ut fiat aqua sanctficata in nomine patris et filii et spiritus sancti. Ipsa te cognovit altissima salus et respector perpetuus aqua. Ergo humiles exoramus, ut exaudias et miserearis precibus nostris, ut ubicumque aspersionis et purificationis te iubente aspersa fuerit haec aqua, habeat ibi domus gaudium, spem, honorem perpetuum, ut omnis malivoli invidia expellatur et separetur per virtutem domini nostri Iesu Christi, quem laudant angeli et archangeli et non cessant clamare dicentes: Sanctus, sanctus, sanctus dominus deus Sabaoht *(sic)*.

21 OREMUS. Praeceptis salutaribus moniti et divina institutione formati audemus dicere: Pater noster qui es in caelis USQUE IN FINEM.

22 Libera nos quaesumus domine ab omnibus malis praeteritis, praesentibus et futuris et custodi nos in omni opere bono per liberatorem dominum nostrum Iesum Christum (359r) filium tuum, qui tecum vivit et regnat in unitate spiritus sancti per omnia secula.

23 HIC MITTATUR SAL IN AQUAM. BENEDICTIO AMBORUM. Deus invicte virtutis auctor ... dignetur. Per eiusdem spiritus sancti.   D 1455

883   BENEDICTIO SUPER ANIMALIA

1 Domine sancte pater omnipotens aeterne deus defende peccora nostra, defende misericors dona tua per hanc creaturam salis et aquae, defende piissime a rapacibus, a latronibus, a bestiis, a scabie, a morbo, a mortibus, a laqueis, ab invidia et a malitia et malis omnibus, a male loquentibus, a malis oculis, a veneficiis et aruspicibus et ab omnibus temptationibus, salvare et sanare digneris peccora nostra, quae a morbo et infirmitate vexantur per hanc creaturam salis et aquae et per invocationem nominis tui et spiritus sancti, cui est honor et gloria et potestas tecum cum eodem filio in saecula saeculorum.

---

882   21 Cf. PRG 183,32 (II, S. 349); FRANZ, Ben. I, S. 169,21; Biburg 49.
      22 PRG 183,32 (II, S. 349); FRANZ, Ben. I, S. 169,22; Biburg 50.
      23 PRG 183,36 (II, S. 349–350); FRANZ, Ben. I, S. 146–147.; Biburg 52.

883   1 PRG 183,38 (II, S. 350); FRANZ, Ben. I, S. 172,9; Biburg 54; Florian 140.

2 ITEM ALIA. Domine deus omnipotens sanetur quaesumus haec creatura animalium, quae morbo et valitudine vexantur. In nomine dei patris et filii et spiritus sancti extinguatur diabolus per impositionem manuum nostrarum, quas ponimus carnales, per invocationem angelorum, patriarcharum, prophetarum, apostolorum, martirum (359v) et confessorum, virginum atque omnium sanctorum. Per dominum.

3 ALIA. Deus omnipotens, pater domini nostri Iesu Christi qui fecisti caelum et terram, mare et omnia, quae in eis sunt, qui hominem ad imaginem tuam facere dignatus es, tu pius deus hanc aquam et salem benedicere et sanctificare dignare, ut quaecumque de mutis animalibus, quae ad solatium hominum donare dignatus es, exinde gustaverint, salvi et liberi fiant ab incursione diaboli sive a lupis vel latronibus, a rapacibus, ab infirmitate, a malis oculis, a veneficiis, ab aruspicibus, a morbo et ab omnibus malis per eundem dominum nostrum Iesum Christum, qui de caelo descendit genus humanum sanguine suo redimere de potestate sathanę. Per ipsum te suppliciter obsecramus, ut haec peccora per aspersionem salis et aquae istius sanare et salvare digneris, ut haec sint in habundantiam servientibus tibi deo patri omnipotenti, qui vivis et regnas deus in unitate spiritus sancti per omnia saecula sęculorum.

4 DEINDE DICATUR ISTE VERSUS: *Vox domini super aquas, deus maiestatis intonuit, dominus super aquas multas.*

5 ORATIO PRO PESTE ANIMALIUM. Deus qui laboribus hominum aetiam de mutis animalibus ... perire.   D 1006

6 ITEM ALIA. Deus qui humane fragilitati ... vastitatem.   D 2608

7 ALIA. Averte qs dne a fidelibus ... correctos.   D 1352

8 (360r) BENEDICTIO AQUAE CONTRA NOCIVA ANIMALIA. Benedic domine hanc creaturam aquae, ut fugiant vermes et volucres a nostris

---

883   5 quibus] non *add.B* ‖ 6 quorum] pro *add. B* | vastitate] vastitatem *B* ‖ 7 dne qs] qs dne *B*

---

883   2 PRG 183,39 (II, S. 350); FRANZ, Ben. I, S. 172,10; Biburg 55.
      4 FRANZ, Ben. I, S. 171,4; Biburg 56.
      5 PRG 183,41 (II, S. 350).
      6 PRG 183,40 (II, S. 350).
      7 PRG 183,35 (II, S. 349).
      8 Cf. PRG 214A,1 (II, S. 363); cf. FRANZ, Ben. II, S. 11,1.

segetibus, vineis et hortis per nomen domini nostri Iesu Christi, quod invocatum est in ipsa creatura messis, ut fiant alimenta omnibus, qui utuntur ex ea. Per eundem.

884 BENEDICTIO DOMUS

1 Adesto dne supplicationibus nris et hanc domum ... habitaculum.   D 1457
2 ALIA. Exaudi nos dne sancte pater ... pellantur.   D 1458

885 ORATIO CONTRA FULGURA

Omnipotens sempit. ds parce metuentibus ... potestatis.   D 1459

886 BENEDICTIO FERRI AD PORTANDUM

1 Deus iudex iustus qui auctor pacis es et iudicas aequitatem, te suppliciter rogamus, ut hoc ferrum ordinatum ad iustam examinationem quibuslibet dubietatis faciendam benedicere et sanctificare digneris, ita ut si innocens de praenominata causa, unde purgatio quęrenda est, hoc ignitum in manum acceperit, illesus appareat et si culpabilis sit atque reus, iustissima sit ad hoc virtus tua, ut in eo cum veritate declaretur, quatinus iusticiae non dominetur iniquitas, sed subdatur falsitas veritati. Per dominum nostrum Iesum.
2 ITEM ALIA. Benedic domine per invocationem sanctissimi nominis tui ad manifestandum verum iudicium tuum hoc genus metalli, ut omni doemo(360v)num falsitate procul remota veritas veri iudicii tui fidelibus tuis manifesta fiant. Per.
3 ITEM ALIA. Benedictio dei patris omnipotentis et filii et spiritus sancti descendat super hoc ferrum ad discernendum iustum iudicium dei.

884 1 super] omnes *add.B*

885 Cf. PRG 185,6 (II, S. 352); → B 896,2.

886 1 Cf. PRG 246 (II, S. 381); cf. FRANZ, Ben. II, S. 365–368 (Probe mit dem glühenden Eisen); Biburg 456.
2 Cf. FRANZ, Ben. II, S. 350, Anm. 5; Biburg 450.
3 PRG 246,5 (II, S. 381); FRANZ, Ben. II, S. 372,17; Biburg 461.

887 BENEDICTIO AQUAE CALIDAE

Deus iudex iustus et fortis et paciens, qui es auctor et amator pacis, qui iudicas equitatem, iudica domine quod iustum est, quia recta iudicia tua sunt, qui respicis super terram et facis eam tremere. Tu deus omnipotens qui per adventum filii tui domini nostri Iesu Christi mundum salvasti et per eius passionem genus humanum redemisti, tu hanc aquam igne ferventem sanctifica, qui tres pueros, idest Sidrach, Misach et Abdenago iussione regis Babilonis missos in camino ignis accensaque fornace salvasti et illesos per angelum tuum eduxisti. Tu clementissime praesta, ut si quis innocens in hanc aquam igne ferventem manum mittat, sicut tres pueros supradictos de camino ignis eripuisti et Susannam de falso crimine liberasti, ita domine manum illius salvam et illesam perducas et si culpabilis sit vel incrassante diabolo cor induratum praesumpserit manum mittere, tua iustissima pietas hoc declarare dignetur, ut in eius corpore tua virtus manifestetur et anima illius per poenitentiam salvetur. Per.

888 IUDICIUM AQUAE FRIGIDAE

1 CUM HOMINEM VIS MITTERE IN AQUAM AD PROBATIONEM ISTA FACERE DEBES: ACCIPE ILLOS HOMINES, QUOS IN VOLUNTATE HABES MITTERE IN AQUAM ET DUC EOS IN AECCLESIAM ET CORAM OMNIBUS CANTET PRESBYTER MISSAM ET FAC EOS AD IPSAM OFFERRE. CUM AUTEM AD COMMUNICATIONEM VENERIT, ANTEQUAM COMMUNICENT, INTERROGET EOS SACERDOS ET CONIURATIONEM ISTAM DICAT:
2 Adiuro vos homines per patrem et fili(361r)um et spiritum sanctum et per vestram christianitatem, quam suscepistis, et per unigenitum filium et per sanctam trinitatem et per sanctum evangelium et per istas reliquias, quae in ista aecclesia sunt, ut non presumatis ullo modo communicare nec accedere ad altare, si vos hoc fecistis aut consensistis aut scitis, quis hoc egerit.

---

888   2 quae] qui *B*

---

887   PRG 247,18–19 (II, S. 387–388); Franz, Ben. II, S. 373–377 (Heisswasserprobe); cf. Florian 123; cf. D 4499: Collecta super iudicium dicenda.

888   1 Cf. PRG 252,1. 6 (II, S. 400); cf. Franz, Ben. II, S. 378 III (377–384: Kaltwasserprobe); cf. Biburg 463.
2 Cf. PRG 252,6 (II, S. 400–401); cf. Florian 119; cf. Biburg 464.

3 SI AUTEM OMNES TACUERINT ET NULLUS HOC DIXERIT, ACCEDAT SACERDOS AD ALTARE ET COMMUNICET ILLOS, QUOS VULT IN AQUAM MITTERE. CUM AUTEM COMMUNICANT, DICAT SACERDOS PER SINGULOS: Corpus domini nostri Iesu Christi sit tibi hodie ad comprobationem.

4 EXPLETA MISSA FACIAT SACERDOS AQUAM BENEDICTAM, VADAT AD ILLLUM LOCUM, UBI HOMINES PROBANTUR. CUM AUTEM VENERINT AD LOCUM, UBI HOMINES PROBANTUR, DET OMNIBUS ILLIS BIBERE DE AQUA BENEDICTA. CUM AUTEM DEDERIT, DICAT AD UNUMQUEMQUE: Haec aqua fiat tibi hodie ad probationem.

5 POSTEA VERO CONIURET SACERDOS AQUAM, UBI ILLUM MITTIT. POST CONIURATIONEM AQUAE EXUAT ILLOS VESTIMENTIS EORUM ET FACIAT ILLOS PER SINGULOS OSCULARI SANCTUM EVANGELIUM ET CRUCEM CHRISTI. ET POST HAEC DE IPSA BENEDICTA ASPERGAT SUPER UNUMQUEMQUE ET PROIECTOS STATIM IN AQUAM PER SINGULOS. HAEC AUTEM OMNIA FACERE DEBES OMNIBUS IEIUNANTIBUS, NEQUE ILLI ANTEA COMMEDENT CYBUM, QUI IPSOS MITTUNT IN AQUAM.

6 CONIURATIO AQUAE. Adiuro te aqua in nomine dei patris omnipotentis, qui te in principio creavit et te iussit ministrare humanis necessitatibus, qui te iussit segregari ab aquis superioribus. Adiuro te etiam per ineffabile nomen Iesu Christi filii dei omnipotentis, sub cuius pedibus mare elementum aquarum se calcabile praebuit, qui etiam baptizari in aquarum elemento voluit. Adiuro te etiam per spiritum sanctum, qui super dominum baptizatum (361v) descendit. Adiuro te etiam per spiritum sanctum et per individuam trinitatem, cuius voluntate aquarum elementum divisum est, ut populus Israhel super illud siccis vestigiis transivit, ad cuius etiam vestigii invocationem Helias ferrum, quod de manubrio exierat, super aquam natare fecit, ut nullomodo suscipias hunc hominem N., si in aliquo ex hoc est culpabilis, quod illi obiciatur, scilicet aut per opera a⟨u⟩t per consensum aut per conscientiam aut per ullum ingenium, sed fac eum natare super te et nulla possit esse contra te causa aliqua facta, ut nulla praestigatio, quae illud non possit manifestare. Adiurata autem per nomen Christi praecipimus tibi, ut nobis per nomen eius oboe-

888   3 Cf. PRG 252,7 (II, S. 401); FRANZ, Ben. II, S. 378–379; Biburg 465.
     4 Cf. PRG 252,18–19 (II, S. 403); FRANZ, Ben. II, S. 379.
     5 Cf. PRG 252,26.32.35.36 (II, S. 406–414).
     6 Cf. PRG 252,27 (II, S. 407–408); cf. FRANZ, Ben. II, S. 382,7.9; Biburg 478.

dias, cui omnis creatura servit, quem cherubin et seraphim laudant dicentes: Sanctus, sanctus, sanctus dominus deus exercituum, qui etiam regnat et dominatur per infinita saecula saeculorum.

7 BENEDICTIO AQUAE FRIGIDAE. Domine deus omnipotens qui baptismum fieri iussisti et remissionem peccatorum hominibus in baptismo concessisti, tu ipse per misericordiam tuam rectum iudicium tuum in ipsa aqua discerne, ut videlicet si culpabilis sit iste homo vel femina de ista causa praenominata, non aqua, quae in baptismo eum suscepit, nunc non recipiat; si autem innocens sit de ista causa N., aqua, quae in baptismo illum suscepit, et nunc illum recipiat. Per.

8 CONIURATIO HOMINIS. Adiuro te homo N. per patrem et filium et spiritum sanctum paraclitum et per diem tremendi iudicii et per quatuor evangelistas ⟨et⟩ per vigintiquatuor seniores, qui incessabili voce dominum non cessant laudare. Te adiuro per duodecim apostolos et per centumquadragintaquatuor milia, qui pro Christo passi sunt. Adiuro te per victoriam martirum, per fidem confessorum et per choros (362r) virginum et per invocationem sacri baptismatis, ut si tu de hac re culpabilis sis sive in facto aut alio modo corde indurato a diaboli suggestione, et aqua ista te non suscipiat, ut per hoc signum crucis Christi tua malitia appareat et virtus dei omnipotentis manifestetur, ut sit nomen domini benedictum in saecula saeculorum. Amen.

889 BENEDICTIO AD CLERICUM FACIENDUM

1 Oremus dilectissimi fratres dnm nrum Iesum Christum pro hoc famulo ... concedat. D 1246

2 ALIA. Adesto dne supplicationibus nris et hunc ... aeternam. D 1247

3 INTER TONDIS DICES ANTIPHONAS: ANT. *Tu es dne ... meam.* ℣ *Dns pars ... meae* CUM *Gloria.* D 1248

---

889   1 suo] tuo *B* | ei (2)] et *B* ‖ 2 tuum] N. *add.B* ‖ 3 mihi *om.B*

---

888   7 Cf. PRG 252,29a (II, S. 409); cf. FRANZ, Ben. II, S. 381,4; cf. Biburg 480.
      8 Cf. PRG 252,28 (II, S. 408); cf. FRANZ, Ben. II, S. 382–383.

4 ANT. *Haec est generatio.* PS. (23,1) *Domini est terra* CUM *Gloria.* D 1249
5 COLLECTA. Praesta omps ds huic famulo ... custodias.   D 1250

890   BENEDICTIO AD BARBAM TONDENDAM

Ds cuius spiritu creatura omnis .. (362v) .. gaudeat futurae.   D 993

891   BENEDICTIO AD ANCILLAS VELANDAS

Famulam tuam dne tuae custodia ... custodiant.   D 995

892   BENEDICTIO VESTIUM VIRGINUM VEL VIDUARUM

1 Ds qui vestimentum salubre ... custodiat.   D 1251
2 ALIA. Ds bonarum virtutum dator ... sanctificare digneris. D 1252

893   BENEDICTIO AD ABBATEM VEL ABBATISSAM

Concede quaesumus omnipotens deus, ut famulum tuum N., quem
ad regimen animarum elegimus, gratiae tuę dono prosequere, ut te
largiente cum ipsa tibi nostra electione placeamus. Per dominum.

894   AD TONDENDUM PUEROLUM

1 Omnipotens sempiterne deus respice propitius super hunc famulum tuum N., quem ad novam tondendi gratiam vocare dignatus es
tribuens ei remissionem omnium peccatorum atque caelestium
donorum consortem esse concede. Per dominum.

---

890   omnis] incrementis *add.B* | iuvenili aetate corde] iuvenilis aetatis decore *B* |
      aeternae] futurae *B*
891   famulas tuas] famulam tuam *B* | sanctae] suae *B*
892   1 salutare] salubre *B* | propitius *om.B* ‖ 2 bonorum] bonarum *B* | largus
      om.B

---

891   PRG 20,18 (I, S. 44); Biburg 268.

893   G 2576; Ph 1591; Conc. 479.

894   1 Cf. PRG 1,3 (I, S. 3); FRANZ, Ben. II, S. 250,3.; cf. D 991; cf. Biburg
      236.

2 ITEM ALIA. Quaesumus domine qui parvulis ad te venientibus sanctae manus tuę benedictionem imponens talium esse caelorum regnum dixisti, be(363r)nedic hunc famulum tuum, cui in nomine tuo superflua capillorum incidimus, da ei aetatis provectum, intellectum sapientiae tribue ei, ut te sapiat, te intellegat dominum Iesum Christum, qui vivis et regnas cum patre et spiritu sancto per omnia saecula.

895 BENEDICTIO CRUCIS

1 Benedic domine hanc crucem, per quam eripuisti mundum a potestate doemonum et superasti passione tua suggestionem peccati, qui gaudebat in praevaricatione primi hominis per lignum vetitum. Per.

2 ALIA. Sanctifica domine signaculum passionis tuae istud, ut sit inimicis tuis obstaculum et credentibus in te efficiatur auxilium. Per.

3 ITEM ALIA. Rogamus te dne pater omps aeterne ds ut digneris benedicere ... inimicorum.   D 4327

896 BENEDICTIO SALIS ET AQUAE CONTRA FULGURA ET TONITRUUM

1 Excorcizo te creatura salis et aquae ... qui venturus.   D 4282

2 ORATIO CONTRA FULGURA. PRIMUM SPARGITUR AQUA. Omnipotens sempiterne deus parce metuentibus. REQUIRE RETRO.

---

894 . 5 capitis *om.B*

895 3 sancte *om.B* | singulare] salutare *B* | profectus] perfectio *B*

896 1 pellendam] repellendam *B* | fantasmatis] fantasmatum *B* | sidera] tonitrua *B* | emissa] in hunc locum missa *B* | ita ... arbores *om.B* | in *om.B* | frugibus] fugibus *B* | et spiritus sancti *om.B*

---

894 2 Cf. FRANZ, Ben. II, S. 250,2; Biburg 238.

895 1 Cf. PRG 40,97 (I, S. 157); FRANZ, Ben. II, S. 13,2; D 4326 (1.Teil).
    2 PRG 40,103 (I, S. 159); FRANZ, Ben. II, S. 13,1; D 4326 (2.Teil).
    3 PRG 40,98 (I, S. 157).

896 2 → B 885.

897   ORATIO PRO TEMPESTATE

1 A domo tua quaesumus domine spiritalis nequitia repellatur et aerium discedat malignitas tempestatum. Per dominum.
2 ALIA. (363v) Omnipotens et misericors deus, caelesti nos protectione custodi atque ab antiqui hostis insidiis munitos permanere concede. Per dominum.
3 ALIA. Ds qui omnium rerum tibi ... sentiamus.   D 1375

898   BENEDICTIO PANIS

1 Benedic dne creaturam istam panis ... sanitatem.   D 4349
2 ALIA. Descendat benedictio patris et filii et spiritus sancti super hanc creaturam panis, ut quicumque ex eo sumpserint, accipiant sanitatem mentis et tutelam salutis, integritatem corporis, securitatem spei, corroborationem fidei, aeternitatem spiritus sancti. Per.

899 'BENEDICTIO VINI

Domine omnipotens Iesu Christe qui ex quinque panibus, duobus piscibus quinque milia hominum saciasti et in Chana Galileae ex aqua vinum fecisti, qui es vitis vera, multiplica super servos tuos misericordiam tuae pietatis, quemadmodum fecisti cum patribus nostris in tua misericordia sperantibus, benedicere et sanctificare digneris hanc creaturam vini, quam ad substantiam servorum tuorum tribuisti, ut ubicumque ex hac creatura fusum fuerit vel a quolibet potatum, divinę benedictionis opulentia repleatur et accipientibus ex ea cum gratiarum actione sanctificetur in visceribus eorum, salvator mundi, qui vivis.

---

897   1 dne nobis] dns eiusdem *B* | annuum] annum *B*

---

897   1 PRG 185,7 (II, S. 352); D 1376.
       3 PRG 185,5 (II, S. 352).

898   1 PRG 224,1 (II, S. 370); FRANZ, Ben. I, S. 268,1; cf. D 1465.
       2 PRG 224,2 (II, S. 370); FRANZ, Ben. I, S. 268,2; Biburg 424.

899   Cf. PRG 227 (II, S. 371); FRANZ, Ben. I, S. 284,1; G 2842; Ph 1865; Conc. 1335.

900 BENEDICTIO UVAE VEL FAVAE

Benedic domine hos fructus novos uvae vel favae, quos tu domine rore caeli et inundantia (364r) pluviarum et temporum serenitate atque tranquillitate ad maturitate⟨m⟩ perducere dignatus es et dedisti ea ad usus nostros cum gratiarum actione percipere in nomine domini nostri Iesu Christi, qui venturus.

901 BENEDICTIO POMORUM

1 Te deprecamur omps aeterne ds ... sumamus.   D 4353
2 ITEM ALIA. Deus qui huius arboris poma tua iussione et providentia progenita esse voluisti, nunc etiam benedicere et sanctificare digneris et praesta per invocationem nominis tui, ut quicumque ex ea sumpserint, corporis sanitatem et animae tutelam percipiant. Per.

902 BENEDICTIO AD FRUGES NOVOS

1 Oremus pietatem tuam omps ds ... gloriae tuae.   D 4339
2 ITEM ALIA. Dne ds pater omps aeterne ds qui caelum et .. (364v) .. gratias.   D 4340

903 BENEDICTIO SAPONIS

Summe ds qui ima et media ... iussisti.   D 4365

---

901 1 que] atque B | primum] primi B
902 1 pluviae] temperamento add.B | tribuas quoque] tribuasque B | ut] et B ‖ 2 sanctae] deus B | et laetantes] ut laetantes B
903 praeesse] post esse B

---

900 PRG 226 (II, S. 371); cf. Franz, Ben. I, S. 372; Biburg 422; cf. D 1462.

901 1 Cf. PRG 221,1 (II, S. 369).
     2 Cf. PRG 221,2 (II, S. 369); cf. Franz, Ben. I, S. 378; cf. Biburg 426.

903 Franz, Ben. I, S. 645.

904 BENEDICTIO PUTEI NOVI

1 Deprecamur dne clementiam pietatis ... mereamur.   D 1461
2 ITEM ALIA. Domine deus omnipotens qui in huius putei altitudine
per crepidinem fistularum aquarum copia⟨m⟩ manare iussisti,
praesta, ut te iubente atque benedicente per nostrae officium func-
tionis repulsis hinc fantasmaticis calliditatibus atque insidiis diabo-
licis purificatus atque mundatus hic puteus semper perseveret. Per
dominum.

905 BENEDICTIO SUPER FONTEM UBI ALIQUA NEGLEGENTER CONTIGERIT

Deus qui ad hoc in Iordanis alveum sanctificaturus aquas descen-
disti, ut a te munditiam potius caperent quam mundarent, dum ad
tactum sacri corporis sanctificasti per lavacrum, has aquas influente
gratia spiritus tui sancti digneris ad munditiam revocare per donum,
qui in Chana Galileae initio[rum] ⟨signorum⟩ tuorum ostenso virtutis tuae mysterio aquas mutare dignatus es in vi(365r)num et sicut
Heliseus amaras orando sanavit aquas in latice, ita ad preces fidelium
tuorum clementer abstergas ab his aquis pollutionis originem.
Per.

906 ORATIO SUPER VASA IN ANTIQUIS LOCIS REPERTA

Omps sempit. ds insere te officiis nostris ... utenda.   D 1460

---

904 1 Deprecamur] Te precamur *B* | ex eo fugare] fugare ex eo *B* | ab hinc *om.B* |
     biveritve] et biberit *B* | biberitve] vel in quibus *add.B* | semper *om.B* | mereatur]
     mereamur *B*

906 arta] arte *B*

---

904 1 PRG 231,1 (II, S. 374).
     2 PRG 231,3 (II, S. 374); FRANZ, Ben. I, S. 612,2; G 2856; Ph 1875; Conc.
     1314.

905 PRG 232,2 (II, S. 375); FRANZ, Ben. I, S. 620–621; G 2858; Ph 1877; D 4370;
     Conc. 893a.

906 PRG 233,1 (II, S. 375).

907   ORATIO POST MANDATUM

Adesto dne offitio ... peccata. Quod ipse praestare.   D 4473

908   BENEDICTIO AD OMNIA QUAE VOLUERIS

1 Benedic dne creaturam istam N. ... percipiat.   D 1464
2 ALIA. Creator et conservator humani generis ... salutem.   D 4372

909   EXORCISMUS SUPER EUM QUI A DOEMONIO VEXATUR

1 Excorcizo te immunde spiritus in nomine ... porrexit.   D 1077
2 ⟨E⟩rgo maledicte diabole recognosce sententiam tuam et da (365v) honorem deo vivo et vero, da honorem Iesu Christo filio eius et spiritui sancto et recede ab hoc famulo dei N. per hoc signum sanctae crucis, quod nos damus in eius fronte, cui tu maledicte diabole amplius non praesumas resistere. Per.
3 ALIA. Exorcizo te inmunde spiritus per patrem ... suscitavit.
                                              D 1078
4 Ergo maledicte diabole recognosce sententiam tuam et da honorem deo vivo et vero, da honorem Iesu Christo filio eius et spiritui sancto, qui venturus.
5 Nec te latet satanas. UT SUPRA, USQUE DUM DICAS: Ut exeas et recedas ab hoc/hac famulo/famula dei.

---

907   nrae servitutis] servitutis nrae *B* | mandasti] ut *add.B* | exteriora] a nobis *add.B*
908   1 istam] N. *add.B* ‖ 2 ill. *om.B*
909   1 enim *om.B* ‖ 3 hac famula] hoc famulo *B*

---

908   1 PRG 219 (II, S. 369).
       2 Cf. Biburg 212.

909   1–2 Cf. PRG 116,1 (II, S. 205–206).
       2 Cf. D 1072 (Conc. 1411).
       4 Cf. D 1072.
       5 → B 909,1.

910   ORATIO SUPER INERGUMINUM

1 Ds angelorum ds archangelorum .. (366r) .. vivit et.   D 1512

2 ALIA. Ds conditor et defensor ... famulatum.   D 1513

3 IMPOSITIO MANUUM SUPER INERGUMINUM CATECUMINUM. Omps sempit. ds a cuius facie caeli distillant .. (366v) .. sequatur.   D 1510

4 ITEM ALIA PRO PARVOLO INERGUMINO. Dne sce pater omps aeterne ds vitutem ... sempiternas.   D 1511

911   ORATIO SUPER POENITENTEM

1 Ds misericors ds clemens qui secundum ... admitte.   D 1396

2 ITEM ALIA. Da nobis dne ut sicut publicani .. (367r) .. mancipetur.   D 989

3 ALIA. Maiestatem tuam dne supplices deprecamur ut huic famulo ... introire.   D 1397

4 ITEM ALIA. Sanat te deus pater omnipotens, qui te creavit, sanat te Iesus Christus, qui pro te passus est, sanat te spiritus sanctus, qui in te fusus est, sanat te fides tua, quae te liberavit ab omni iniquitate, benedicat te dominus, custodiat te Christus, illuminat dominus faciem suam tibi et misereatur tui, convertat vultum suum ad te et det tibi sanitatem mentis et corporis. Amen.

---

910   1 martyrum] ds confessorum *add.B* | scm nomen] nomen scm *B* | ac] et *B* | vel] et *B* | tibi (1)] enim *add.B* | supernis] superna *B* | generis ... raptor] humanę raptor mortis *B* ‖ 2 famulum tuum hunc] hunc famulum tuum *B* | horrore *om.B* | timoris *om.B* | vanescant] evanescant *B* | hic servus] hinc (*sic*) famulus *B* ‖ 4 sempiterne] aeterne *B* | iudicare] iudicari *B*

911   1 paenitentium] per poenitentiam *B* | evacuas] vacuas *B* | et remissionem] ut remissionem *B* | suorum *om.B* | corruptum] est *add.B* | et in] in *B* | membrorum] membra *B* ‖ 2 dne et *om.B* | flevili] flebili *B* | permanenti] permanens *B* | exoretur] exoret *B*

---

911   4 Cf. PRG 133,7 (II, S. 223).

912 ORDO AD BAPTIZANDUM INFIRMUM

1 Medelam tuam deprecor ... baptismi tui.   D 980

2 ORATIO AQUAE AD BAPTIZANDUM INFIRMUM. POSTQUAM CATECI-
ZAVERIS BENEDIC AQUAM HIS VERBIS: Exorcizo te creatura aquae in
nomine dni .. (367v) .. qui venturus.   D 981

3 Ds omps pater dni nri Iesu Christi qui te regeneravit ... in vitam
aeternam. Amen.   D 983

4 Deus qui omnium confitentium tibi corda purificas et accusantes
suam conscientiam ab omni vinculo iniquitatis absolvis, da indulgentiam captivo et medicinam tribue vulnerato, ut exclusa domina-
tione peccati libera tibi mente famuletur.

913 ORATIO SUPER EUM QUI AGAPE FACIT

Da qs dne famulo tuo N. sperata suffragia ... secutus.   D 990

914 INCIPIT ORDO QUALITER FIAT UNCTIO INFIRMI

1 ANTEQUAM UNGATUR INFIRMUS, CONFITEATUR DEO ET SACERDOTI
SUO EX TOTO CORDE OMNIA PECCATA SUA ET DIMITTAT IPSE SUIS
DEBITORIBUS ET RECONCILIATIONEM PLENAM PERCIPIAT, UT ULCERIBUS
VITIORUM PER CONFESSIONEM ADAPERTIS ET POENITENTIA ET COM-
PUNCTIONE LACRIMARUM LOTIS ET EMUNDATA DELICTORUM PUTRE-
DINE DIGNUS SIT UNCTIONIS SANCTAE DONA PERCIPERE.

2 TUNC INGREDIENTES SACERDOTES OMNISQUE FRATRUM CONGREGA-
TIO IN DOMUM INFIRMI DECANTENT SEP(368r)TEM PSALMOS POENITEN-

---

912   1 dne (1) *om.B* | animae temptationem] temptationem animae *B* | terminum ei]
     ei terminum *B* | defer] differ *B* | revela *om.B* (*sed spatium*) | quem] quam *B* ‖ 2
     aqua] aquae *B* | sci sps] sps sci *B* | qua (1)] quod *B* | dni] tuus *B* ‖ 3 liniet] linit *B* |
     chrisma] chrismate *B*
913   Da] qs *add.B* | memoravit] memoratur *B* | martyris ... Laurentii] Laurentii
     martyris tui *B*

---

912   Cf. RiAo 61–65 (I, S. 92).
     4 Cf. Florian 82.

914   1 Cf. PRG 143,1 (II, S. 258); cf. D III, S. 148.
     2 Cf. D 4027; cf . D III, S. 148.

TIALES CUM ANTIPHONA: ANT. *Parce domine, parce famulo tuo, quem redemisti Christe sanguine tuo, ne in ęternum irascaris ei.*

3 DEINDE LĘTANIA: Kyrie. Christe eleison. Kyrie. Christe audi nos.

1   S. Maria ora pro nobis et pro famulo tuo N.
2   S. Maria dei genitrix ora pro famulo tuo.
3   S. et perpetua virgo succurre in angustiis constituto.
4   S. Michael ora pro nobis et pro hoc infirmo.
5   S. Gabriel ora pro nobis et pro hoc infirmo.
6   S. Raphael ora pro nobis et pro hoc infirmo.

7	S. Iohannes or.		36	S. Agapite or.
8	S. Petre or.		37	S. Caliste or.
9	S. Paule or.		38	S. Marcelle or.
10	S. Andrea or.		39	S. Ignati or.
11	S. Iacobe or.		40	S. Vincenti or.
12	S. Iohannes or.		41	S. Valentine or.
13	S. Iacobe or.		42	S. Tiburti or.
14	S. Philippe or.		43	S. Valeriane or.
15	S. Bartholomeę or.		44	S. Maxime or.
16	S. Matheę or.		45	S. Vitalis or.
17	S. Thoma or.		46	S. Georgi or.
18	S. Taddeę or.		47	S. Hilari or.
19	S. Symon or.		48	S. Martine or.
20	S. Mathia or.		49	S. Bricci or.
21	S. Marce or.		50	S. Leo or.
22	S. Luca or.		51	S. Ursine or.
23	S. Barnaba or.		52	S. Sulpici or.
24	S. Stephane or.		53	S. Aniane or.
25	S. Laurenti or.		54	S. Augustine or.
26	S. Line or.		55	S. Germane or.
27	S. Clete or.		56	S. Sulpici or.
28	S. Anaclete or.		57	S. Ambrosi or.
29	S. Clemens or.		58	S. Medarde or.
30	S. Syste or.		59	S. Columbane or.
31	S. Corneli or.		60	S. Martiali or.
32	S. Cypriane or.		61	S. Benedicte or.
33	S. Alexander or.		62	S. Antonine or.
34	S. Fabiane or.		63	S. Felicitas or.
35	S. Sebastiane or.		64	S. Perpetua or.

65 S. Petronella or. (368v)
66 S. Anastasia or.
67 S. Eufemia or.
68 S. Scolastica or.
69 S. Savina or.
70 S. Agnes or.
71 S. Agathes or.
72 S. Lucia or.

73 S. Caecilia or.
74 S. Tecla or.
75 S. Sotheris or.
76 S. Barbara or.
77 S. Iuliana or.
78 Omnes sancti orate pro nobis et pro hoc infirmo

79 Propitius nobis esto et parce ei domine
80 Propitius nobis esto et libera eum domine
81 Ab omni malo libera eum domine
82 Ab hoste malo libera eum domine
83 Ab insidiis inimici libera eum domine
84 A cruciatu et morte perpetua l. eum domine
85 Ab ira tua nimium tremenda l.
86 Ab omni cogitatione inmunda l.
87 Ab omni iniquitate libera eum d.
88 Ab omni inmunditia cordis et corporis l. eum
89 A cunctis erroribus diaboli libera eum domine
90 A potestate et terrore [l.] tenebrarum libera eum domine
91 Per crucem tuam l. eum d.
92 Per passionem tuam libera eum domine
93 Per ascensionem tuam l. d.
94 Per magnitudinem adventus tui l.
95 Peccatores te rogamus audi nos
96 Ut compunctionem cordis ei dones te r. audi
97 Ut fontem lacrimarum ei dones t. r.
98 Ut cogitationes pravas ab eo auferas t. r.
99 Ut illicitas voluptates ab eo abscendere digneris te rogamus audi nos
100 Ut spatium poenitentiae, si fieri potest, ei concedere digneris t.
101 Ut gratiam sancti spiritus cordi illius infundere digneris te rogamus
102 Ut intercessionem et solatium sanctorum omnium ei dones t. r.
103 Ut spem, fidem et caritatem ei dones t. r.
104 Ut verę humilitatis et pacientiae bonum ei dones t. r.
105 Ut timorem et amorem ac laudem sancti tui nominis ei dones t.
106 Ut gratiam tuam ei donare digneris t. r.
107 Ut in praesenti periculo ei succurrere digneris t. r.

108   Ut repellas ab eo omnes principes tenebrarum t. r.
109   Ut ab omni fantasmate eum defendes t. r.
110   Ut praesentiam et solatium angelorum sanctorum ei adesse
       iubeas te rogamus audi nos
111   Ut ad gaudia aeterna eum perduci facias t. r. audi
112   Ut nos exaudire digneris te r.
113   Fili dei te rogamus audi nos.
114   Agne dei, qui tollis peccata mundi. TER.
115   Kyrrieleison. Pater noster.

4 *Salvum fac servum tuum. Dominus conservet eum et vivificet eum. Dominus
opem ferat illi super lectum doloris eius. Dominus custodiat te ab omni malo.
Angelis suis mandavit. Benedicat tibi dominus ex ⟨S⟩yon et videas. Exaudiat te dominus. In die tribulationis protege. Mittat tibi dominus auxilium
de sancto. Esto ei* (369r) *domine turris fortitudinis. Nichil proficiat inimicus in
eo. Convertere domine usquequo. Averte faciem tuam a peccatis meis. Cor
mundum crea in eo deus. Ne proicias eum a facie tua. Redde illi laeticiam
salutaris. Adiuva nos deus salutaris. Exurge domine adiuva nos.*

5 ORATIO. Omps mittissime ds respice ... mereatur.   D 4006
6 ALIA. Ds qui illuminas omnem hominem ... valeat.   D 4007
7 ALIA. Dimitte nobis dne peccata ... exaudias.   D 4008
8 HIS ITA EXPLETIS ROGET SACERDOS CONFESSOR INFIRMI ALIOS
SACERDOTES UT DICANT SUPER EUM ORATIONES HAS QUAE SUNT DE
RECONCILIATIONE POENITENTIS AD MORTEM:
9 Deus misericors, deus clemens qui secundum multitudinem
REQUIRE RETRO.
10 Maiestatem tuam domine supplices deprecamur UT SUPRA.
11 ITEM ALIA. Maiestatem tuam qs dne sce pater omps aeterne ds qui
non mortem ... semper.   D 3979

---

914   5 preces *om.B* | illi *om.B* | inveniatur] mereatur *B* ‖ 6 in] hunc *add.B* | illi *om.B* ‖ 7
Dimitte] nobis *add.B* | petitioni] peticionis *B* | largiens] nos *add.B* ‖ 11 ingres-
sus] ingressusque *B*

---

914   4 Cf. D 4027[250–264]; cf. Biburg 275.
      9 → B 911,1.
      10 → B 911,3.

12 (369v) DEINDE ASPERGANT EUM AQUA BENEDICTA ET TOTAM DOMUM
IN QUA IACET CUM ANTIPHONA 'ASPERGES ME DOMINE' ET ORATIONE.
DEINDE EXEANT RELIQUI ET SOLI SACERDOTES REMANEANT.

13 ET TUNC DICATUR ORATIO: Dne ds qui per apostolum ... officia.   D 3988

14 ET SI POSSIT, INFIRMUS FLECTAT GENUA ET DECANTETUR HAEC
ANTIPHONA: ANT. *Sana domine infirmum istum, cuius ossa turbata sunt et
cuius anima turbata est valde, sed tu domine convertere et sana eum et eripe
animam eius a morte.* ⟨℣⟩ *Domine in furore tuo.* CUM *Gloria* ET REPETITUR
antiphona.

15 ORATIO. Oremus dominum nostrum Iesum Christum et cum
omni supplicatione rogemus, ut hunc famulum suum N. per angelum suum sanctum visitare, laetificare et consolari dignetur. Qui
cum patre.

16 SEQUITUR ANTIPHONA. ANT. *Dominus locutus est discipulis suis: In
nomine meo demonia eicient et super infirmos manus vestras imponite et bene
habebunt.* ⟨℣⟩ *Deus deorum.* CUM *Gloria.* Et repetitur antiphona.

17 SEQUITUR ORATIO. Deus qui famulo tuo Ezechię ... salutem.
                                                                   D 1386

18 ANT. *Cor contritum et humiliatum deus ne despicias.* PS. (50,3) *Miserere
mei deus.*

19 ORATIO. Respice dne famulum tuum N. .. (370r) .. salvatum.
                                                                   D 1387

20 ⟨ANT.⟩ *Succurre domine infirmo isti in praesenti ęgritutine et medicare
eum spiritali medicamine, ut iħ pristinam sanitatem a te restitutus gratiarum
tibi in ecclesia referat actionem.* ⟨℣⟩ *Usquequo domine.*

21 ⟨ORATIO⟩. Adesto dne supplicationibus nris nec sit ... valeat.
                                                                   D 1381

---

914   13 alleviabit] allevabit B | sua] et eius B | eiusque] ac B | et corporis] ac corporis
      B | plenamque] et plenam B | pristina] pietatis tuę *add.*B ‖ 17 illum *om.*B ‖ 19
      emendata] emendatus B ‖ 21 tuo] N. *add.*B | valeat adherere] adherere valeat
      B

---

914   12 Cf. D III, S. 148.
      14 D 4024.
      15 D 3989.
      16 Cf. D 4021.
      18 D 4025.
      20 Cf. D 4022.

22 ET SIC SINGULI SACERDOTES · PERUNGANT INFIRMUM DE OLEO SANCTIFICATO FACIENDO CRUCEM IN COLLUM ET GUTTUR ET PECTUS ET INTER SCAPULAS ET SUPER QUINQUE SENSUS CORPORIS ET IN SUPERCILIA OCULORUM ET IN AURES INTUS ET FORIS ET IN NARES SIMILITER ET IN LABIA ET IN MANUS INTUS ET FORIS, UT MACULE, QUAE PER QUINQUE SENSUS MENTI ET CORPORI ⟨INHAESERUNT⟩, HAC MEDICINA SPIRITALI ET DOMINI MISERICORDIA PELLANTUR.

23 INTER UNGUENDO IN COLLO DICATUR ORATIO. Unguo te oleo santificato ... catervas.   D 4002

24 ALIA ORATIO AB ALIO SACERDOTE DICENDA IN GUTTURE UNGUENDO. In nomine patris ... sit tibi hęc unctio olei ... spirituum.   D 4003

25 ITEM ALIA ORATIO AB ALIO SACERDOTE DICENDA UNGUENDO PECTUS. Unguo te oleo sancto invocata magni creatoris maiestate .. (370v) .. spiritus sancti.   D 4010

26 ITEM ALIA AB ALIO SACERDOTE DICENDA UNGUENDO SCAPULAS. Unguo te de oleo sancto in nomine patris ... obsecrans misericordiam ... sanitatem.   D 4011

27 ITEM ALITER QUANDO UNGITUR IN FRONTE DICATUR: Unguo te oleo sanctificato in nomine patris et filii et spiritus sancti, ut hac unctione corroboratus aerias possis superare catervas. Per.

28 AD OCULORUM UNCTIONEM. Unguo oculos tuos de oleo sanctificato, ut quicquid illicito visu deliquisti, huius olei unctione expietur. Per.

29 INTER UNCTIONEM NARIUM INTUS ET FORIS. Unguo has nares de oleo sacro, ut quicquid noxae contractum est odoratu superfluo, ista emundet medicatio.

30 UNGUENDO LABIA SIMILITER. Unguo labia ista consecrati olei medicamento, ut quicquid ocios⟨a⟩ vel etiam criminosa peccasti locutione, divina miserante clementia expurgetur hac unctione.

31 UNGUENDO AURES INTUS ET FORIS. Unguo has aures sacrati olei liquore, ut quicquid peccati eructatione nocivi auditus admissum est, hae⟨c⟩ medicina spiritalis evacuet.

---

914 22 Cf. D III, S. 149; F 2410.
      28 F 2418.
      29 F 2420.
      30 F 2422.
      31 F 2416.

32 UNGUENDO PECTUS. Unguo pectus tuum de oleo sancto, ut hac unctione munitus certare fortiter valeas contra ignita inimicorum iacula in nomine patris et filii et spiritus sancti.

33 UNGUENDO SCAPULAS. Unguo has scapulas sive medium scapularum de oleo sacro, ut ex omni parte spiritali (371r) protectione munitus piacula diabolici impetus viriliter contemnere ac procul possis cum robore superni iuvaminis repelle⟨re⟩. Per.

34 UNGUENDO MANUS INTUS ET FORIS. Unguo has manus de oleo consecrato, ut quicquid illiciti vel noxii commiserunt operis, per hanc unctionem evacuetur. Per.

35 AD PEDES. Unguo hos pedes de oleo benedicto, ut quicquid superfluo vel nocivo incessu commiserunt, ista aboleat perunctio sacra in nomine domini nostri Iesu Christi Nazareni. Surge et ambula. Per.

36 SICQUE SI NECESSE EST PER TOTUM CORPUS UNGUATUR VEL UBI MAXIMUS DOLOR EST ET DICATUR EI: In nomine dei patris et filii et spiritus sancti accipe sanitatem.

37 FINITA UNCTIONE SINGULI SACERDOTES DICANT HAS SINGULAS ORATIONES. Dne Iesu Christe qui es salvatio et redemptio .. (371v) .. optata remissio. Per te Iesu Christe salvator mundi qui cum patre et spiritu sco vivis.   D 4012

38 ALIA AB ALIO SACERDOTE DICENDA. Propicietur dominus cunctis iniquitatibus huius infirmi et sanet omnes languores illius redimatque de interitu perpetuae mortis vitam eius et corroboret ac sanet in bonis omnibus desiderium eius. Quod ipse praestare dignetur, qui cum patre et sancto spiritu.

---

914   37 famulum tuum] N. *add.B* | contractio] debilitas *B* | eodem] eo dne *B* | ulcera
      ... viciorum] ulcerum putredines *B* | obducito *om. B* | materiamque] materiam *B* |
      ac delictorum] delictorum *B* | satanas] sanitas *B*

---

914   32 F 2424.
      33 F 2428.
      34 F 2430.
      35 Cf. F 2433.
      36 Cf. F 2411.
      37 Cf. F 2434.
      38 Cf. PRG 143,32 (II, S. 265); cf. F 2436; cf. D 3992.

39 ALIA AB ALIO SACERDOTE DICENDA. Deus cuius miserationis respectio de caelis frequens fuisse et esse cognoscitur, omnipotens pater tibi preces fundimus et obsecramus misericordiam tuam pro famulo tuo, qui secundum carnis infirmitatem inmensis aegritudinum doloribus detentus vexatur. Qui solus potens es domine, omnem infirmitatis eius molestiam ab eo amove atque omnes morbos illius depelle, invalescentes aestus febrium extingue et causam universi doloris averte. Per.

40 ITEM ALIA AB ALIO SACERDOTE DICENDA. Dne sce pater omps aeterne ds qui fragilitatem ... reparetur.   D 1391

41 SECUNTUR ET RELIQUE ORATIONES IN HOC LIBRO CONSCRIPTE PRO INFIRMIS. DEINDE COMMUNICET EUM SACERDOS CORPORE ET SANGUINE DOMINI. ET SIC FACIANT ILLI SEPTEM DIEBUS, SI NECESSE SIT, TAM DE COMMUNIONE QUAM DE ALIO OFFICIO ET SUSCITABIT EUM DOMINUS AD SALUTEM ET SI IN PECCATIS SIT, DIMITTUNTUR EI, UT (372r) AIT APOSTOLUS.

42 ORATIO IN CONSUMMATIONE HUIUS OFFITII. Omps sempit. ds qui subvenis in periculis ... remedia.   D 3993

43 SECUNTUR BENEDICTIONES IN HOC LIBRO CONSCRIPTE, QUIBUS SACERDOTES SINGULI EUM BENEDICANT. RECEDENTES AUTEM FRATRES INTER HAEC OFFICIA IN ECCLESIA PROSTRATI CORDE CONTRITO FLEBILIQUE VOCE ET FRATERNA CARITATE CONPUNCTI ET MEMBRO SUI CORPORIS COMPATIENTES INTENTISSIME PRO EO DEUM ADORENT LAETANIAM ET SEPTEM PSALMOS POENITENTIALES RELIQUOSQUE AD HOC CONGRUENTES DECANTANDO. DEBENT ETIAM EX FRATRIBUS VICISSIM PER ORDINEM OMNI DEVOTIONE ET REVERENTIA SINGULIS DIEBUS INFIRMO DIURNAS ET NOCTURNAS LAUDES DECANTARE CUM ANTIPHONIS, RESPONSORIIS SIVE LECTIONIBUS ET ASSIDUA LECTIONE

---

914   39 ab eo] ab eius *B* ‖ 40 virtus ... confirmas] benedictionis tuae confirmas virtute *B* ‖ 42 illum *om.B* | remedia comprehendat] inveniat remedia *B* ‖

---

914   39 Cf. F 2442.
      40 D 3986 = D 1391.
      41 Cf. D III, S. 149.
      42 F 2449; Biburg 300.
      43 Cf. D III, S.146, 149,151, 153; MARTÈNE I, S. 853, 866, 897, 931.

EXCITATUS COMMONEATUR ET CONSOLETUR, HOC EST DE VITA ET
ADORATIONIBUS PATRUM VEL DIALOGO S. GREGORII SIVE DE VISIONIBUS
QUORUNDAM, ID EST S. FURSEI, BARONTIS ET WETTINI SEU CĘTERORUM
ET HOC PERTINET AD OFFICIUM SENIORIS, UT NULLA HORA PRAESENTIA
ET SOLATIO FRATERNO NEGLECTUS ET PRIVATUS INVENIATUR
INFIRMUS.

914A   ORATIO PRO REDDITA SANITATE.

Dne sce pater omps aeterne ds .. (372v) .. restituas.   D 1395

915   SI VERO VITA INFIRMI DESPERATUR, TUNC HĘC MISSA
      CANTETUR

1 Circumdederunt me VEL Esto michi. AD REP⟨ETENDUM⟩. *In manus
tuas commendo.*
2 Omps sempit. ds conservator animarum ... mereatur.   D 2794
3 LECT. ISAIĘ PROPH. (Is 55,6–7). In diebus illis locutus est Esaias
propheta dicens: 'Querite dominum dum inveniri potest USQUE
quoniam multus est ad ignoscendum'.
4 GRAD. *Miserere mei deus.* ẏ 1 *Misit de cęlo* VEL *Si ambulem.* ẏ2 *Virga.*
5 TRACT. *De profundis.*
6 ⟨EV.⟩ SEC. IOHANNEM (Io 6,37–39). I.i.t. dixit Iesus discipulis suis:
'Omne quod dat michi pater ad me USQUE in novissimo die'.
7 OF. *Ad te ⟨dne⟩ levavi* CUM VERSU VEL *Benedic.* ẏ *Qui propitiatur.*
8 SECR. Adesto domine pro tua pietate supplicationibus nostris et
suscipe hostiam, quam tibi offerimus pro famulo tuo salutem non
corporis sed animae petente. Praesta ei omnipotens pater indulgentiam omnium iniquitatum suarum propter inmensam misericordiam

---

914   44 nominis tui] tui nominis *B* | illum *om.B* | sanitate] sanitati *B* | potestate]
      potentia *B*
915   2 recipis] respicis *B* | in animam] animę *B* | exitus] animae *add.B* | proprio] suo
      B | eius anima *om.B*

914A G 2887; Ph 1905; Rh 1280; Conc 1356.

915   2 Cf. RiAo 470 (I, S. 323).
      3 → B 615,1.
      6 → B 844,4.
      8 Cf. D 2795; F 2456; RiAo 471 (I, S. 323).

tuam et per intercessionem omnium sanctorum tuorum et per hoc flagellum, quod sustinet in corpore, a sanctis angelis tuis anima eius suscepta pervenire mereatur ad tuae gloriae regnum. Per.

9 PREF. ⅏ aeterne deus. Implorantes tuae maiestatis misericordiam ut famulo tuo veniam suorum largiri digneris peccatorum, ut ab omnibus inimici vinculis liberatus et in assistentia sanctorum angelorum tuorum a terrore tenebrarum defensus tibi toto corde adhęrere et te tota virtute diligere et ad tuae beatitudinis visionem pervenire mereatur. Per Christum.

10 INFRA ACTIONEM (373r) Hanc igitur oblationem domine quam tibi offerimus pro anima famuli tui, quaesumus domine propitiatus accipias et miserationum tuarum largitate concedas, ut quicquid peccati terrena conversatione contraxit, his sacrificiis emundetur ac mortis vinculis absoluta transitum mereatur ad vitam. Per.

11 COM. *Redime me deus.*

12 AD COMPL Gratias agimus domine multiplici misericordiae tuę, qua animas in te sperantium satiare consuesti, nam fisi de tua pietate precamur, ut misereri digneris famulo tuo, ne praevaleat adversus eum adversarius in exitu[s] suae animę de corpore, sed transitum de morte habere mereatur ad vitam. Per.

916 IN AGENDA MORIENTIUM

1 SEPTEM PSALMIS POENITENTIALIBUS CANTATIS ET LAETANIA FINITA MOX INCIPIAT RESPONSORIUM *Subvenite sancti dei occurite.*

2 DEINDE SACERDOS FACIAT COMMENDATIONEM HANC PRO EO: ORATIO. Tibi dne commendamus animam ... absterge.　　　D 1415

3 ALIA. Misericordiam tuam dne sce pater omps aeterne ds pietatis tuae affectu .. (373v) .. sacietur.　　　D 4071

4 SI AUTEM QUIDDAM SUPERVIXERIT, CANANTUR ALII PSALMI VEL LAETANIA TENDATUR USQUEQUO ANIMA EGREDIATUR.

916　2 illius *om.B* ‖ 3 ill. *om.B* | pietate] et hilaritate vultus tui clementer *add.B* | angelus ... Michael] scs Michael archangelus *B*

915　9 Cf. D 1724 = D 2155.
　　12 Cf. D 2796; cf. F 2457; cf. RiAo 472 (I, S. 323).

916　2 Cf. SICARD, S. 355–358.
　　3 F 2459; cf. SICARD, S. 323–327.

5 IN CUIUS EGRESSU DICATUR ORATIO. ANT. *Suscipiat te Christus qui vocavit te.* PS. (113,1) *In exitu Israel.*

6 ⟨ORATIO⟩ Omps sempit. ds qui humano corpori ... sotiari.　　D 4077

917　INCIPIT OBSEQUIUM CIRCA MORIENTES.

1 QUANDO ALIQUIS AD MORTEM APROPINQUAVERIT, PRIMITUS FIAT LAETANIA ET ANTEQUAM ANIMA EXEAT DE CORPORE, DICAT SACERDOS HANC ORATIONEM: Ds misericors ds clemens qui multitudine indulgentiarum ... admitte.　　D 3979 bis

2 TUNC PRESBYTER DET VIATICUM ET POST COMMUNIONEM DICAT HANC ORATIONEM: (374r) Ascendant ad te dne preces nostrae et animam ... consortem. Per eum qui vivit.　　D 2850

3 POSTQUAM AUTEM DEFUNCTUS FUERIT, PRIMO DICATUR ISTA COLLECTA: Pio recordationis affectu ... abstergat prestante dno nostro.　　D 1398

4 POSTEA CANTENT ISTUD RESPONSORIUM SINE VERSU: R̸ *Subvenite sancti dei.*

5 SEQUITUR ORATIO. Ds cui omnia vivunt ... indulgendo.　　D 1399

6 TUNC IMPONET CANTOR ISTAM ANTIPHONAM: ANT. *Suscipiat te Christus.* PS. (113,1) *In exitu Israel.*

7 ORATIO. Suscipe dne animam servi tui quam de ergastulo ... mereatur.　　D 1400

8 (374v) ANT. *Chorus angelorum.* PS. (114,1) *Dilexi quoniam* et (115,10) *Credidi* ET Pater noster . DICANT SIMUL Kirie TER.

9 *In memoria aeterna erit iustus. A porta inferi. Anima eius in bonis demorabitur. Ne intres in iudicium cum servo tuo. Ne tradas bestiis animam.*

917　1 tuarum *om.B* | pulsanti] pulsantibus *B* | ill. *om.B* || 2 hereditati] hereditatis *B* || 3 illius *om.B* || 5 illius *om.B* | sinum ... patriarchae] sinu Abrahae amici tui patriarchę *B* | 7 illius *om.B* | suos] tuos *B* | gloriam] gloria *B*

916　5 Cf. SICARD, S. 68–69.

917　1 Cf. D 1396.
　　2 F 2556.
　　3 Cf. SICARD, S. 262–264.
　　4 Cf. SICARD, S. 66–68; 75–76.
　　7 Cf. SICARD, S. 114–117.
　　8 Cf. SICARD, S. 69–71; 74–75; 139.
　　9 Cf. D 1406.

Confitentem tibi. Miserere mei deus secundum. Requiem aeternam dona eis domine.

10 ORATIO.Non intres in iudicium cum servo ... trinitatis. Per dnm. Requiescat in pace. Amen. D 1401

11 POSTEA LAVETUR CORPUS ET PONATUR IN FERETRUM ET ANTEQUAM DE DOMO EGREDIANTUR FACTO SIGNO COLLECTIS FRATIRBUS DICAT SACERDOS HANC ORATIONEM: Ds vitae dator et humanorum corporum reparator ... iubeas. D 1407

12 TUNC FERENT CORPUS IN AECCLESIAM CANTANTES ANTIPHONAM: *In paradisum deducant te angeli, in tuo adventu suscipiant te martyres, perducant te in civitatem sanctam Ierusalem.* PS. (24,1) *Ad te domine levavi. Tu iussisti nasci me domine, tu promisisti michi ut resurgerem iussu tuo, veniant sancti, ne derelinquas me quia pius es.* PS. (64,1) *Te decet himnus.*

13 (375r) ET POSTQUAM IN AECCLESIA POSITUS FUERIT, DUM ISTA PRAESCRIPTA FUERINT IMPLETA, ORENT OMNES UNANIMITER PRO IPSA ANIMA DICENTES Kirie TER ET ORATIO DOMINICA ET CAPITULA UT SUPRA.

14 SEQUITUR ORATIO: Fac qs dne hanc cum servo tuo defuncto ... choris. D 1402

15 ⟨ORATIO⟩. Ds qui humanarum animarum aeternus amator ... consortiis. D 1408

16 ET POSTEA DEPUTANDI SUNT, QUI IPSUM CORPUS CUSTODIANT. SIT AUTEM IN AECCLESIA CONSTITUTUM, QUOUSQUE PRO IPSA ANIMA MISSAE CELEBRENTUR.

17 ET ANTEQUAM IPSUM CORPUS ELEVETUR, DICAT SACERDOS HANC ORATIONEM: Omnipotentis dei misericordiam deprecemur ... dignetur. Per eum qui venturus est iudicare vivos. D 4055

---

917   10 iudicio] iudicium *B* | ill. *om.B* ‖ 11 ill. *om.B* ‖ 14 illo *om.B* ‖ 15 illius *om.B* ‖ 17 ill.] vel carę nrae *B* | eum] cum *B* | praesentet] repraesentet *B*

---

917   10 Cf. SICARD, S. 196; 200–202.
       11 Cf. SICARD, S. 115–117.
       12 Cf. SICARD, S. 135; 215–220.
       13 → B 914,4.
       14 Cf. SICARD, S. 197.
       15 Cf. SICARD, S. 116–117.
       16 Cf. SICARD, S. 146–148.
       17 Cf. SICARD, S. 288–290.

18 TUNC INCIPIAT CANTOR RESPONSORIUM. *Subvenite sancti dei.* ℣ *Suscipiat te Christus.* HIC DICANT OMNES SIMUL Kirrie eleison TER.

19 SEQUITUR ORATIO. Deum iudicem universitatis deum caelestium ... resurrectionis (375v) resuscitet. Qui venturus est.   D 4056

20 ℟ *Antequam nascerer, novisti me.* ℣ *Commissa mea domine.* ET DICANT SIMUL Kyrrie TER.

21 SEQUITUR ORATIO. Deus qui universorum es creator et conditor, qui cum sis sanctorum beatitudo, praesta nobis petentibus, ut spiritum fratris nostri vel carę nostrae a corporis nexibus dissolutum in sanctorum tuorum resurrectione facias pręsentari. Per dominum.

22 POSTQUAM ELEVATUR DE ĘCCLESIA, CANTANT. ANT. *In paradisum.* ⟨PS.⟩ (24,1) *Ad te domine levavi.*

23 SEQUITUR ORATIO. Inclina dne aurem tuam ad preces nras quibus misericordiam ... consortem.   D 1403

24 ANT. *Tu iussisti nasci me domine.* PS. (64,1) *Te decet hymnus.*

25 ORATIO ANTE SEPULCHRUM PRIUSQUAM SEPELIATUR. Obsecramus misericordiam tuam aeterne ... iubeas.   D 1409

26 ANT. *Aperite michi portas iusticiae, ingressus in eas confitebor domino, hęc porta domini iusti intrabunt* ⟨*in eam*⟩. PS. (117,1) *Confitemini* IIII.

27 ORATIO. Ds apud quem mortuorum spiritus vivunt .. (376r) .. repromissa praestante.   D 1410

28 HIC DEPONATUR IN SEPULCHRUM ET DICAT SACERDOS [INGREDIATUR] ANT. *Ingrediar in locum tabernaculi admirabilis* USQUE *ad domum dei.* PS. (41,2) *Quemadmodum.*

29 ORATIO. Oremus fratres carissimi pro spiritu ... praestante.

         D 1411

---

917   19 infernorum] deum *add.B* | ill. *om.B* | requiem] requie *B* || 23 ill. vel illam *om.B* | supplices] suppliciter *B* | quem] quam *B* || 25 et animam *om.B* | illius *om.B* | patriarchae *om.B* || 27 illius (1) *om.B* | visionis *om.B* || 28 tabernaculi] tabernaculis *B* || 29 illius *om.B* | et Isaac] Isaac *B* | ut cum] et cum *B*

---

917   19 Cf. SICARD, S. 293–295.
    20 Cf. SICARD, S. 358–361.
    21 D 4057; cf. SICARD, S. 301–304.
    22 Cf. SICARD, S. 134–135; 215–220.
    24 Cf. SICARD, S. 132–133; 141.
    26 Cf. SICARD, S. 224–226.
    27 F 2476; cf. SICARD, S. 88–100.
    28 Cf. SICARD, S. 212–214.
    29 Cf. SICARD, S. 320–322.

30 ANT. *De terra formasti me et carne induisti me redemptor meus domine resuscita eum in novissimo die.* PS. (138,1) *Domine probasti me.*

31 ORATIO. Ds qui iustis supplicationibus ... portionem.   D 1412

32 ANT. *Haec requies mea in sęculum.* PS. (131,1) *Memento domine David.*

33 ORATIO. Debitum humani corporis ... praestante.   D 1413

34 ANT. *Requiem aeternam dona ei.* PS. (50,3) *Misere mei deus.*

35 SEQUITUR ORATIO. Temeritatis quidem est .. (376v) .. coronandus.   D 1414

36 ALIA. Tibi dne commendamus animam ... absterge.   D 1415

37 ALIA. Absolve domine animam famuli ... mereatur.   D 1404

38 ALIA. Annue nobis dne ut anima famuli ... peccatorum. D 1405

39 ⟨ANT: *R*⟩*equiem aeternam dona ei domine et lux perpetua. Indulgentiam et remissionem omnium peccatorum suorum tribuat illi omnipotens et misericors dominus. Amen.*

918   INCIPIUNT ORATIONES AD VISITANDUM INFIRMUM

1 Omps et misericors ds qs inmensam .. (377r) .. actionem.   D 1480

2 ITEM ALIA. Ds qui facturae tuae pio ... medicinam.   D 1388

3 HIC DATUR SECRETIOR LOCUS CONFITENDI ET POST CONFESSIONEM AC FIDEM REDDITAM DICATUR HIC PSALMUS CUM ANTIPHONA. Pater noster. ANT. *In veritate tua.* PS. (142,1) *Domine exaudi II.*

---

917   31 illo *om.B* ‖ 33 illius *om.B* ‖ 35 illius *om.B* | de *om.B* | dexterae] dextera *B* ‖ 36
        illius *om.B* ‖ 37 illius *om.B* | sanctos] et electos *add.B* | resuscitatus respiret]
        resuscitari mereatur *B* ‖ 38 animam] anima *B* | illius *om.B*

918   1 hos famulos tuos] hunc famulum tuum N. *B* | hoc ... iacentes] in hoc
        habitaculo iacentem fessum *B* | isti ... sanitate] iste sanitate pristina *B* | referant]
        referat *B* ‖ 2 illum *om.B* | placatus] propicius *B* | visita ... ac] ei *B*

---

917   30 Cf. SICARD, S. 119–122; 124–125.
        31 Cf. SICARD, S. 283–286.
        32 Cf. SICARD, S. 236–239.
        33 Cf. SICARD, S. 269–272.
        36 Cf. SICARD, S. 355–358.
        37 Cf. SICARD, S. 396–397.
        38 Cf. SICARD, S. 397–398.
        39 Cf. SICARD, S. 72–74.

918   3 DE CLERCQ, S. 104.

4 SEQUITUR ORATIO DOMINICA CUM ISTIS SEX VERSICULIS: *Exurge domine adiuva nos. Tibi domine derelictus est pauper. Desiderium pauperum. Mirifica misericordias tuas. Tu autem in sancto habitas. Ne tradas bestiis animas.*

5 ORATIO. Ds qui beatum Petrum ... subveniat.   D 3999

6 ALIA. Ds qui famulo tuo Ezechiae ter quino ... salutem.   D 1386

7 ALIA. Deus sub cuius nutibus vitae nostrę momenta decurrunt, suscipe preces nostras pro aegrotante hoc, pro quo misericordiam tuam suppliciter imploramus, ut de cuius periculo metuimus, de eius recuperatione laetemur. Per.

8 POST HAEC SANCTA APPONATUR UNCTIO IN DEXTERA SACERDOTIS PALMA QUI PRIMUM IN PECTORE ET IN CORDIS LOCO SICQUE INTER SCAPULAS ET IN MAXIMI (377v) DOLORIS LOCO LINIAT LANGUENTEM ET ITA DICAT:

9 Unguo te oleo divinitus sanctificato caelesti munere nobis attributo in nomine sanctae et individuę trinitatis, ut ipsa te interius exteriusque sanando vivificet, quae universam conditionem suam, ne pereat, continet. Per.

10 Unguo te de oleo sanctificato, ut more militis uncti praeparatus ad luctam possis aerias superare catervas. Operare creatura olei in nomine patris et filii et spiritus sancti. Non lateat hic spiritus inmundus nec in membris, nec in medullis, nec in nulla compage membrorum huius hominis, sed operetur in eum virtus Christi filii dei altissimi, qui cum aeterno patre et spiritu sancto vivit.

11 Respice dne famulum tuum N. ... salvatam.   D 1387

12 Virtutem caelestium ds qui ab humanis ... benedicat.   D 1390

13 Omnipotens sempiterne deus qui aegritudines animarum depellis et corporum, auxilii tui super infirmum hunc ostende virtutem, ut

---

918   5 famulum ... hunc] huic famulo tuo N. *B* ‖ 6 famulum ... illum] hunc famulum tuum *B* ‖ 11 ut *om.B* | tua *om.B* | salvatum] salvatam *B* ‖ 12 praecepti tui potestate] praecepto tuae potestatis *B* | receptis] revocatis *B*

---

918   5 Biburg 303.
     7 G 2884; Ph 1902; cf. D 1393; F 2367; Conc. 1253.
     8 DE CLERCQ, S. 105.
     9 PRG 143,22 (II, S. 261: Ad cor).
     10 Cf. G. MANZ, Ein St. Galler Sakramentar-Fragment (Cod. Sangall. 350), S. 233.
     13 F 2356.

omni sanitate recepta gratiarum tibi in aecclesia tua referat actionem. Per.

14 Omnipotens sempiterne deus miserere supplici famulo tuo et da quaesumus, ne plus ei noceat conscientiae reatus ad poenam, quam indulgentia tuae pietatis ad veniam. Per.

15 ITEM BENEDICTIO SUPER INFIRMOS VEL ETIAM SANOS. (378r) Sanet te deus pater omnipotens, sanet te Christus filius dei vivi altissimi, sanet te spiritus sanctus, sanent te angeli et archangeli, sanent te patriarchae et prophetę, sanent te apostoli et martires, sanent te confessores et virgines, sanent te omnes sancti dei ab omni dolore, ab omni tribulatione, ab omni infirmitate, ab omni languore, ab omni offensione, ab omni plaga. Nomen dei patris et filii et spiritus sancti sit benedictum in te. Nomen Iesu Christi atque omnium sanctorum sit signatum super te.

16 ALIA. Benedicat te deus pater, qui in principio verbo cuncta creavit. Benedicat te filius, qui a paterna sede pro te salvando descendit. Benedicat te spriritus sanctus, qui in specie columbae in Iordane fluvio in Christo requievit. Ipse te in trinitate et unitate sanctificet, quem omnes gentes venturum expectant iudicem viventem et regnantem.

17 ALIA. Benedicat te ds pater sanet ... perducat. Qui vivit. D 3995

18 ALIA. Dne sce pater omps aeterne ds qui ... reparetur.   D 1391

19 ITEM ALIA. Omps sempit. ds salus aeterna ... actionem.   D 1392

20 ALIA. Omnipotens et misericors deus qui subvenis in periculis laborantibus, qui temperas flagella, dum verberas, te domine supplices deprecamur, (378v) ut visitatione tua sancta erigas famulum tuum de lecto infirmitatis atque emundare digneris et sanum repres entes aecclesiae tuae sanctae ad laudem et gloriam nominis tui. Per dominum.

---

918   18 pietatis tuae] tuae pietatis *B* | et ... vegetentur] vegetentur et membra *B* ‖ 19 pro ... quibus] pro famulo tuo pro quo *B* | referant] referat *B*

---

918   14 Biburg 289.
       15 Biburg 304.
       16 Cf. PRG 139,35 (II, S. 255); F 2452; Biburg 305; cf. D 3997.
       17 PRG 139,33 (II, S. 254); F 2412; Biburg 306.
       20 F 2352; cf. D 2768.

919 MISSA GENERALIS

1 Suscipe clementissime pater omnipotens aeterne deus supplicationes et preces, quas tibi ego peccator et indignus offerre praesumo in honore domini nostri Iesu Christi et in commemoracione beate Marie semper virginis et omnium angelicarum virtutum, patriarcharum, prophetarum, apostolorum, martirum, confessorum, virginum tuarum pro pace et sanitate populorum tuorum et fructibus terre et stabilitate ecclesie et ordine sanctorum et incolomitate regum et episcoporum atque abbatum, canonicorum, monachorum ac pro tota congregatione sancte Marie ac familia eius et pro me misero famulo tuo et pro omnibus viventibus famulis et famulabus tuis atque defunctis fidelibus tuis et qui nobis domine propter nomen tuum bona fecerunt et michi in tuo nomine peccata sua confessi sunt et concede propicius, ut intercedentibus omnibus sanctis tuis ante conspectum divine maiestatis tue misericordiam consequantur. Per.

2 SECR. Oblaciones nostras quaesumus domine propicius intende quas tibi offerimus in honorem domini nostri Iesu Christi et in commemoracionem beate Marie semper virginis et beatorum spirituum, patriarcharum, prophetarum, apostolorum, martirum, confessorum ac virginum, pro pace et sanitate populorum tuorum et fructibus terre et stabilitate ecclesie et ordine sanctorum et incolomitate regum et episcoporum, abbatum, clericorum, monachorum et pro delictorum nostrorum absolutione et incolomitate fam(379r)⟨ulorum famul⟩arumque tuarum, quorum commemoracionem agimus et pro animabus omnium fidelium defunctorum catholicorum orthodoxorum, quorum numerum tu domine solus agnoscis, concede, ut per sacrificium huius oblacionis ad refigerium animarum suarum perveniant. Per.

3 AD COMPL. Leti domine sacramenta celestia sumentes quaesumus, ut hec eadem intercedente pro nobis beata Maria semper virgine cum omnibus sanctis tuis ad vitam nobis proficiant sempiternam. Per dominum.

4 ALIA. Deus consolacionis et pacis respice ad precem familie tue et concede, ut anime famulorum famularumque tuarum qui de suis rebus ęcclesias ditaverunt quique ab Adam usque in hodiernam diem de hac luce migraverunt quique ba⟨p⟩-tizati et confessi in fide catholica perseveraverunt et de quorum elemosinis sumus consolati, in sinibus Abrahe, Isaac et Iacob feliciter requiescant moxque et a morte suscitati tibi placeant in regno vivorum. Per dominum.

920 ⟨PRO EPISCOPO⟩

1 Deus omnium fidelium pastor et rector famulum tuum episcopum nostrum N., quem ecclesie tue praeesse voluisti, propicius respice, da ei quaesumus verbo et exemplo, quibus praeest, proficere et ad vitam una cum grege sibi credito perveniat sempiternam. Per.

---

919 1 Cf. D 3116.
2 Cf. D 3117.
3 Cf. D 3120.
4 Cf. D 3121.

920 1 Cf. D 1992; cf. F 2868; → 924.

2 SECR. Oblatis quaesumus domine placare muneribus et famulum tuum episcopum nostrum, quem pastorem populo tuo esse voluisti, assidua protectione guberna. Per dominum.

3 ⟨AD COMPL. H⟩ec nos quaesumus domine divini sacramenti perceptio protegat et famulum tuum episcopum nostrum, quem pastorem ecclesie tue esse voluisti, una cum grege commisso salvet semper et muniat. Per dominum.

921   ⟨MISSA PRO PECCATIS (?)⟩

1 (379v) Deus universitatis domine Iesu Christe pat⟨ ... ⟩ qui Manassen de omni captivitatis miseria eripuisti qui etiam pendens in cruce pro salute mundi latroni iuxta te pendenti ac maiestatem tuam ⟨ ... ⟩ regni celestis aditum reserasti, concede famulo tuo N. veniam delictorum suorum omnibusque inimicis suis visibilibus et invisibilibus ei nocere cupientibus potentia tuę maiestatis potenter resiste illumque propter peccata sua non deseras, sed a cunctis iniquitatibus eius et peccatis clementer expurga et intercessione omnium sanctorum tuorum ad vitam perducas aeternam. Per dominum.

2 SECR.

922   MISSA COTTIDIANA DE OMNIBUS SANCTIS

1 Concede qs omps ds ut intercessio scę dei genitricis ... sentiamus.	D 1243
2 SECR. Oblatis qs dne placare muneribus ... periculis	D 1244
3 AD COMPL. Sumpsimus dne omnium sanctorum ... consequamur.	D 1245

923   ALIA ⟨MISSA⟩

1 Concede qs omps ds ut sca dei genitrix Maria ... lętemur.	D 1870
2 SECR. Munera tuę misericors ds maiestati ... recondite.	D 1871
3 AD COMPL Divina libantes mysteria ... praesentia.	D 1872

---

922   1 nos *om.B* | omnium] spirituum patriarcharum prophetarum *add.B* | et confessorum] confessorum virginum *B* | tuorum] nos *add.B* ‖ 2 Oblatis] qs *add.B* ‖ 3 dne] omnium add.*B*

923   1 genetrix] Maria *add.B* | tua] iugiter *add.B* ‖ 2 qs *om.B* | reconduntur] sunt reconditę *B* ‖ 3 nos (2) *om.B* | patrocinia] praesentia *B*

---

920   2 Cf. D 1993; cf. F 2869.
       3 Cf. D 1994; cf. F 2870.

922   1 F 1914.
       2 F 1915.
       3 F 1917.

923   1–3 D 1870–1876: Missa in qualibet ecclesia pro veneratione sanctorum quorum reliquiae ibi sunt.

924 MISSA PRO PASTORIBUS

1 Deus omnium fidelium pastor et rector, famulos tuos, quos pastores ęcclesię tuę esse voluisti, propitius respice, da eis quaesumus verbo et exemplo, quibus praesunt, proficere, ut ad vitam una cum grege sibi credito perveniant sempiternam. Per.
2 SECR. Oblatis quaesumus domine placare muneribus et famulos tuos, quos pastores ęcclesię tuę esse voluisti, assidua protectione guberna. Per.
3 AD COMPL Hec nos quaesumus domine divini sacramenti perceptio protegat et famulos tuós, quos pastores ęcclesię tuę esse voluisti, una cum commisso grege salvet semper et muniat. Per.

925 MISSA PRO EPISCOPO

Omnipotens sempiterne deus qui facis mirabilia magna solus, praetende super famulum tuum antistitem nostrum et super cunctos illi commissos spiritum gratie salutaris, et ut in veritate tibi complaceant, perpetuum eis rorem tuę benedictionis infunde. Per.
2 SECR. Hostias domine famuli tui episcopi et cunctorum sibi commissorum placatus intende et quas in honorem nominis tui devota mente pro eis celebramus, proficere sibi sentiant ad medelam. Per.
3 AD COMPL. Famulum tuum antistitem nostrum et omnes sibi commissos per hec celestia munera perpetuo domine comitare praesidio eosque fovere non desiniens dignos fieri sempiterna redemptione concede. Per.

926 (380r) MISSA ⟨TEMPORE BELLI (?)⟩

1 Protege me domine mysteriis tuis servientem, ut divinis rebus et corpore famuler et mente et temptationem illam, quam super me praevalere cognosco, per auxilium gratię tuę sentiam cessare. Per.
2 ALIA. Ds qui licet sis magnus in magnis ... accusat.   cf. D 823
3 SECR. Sacrificium quod immolo domine intende, ut ab omni me temptatione exuat bellorum et nequitia atque in tuę protectionis securitate constituat. Per.

---

924 → B 920.

925 1 Cf. D 1308; cf. F 2148.
     2 Cf. D 1309; cf. F 2149.
     3 Cf. F 2151.

926 1 Cf. D 1358 (= 2652) (Secreta e missa contra iudices male agentes).
     2 Cf. D 823 (Orationes in nat. papae); cf. F 2183 (Alia missa sacerdotis Propria).
     3 Cf. D 1333 (Missa in tempore belli); cf. F 1949 (Orationes in tempore belli. Ad missam).

4 AD COMPL Protector noster aspice deus et ab hostium temptationis diabolicę me defende periculis, ut omni perturbatione submota libera tibi mente deserviam. Per.

5 ALIA. Ds qui sperantibus in te misereri ... merear.   cf. D 284

927   MISSA PRO PACE

1 Ds a quo sancta desideria recta consilia ... tranquilla.   D 1343
2 SECR. Ds qui credentes in te populos ... securos.   D 1344
3 AD COMPL. Ds auctor pacis et amator caritatis ... timeamus.   D 1345

928   MISSA DE QUACUMQUE TRIBULATIONE

1 Ds sub cuius oculis omne cor trepidat ... venia   D 2520
2 SECR. Tuere nos domine divinis propitius ... effectum.   D 2518
3 AD COMPL Tua sancta nobis omps ds ... impendant.   D 1213

929   MISSA PRO SALUTE VIVORUM

1 Pretende domine fidelibus tuis, omnibus episcopis, presbyteris, abbatibus, canonicis, monachis sive regibus et gubernatoribus atque consanguineis nostris et his, qui se nostris commendaverunt orationibus et qui suas nobis largiti sunt elmosinas seu etiam cęteris fidelibus utriusque sexus dexteram cęlestis auxilii, ut te toto corde perquirant et quę digne postulant, consequi mereantur. Per.
2 SECR. Propitiare domine supplicationibus nostris et has oblationes famulorum tuorum, omnium episcoporum, presbyterorum, abbatum, canonicorum, monachorum, regum, genitorum seu parentum nostrorum necnon et eorum, qui se nostris commendaverunt orationibus et qui suas nobis largiti sunt elemosinas seu etiam cęterorum fideliùm utriusque sexus, quas tibi pro incolomitate eorum offerimus, benignus assume, et ut nullius sit irritum votum, nullius vacua postulatio, praesta quaesumus, ut quod fideliter petimus, efficaciter consequamur. Per.
3 AD COMPL Da famulis tuis quaesumus domine, omnibus episcopis, presbyteris, abbatibus, canonicis, monachis sive regibus et gubernatoribus atque consanguineis nostris et his, qui se nostris commendaverunt orationibus et suas nobis largiti sunt

---

926   5 nobis] mihi *B* | digne] digna *B* | fecimus] feci *B* | mereamur] merear *B*
927   2 pax] pace *B* ||3 amator] caritatis *add.B*

---

926   4 Cf. D 2541 (Ad Compl. e missa in tempore belli); cf. F 1947 (id.).
      5 → B 311,5.

928   2 Cf. D 2518.

929   1 Cf. D 887. 1300.
      2 Cf. D 1301.
      3 Cf. D 1303.

elemosinas seu etiam cęteris fidelibus utriusque sexus, in tua fide et sinceritate constantiam, ut in caritate divina firmáti nullis temptationibus ab eius integritate vellantur. Per.

930 ⟨PRO COMPUNCTIONE CORDIS (?)⟩

(380v) Da mihi domine compunctionem cordis et lacrimas oculis meis, ut defleam diebus ac noctibus omnes dies neglegentię meę cum humilitate et puritate cordis et caritate. Appropiet oratio mea in conspectu tuo domine. Si iratus fueris domine adversum me, quem adiutorem queram aut quis miserebitur infirmitatibus meis? Memento domine qui Chananeam et publicanum vocasti ad pęnitentiam et Petrum lacrimantem suscepisti, sic et meas suscipe preces misericors deus et salva me salvator mundi, qui vivis et regnas deus in saecula saeculorum. Amen.

931 BENEDICTIO CASEI

Dignare domine omnipotens benedicere et sanctificare hanc creaturam casei, quem ex adipe animalium producere dignatus es, ut quicumque ex populis tuis fidelibus inde comederint, omni benedictione cęlesti et gratię tuę saturitate repleantur in bonis. Per.

932 BENEDICTIO CARNIS

Deus universę conditor carnis, ... bonis.   D 4343

933 MISSA PRO TRIBULATIONE

1 Deus qui contritorum non despicis gemitum et merentium non spernis affectum, adesto precibus nostris, quas tibi pro tribulatione nostra effundimus easque clementer suscipere dignare, ut quicquid contra nos diabolicę vel humanę moliuntur adversitates, ad nichilum redigatur et consilio tuę pietatis allidatur, ut nullis insectationibus lesi, sed de omni tribulatione et angustia erepti lęti in ęcclesia tua sancta tibi domino deo gratias referamus. Per.

---

930 appropiet] appropriet *B*
932 universae] conditor *add.B* | mundarum *om.B* | gratiae tuae saturitate] et gratia tua saturati *B*

---

931 PRG 99,397 (II, S. 111–112); Franz, Ben. I, S. 592; cf. Biburg 213.

932 PRG 99,409 (II, S. 116); Biburg 210.

933 1 Cf. D 2449; cf. F 2284.

2 SECR. Deus qui tribulatos corde sanas et mestificatos actu iustificas, ad hanc propitius hostiam dignanter adtende, quam tibi offerimus pro nostra liberatione, tu et hẹc accipe et nostra pro quibus offerimus, sana discrimina, tribulationis nostrẹ adtende miseriam et angustiarum nostrarum submove pressuram, ut exuti ab omnibus quẹ patimur malis, in tuis semper delectemur exultare delitiis. Per.

3 AD COMPL. Dimitte domine quaesumus peccata nostra et tribue nobis misericordiam tuam, quam oris nostri alloquio deprecamur, ut nostram humilitatem adtendas, vincula solvas, delicta deleas, tribulationem inspicias effectumque peticionis nostrẹ largiens supplices tuos clementer exaudias. Per.

---

933   2   Cf. D 2450; cf. F 2285.
         3   Cf. D 2451; cf. F 2286.

C. REGISTER

VERZEICHNIS DER FORMULARÜBERSCHRIFTEN

⟨GRADUALE⟩

⟨MARTYROLOGIUM⟩

⟨SACRAMENTARIUM⟩

MAIOREM
288 FERIA V AD S. LAURENTIUM
289 FERIA VI AD APOSTOLOS
290 SABBATO ⟨IN XII LECT.⟩ AD
     S. PETRUM
291 DIE DOMINICA VACAT
292 FERIA II AD S. CLEMENTEM
293 FERIA III AD S. BALBINAM
294 FERIA IIII AD S. CAECILIAM
295 FERIA V AD S. MARIAM
296 FERIA VI AD S. VITALEM
297 SABBATO AD SS. MARCELLINUM
     ET PETRUM
298 DIE DOMINICA ⟨III⟩ AD
     S. LAURENTIUM
299 FERIA II AD S. MARCUM
300 FERIA III AD S. PUDENTIANAM
301 FERIA IIII AD S. SYXTUM
302 FERIA V AD SS. COSMAM ET
     DAMIANUM
303 FERIA VI AD S. LAURENTIUM
304 SABBATO AD S. SUSANNAM
305 DOMINICA ⟨IIII⟩ IN MEDIO
     QUADRAGESIMAE AD IERUSALEM
306 FERIA II AD QUATTUOR
     CORONATOS
307 FERIA III AD S. LAURENTIUM
308 FERIA IIII AD S. PAULUM
309 FERIA V AD S. SILVESTRUM
310 FERIA VI AD S. EUSEBIUM
311 SABBATO AD S. LAURENTIUM
312 DIE DOMINICA ⟨DE PASSIONE⟩
     AD S. PETRUM
313 FERIA II AD S. CHRISOGONUM
314 FERIA III AD S. CYRIACUM
315 FERIA IIII AD S. MARCELLUM
316 FERIA V AD S. APPOLINAREM
317 FERIA VI AD S. STEPHANUM
318 SABBATO AD S. PETRUM
319 DIE DOMINICA IN PALMIS AD
     S. IOHANNEM IN LATERANIS
320 FERIA II AD S. PRAXEDEM
321 FERIA III AD S. PRISCAM
322 FERIA IIII AD S. MARIAM
     MAIOREM
323 FERIA V IN CENA DOMINI
324 FERIA VI IN PARASCEVE

325 ORATIONES MAIORES QUE
     DICUNTUR
326 ORATIONES IN SABBATO SANCTO
     PASCHAE
327 IN SABATO SANCTO PASCHAE
328 MISSA PRO FURTU
329 +⟨DEDICATIO ECCLESIAE IN
     CONVERSIONE S. PAULI AD
     PROCESSIONEM⟩
330 +⟨MEMORIA DOMINI NOSTRI
     IESU CHRISTI ET SANCTORUM
     DEFUNCTORUMQUE⟩
331 +OFFICIUM DE OTHMARO
332 +⟨IN VIGILIA S. PAULI⟩
333 DIE DOMINICO SANCTO PASCHAE
334 FERIA II AD S. PETRUM
335 FERIA III AD S. PAULUM
336 FERIA IIII AD S. LAURENTIUM
337 FERIA V AD APOSTOLOS
338 FERIA V (= VI)
339 SABBATO AD S. IOHANNEM IN
     LATERANIS
340 DOMINICA OCT. PASCHAE
341 ALIAE ORATIONES ⟨PASCHALES⟩
342 IN NAT. S. LEONIS CONF.
343 IN NAT. S. EUFEMIAE VIRG.
344 XVIII KL. MAI. NAT. SS. TIBURTII,
     VALERIANI ET MAXIMI
345 VIIII KL. MAI. NAT. S. GEORGII
     MART.
346 IN LETANIA MAIORE
347 AD MISSAM
348 IN VIGILIA ASCENSIONIS DOMINI
349 IN DIE ASCENSIONIS DOMINI
350 +⟨DOMINICA POST ASCENSIONEM
     DOMINI⟩
351 IN NAT. S. VITALIS
352 KL. MAI. NAT. AP. PHILIPPI ET
     IACOBI
353 V NON. MAI. NAT. SS.
     ALEXANDRI, EVENTII ET
     THEODOLI
354 V NON. MAI. INVENTIO S. CRUCIS
355 II NON. MAI. IOHANNIS AP.
     ANTE PORTAM LATINAM
356 VI ID. MAI. NAT. SS. GORDIANI
     ET EPIMACHI

357   IIII ID. MAI. NAT. S. PANCRATII

358   III ID. MAI. S.MARIAE AD
       MARTYRES

359   VIII KL. IUN. NAT. S. URBANI

360   ORATIONES IN SABBATO SANCTO
       PENTECOSTEN

361   ALIAE ORATIONES

362   SABBATO SANCTO PENTECOSTEN
       AD MISSAM

363   DIE DOMINICO SANCTO
       PENTECOSTEN

364   FERIA II

365   FERIA III

366   FERIA IIII

367   FERIA VI

368   SABBATO IN XII LECTIONIBUS
       ⟨MENSIS QUARTI⟩

369   AD MISSAM

370   DIE DOMINICA VACAT

371   KL. IUN. NAT. S. NICOMEDIS
       MART.

372   IIII NON. IUN. NAT.
       SS. MARCELLINI ET PETRI

373   XIIII KL. IUL. NAT. SS. MARCI
       ET MARCELLIANI

374   XIII KL. IUL. NAT. SS. PROTASII
       ET GERVASII

375   VIIII KL. IUL. VIGILIA
       S. IOHANNIS BAPTISTAE

376   VIII KL. IUL. NAT. EIUSDEM

377   AD MISSAM

378   ⟨ALIAE ORATIONES⟩

379   VI KL. IUL. NAT. SS. IOHANNIS
       ET PAULI

380   IIII KL. IUL NAT. S. LEONIS PAPAE

381   IIII KL. IUL. VIGILIA AP. PETRI
       ET PAULI

382   III KL. IUL. NAT. APOSTOLORUM
       PETRI ET PAULI

383   ALIAE ORATIONES

384   II KL. FESTIVITAS S. PAULI

385   VI NON. IUL. NAT. SS. PROCESSI
       ET MARTINIANI

386   II NON. IUL. OCT. APOSTOLORUM

387   VI ID. IUL. NAT. SEPTEM
       FRATRUM

388   ITEM EODEM DIE

       ⟨NAT. MACHABAEORUM⟩

389   V ID. IUL. NAT. S. BENEDICTI

390   IDUS IUL. NAT. S. MARGARETAE
       VIRG.

391   +⟨XI KL. AUG.⟩ IN NAT.
       S. MARIAE MAGDALENAE

392   VIII KL. AUG. NAT. S. IACOBI AP.

393   +⟨NAT. S. CHRISTOPHORI⟩

394   IIII KL. AUG. NAT. S. FELICIS

395   +⟨IV KL. AUG. NAT. SS. SIMPLICII,
       FAUSTINI ET BEATRICIS⟩

396   III KL. AUG. NAT. SS. ABDON
       ET SENNES

397   KL. AUG. VINCULA S. PETRI

398   IIII NON. AUG. NAT. S. STEPHANI

399   III NON. AUG. INVENTIO
       CORPORIS S. STEPHANI ET
       ALIORUM

400   VIII ID. AUG. NAT. SYXTI,
       FELICISSIMI ET AGAPITI

401   VII ID. AUG. NAT. S. DONATI
       MART.

402   VI ID. AUG. NAT. S. CYRIACI
       MART.

403   V ID. AUG. VIGILIA S. LAURENTII

404   IIII ID. NAT. S.LAURENTII AD
       PRIMAM MISSAM

405   EODEM DIE AD MISSAM

406   III ID. AUG. NAT. S. TIBURTII

407   ID. AUG. NAT. S. HIPOLITI

408   XVIIII KL. SEPT. VIGILIA
       S. MARIAE ET NAT. S. EUSEBII
       CONF.

409   XVIII KL. SEPT. ASSUMPTIO S.
       MARIAE

410   AD MISSAM

411   XVII KL. SEPT. NAT. S. ARNOLFI
       CONF.

412   ⟨XVI KL. SEPT.⟩
       IN OCT. S. LAURENTII

413   XV KL. SEPT. NAT. S. AGAPITI
       MART.

414   ⟨EODEM DIE⟩
       IN NAT. S. HELENAE VIRG.

415   ⟨XIIII KL. SEPT.⟩
       IN NAT. S. MAGNI MART.

416   XI KL. SEPT. NAT. SS. TIMOTHEI

475 IN VIGILIA SANCTARUM
     VIRGINUM
476 IN NATALE VIRGINUM
477 +⟨NAT. S. FIDIS⟩
478 IN DEDICATIONE ECCLESIAE
479 DOMINICA I POST OCT. PASCHAE
480 DOMINICA II
481 DOMINICA III
482 DOMINICA IIII POST OCT.
     ⟨PASCHAE⟩
483 +DOMINICA POST ASCENSIONEM
484 DOMINICA I POST OCT.
     PENTECOSTEN
485 DOMINICA II
     POST OCT. PENTECOSTEN
486 DOMINICA III
     POST OCT. PENTECOSTEN
487 DOMINICA IIII
     POST OCT. PENTECOSTEN
488 DOMINICA V
     POST OCT. PENTECOSTEN
489 DOMINICA VI
     POST OCT. PENTECOSTEN
490 DOMINICA VII
     POST OCT. PENTECOSTEN
491 DOMINICA VIII
     POST OCT. PENTECOSTEN
492 DOMINICA VIIII
     POST OCT. PENTECOSTEN
493 DOMINICA X
     POST OCT. PENTECOSTEN
494 DOMINICA XI
     POST OCT. PENTECOSTEN
495 DOMINICA XII
     POST OCT. PENTECOSTEN
496 DOMINICA XIII
     POST OCT. PENTECOSTEN
497 DOMINICA XIIII
     POST OCT. PENTECOSTEN
498 DOMINICA XV
     POST OCT. PENTECOSTEN
499 DOMINICA XVI
     POST OCT. PENTECOSTEN
500 +FERIA IIII MENSIS VII
501 DOMINICA XVI (= XVII)
     POST OCT. PENTECOSTEN
502 DOMINICA XVII (= XVIII)

POST OCT. PENTECOSTEN
503 DOMINICA XVIII (= XVIIII)
     POST OCT. PENTECOSTEN
504 DOMINICA XVIIII (= XX)
     POST OCT. PENTECOSTEN
505 DOMINICA XX (= XXI)
     POST OCT. PENTECOSTEN
506 DOMINICA XXI (= XXII)
     POST OCT. PENTECOSTEN
507 DOMINICA XXII (= XXIII)
     POST OCT. PENTECOSTEN
508 DOMINICA XXIII (= XXIIII)
509 DOMINICA V ANTE NAT. DOMINI
510 DOMINICA IIII ANTE NAT. DOMINI
511 DOMINICA III ANTE NAT. DOMINI
512 FERIA IIII AD S. MARIAM
513 FERIA VI AD APOSTOLOS
514 SABBATO IN XII LECTIONIBUS
     AD S. PETRUM
515 AD MISSAM
516 DOMINICA I ANTE NAT. DOMINI
517 ALIAE ORATIONES ⟨DE ADVENTU⟩
518 DOMINICA DE SANCTA TRINITATE
519 FERIA II DE SAPIENTIA
520 FERIA III DE DONO SANCTI
     SPIRITUS POSTULANDO
521 FERIA IIII AD ANGELICA
     SUFFRAGIA POSTULANDA
522 FERIA V ⟨DE CARITATE⟩
523 FERIA VI DE SANCTA CRUCE
524 SABBATO DE S. MARIA
525 MISSA COTTIDIANA DE OMNIBUS
     ⟨SANCTIS⟩
526 MISSA PRO SALUTE VIVORUM
527 MISSA PRO AMICIS VIVENTIBUS
528 MISSA PRO ELEMOSYNARIIS
529 MISSA COMMUNIS
530 MISSA UNIVERSALIS
531 MISSA COMMUNIS
532 MISSA PRO CONGREGATIONE
533 MISSA SPECIALIS PRO
     CONGREGATIONE
534 MISSA PRO SUSCEPTIS IN
     CONFESSIONEM
535 CONTRA TEMPTATIONES ET
     COGITATIONES IMPIAS CARNIS
536 MISSA SACERDOTIS PROPRIA

537	ALIA MISSA
538	MISSA SACERDOTIS
539	ITEM ALIA
540	MISSA VOTIVA
541	MISSA CONTRA TEMPTATIONES ET COGITATIONES IMPIAS CARNIS
542	MISSA PRO INFIRMIS
543	MISSA PRO ITER AGENTE
544	CONTRA TEMTATIONES CARNIS
545	MISSA PRO PACE
546	MISSA PRO PECCATIS
547	ITEM MISSA PRO PECCATIS
548	MISSA AD POSTULANDAM HUMILITATEM
549	MISSA PRO CARITATE
550	MISSA PRO PECCATIS
551	⟨ORATIONES TEMPORE QUOD ABSIT MORTALITAS⟩
552	MISSA AD POSTULANDAM PLUVIAM
553	MISSA PRO SERENITATE
554	MISSA PRO PESTE ANIMALIUM
555	IN TEMPORE BELLI
556	CONTRA PAGANOS
557	MISSA PRO REGE
558	ITEM ALIA
559	MISSA PRO FEBRICITANTIBUS
560	+⟨MISSA PRO PATRE ET MATRE⟩
561	BENEDICTIONES SUPER INFIRMUM
562	MISSA IN AGENDA MORTUORUM
563	ITEM MISSA PRO DEFUNCTIS
564	ITEM ALIA
565	ITEM MISSA PRO DEFUNCTIS
566	+⟨ITEM ALIA⟩
567	PRO DEFUNCTIS FRATRIBUS
568	MISSA IN DIE DEPOSITIONIS DEFUNCTI
569	IN DIE III VEL VII VEL XXX
570	MISSA IN ANNIVERSARIO
571	MISSA IN CYMETERIO
572	MISSA PRO UNO DEFUNCTO
573	MISSA PRO FEMINA DEFUNCTA
574	MISSA PRO EPISCOPO DEFUNCTO
575	MISSA PRO SACERDOTE DEFUNCTO
576	+MISSA PRO INIMICIS VEL ANGUSTIIS
577	+IN OCT. DOMINI
578	+IN VIGILIA TEOPHANIAE

⟨LECTIONARIUM⟩

579	⟨IN VIGILIA NAT. DOMINI⟩
580	IN NOCTE NAT. DOMINI
581	IN PRIMO MANE
582	IN DIE NAT. DOMINI
583	IN NAT. S. STEPHANI PROTOMART.
584	IN NAT. S. IOHANNIS EV.
585	IN NAT. INNOCENTUM
586	IN NAT. S. SILVESTRI
587	IN OCT. DOMINI
588	DOMINICA I POST NAT. DOMINI
589	IN VIGILIA EPIPHANIAE
590	IN THEOPHANIA
591	DOMINICA I POST THEOPHANIAM
591A	⟨FERIA IIII⟩
592	IN OCT. THEOPHANIAE
593	DOMINICA II POST THEOPHANIAM
594	FERIA IIII
595	DOMINICA III POST THEOPHANIAM
596	FERIA IIII
597	FERIA VI
598	DOMINICA IIII ⟨POST THEOPHANIAM⟩
599	FERIA IIII
600	IN PURIFICATIONE S. MARIAE
601	DOMINICA V POST THEOPHANIAM
602	FERIA IIII
603	DOMINICA IN SEPTUAGESIMA
604	FERIA IIII
605	FERIA VI
606	DOMINICA IN SEXAGESIMA
607	FERIA IIII
608	DOMINICA IN QUINQUAGESIMA
609	FERIA IIII ⟨IN CAPITE IEIUNII⟩
610	FERIA V

697	FERIA VI
698	DOMINICA III
	POST PENTECOSTEN
699	INCIPIUNT LECTIONES MENSIS
	IIII FERIA IIII
700	+FERIA IIII IN EBD. MENSIS IIII
701	FERIA VI
702	+FERIA VI IUN.
703	SABBATO IN XII LECTIONIBUS
704	+⟨SABBATO IN XII LECTIONIBUS⟩
705	DOMINICA IIII POST PENCOSTEN
706	FERIA IIII
707	FERIA VI
708	DOMINICA V POST PENTECOSTEN
709	FERIA IIII
710	FERIA VI
711	IN VIGILIA S. IOHANNIS BAPT.
712	IN NAT. S. IOHANNIS BAPT.
713	IN NAT. EIUSDEM AD PRIOREM
	MISSAM
714	DOMINICA VI POST PENTECOSTEN
715	FERIA IIII
716	FERIA VI
717	IN VIGILIA APOSTOLORUM
718	IN NAT. S. PETRI
719	IN FESTIVITATE S. PAULI
720	DOMINICA VII POST PENTECOSTEN
721	FERIA IIII
722	FERIA VI
723	OCT. APOSTOLORUM
724	DOMINICA VIII
	⟨POST PENTECOSTEN⟩
725	FERIA IIII
726	FERIA VI
727	DOMINICA VIIII
	⟨POST PENTECOSTEN⟩
728	FERIA IIII
729	FERIA VI
730	DOMINICA X
	⟨POST PENTECOSTEN⟩
731	FERIA IIII
732	FERIA VI
733	DOMINICA XI
	⟨POST PENTECOSTEN⟩
734	FERIA IIII
735	FERIA VI
736	IN NAT. S. IACOBI FRATRIS
	IOHANNIS
737	IN NAT. SANCTORUM SEPTEM
	FRATRUM ⟨MACHABAEORUM⟩
738	DOMINICA XII POST PENTECOSTEN
739	FERIA IIII
740	FERIA VI
741	IN VIGILIA S. LAURENTII
742	IN NAT. S. LAURENTII
743	IN VIGILIA ASSUMPTIONIS
	S. MARIAE
744	IN ASSUMPTIONE S. MARIAE
745	DOMINICA XIII
	POST PENTECOSTEN
746	FERIA IIII
747	FERIA VI
748	IN NAT. S. BARTHOLOMAEI AP.
749	IN DECOLLATIONE S. IOHANNIS
750	DOMINICA XIIII
	POST PENTECOSTEN
751	FERIA IIII
752	FERIA VI
753	DOMINICA XV
	POST PENTECOSTEN
754	FERIA IIII
755	FERIA VI
756	IN NATIVITATE S. MARIAE
757	DOMINICA XVI
	POST PENTECOSTEN
758	FERIA IIII
759	FERIA VI
760	DOMINICA XVII
	⟨POST PENTECOSTEN⟩
761	FERIA IIII
762	FERIA VI
763	IN EXALTATIONE S. CRUCIS
764	DOMINICA XVIII
	POST PENTECOSTEN
765	IN NAT. S. MATHAEI AP.
766	FERIA IIII MENSIS QUARTI
	(= SEPTIMI)
767	FERIA VI
768	SABBATUM IN XII LECTIONIBUS
769	DOMINICA XVIIII
	⟨POST PENTECOSTEN⟩
770	FERIA IIII
771	FERIA VI
772	IN DEDICATIONE BASILICAE

	S. MICHAELIS	810	FERIA IIII
773	DOMINICA XX POST PENTECOSTEN	811	FERIA VI
774	FERIA IIII	812	DOMINICA II ANTE NAT. DOMINI
775	FERIA VI	813	FERIA IIII MENSIS DECIMI
776	DOMINICA XXI	814	+⟨DE S. MARIA⟩
	POST PENTECOSTEN	815	FERIA VI
777	FERIA IIII	816	SABBATUM XII LECT.
778	FERIA VI	817	DOMINICA PROXIMA NAT. DOMINI
779	DOMINICA XXII	818	IN VIGILIA APOSTOLORUM
	⟨POST PENTECOSTEN⟩	819	IN NAT. APOSTOLORUM
780	FERIA IIII	820	IN VIGILIA UNIUS SACERDOTIS
781	FERIA VI	821	IN NAT. SACERDOTUM
782	IN NAT. SS. SYMONIS ET IUDAE	822	IN VIGILIA UNIUS MARTYRIS
783	DOMINICA XXIII		SIVE CONFESSORIS
	⟨POST PENTECOSTEN⟩	823	IN NAT. UNIUS MARTYRIS SIVE
784	FERIA IIII		CONFESSORIS
785	FERIA VI	824	IN NAT. PLURIMORUM
786	IN VIGILIA OMNIUM SANCTORUM		SANCTORUM
787	IN FESTIVITATE OMNIUM	825	IN NAT. PLURIMORUM MARTYRUM
	SANCTORUM	826	IN NAT. VIRGINUM
788	DOMINICA XXIIII	827	IN DEDICATIONE ECCLESIAE
	⟨POST PENTECOSTEN⟩	828	IN ORDINATIONE DIACONI
789	FERIA IIII	829	IN ORDINATIONE PRESBITERORUM
790	FERIA VI	830	IN ORDINATIONE EPISCOPI
791	DOMINICA XXV	831	AD SPONSAM BENEDICENDAM
	⟨POST PENTECOSTEN⟩	832	⟨PRO TEMPORE BELLI⟩
792	FERIA IIII	833	IN STERILITATE PLUVIAE
793	FERIA VI	834	PRO UBERTATE PLUVIAE
794	DIE DOMINICA DE S. TRINITATE	835	IN CONVENTU IUDICUM
795	FERIA II ⟨DE SAPIENTIA⟩	836	CONTRA IUDICES MALE AGENTES
796	FERIA III DE DONO SANCTI	837	PRO ITER AGENTIBUS
	SPIRITUS POSTULANDO	838	ITEM QUANDO AD REGEM PERGIT
797	FERIA IIII AD ANGELICA	839	AD MISSAM VOTIVAM
	SUFFRAGIA POSTULANDA	840	PRO SALUTE VIVORUM
798	FERIA V DE CARITATE	841	PRO ELEMOSYNAS FACIENTIBUS
799	FERIA VI DE CRUCE	842	PRO SEMETIPSO
800	SABBATO DE SANCTA MARIA	843	PRO INFIRMO
801	IN VIGILIA S. ANDREAE AP.	844	IN VIGILIIS DEFUNCTORUM
802	IN NAT. S. ANDREAE AP.	845	FERIA VI POST ASCENSAM DOMINI
803	⟨DOMINICA V ANTE NAT.	846	IN NAT. S. IOHANNIS BAPT. AD
	DOMINI⟩		PRIOREM MISSAM
804	FERIA IIII	847	IN NAT. S. SILVESTRI
805	⟨FERIA VI⟩	848	IN NAT. S. FELICIS
806	DOMINICA IIII ANTE NAT. DOMINI	849	IN NAT. S. MARCELLI
807	FERIA IIII	850	IN NAT. S. PRISCAE
808	⟨FERIA VI⟩	851	IN NAT. S. SEBASTIANI
809	DOMINICA III ANTE NAT. DOMINI	852	IN NAT. S. AGNAE

853 IN NAT. S. VINCENTII
854 OCT. S. AGNAE
855 IN NAT. S. AGATHAE
856 IN NAT. UNIUS MART.
857 ⟨IN NAT.⟩ S. VALENTINI
858 IN NAT. S. GREGORII
859 IN ANNUNTIATIONE S. MARIAE
860 IN NAT. S. BENEDICTI
861 IN NAT. SS. TIBURTII, VALERIANI
    ET MAXIMI
862 IN NAT. S. GEORGII
863 IN NAT. S. VITALIS
864 IN VIGILIA AP. PHILIPPI ET
    IACOBI
865 ⟨IN NAT. AP. PHILIPPI ET
    IACOBI⟩
866 IN NAT. S. ALEXANDRI ET
    CETERORUM
867 DE INVENTIONE S. CRUCIS

868 IN NAT. SS. GORDIANI ET
    · EPIMACHI
869 IN NAT. SS. NEREI ET ACHILLEI
    ATQUE PANCRATII
870 IN NAT. S. URBANI
871 IN NAT. SS. MARCELLINI ET PETRI
872 IN NAT. SS. GERVASII ET PROTASII
873 ⟨IN NAT. SS.⟩ IOHANNIS ET
    PAULI
874 ⟨IN NAT. S.⟩ LEONIS PAPAE
875 ⟨IN NAT. SS.⟩ PROCESSI ET
    MARTINIANI
876 IN VIGILIA S. IACOBI APOSTOLI
877 +⟨DE S. MARIA VIRG.⟩
878 +AD KATHEDRAM S. PETRI AP.
879 +IN NAT. S. MATHIAE AP.
880 +⟨SEQUENTIA DE S. MARIA
    MAGDALENA⟩

⟨RITUALE⟩

881 INCIPIT MINOR BENEDICTIO
    AQUAE IN COTTIDIANIS ⟨ET⟩
    DOMINICIS DIEBUS
882 INCIPIT BENEDICTIO MAIOR
    AQUAE
883 BENEDICTIO SUPER ANIMALIA
884 BENEDICTIO DOMUS
885 ORATIO CONTRA FULGURA
886 BENEDICTIO FERRI AD
    PORTANDUM
887 BENEDICTIO AQUAE CALIDAE
888 IUDICIUM AQUAE FRIGIDAE
889 BENEDICTIO AD CLERICUM
    FACIENDUM
890 BENEDICTIO AD BARBAM
    TONDENDAM
891 BENEDICTIO AD ANCILLAS
    VELANDAS
892 BENEDICTIO VESTIUM VIRGINUM
    VEL VIDUARUM
893 BENEDICTIO AD ABBATEM VEL
    ABBATISSAM

894 AD TONDENDUM PUERULUM
895 BENEDICTIO CRUCIS
896 BENEDICTIO SALIS ET AQUAE
    CONTRA FULGURA ET TONITRUUM
897 ORATIO PRO TEMPESTATE
898 BENEDICTIO PANIS
899 BENEDICTIO VINI
900 BENEDICTIO UVAE VEL FAVAE
901 BENEDICTIO POMORUM
902 BENEDICTIO AD FRUGES NOVOS
903 BENEDICTIO SAPONIS
904 BENEDICTIO PUTEI NOVI
905 BENEDICTIO SUPER FONTEM
    UBI ALIQUA NEGLEGENTER
    CONTIGERIT
906 ORATIO SUPER VASA IN ANTIQUIS
    LOCIS REPERTA
907 ORATIO POST MANDATUM
908 BENEDICTIO AD OMNIA QUAE
    VOLUERIS
909 EXORCISMUS SUPER EUM QUI
    A DAEMONIO VEXATUR

SYNOPSE

Vorbemerkung

Die folgenden Tafeln geben auf dem Raster des Kalendars eine
synoptische Übersicht über die im Graduale (B 1–220), im Sakramentar (B 226–578) und im Lektionar (B 579–879) vorkommenden
Feste sowohl aus dem Temporale als auch aus dem Sanktorale[1];
das Rituale ist nur soweit berücksichtigt, als es Messtexte enthält
(+919 bis +929, +933). Neben dem kalendarischen Aufbau folgt die
Darstellung den Nummern in den oben erwähnten einzelnen liturgischen Teilen. Dabei ist folgendes zu beachten:

- Eingerückte Nummern ohne Titulus verweisen auf den nume-
  risch richtigen Platz;
- Nummern in einer Kolonne aus einem andern liturgischen Teil
  zeigen an, dass die Hauptstelle auch Texte aus dem bezeichneten
  Buch enthält.

---

[1] Ausnahmen sind die Nummern 216, +218, +219, +220, 226–233.

Dez.	Kalendar	Graduale	Sakramentar	Lektionar	Dez.
1		1 Dom. I Adventus	510	806	1
2					2
3	3				3
4	4				4
5					5
6	6				6
7	7	2 Dom. II ante nat.	511	809	7
8					8
9					9
10					10
11					11
12					12
13	13	3 Luciae	466	812	13
14		4 Dom. III			14
15					15
16					16
17	17				17
18					18
19					19
20		⟨Dom. IIII⟩	516	817	20
21	21				21
22		5 Feria IIII			22
23		6 Feria VI 7 Sabb. XII lect.	226–233 Ordo missae		23
24	24	8 Vig. nat. dni 9 In nocte 10 In luce	234 In vig. nat. dni 235 In nat. dni de nocte 236 In nat. dni mane primo +237 Benedictio sponsae 238 De s. Maria	In vig. nat. dni 579 In nocte nat. dni 580 In primo mane 581	24
25			239–240 Nat. dni ad s. Petrum		25
26	26	11 In die 12 Stephani 13 Vig. Iohannis	241 Stephani	In die nat. dni 582 Stephani 583	26
27	27	14 In die ⟨Iohannis⟩	242 Iohannis ev.	Iohannis 584	27
28	28	15 Innocentum	243–244 Innocentum	Innocentum 585	28
29					29
30					30
31	31	16 Silvestri	245 Silvestri	847 Silvestri 586	31

Jan.	Kalendar	Graduale	Sakramentar	Lektionar	Jan.
1	Oct. dni	17 Statio ad s.Mariam	246 +577 Oct. dni; 247 Eodem die oct. dni	587 +577 In oct. dni	1
2	Oct. Stephani			588 Dom. I post nat. dni	2
3	Oct. Iohannis	18 Dom. I post nat.dni			3
4	Oct. Innocentum		270		4
5			248 +578 Vig. Theophaniae	589 +578 In vig. Epiphaniae	5
6	Epiphania dni	19 In Theophania	249–250 Epiphania	590 In Theophania	6
7	Erhardi	20 Dom. II post nat.	271	591 Dom. I post Theoph.; 591A Feria IIII	7
8	Anastasii et Maximiani				8
9	Epictaci et Iocundi				9
10	Pauli primi heremite				10
11	Eductio Christi de Aegypto				11
12	Zotici et Quiriaci				12
13	Hilarii, Oct. Theophaniae		+251 Hilaris; 254	592 In oct. Theoph.	13
14	Felicis	21 Felicis in Pincis	252 Felicis	848	14
15		22 Dom. III post nat. dni	272	593 Dom. II post Theoph.	15
16	Rome Marcelli	23 Marcelli	253 Marcelli; 254 In oct. Theophaniae	594 Feria IIII; 849	16
17	Sulpici				17
18	Priscae	24 Priscae	255 Priscae	850	18
19	Marii et Marthe		256 Marii et Marthe		19
20	Fabiani et Sebastiani	25 Fabiani et Sebastiani	257 Fabiani, Sebastiani	851	20
21	Agnetis	26 Agnetis; 27 Dom. IIII post nat. dni	258 Agnetis	852	21
22	Vincentii et Anastasii	28 Vincenti	273; 259 Vincentii	595 Dom. III post Theoph.; 853	22
23	Emerentiane			596 Feria IIII	23
24	Timothei ap.			597 Feria VI	24
25	Conversio Pauli	+329			25
26	Policarpi		+260 In conversione Pauli		26
27	Iohannis Chrisostomi				27

Jan.	Kalendar	Graduale	Sakramentar	Lektionar	Jan.
28	Oct. Agnetis	29 Oct. Agnetis	+261 Oct. Agne 274	854	28
29	Valerii			598 Dom. IIII post Theoph.	29
30	Adelgundis			599 Feria IIII	30
31					31

Feb.	Kalendar	Graduale	Sakramentar	Lektionar	Feb.
1	Policarpi, Brigidae			In Purificatione s. Mariae	1
2	Purificatio s. Mariae	30 In Purificatione	262 Ypopante	600	2
3	Blasii			601 Dom. V post Theoph.	3
4			275	602 Feria IIII	4
5	Agathae	31 Agathae	263 Agathae	855	5
6	Vedasti				6
7					7
8					8
9					9
10	Scolasticae				10
11	Desiderii				11
12	Damiani				12
13					13
14	Valentini, Felicule, Vitalis, Zenonis	32 Valentini	264 Valentini	857	14
15	Faustini et Iovittae				15
16	Iuliane				16
17	Pimenii				17
18	Chrisanti				18
19	Publii				19
20	Gai				20
21					21
22	Cathedra Petri	33 Cathedra Petri	265 Cathedra Petri		22
23					23
24	Matthiae ap.		+266 Matthiae ap.	+879	24
25	Alexandri				25
26					26
27	Leandri				27
28					28

März	Kalendar	Graduale	Sakramentar	Lektionar	März
1	Donati, Albini				1
2	Lucii				2
3	Fortunati				3
4	Adriani cum sociis suis				4
5					5
6					6
7	Perpetuae et Felicitatis				7
8					8
9					9
10	In Bobbio Attalae				10
11	Heracli et Zosimi				11
12	Depositio Gregorii	34 Gregorii	267 Gregorii	858	12
13	Macedonii				13
14					14
15	Longini et Lucii				15
16	Ciriaci				16
17	Patricii				17
18					18
19	Theodori				19
20	Cuntperti				20
21	Benedicti	35 Benedicti	268 Depositio Benedicti	860	21
22					22
23					23
24					24
25	Annuntiatio, Crucifixio dei	36 In Annunciatione s.Mariae	269 Annuntiatio s. Mariae	859	25
26					26
27	Resurrectio dni				27
28					28
29	Nazanzeni				29
30					30
31					31
		21	270 Dom. I post nat. dni		
		20	271 Dom. II post nat. dni		
			272 Dom. II post Theoph.	593	
			273 Dom. III post Theoph.	595	
			274 Dom. IIII post Theoph.	598	
			275 Dom. V post Theoph.	601	
			276 Dom. VI post Theoph.		

Kalendar	Graduale	Sakramentar	Lektionar
	37 Dom. in Septuagesima	277 Dom. in Septuagesima	603 Dom. in Septuagesima
			604 Feria IIII
			605 Feria VI
	38 Dom. in Sexagesima	278 Dom. in Sexagesima	606 Dom. in Sexagesima
			607 Feria IIII
	39 Dom. in Quinquagesima	279 Dom. in Quinquagesima	608 Dom. in Quinquagesima
	40 Feria IIII in capite ieiun.	280 Feria IIII	609 Feria IIII
	41 Feria V	281 Feria V	610 Feria V
	42 Feria VI	282 Feria VI	611 Feria VI
		+283 Sabb.	612 Sabb.
	43 Dom. in Quadragesima	284 Dom. in Quadragesima	613 Dom. in Quadragesima
	44 Feria II	285 Feria II	614 Feria II
	45 Feria III	286 Feria III	615 Feria III
	46 Feria IIII	287 Feria IIII	616 Feria IIII
	47 Feria V	288 Feria V	617 Feria V
	48 Feria VI	289 Feria VI	618 Feria VI
	49 Sabb.in XII lect.	290 Sabb. in XII lect.	619 Sabb.in XII lect.
	+50 ⟨Dom. vacat⟩	291 Dom. vacat	620 Dom. II in Quadragesima
	51 Feria II	292 Feria II	621 Feria II
	52 Feria III	293 Feria III	622 Feria III
	53 Feria IIII	294 Feria IIII	623 Feria IIII
	54 Feria V	295 Feria V	624 Feria V
	55 Feria VI	296 Feria VI	625 Feria VI
	56 Feria VII	297 Sabb.	626 Sabb.
	57 Dom. III in Quadragesima	298 Die dom. III	627 Dom. III in Quadragesima
	58 Feria II	299 Feria II	628 Feria II
	59 Feria III	300 Feria III	629 Feria III
	60 Feria IIII	301 Feria IIII	630 Feria IIII
	61 Feria V	302 Feria V	631 Feria V
	62 Feria VI	303 Feria VI	632 Feria VI
	63 Sabb.	304 Sabb.	633 Sabb.
	64 Dom. IIII in Quadragesima	305 Dom. IIII in medio XL	634 Dom. IIII in Quadragesiama
	65 Feria II	306 Feria II	635 Feria II
	66 Feria III	307 Feria III	636 Feria III
	67 Feria IIII	308 Feria IIII	637 Feria IIII
	68 Feria V	309 Feria V	638 Feria V
	69 Feria VI	310 Feria VI	639 Feria VI
	70 Sabb.	311 Sabb.	640 Sabb.
	71 Dom. V in Quadragesima	312 Die dom. de Passione	641 Dom. in Passione dni
	72 Feria II	313 Feria II	642 Feria II
	73 Feria III	314 Feria III	643 Feria III
	74 Feria IIII	315 Feria IIII	644 Feria IIII
	75 Feria V	316 Feria V	645 Feria V
	76 Feria VI	317 Feria VI	646 Feria VI
		318 Sabb.	647 Sabb.

Kalendar	Graduale	Sakramentar	Lektionar
	77 –		
	78 Dom. in Palmis	319 Dom. in Palmis	648 Dom. in Palmis
	79 Feria II	320 Feria II	649 Feria II
	80 Feria III	321 Feria III	650 Feria III
	81 Feria IIII	322 Feria IIII	651 Feria IIII
	82 Feria V	323 Feria V	652 Feria V
	83 Feria VI	324 325 Feria VI in Parasceve	653 In Parasceve
	84 In Sabb. Sancto	326 327 In Sabb. Sancto	654 655 Sabb. Sancto
	+328	+328 Missa pro furtu	+328
		+329 +260	
		+330 229	
	+331	+331 De Othmaro	+331
	133	+332 384	719
	85 215 Dom. Paschae	333 Die dom. Pasche	656 Dom. Paschae
	86 Feria II	334 Feria II	657 Feria II
	87 Feria III	335 Feria III	658 Feria III
	88 Feria IIII	336 Feria IIII	659 Feria IIII
	89 Feria V	337 Feria V	660 Feria V
	90 Feria VI	338 Feria VI	661 Feria VI
	91 Sabb.	339 Sabb.	662 Sabb.
	92 Dom. oct. Paschae	340 Dom. oct. Paschae	663 Dom. oct. Paschae
			664 Feria III
			665 Feria VI
	93 Dom. I post oct. Paschae	479	666 Dom. I post oct. Paschae
			667 Feria IIII
			668 Feria VI
	94 Dom. II post oct. Paschae	480	669 Dom. II post oct. Pasche
			670 Feria IIII
			671 Feria VI
			672 Pascha annotina
	95 Dom. III post oct.Paschae	481	673 Dom. III post oct. Paschae
			674 Feria IIII
			675 Feria VI
	96 Dom. IIII post Albas	482	676 Dom. IIII post oct. Paschae

Apr.	Kalendar	Graduale		Sakramentar		Lektionar		Apr.
1								1
2	Nicetii							2
3								3
4	Mediolanis Ambrosii							4
5								5
6	Celestini							6
7								7
8	Macharii							8
9	Mariae Aegyptiacae							9
10	Apollonii, Ezechielis proph.							10
11	Hilarii, Leonis			324	Leonis			11
12	Carpi, Iulii							12
13	Eufemiae			343	Eufemiae			13
14	Tiburtii, Valeriani, Maximi	97	Tyburtii et Valeriani	344	Tiburtii, Valeriani et Maximi	861		14
15	Olimpiadis							15
16	Calisti							16
17	Petri diac.							17
18	Eleutherii ep.							18
19	Antonii							19
20	Senesii, Victoris							20
21	Sotheris, Maximi							21
22	Gai et XXVIIII							22
23	Georgii et Adalberti	98	Georgii	345	Georgii	862		23
24	Melliti							24
25	Marci ev.	99	212 In Letania maiore	346 347	In Letania maiore	677	In Letania maiore	25
26	Marcellini, Cleti, XXX							26
27								27
28	Vitalis	100	Vitalis	351		863		28
29	Cleti, Germani							29
30						864		30

Mai	Kalendar	Graduale	Sakramentar	Lektionar	Mai
1	Philippi, Iacobi, Waldpurgae, Sigismundi	101 Philippi et Iacobi	352	678 865 Philippi, Iacobi	1
2	Waltperti		354		2
3	Inventio s. crucis, Alexandri et soc.	102 Alexandri, Eventii et Theodoli	353	866	3
4					4
5	Ascensio dni, Nicetii				5
6	Iohannis ante Portam Latinam		355		6
7	Iuvenalis				7
8	Mediolanensis Victoris				8
9	Macharii				9
10	Romae Gordiani et Epimachi	103 Gordiani et Epimachi	356	868	10
11	Anthemi, Mammerti	104 Inventio crucis	354	867	11
12	Pancratii, Nerei et Achillei	105 Nerei, Achillei et Pancratii		869	12
13	Gangulfi, Servatii, Mariae ad martyres	106 In dedicatione templi	358		13
14	Pachomii, Victoris, Coronae	107 Vig. Ascensionis 108 In Ascensione dni	348 In vig. Ascensionis 349 In die Ascensionis	679 In vig. Ascensionis dni 680 In Ascensione dni 681 845 Feria VI 682 Dom. I post Ascensionem	14
		109 Dom. I post Ascensionem	+350 483 Dom.post Ascensam dni 351 Vitalis		
1. 5		101	352 Philippi, Iacobi	678 865 Philippi et Iacobi	
3. 5		102	353 Alexandri,Eventii,Theodoli	866	
3. 5		104	354 Inventio crucis	867	
6. 5			355 Iohannis ante Portam Lat.		
10. 5		103	356 Gorgiani et Epimachi	868	
12. 5		105	357 Panchratii	869	
13. 5		106	358 Mariae ad martyres		
15	Timothei			683 Feria IIII	15
16	Aquilini				16
17	Heraclii				17
18	Discori				18
19	Potentianae	110 Potentiane virg.			19
20	Valentis, Basillae				20
21	Thimothei diac., Valentis				21
22	Iulie				22
23	Desiderii				23
24	Donatiani et Effrem				24
25	Urbani	111 Urbani	359 Urbani	870	25

Mai	Kalendar	Graduale	Sakramentar	Lektionar	Mai
		112 In vig. Pentecosten	360 362 In sabb. Pent.	684 In vig. Pentecosten	
			–		
		113 In die Pentecosten	363 In dom. Pentecosten	685 In die Pentecosten	
		114 Feria II	364 Feria II	686 Feria II	
		115 Feria III	365 Feria III	687 Feria III	
		116 Feria IIII	366 Feria IIII	688 Feria IIII	
				689 Feria V	
		117 Feria VI	367 Feria VI	690 Feria VI	
		118 Sabb.	368–369 Sabb. in XII lect.	691 Sabb.	
		119 Feria IIII			
		120 Feria VI			
		121 Sabb.			
26	Augustini	184	370 Die dom. vacat	692 Dom. oct. Pent.	26
27	Iulii			693 Feria IIII	27
28	Germani, Iohannis pp.			694 Feria VI	28
29	Maximini	185	484	695 Dom. II post Pent.	29
30	Felicis pp. et XXVI			696 Feria IIII	30
31	Petronellae, Marcelli et Exsuperantii			697 Feria VI	31
Juni					**Juni**
1	Nicomedis		371 Nicomedis		1
2	Marcellini pr. et Petri exor.	122 Petri et Marcellini	372 Marcellini et Petri	871	2
3	Marcelli et CCCC, Erasmi				3
4	Cirini m.et CCCC				4
5	Bonifacii ep.	186	485	698 Dom. III post Pent.	5
6	Lucii m. et Saturnini ep.		+700	699 Feria IIII	6
				+700 Feria IIII iunii	
			+702	701 Feria VI	
				+702 Feria VI iunii	
			+704	703 Sabb. in XII lect.	
				+704 Sabb. in XII lect.	

Mai	Kalendar	Graduale	Sakramentar	Lektionar	Mai
7	Fortunatiani, Luciani m.				7
8	Medardi ep.				
9	Primi et Feliciani, Columbae	123 Primi et Feliciani			9
10	Rogati et aliorum XV				10
11	Barnabae ap.				11
12	Basilidis, Cirini, Naboris et Nazarii	124 Basilidis			12
		187	486	Dom. IIII post Pent. 705 / Feria IIII 706 / Feria VI 707	
13	Luciani et Fortunati				13
14	Valerii, Rufini				14
15	Victi, Modesti et Crescentiae				15
16	Aurei et Iustinae				16
17	Aviti				17
18	Marci et Marcelliani	125 Marci et Marcelliani 188	373 Marci et Marcelliani 487	Dom. V post Pent. 708 / Feria IIII 709 / Feria VI 710 / 872	18
19	Gervasii et Protasii	126 Protasii et Gervasii	374 Protasii, Gervasii		19
20	Vitalis, Pauli et Cyriaci				20
21	Albani				21
22	Paulini, Albini				22
23	Vig. Iohannis Bapt.	127 Vig. Iohannis Bapt.	375 Vig. Iohannis Bapt.	In vig. Iohannis Bapt. 711	23
24	Iohannis Bapt.	128 In prima missa (Iohannis) / 129 In die (Iohannis) 189	376–378 Iohannis 488	Iohannis Bapt. 712 / 846 In nat. prior missa 713 / Dom. VI post Pent. 714 / Feria IIII 715 / Feria VI 716	24
25	Sosipatris disc. Pauli				25
26	Iohannis et Pauli	130 Iohannis et Pauli	379 Iohannis et Pauli	873	26
27	Septem germanorum, Chrispini				27
28	Vig. Petri et Pauli, Leonis pp.		380 Leonis pp. / 381 Vig. ap. Petri et Pauli	874	28
29	Petri et Pauli	131 Vig. Petri / 132 Petri	382–383 Petri et Pauli	In vig. apostolorum Petri 717 / Petri 718	29
30	Pauli	133 Pauli 190	384 Festivitas Pauli 489	In festivitate Pauli 719 / Dom. VII post Pent. 720 / Feria IIII 721 / Feria VI 722	30

Juli	Kalendar	Graduale	Sakramentar	Lektionar	Juli
1	Gai ep., Aaron proph.				1
2	Processi et Martiani,Monegunde	134 Processi et Marciani	385 Processi et Martiani	875	2
3	Cirilli ep., Transl. Thomae ap.				3
4	Odalrici ep., Ord. Martini ep.				4
5					5
6	Oct. apostolorum, Goaris	136	386 Oct. apostolorum	723 Oct. apostolorum	6
7	Heraclii	191	490	724 Dom. VIII post Pent.; 725 Feria IIII; 726 Feria VI	7
8	Kiliani m. et sociorum eius				8
9	Anatholiae v.				9
10	Septem fratrum filiorum Felicitatis	135 Septem fratrum	387 Septem fratrum	723; 737	10
	6. 7.	136 Oct. apostolorum	386		
	1. 8.		388 Machabaeorum		
11	Transl. Benedicti abb.		389 Benedicti		11
12					12
13	Serapionis	192	491	727 Dom. VIIII post Pent.; 728 Feria IIII; 729 Feria VI	13
14	Iusti et Amati				14
15	Margarethae v.		390 Margaretae virg.		15
16	Marcelli conf.				16
17					17
18					18
19	Christianae v.	193	492	730 Dom. X post Pent.; 731 Feria IIII; 732 Feria VI	19
20	Luciani et Petri m.				20
21	Praxedis v., Arbogasti	137 Praxedis v.			21
22	Marie Magdalene		+391 Mariae Magdalenae	+391	22
23	Apollinaris	138 Apollinaris			23
24	Christine et Glodesinde	194	493	733 Dom. XI post Pent.; 734 Feria IIII; 735 Feria VI	24
25	Iacobi ap. et Christofori	139 Vig. Iacobi; +140 Iacobi ap.	392 Iacobi ap.; +393 Christophori	736 876 (Vig. Iacobi); +140 Iacobi	25
		135	388	737 Septem fratrum (Machabaeorum)	

Juli	Lektionar	Sakramentar	Graduale	Kalendar	Juli
26				Ioviani et Iuliani m.	26
27				Simeonis mon.	27
28				Pantaleonis m.	28
29		394 Felicis	141 Simplicii, Faustini	Felicis, Simplicii, Faustini et Beatricis	29
30		+395 Simplicii,Faustini,Beatricis 396 Abdon et Sennes	142 Abdon et Sennes	Abdon et Sennes	30
31	737 738 Dom. XII post Pent. 739 Feria IIII 740 Feria VI	494	195		31
Aug.					**Aug.**
1		397 Vincula Petri		Vincula Petri, Septem fratrum Machabaeorum	1
2		398 Stephani	143 Stephani pp.	Stephani pp.	2
3		399 Inventio corporis Stephani		Inventio corporis Stephani	3
4				Iustini	4
5				Oswaldi	5
6		400 Systi, Felicissimi, Agapiti	144 Xysti pp. 145 Felicissimi, Agapiti	Xysti ep.,Felicissimi, Agapiti	6
7		401 Donati		Afrae m., Donati ep.	7
8		402 Cyriaci	146 Cyriaci	Cyriaci, Secundi	8
9	741 Vig. Laurentii	403 Vig. Laurentii	147 Vig. Laurentii	Vig. Laurentii, Romani m.	9
10	742 Laurentii	404–405 Laurentii	148 In die (Laurentii)	Laurentii	10
11		406 Tyburtii	149 Tyburtii	Tiburtii m., Susanne v., Radegunde	11
12				Eupli diac.	12
13		407 Ypoliti	150 Ypoliti m.	Yppoliti, Concordie cum XVIII	13
14	743 In vig. Assumptionis s. Mariae	408 Vig. s. Mariae, Eusebii	151 Eusebii	Eusebii	14
15	744 In Assumptione s. Mariae 745 Dom. XIII post Pent. 746 Feria IIII 747 Feria VI	409–410 Assumptio s. Mariae 495	152 In Assumptione s. Mariae 196	Assumptio s. Mariae	15
16		411 Arnolfi conf.		Arnolfi conf.	16
17		412 In oct. Laurentii	153 Oct. Laurentii	Oct. Laurentii, Mammetis m.	17
18		413 Agapiti 414 Helenae	154 Agapiti	Agabiti m., Helenae	18

Aug.	Kalendar	Graduale	Sakramentar	Lektionar	Aug.
19	Bertolfi abb., Magni m.		415 Magni		19
20	Samuhelis proph.				20
21	Privati m.				21
22	Timothei et Simphoriani	155 Timothei, Symphoriani	416 Timothei et Symphoriani		22
23	Vig. Bartholomei ap.				23
24	Nat. eiusdem ap.		417 Bartholomei	748 Bartholomei	24
25	Genesii m.				25
26	Alexandri, Habundi, Irenaei, Alexandri				26
27	Rufi m.	156 Hermetis	418 Rufi m.		27
28	Augustini ep., Iuliani, Pelagii		419 Hermetis, Augustini, Pelagii		28
29	Decollatio Iohannis, Sabinae	157 Sabinae / 197	420 Decollatio Iohannis, Sabine / 496	749 In decollatione Iohannis	29
30	Felicis ep. et Audaucti	158 Felicis et Audacti	421 Felicis et Audacti	750 Dom. XIIII post Pent. / 751 Feria IIII / 752 Feria VI	30
31	Pauli ep., Ferrucii, Ferreoli				31

Sep.	Kalendar	Graduale	Sakramentar	Lektionar	Sep.
1	Verene v., Petri ep.et m.			753 Dom. XV post Pent. / 754 Feria IIII / 755 Feria VI	1
2					2
3					3
4		198	497		4
5	Quinti m., ep.				5
6	Magni conf.				6
7					7
8	Nat. s. Mariae, Adriani m.	159 In nat. s. Marie / 160 Adriani	422 Nat. s. Mariae, Adriani	756 In nat. s. Mariae	8
9	Gorgonii m.	161 Gorgonii	423 Gorgonii		9
10		199	498	757 Dom. XVI post Pent. / 758 Feria IIII / 759 Feria VI	10

Sept.	Kalendar	Graduale	Sakramentar	Lektionar	Sept.
11	Proti et Iacinti, Felicis et Regulae	162 Proti et Iacinti	424 Proti et Iacinti		11
12					12
13		200	499	760 Dom. XVII post Pent. / 761 Feria IIII / 762 Feria VI	13
14	Exaltatio crucis, Cornelii et Cypriani	163 Exaltatio crucis	425 Exaltatio crucis, Cornelii et Cypriani	763 In Exaltatione crucis	14
15	Eufemiae	164 Nicomedis m.	426 Nicomedis		15
16					16
17					17
18					18
19	16.9.	165 Eufemiae / 204	427 Eufemiae v. / 502	764 Dom. XVIII post Pent.	19
20		166 Vig. Matthaei ap.	428 Vig. Mathei ap.		20
21	Mathei ap.	167 In die (Matthaei)	429 Mathei ap.	765 879 Mathei ap.	21
22	Mauricii et soc., Hemmerammi		430 Mauricii cum sociis		22
23		766	431 Mense VII die dominico	766 Feria IIII menis IIII	23
24	Conceptio Iohannis Bapt.		432 500 Feria IIII / 433 Feria VI ad apostolos	767 Feria VI / 768 Sabb. in XII lect.	24
25		768 / 205	434–435 Sabb. in XII lect. / 436 Dom. vacat	769 Dom. XVIIII post Pent. / 770 Feria IIII / 771 Feria VI	25
					26
27	Cosme et Damiani	168 Cosme et Damiani	437 Cosme et Damiani		27
28					28
29	Dedicatio basilicae Michaelis	169 Michaelis	438 Dedicatio Michaelis	772 In dedicatio basilice	29
30	Hieronimi pr.				30

Okt.	Kalendar	Graduale	Sakramentar	Lektionar	Okt.
1	Depositio Remigii conf.	206	441 504	773 Dom. XX post Pent.	1
2	Leodegarii ep. et m.			774 Feria IIII	2
3				775 Feria VI	3
4					4
5					5
6			+477 Fidis		6
7	Marci ep., Sergi et Bacchi	170 Marci ep. 207	439 Marci conf. 440 Marcelli et Apulei 505		7
	1.10.		441 Remedii		
8				776 Dom. XXI post Pent.	8
9	Dionisi, Rustici et Eleutheri		442 Dionisii, Rustici, Eleutherii	777 Feria IIII	9
10				778 Feria VI	10
11					11
12					12
13					13
14	Calisti pp.	208	443 Calisti pp. 506	779 Dom. XXII post Pent.	14
15				780 Feria IIII	15
16	Depositio Galli			781 Feria VI	16
17					17
18	Lucae ev.		444 Lucae ev.		18
19	Ianuarii et sociorum				19
20					20
21					21
22					22
23	Oct. Galli				23
24					24
25	Crispini et Crispiniani				25
26					26
27	Vig. ap. Symonis et Iudae	171 172 In die (Symonis et Iude) 209	445 Vig. ap. Symonis et Iudae	782 Symonis et Iudae	27
28	Nat. eorundem ap.		446 Symonis et Iudae 507	783 Dom. XXIII post Pent. 784 Feria IIII 785 Feria VI	28
29					29
30					30
31	Vig. Omnium Sanctorum, Quintini	173	447 Vig. Omnium Sanctorum	786 In vig. Omnium Sanctorum	31

Graduale (171/172, In die): Vig. ap. Symonis et Iude

Nov.	Kalendar	Graduale	Sakramentar	Lektionar	Nov.
1	Omnium Sanctorum, Caesarii	174 In die Omnium Sanctorum	448 Omnium Sanctorum	787 In fest. Omnium Sanctorum	1
2			449 450 Cesari		2
3	Pirmini ep.				3
4					4
5					5
6					6
7					7
8	Quatuor coronatorum	175 Quattuor coronatorum	451 Quattuor coronatorum	788 Dom. XXIIII post Pent.	8
9	Theodori m.	176 Theodori	452 Theodori; 508	789 Feria IIII	9
10	Mennen	177 Menne m.	453 Menne		10
11	Martini ep.	178 Martini ep.	454 Martini ep.	790 Feria VI	11
12					12
13	Brictii conf.				13
14					14
15					15
16	Othmari abb.	+331	+331 Officium de Othmaro		16
17	Aniani, Augusti ep.				17
18					18
19					19
20					20
21			455 Vig. Ceciliae		21
22	Caeciliae v.	179 Ceciliae v.	456 Ceciliae		22
23	Clementis pp. et m.	180 Clementis ep.	457 In oct. Ceciliae; 458 Clementis	791 Dom. XXV post Pent.	23
24	Chrisogoni m.		459 Felicitatis; 460 Chrisogoni	792 Feria IIII	24
25				793 Feria VI	25
26			518	794 Die dom. de s. Trinitate	26
27			519	795 Feria II de sapientia	27
28			520	796 Feria III de dono s. Spiritus	28

Nov./Dez.	Kalendar	Graduale	Sakramentar	Lektionar
29	Vig.Andreae,Saturnini,Crisanti	181 Vig. Andreae ap.	521	797 Feria IIII ad angelica suffragia postulanda
			522	798 Feria V de caritate
			523	799 Feria VI de cruce
			524	800 Sabb. de s. Maria
30	Andreae ap.	182 In die Andreae	461 Saturnii	801 Vig. Andreae
		183 Pro defunctis	462 Vig. Andreae	802 Andreae
			463 Andreae	
			562	
Dez.				
1				803 Lectiones de adventu
2				804 Feria IIII
				805 Feria VI
		1	510	806 Dom. IIII ante nat. dni
3	Vig. Barbare, Lucii conf.			807 Feria IIII
4	Barbarae v.			808 Feria VI
5				
6	Nicholai ep.	2	464 Nicholai	809 Dom. III ante nat. dni
			511	810 Feria IIII
			512	811 Feria VI
			513	
7	Oct. Andreae ap.			
8				
9				
10				
11	Damasi pp.	3	465 Damasi pp.	
12	Walerici ep.			
13	Luciae v. et Otiliae v.	4	466 Luciae	812 Dom. II ante nat. dni
				813 Feria IIII
			(269)	+814 De s. Maria
				815 Feria VI
				816 Sabb.

Dez.	Kalendar	Graduale	Sakramentar	Lektionar	Dez.
14					14
15					15
16	Dedicatio s. N⟨icolai.conf.⟩				16
17					17
18					18
19					19
20					20
21	Thomae ap.		467 Thomae ap.	817 Dom. proxima nat. dni	21
			516		
22					22
23					23
24	Vig. Salvatoris				24
25	Nativitas Christi				25
26	Stephani m.				26
27	Iohannis ev.				27
28	Innocentum				28
29					29
30					30
31	Silvestri pp.		468 In vig.et nat.apostolorum	818 In vig. apostolorum	31
				819 In nat. apostolorum	
				820 In vig. unius sacerdotis	
				821 In nat. sacerdotum	
			469 In vig.unius martiris sive confessoris	822 In vig. unius martiris sive confessoris	
			470 In nat. eorundem	823 856 In nat. unius martiris sive confessoris	
			471 In vig. plurimorum mart.	824 In nat. plurimorum sanctorum	
			472 In nat. plurimorum mart.	825 In nat. plurimorum mart.	
			473 In nat. unius conf.		
			474 In nat. plurimorum conf.		
			475 In vig. virginum		
			476 In nat. virginum	826 In nat.virginum	
			+477 Fidis		
			478 In dedicatione ecclesiae	827 In dedicatione ecclesiae	

Kalendar	Graduale	Sakramentar	Lektionar
	210 Off. de s. Trinitate	518 Dom. de s. Trinitate	794, 518
	519	519 Feria II de sapientia	795, 519
	520	520 Feria III de dono s. spiritus	796, 520
	521	521 Feria IIII ad angelica suffragia postulanda	797, 521
	522	522 Feria V de caritate	798, 522
	523	523 Feria VI de s. cruce	799, 523
	524, 238	524 +238 Sabb.de s. Maria	800, 524, +238
	211 Alleluia dom. diebus	346	677
	212 99 Ant. in Letania maiore	+237	828 In ordinatione diaconi
			829 In ordinatione presbiterum
			830 In ordinatione episcopi
			831 Ad sponsam benedicendam
		525 Missa cottidiana de o.s.	
	526	526 Missa pro salute vivorum	840, 526
		527 Missa pro amicis viventibus	
	528	528 Missa pro elemosinariis	841, 842, 528
		529 Missa pro communis	
		530 Missa universalis	
		531 Missa communis	
	532	532 Missa pro congregatione	532
		533 Missa specialis pro congregatione	
	534	534 Missa pro susceptis in confessione	534
	535	535 Contra temptationes... carnis	535
	536	536 Missa sacerdotis propria	536
	537	537 Alia missa ⟨sacerdotis propria⟩	537
	538	538 Missa sacerdotis	538
	539	539 Alia ⟨missa sacerdotis⟩	
	540	540 Missa votiva	540, 839
	213 Ant. de quacumque tribulatione	541 Contra temptationes... carnis	541
	542	542 Missa pro infirmis	542
	543	543 Missa pro iter agente	543
		544 Contra temptationes carnis	
		545 Missa pro pace	

Kalendar	Graduale	Sakramentar	Lektionar
	547	546 Missa pro peccatis	547
		547 Item missa pro peccatis	
		548 Missa ad postulandam humilitatem	
		549 Missa pro caritate	
		550 Missa pro peccatis	
		551 Orationes tempore quod absit mortalitas	
	214 Ad pluviam postulandam	552 Missa ad postulandam pluviam	552
		555	832 Pro tempore belli
			833 In sterilitate pluviae
			834 In conventu iudicium
			835 Pro ubertate pluviae
			836 Contra iudices male agentes
			837 Pro iter agentibus
			838 Item quando ad regem pergit
		540	839 Ad missam votivam
		526	840 Pro salute vivorum
		528	841 Pro elemosynas facientibus
			842 Pro semetipso
		553 Missa pro serenitate	553
		554 Missa pro peste animalium	
		555 In tempore belli	832
		556 Contra paganos	
		557 Missa pro rege	
		558 Item alia ⟨pro rege⟩	
	215 In die Pasche ad processionem		
	559	559 Missa pro febricitantibus	843 Pro infirmo
		+560 Missa pro patre et matre	559
		561 Benedictiones super infirmum	
	183	562 Missa in agenda mortuorum	562
	183	563 Item missa pro defunctis	
	183	564 Item alia	
	216 Versus alleluiatici	565 Pro defunctis	844 In vigiliis defunctorum
	+217 Missa de requiem	+566 Item missa pro defunctis	
	183	567 Pro defunctis fratribus	
	183	568 In die depositionis defuncti	
	183		
	183		

Kalendar	Graduale	Sakramentar	Lektionar
	183	569 In die III vel VII vel XXX	
	183	570 Missa in anniversario	
	183	571 Missa in cymiterio	
	183	572 Missa in uno defuncto	
	183	573 Missa pro femina defuncta	
	183	574 Missa pro episcopo defuncto	
		575 Missa pro sacerdote defuncto	
		+576 Missa pro inimicis vel angustiis	
			845 Feria VI post Ascensam dni Iohannis Bapt.ad primam missam
			846
	+218 Cant. Benedictus es	+577 246 In oct. dni	+577
	+219 Versus	+578 In vig. Theophanie	+578
	+220 Versus alleluiatici		
31. 12.	16	245	847 Silvestri
14. 1.	21	252	848 Felicis
16. 1.	23	253	849 Marcelli
18. 1.	24	255	850 Prisce
20. 1	25	257	851 Sebastiani
21. 1.	26	258	852 Agnae
22. 1.	28	259	853 Vincentii
28. 1	29	261	854 Oct. Agnae
5. 2.	31	263	855 Agathe
		470	856 In nat. unius martyris
14. 2.	32	264	857 Valentini
12. 3.	34	267	858 Gregorii
25. 3.	36	269	859 In Annuntiatione s. Marie
21. 3.	35	268	860 Benedicti
14. 4.	97	344	861 Tiburtii, Valentini et Maximi
23. 4.	98	345	862 Georgii
28. 4.	100	351	863 Vitalis
30. 4.			864 In vig. ap. Philippi et Iacobi
1. 5.	101	352	865 Philippi et Iacobi
3. 5.	102	353	866 Alexandri et ceterorum
3. 5.	104	354	867 De inventione crucis
10. 5.	103	356	868 Gordiani et Epimachi
12. 5.	105		869 Nerei, Achillei, Pancratii
25. 5.	111	359	870 Urbani

Kalendar	Graduale	Sakramentar	Lektionar
2. 6.	122	372	871 Marcellini et Petri
19. 6.	126	374	872 Gervasii et Protasii
26. 6.	130	379	873 Iohannis et Pauli
28. 6.		380	874 Leonis pp.
2. 7.	134	385	875 Processi et Martiniani
24. 7.			876 In vig. Iacobi ap.
			+877 De s. Maria virg.
22. 2.	33	265	+878 Ad Kathedra Petri
24. 2.		266	879 Mathie ap.
		+919 Missa generalis	
		+920 Pro episcopo	
		+921 Missa pro peccatis(?)	
		+922 Missa cottidiana de omnibus sanctis	
		+923 Alia missa	
		+924 Missa pro pastoribus	
		+925 Missa pro episcopo	
		+926 Missa tempore belli (?)	
		+927 Missa pro pace	
		+928 Missa de quacumque tribulatione	
		+929 Missa pro salute vivorum	
		+933 Missa pro tribulatione	

VERZEICHNIS DER BIBELSTELLEN

Aufgenommen sind alle Bibelstellen, die in der Einleitung und im Text als solche gekennzeichnet sind. – Die kursiven Ziffern bedeuten Seitenzahlen, die nichtkursiven Formularnummern.

Die Siglen entsprechen im allgemeinen denjenigen der Biblia sacra iuxta vulgatam versionem, recensuit R. WEBER, Stuttart ²1975

Genesis (Gn)		Numeri (Nm)	
1,1	326,2; 361,1; 684,1	20,2–3.6–13	632,1
1,1–2,2	654,1		
5,31–8,21	654,2	**Deuteronomium (Dt)**	
22,1	360,1; 684,2	11,22–25	619,2
22,1–19	654,3	26,1–11	703,3
24,7	837,1	26,15–19	619,1
27,6–40	626,1	31,22	360,3; 684,4
37,6–22	625,1	31,22–30	654,11
46,1	543,3; 837,1		
46,1–4	838,1	**3 Regum (Rg)**	
		3,16–28	635,1
Exodus (Ex)		17,8–16	622,1
12,1	324,5; 654,9	17,17–24	639,1
12,1–11	653,2	19,3–8	616,2
14,24	326,4; 684,3		
14,24–15,1	654,4	**4 Regum (Rg)**	
20,12–24	630,1	4,1–7	629,1
24,12–18	616,1	4,25–38	638,1
32,7–14	636,1	5,1–15	628,1
Leviticus (Lv)		**2 Esdrae (Esr)**	
19,10–19	644,1	8,1–10	766,2
23,9–11.15–16.20–21	703,2		
23,26–32	768,1	**Esther (Est)**	
23,34–43	768,3	13,9–11.15–17	623,1
23,39–43	+768,3		
26,3–12	703,4		

	90,1; 115,1;	118,1	6,1; 12,1;
	205,1		24,1; 26,1;
78,1	25,1; 124,1;		137,1;
	142,1;		157,1;
	171,1; 175,1		179,1;
79,2	2,1; 7,1		200,1;
80,2	92,1; 114,1		206,1; 207,1
80,6	201,1	120,1	226,1
83,2	197,1; 226,1	121,1	64,1
84,2	126,1;	122,1	44,1; 226,1
	209,1; 226,2	124,1	*65*
85,1	62,1; 199,1;	129,1	208,1;
	226,1	129,1–4	+217,3
85,4	198,1	131,1	16,1; 141,1;
87,2	49,1; 118,1;		143,1;
	121,1		170,1; 917,32
88,2	23,1; 33,1;	137,1	*65*
	178,1	138,1	85,1; 132,1;
89,2	45,1		139,1;
90,1	43,1		172,1;
91,2	14,1; 128,1;		182,1; 917,30
	129,1;	141,2	*65*
	149,1; 167,1	142,1	226,1; 918,3
92,1	10,1; 18,1;	144,1	97,1
	106,1	150,1	233,1
94,7	203,1		
95,1	47,1; 148,1	**Proverbia (Prv)**	
96,1	27,1		
97,1	11,1; 88,1;	3,13–20	823,4
	95,1	8,22–35	756,1; +877
99,2	20,1	10,6	801,1
101,2	81,1; 163,1;	10,28	749,1; 872,1
	180,1	10,28–32; 11,3.6	825,2
102,1	169,1	15,2	861,1
104,1	68,1; 86,1;	15,2–3.6–9	824,1
	87,1; 91,1;	31,10–31	737,1
	120,1; 202,1	31,25	+238,2
106,8	*65*	31,25–29	524,3; 800,1
110,9	*65*		
111,1	147,1	**Sapientia (Sap)**	
111,7	+217,1		
112,2	135,1	1,1–7	699,1
113,1	916,5; 917,6	2,12–22	650,2
114,1	204,1; 917,8	3,1	861,1;
114,7	183,1		868,1; 871,1
115,10	917,8	3,1–8	825,1
117,1	89,1; 917,26	4,7	863,2
		4,7–15	823,2

7,22	536,3
7,22–25	842,1
8,1–6	725,1
8,12–17	727,1
8,18–23	708,1
8,26	535,2
8,28	782,1
8,28–39	819,3
10,10–18	802,1
11,25–36	792,1
11,33–36	+518,4
12,1–5	591,1
12,6–16	593,1
12,16–21	595,1
13,8–10	598,1
13,11–14	806,1
15,4–13	809,1

1 Ad Corinthios (1 Cor)

1,4–8	769,1
1,26–31	602,1
3,8–15	827,2
4,1–5	812,1
4,9–14	823,10
5,7–8	656,1
6,15	831,1
6,15–20	739,1
7,25–34	826,1
9,24–10,4	603,1
10,1–4	882,4
10,6–13	730,1
11,20–32	652,1
12,2–11	733,1
12,7–11	520,3; 796,1
13,1–13	608,1
13,4–8	522,3; 798,1
15,1–10	738,1
15,12–23	693,1
15,39–46	734,1

2 Ad Corinthios (2 Cor)

1,3–7	823,8
3,4–9	745,1
4,5–10	746,1
5,1–11	751,1
6,1–10	613,1

6,14–7,1	754,1
9,6	528,2; 841,1
9,6–10	742,1
10,17	855,1
10,17–11,2	826,7; 852,1
11,19–12,9	606,1
13,11–13	794,1
13,13	518,3

Ad Galatas (Gal)

1,11–20	+332
3,16–22	750,1
3,19–4,2	587,1
3,23–4,2	+577
4,1–7	588,1
4,22–31	634,1
5,10–12	867,1
5,16–24	753,1
5,25–6,10	757,1
6,1	540,3; 839,1
6,1–10	+328,2
6,12–14	867,1
6,14	523,3; 799,1

Ad Ephesios (Eph)

1,3	*175*
1,3–7	*167*
1,16–21	*169.* 709,1
2,19	748,1
2,19–22	*167; 175.* 819,1
3,13–21	760,1
4,1–6	764,1
4,7	765,1
4,7–13	819,2
4,23–28	773,1
5,1–9	627,1
5,15–21	776,1
6,10–17	779,1

Ad Philippenses (Phil)

1,6–11	783,1
2,5	763,1
2,5–11	648,1

VERZEICHNIS
DER HEILIGEN UND DER LITURGISCHEN TAGE

Die kursiven Ziffern bedeuten Seitenzahlen, die nichtkursiven Formularnummern.

+ = Nachtrag   KL = Kalendar (222)
* = Statio   L = Litanei: L1 (882,2), L2 (914,3)

Felix (12 iul.) *111*
Felix pp. (II) *98; 173.* KL 29 iul.; 394
Felix ep. (= pr.) *63.* KL 30 aug.; 158; 421
Felix (m.) KL 11 sept.
Ferreolus (diac.) *102; 113.* KL 31 aug.
Ferrutius (m.) *102; 113.* KL 31 aug.
Fides v. et m. *43; 105; 154.* KL 3 oct.; +477
Fintan (15 nov.) *112*
Fortunatianus (m.) *92; 113.* KL 7 iun.
Fortunatianus (Fortunatus) (m.) *92; 113.* KL 13 iun.
Fortunatus ep. *81; 113.* KL 3 mart.
Fratres → Septem Fratres
Fridolin (6 mart.) *112*
Furseus (abb.) (16 ian.) *199f.* 914,43

Gabriel (arch.) (26 mart.) L1,7; L2,5
Gaius (m.) *80.* KL 20 febr.
Gaius pp. *85; 113.* KL 22 apr.
Gaius ep. *94; 113.* KL 1 iul.
Gallus (c.) *89; 105; 106; 110; 111; 114; 183.* KL 16 oct., 23 oct; L1,49
Gamaliel 399,1; 399,3
Gangulfus m. *87; 110.* KL 13 maii
Geminianus (m.) (16 sept.) *152; 161.* 427
Genesius (Senesius) *84.* KL 20 apr.
Genesius m. *101.* KL 25 aug.
Georgius *172.* KL 23 apr.; L1,40; L2,46; 98; 281*; 345; 862
Germani → Septem germani
Germanus (21 febr.) *44; 111*
Germanus pr. (m.) *85.* KL 29 apr.
Germanus conf. *90; 184.* KL 28 maii; L2,55
Germanus (31. iul.) *111; 154; 174*
Gertrudis (17 mart.) *80*
Gervasius (m.) *172.* KL 19 iun.; 126; 374; 872
Glodesinda v. *97; 110; 113.* KL 24 iul.
Goar conf. *95; 110.* KL 6 iul.
Gordianus (m.) *71; 172; 216.* KL 10 maii; 103; 356; 868

Gorgonius m. *103; 128; 142; 152.* KL 9 sept.; 161; 423
Gregorius pp. *66; 69; 81; 85; 90; 110; 127; 145; 172; 199f..* KL 12 mart.; L1,42; 34; 267; 858; 914,43
Gregorius Nazanzenus *82.* KL 29 mart.
Grisogonus → Chrysogonus

Habundius → Abundius
Hadrianus → Adrianus
Helena *80; 100; 113; 128; 143; 149f.; 160.* KL 18 aug.; 414
Hemmerammus → Emmeramus
Heraclius m. *81; 113.* KL 11 mart.
Heraclius (Heradius) (m.) *88; 113.* KL 17 maii
Heraclius m. *95; 113.* KL 7 iul.
Herasmus → Erasmus
Hereneus → Irenaeus
Hermes (m.) (28 aug.) *150; 151; 161.* 56; 419
Hieronymus pr. *104; 142; 153; 159.* KL 30 sept.
Hidulf *76*
Hilaria (12 aug.) *183*
Hilarius conf. (= ep.) *77; 143; 144; 153; 183.* KL 13 ian.; L1,46; L2,47; +251
Hilarius (m.) *83; 113.* KL 11 apr.
Himerius (12 nov.) *40; 41; 112*
Hippolytus m. *173.* KL 13 aug.; 150; 407
Hoher Donnerstag → Coena domini
Hyacinthus (Iacinctus) (m.) *63; 172; 173.* KL 11 sept.; 162; 424
Hypapante → Purificatio Mariae

Iacinctus → Hyacinthus
Iacobus ap. (maior) *57; 61; 97; 124; 128; 142; 143; 160; 165; 171; 173; 175; 211.* KL 25 iul.; L1,13; L2,11; 139–140; 392; 736; 876
Iacobus ap. (minor) *63; 124; 172.* KL 1 maii; L2,13; 101; 352; 678; 864–865
Ianuarius (m.) *106.* K 19 oct.
Ieiunium → Caput ieiunii

Lucius (m.) *86; 113.* KL 15 mart.
Lucius m. *91; 113.* KL 6 iun.

Macedonius pr. *113.* KL 13 mart.
Macarius (23 ian.) *172*
Macarius (Macharius) m. *83; 110; 113; 172.* KL 8 apr.
Macarius abb. *87.* KL 9 maii
Machabaei (m.) → Septem Fratres Machabaei
Magdalena → Maria Magdalena
Magnus m. *101; 128; 142; 149; 150.* KL 19 aug.; 415
Magnus conf. *103; 110; 183.* KL 6 sept.; L1,51
Mamertus ep. *87.* KL 11 maii
Mammes (Mamas) m. *100.* KL 17 aug.
Marcellianus m. *63; 172.* KL 18 iun.; 125; 373
Marcellinus pp. *85.* KL 26 apr.
Marcellinus pr. (m.) KL 2 iun.; 122; 297*; 372; 871 → Marcellus
Marcellus pp. m. *71; 171.* KL 16 ian.; L2,38; 23; 253; 315*; 849
Marcellus (diac.) *91; 113.* KL 31 maii
Marcellus (Marcellinus) (2 iun.) *172*
Marcellus m. *91; 113.* KL 3 iun.
Marcellus conf. *96; 113.* KL 17 iul.
Marcellus (m.) (7 oct.) *128; 142; 153; 154; 162.* 440
Marcellus (conf.) (3 nov.) *90*
Marcus ev. *85; 142; 146; 159.* KL 25 apr.; L1,24; L2,21; 299*
Marcus (m.) *63; 172.* KL 18 iun.; 125; 373
Marcus ep. (= pp.) *153; 154; 162; 174.* KL 7 oct.; 170; 439
Margareta (–tha) v. *43; 96; 128; 143; 148; 160; 162; 183.* KL 15 iul.; L1,74; 390
Maria (v.) *57; 61; 63; 66; 78; 80; 82; 88; 103; 123; 135*; 143; 143*; 144; 145; 148; 152; 161; 169; 171; 172; 173; 175; 211; 214.* KL 2 febr.; 25 mart.; 13 maii; 15 aug.; 8 sept.;

L1,5; L2,1–3; 17*; 30; 36; 152; 159; +225; 238; 262; 269; 287*; 295*; 322*; 358; 408–410; 422; 432*; 512*; 600; 743–744; 756; +814; 859; +877
Maria Aegyptiaca *83; 110.* KL 9 apr.
Maria von Bethanien *77*
Mariä Geburt → Nativitas Mariae
Maria Magdalena *68; 70; 97; 143; 173.* KL 22 iul.; +211,26; +391; +880
Mariä Verkündigung → Annuntiatio Mariae
Marius (m.) *77; 127; 142.* KL 19 ian.; 256
Martha (m.) *77; 127; 142.* KL 19 ian.; 256
Martialis (ep.) (30 iun.) *184.* L2,60
Martianus (Martinianus m.) *173.* KL 2 iul.; 134; 385; 875
Martinus ep. *57; 63; 68; 90; 95; 107; 156; 173; 174; 211.* KL 4 iul.; 11 nov.; L1,43; L2,48; 178; 211,25; 454
Martyres (Commune) 469–472; 822–823; 825 → Maria ad – KL 13 maii
Maternus (ep.) (14 sept.) *78; 111*
Matthaeus ap. *104; 128; 139; 142; 171; 173–175.* KL 21 sept.; L1,18; L2,16; 166–167; 428–429; 765
Matthias ap. *80; 143; 172.* KL 24 febr.; L1,21; L2,20; +266; +879
Mauritius m. *80; 104; 124; 128; 142; 152.* KL 22 sept.; 430
Maurus (15 ian.) *112*
Maximianus m. *76; 113.* KL 8 ian.
Maximinus ep. *90.* KL 29 maii
Maximus m. *184.* KL 14 apr.; L2,44; 344; 861
Maximus m. *84; 110; 113.* KL 21 apr.
Medardus ep. *92; 184;* . KL 8 iun.; L2,58
Meinradus (Meginradus) (21 ian.) *80; 112*
Mellitus ep. *85; 110; 113.* KL 24 apr.

L1,11; L2,9; 131; 133; 136; +260; (278*); 308*; +329; +332; 335*; 381–384; 386; 717; 719; 723
Paulus (m.) *93; 113.* KL 20 iun.
Paulus (m.) KL 26 iun.; L1,37; 130; 282*; 379; 873
Paulus → Paulinus
Paulus erem. *76; 110.* KL 10 ian.
Pelagius m. *102; 128; 142; 143; 149; 150f.; 160; 161.* KL 28 aug.; 419
Pentecostes *48; 60; 123; 124; 125; 138; 139; 165; 168; 212; 216.* KL 15 maii; 112–113; 360–363; 684–685; 692
Perpetua v. *81; 142; 159.* KL 7 mart.; L1,59; L2,64
Petronella v. KL 31 maii; L1,60; L2,65
Petrus ap. *49; 80; 114; 124; 135*; 140*; 144; 147; 171; 172; 173; 211.* KL 22 febr., 28 iun., 29 iun., 6 iul., 1 aug.; L1,10 L2,8; 33; 131–132; 136; 239*; 265; (278*); 279*; 285*; 290*; 312*; 318*; 334*; 381–383; 386; 397; 514*; 717–718; 723; +878
Petrus diac. *84.* KL 17 apr.
Petrus (1 maii) 559,8.9
Petrus exorcista (m.) *172.* KL 2 iun.; 122; 297*; 372; 871
Petrus m. *96; 113.* KL 20 iul.
Petrus ep. m. *103.* KL 1 sept.
Pfingsten → Pentecostes
Philippus ap. *63; 124; 172.* KL 1 maii; L1,16; L2,14; 101; 352; 678; 864–865
Pimenius (pr.) *80; 113.* KL 17 febr.
Pirminus ep. *106; 110; 183.* KL 3 nov.; L1,53
Polycarpus ep. KL 26 ian.
Polycarpus pp. (=ep.) *78.* KL 1 febr.
Potentiana → Pudentiana
Praeiectus (Prix) (25 ian.) *159*
Praxedis v. *97; 148; 173.* KL 21 iul.; 137; 320*
Primus (m.) *92; 142; 147; 172.* KL 9 iun.; 123
Prisca v. *148.* KL 18 ian.; 24; 255;

321*; 850
Priscus (1 sept.) *151; 159*
Privatus m. *101.* KL 21 aug.
Processus (m.) *173.* KL 2 iul.; 134; 385; 875
Protasius (m.) *172.* KL 19 iun.; 126; 374; 872
Protus (m.) *63; 1733.* KL 11 sept.; 162; 424
Publius conf. (m.) *80; 113.* KL 19 febr.
Pudentiana v. *63; 88; 97; 216.* KL 19 mai; 110; 300*
Purificatio Mariae *78; 144; 145; 171; 172; 214.* KL 2 febr.; 30; 262; 600
Pyrrinus (m.) (1 maii) 559,8.9
Pyrrus (m.) (1 maii) 559,8.9

Quadragesima *64; 167f.*. 613
Quatember → Quattuor Tempora
Quattuor Coronati → Coronati
Quattuor Tempora: *64; 139; 140; 214.* Adventus *134; 170.* 5–7; 512–515; 813; 815–816; – quadragesimae 46; 48–49; 287; 289–290; 616; 618–619; – post Pentecosten *57; 60; 66; 69; 138; 139; 169; 211.* 116; 118–121; 366–369; 699; +700; 701; +702; 703; +704; – septimi mensis *67; 140; 170.* 201–203; 432–435; +500; 766–768; 1A Sabbato XII lect.
Quinquagesima *66.* 39; 279; 608
Quintinus → Quintus
Quintinus m. *106.* KL 31 oct.
Quintus ep. *103.* KL 5 sept.
Quiriacus → Cyriacus
Quirinus (Cyrinus) *91.* KL 4 iun.
Quirinus → Cyrinus

Radegundis regina *92; 100; 110; 113.* KL 11 aug.
Randoaldus (21 febr.) *111*
Raphael (archang.) L1,8; L2,6
Regula (v.) *103; 184.* KL 11 sept.; L1,72
Remigius (Remedius) conf. *43; 92; 104; 128; 142; 153f.; 162; 174;*

183; 212. KL 1 oct.; L1,₅₅; 441

Restitutus (1 maii) 559,8.9

Resurrectio domini KL 27 mart.

Rogatianus *90*

Rogatus (m.) *92; 110; 113.* KL 10 iun.

Romanus m. *99.* KL 9 aug.

Rufinus (m.) *93; 113.* KL 14 iun.

Rufus m. *102; 128; 142.* KL 27 aug.; 418

Rusticus (pr.) *105; 128; 155; 162.* KL 9 oct.; 442

Sabbatum XII lect. *140.* 7; 49; 203; 290; 368–369; 434–435; 514–515; 703–+704; 768; 816 → Quattuor Tempora

Sabbatum in vigilia Paschae *66; 136; 135.* 84; 326–327; 654–655; – in vigilia Pentecostes 360–362; 684

Sabina m. *151; 161.* KL 29 aug.; L1,₆₃; L2,₆₉; 157; 420

Sacerdotes (Commune) 820–821

Salvatoris vigilia KL 24 dec.

Samuel proph. *101.* KL 20 aug.

Sancti (Commune) 824

Saturninus ep. *91; 113.* KL 6 iun.

Saturninus (m.) *108; 157.* KL 29 nov.; 461

Scholastica v. *79; 110; 184.* KL 10 febr.; L2,₆₈

Sebastianus (m.) *77; 80; 144; 161; 172.* KL 20 ian.; L2,₃₅; 25; 257; 851

Secundus *99.* KL 8 aug.

Senesius m. → Genesius

Sennen (m.) *173.* KL 30 iul.; 142; 396

Septem Fratres *96; 147; 173.* KL 10 iul.; 135; 387

Septem Fratres Machabaei *98; 128; 142; 147; 171; 173.* KL 1 aug.; 388; 737

Septem Germani (Dormientes) *94; 113.* KL 27 iun.

Septuagesima *66; 212.* 37; 277; 603

Serapion m. *96; 113.* KL 13 iul.

Sergius (m.) *105.* KL 7 oct.

Servatius ep. *88.* KL 13 maii

Sexagesima *66.* 38; 278; 606

Sidrach 887

Sigismundus rex *86; 110.* KL 1 maii; 559,2

Silvester pp. *80; 130; 165; 170; 171; 216.* KL 31 dec.; L1,₄₁; 16; 245; 309*; 586; 847

Simeon (Symeon, Simon) mon. *98; 110; 144.* KL 27 iul.

Simon ap. *106; 114; 124; 128; 142; 171; 174; 175.* KL 27 oct., 28 oct.; L1,₁₉; L2,₁₉; 171–172; 445–446; 782

Simphorianus → Symphorianus

Simplicius *98; 143; 173.* KL 29 iul.; 141; +395

Sixtus ep. (= pp.; Xystus) *63; 161; 173; 187.* KL 6 aug.; L1,₂₈; L2,₃₀; 144; 301*; 400

Sophia (v.) (1 aug.) *184.* L1,₈₁

Sosipater discip. Pauli *94; 113.* KL 25 iun.

Soter (Sother) pp. *84; 113.* KL 21 apr.

Sotheris (v.) (10 febr.) *184.* L2,₇₅

Statio (ad –*) → Anastasia; Apollinaris; Apostoli (XII); Balbina; Caecilia; Chrysogonus; Clemens; Coronati (Quattuor); Cosma (et Damianus); Cyriacus; Eusebius; Georgius; Ierusalem; Iohannes ev. (in Lateranis); Iohannes et Paulus; Laurentius; Marcellinus (et Petrus); Marcellus; Marcus; Maria (maior); Paulus; Petrus; Petrus ad Vincula; Praxedis; Prisca; Pudentiana; Silvester; Sixtus; Susanna; Vitalis

Stephanus pp. *63.* KL 2 aug.; 143; 398

Stephanus (protom.) *98; 114; 128; 129; 142; 170; 171; 173.* KL 26 dec., 2 ian., 3 aug.; L1,₂₅; L2,₂₄; 12; 241; 317*; 399; 583

Sulpicius ep. *77; 113; 183.* KL 17 ian.; L1,₅₂; L2,₅₂

INCIPIT-VERZEICHNIS

Die kursiven Ziffern bedeuten Seitenzahlen, die nichtkursiven Formularnummern

Avertantur retrorsum   54,1; 55,3;
  195,1
Averte faciem   914,4
Averte qs dne   883,7

Beata gens   *64.* 67,3; 200,2; 520,4
Beata viscera   159,5; 524,10
Beatae Mariae Magdalenae   391,1
Beati Adriani martiris   422,7
Beati Andreae apostoli   463,8
Beati apostoli tui
  Bartholomei   417,2
  Iacobi   392,4
Beati archangeli   438,4
Beati Benedicti   268,3
Beati Christophori   393,3
Beati eritis   778
Beati immaculati   6,1; 12,1; 24,1;
  25,1; 39,4; 71,4; 137,1; 157,1; 179,1;
  200,1; 206,1; 207,1
Beati Iohannis Baptistae   375,3
Beati Iohannis ev. qs dne
  precibus   242,4
  supplicatione   242,5
Beati Laurentii martyris tui
  honorabilem   412,2
  nos   412,1
Beati Matthaei ev. qs dne
  precibus   429,1
  supplicatione   428,3
Beati oculi   750,2
Beati Pancratii   357,3
Beati Proti   424,1
Beati quorum   25,4
Beati Tiburtii   406,1
Beatus es   33,4
Beatus homo   823,4
Beatus martyr Stephanus   241,6
Beatus qui   184,2
Beatus servus   16,5; 35,5; 140,6;
  141,5; 151,5; 154,5; 170,5; 178,6;
  180,5
Beatus vir qui
  in sapienta   823,1; 860,1
  inventus   818,1; 876,1
  suffert   156,3

timet   28,3; 32,2; 34,3; 35,3; 147,1;
  148,3; 161,3; 167,2; 177,3
Benedic anima mea dno
  dne deus   112,3
  et noli   48,4; 120,3; 202,3; 915,7
  et omnia interiora   169,2; 521,4
  et omnia quae   169,1
Benedic dne
  creaturam istam N.   908,1
  creaturam istam panis   898,1
  domum istam et   329,2; 329,3
  domum istam quam   106,3
  hanc creaturam   883,8
  hanc crucem   895,1
  hos fructus   900
  hunc fructum   400,5
  per invocationem   886,2
Benedic omps deus hanc creaturam
  882,14
Benedicam dnm
  in omni   47,3; 67,1; 102,1; 122,1;
    130,1; 146,1; 173,1; 195,2
  qui mihi   51,3; 188,4
Benedicamus patrem 2 10,4; 518,1
Benedicant omnes angeli   118,6
Benedicant te caelum   118,6
Benedicat nos deus   233,2
Benedicat te deus pater
  qui   918,16
  sanet   561,1; 918,17
Benedicat tibi   914,4
Benedicimus   518,11
Benedicite deum   210,2; 210,5
Benedicite dno omnes angeli   521.4
Benedicite dnm omnes angeli   169,1;
  169,2; (521,4)
Benedicite gentes   67,4; 96,3
Benedicite omnes angeli   169,6;
  521,10
Benedicite omnia opera   34,1; 144,1;
  233,1
Benedicta et venerabilis   159,2; 238,3;
  524,4
Benedicta semper   221,1
Benedicta sit   210,1; 518,1
Benedicta tu   36,3
Benedictio dei   886,3

Cum sublevasset oculos   803,2
Cum turba plurima   606,2
Cum turbae irruerent   714,2
Cum venerit
   filius hominis   614,2
   paraclytus   518,7; 682,2; 794,2
Cum venisset Iesus
   et discipuli   789,2
   in domum Petri   559,6; 781; 804,2
   in templum   709,2
Cum videritis   734,2
Cumque intuerentur   108,5
Cursum consumavi   133,4
Custodi dne qs ecclesiam   498,1
Custodi me dne
   de manu   80,3; 83,2
   ut pupillam   38,4; 47,2; 193,2

Da famulis et famulabus tuis   526,12
Da famulis tuis qs dne
   bonos mores placatus   532,10
   omnibus episcopis   929,3
Da mihi   44,4   →   Revela oculos
   meos
Da mihi dne
   compunctionem cordis   930
   sensum et vocem   227,8
Da mihi intellectum   42,3
Da misericors deus ut haec
   nos salutaris   454,2
   salutaris oblatio   507,2
Da nobis dne qs
   perseverantem   314,4
   regnum tuum   704,4
   ut et mundi cursus   488,1
Da nobis dne ut
   nativitatis   234,3
   sicut publicani   911,2
Da nobis
   mentem dne   700,2
   misericors deus ut sancta   305,3
   omps deus ut b. Mathaei   428,1
Da nobis qs dne
   deus nr ut qui   235,4
   imitari   241,1
   per gratiam spiritus   360,14

pluviam salutarem   552,6
   unigeniti filii tui   234,5
Da nobis qs omps deus
   et aeternae promissionis   284,5
   ut ieiunando   434,2
   ut sicut adoranda   234,2
   vitiorum nrorum   405,1
Da pacem dne   204,1
Da qs
   clementissime pater   537,7
   deus qui b. Priscae   255,1
Da qs dne
   b. apostoli tui Thomae   467,1
   deus nr ut sicut b. Laurentii   403,3
   deus nr ut sicut tuorum   453,3
   famulo tuo N.   913
   fidelibus populis   448,4
   nris effectum ieiuniis   297,1
   per gratiam spiritus   361,16
   populis christianis   288,4
   populo tuo diabolica   502,1
   populo tuo intercedente   390,3
   populo tuo inviolabilem   240,7
   populo tuo salutem   296,4, 313,4
   rex aeterne   302,2
   semper haec tibi vota   465,2
Da qs ecclesiae tuas   367,1
Da qs nobis dne   463,5
Da qs omps deus
   intra sanctae ecclesiae   378,3
   meorum mihi veniam   538,2
   ut b. Hippolyti   407,1
   ut b. N. confessoris   473,1
   ut b. Silvestri   245,1
   ut b. Urbani   359,1
   ut ecclesia   337,6
   ut quae divina sunt   314,3
   ut qui b. Anastasiae   236,2
   ut qui b. Margarethae   390,1
   ut qui beatorum martyrum   356,1
   ut qui in tot   320,1
   ut qui infirmitatis   310,4
   ut qui nova   236,1
   ut sacro nos   296,1
Da qs populis dne   439,3
Data est mihi   90,5
Date magnitudinem   84,5

Gratias agere debemus 804,1;
823,11
Gratias agimus dne 915,12
Gratias ago deo meo 769,1
Gratias tibi referimus 503,3
Gressus meos dirige 63,3; 537,6
Gustate 47,3 → Immittit angelus
dni
Gustate et videte 191,5

Habemus gratiam 721,1
Habentes donationes 593,1
Habete fidem dei 547,6
Haec aqua fiat tibi 888,4
Haec dicit dns Christo meo Cyro
816,4
Haec dicit dns deus
Ecce ego ipse requiram 614,1
exercituum: → Sicut cogitavi
Maledictus homo 624,1; 833,2
Haec dicit dns: In tempore 640,1
Haec dies quam fecit 85,2; 86,2; 87,2;
88,2; 89,2; 90,2; 91,2; 91,4
Haec dne oratio 557,3
Haec est generatio 882,1; 889,4
Haec est hereditas dni 326,10; 654,5
Haec hostia dne placationis et laudis
qs ut interveniente 456,2; 457,2
tua nos propitiatione 292,2
Haec hostia dne qs
emundet nra delicta 273,2; 279,2;
307,2; 359,2; 432,3
mundet nra delicta 298,2
Haec hostia qs dne quam 255,2;
396,2
Haec in nobis sacrificia 296,2
Haec mando vobis 819,5; 866,2
Haec munera dne qs (qs dne)
et vincula 312,2; 347,2
quae oculis tuae 504,2
Haec nobis dne gratia tua 456,4
Haec nos communio dne purget a crimine et
caelestibus remediis 247,4; 292,3;
370,3; 486,3
famulum/am tuum/am 328,8
intercedente b. Stephano 398,3

intercedentibus sanctis tuis 374,3
Haec nos dne qs participatio 310,3
Haec nos oblatio deus mundet 276,2
Haec nos qs dne divini sacramenti ...
et famulos 924,3
et famulum 920,3
Haec oblatio dne
ab omnibus nos 523,8
deus cordis 520,8
qs remissionem 548,2
Haec requis mea 917,32
Heac sacra nos dne 509,2
Haec sacrificia nos omps deus 320,2
Haec sacrosancta communio 231,5
Haec scribo vobis 670,1
Haec sunt verba 845
Hanc igitur *123; 124*
Hanc igitur oblationem dne
famulorum quam 532,8
qs placatus 563,4
Hanc igitur oblationem dne quam
pro anima ... depositionis 569,4
pro anima ... hodie 570,3
pro anima ... qs 915,10
pro peccatis 550,4
Hanc igitur oblationem
famulorum 341,24
qs dne deus 535,6
Hanc igitur oblationem quam ...
pro anima famulae 573,4
pro animabus famulorum 564,3
pro animabus fratrum 567,3
pro famulis 526,9
pro requie 562,6
Hanc igitur oblationem servitutis
meae quam ... ego indignus 536,8
nrae quam ... pro anima 575,3
nrae quam ... pro famulis 534,8
nrae sed ... qs *124.* 230,7
nrae sed ... quam ... ob diem 323,4
nrae sed ... quam ... pro his 327,5;
333,5; 334,4; 335,3; 336,3; 337,3;
338,3; 339,3; 362,5; 363,5
Has tibi dne offerimus 541,4
Hi placuere tibi 77,2
Hi sunt viri misericordiae 723,1;
873,1

Nolite timere pusillus   528,4
Nolo enim vos ignorare   792,1
Nolumus vos ignorare   844,2
Non adorabitis deum alienum   89,4
Non avertas faciem   81,3
Non cessamus pro vobis   791,1
Non cesso gratias agere   709,1
Non est arbor bona   827,3
Non est inventus   16,2; 143,2
Non intres in iudicium   917,10
Non nobis dne   226,2; 233,2
Non omnis caro   734,1
Non possum ego a meipso   624,2
Non praedicamus nosmetipsos   746,1
Non simus concupiscentes   730,1
Non turbetur cor   678,2
Non vos me elegistis   220,8
Non vos reliquam orphanos
    vado et venio   108,3
    veniam ad vos   118,9
Nos autem gloriari   80,1; 82,1; 104,1;
    163,5; 523,1; 523,10
Nos autem populus eius   203,1
Nostra tibi dne qs sint   314,1
Notas fecisti   51,3
Notas mihi fecisti   60,4
Notum fecit dns   11,2
Notum vobis facio evangelium quod
    evangelizatum est   332
    praedicavi   738,1
Notus in Iudaea   85,4
Numquid fortitudo lapidem   207,3
Numquid in idolis   214,2
Numquid proiciens   552,2; 833,1
Nunc autem ad te venio   107,4
Nunc dimittis dne   233,1
Nunc scio vere   132,1
Nuptiae factae sunt   593,2

O altitudo divitiarum   518,4
O gloriosum lumen   329,1
Oblata dne munera
    nova unigeniti   239,3
    sanctifica nosque   272,2
Oblatio nos dne tuo nomini   485,2
Oblationes nras qs dne propitius
    919,2

Oblationes populi tui   392,2
Oblationibus dne qs placare   311,2
Oblationibus qs dne placare   488,2
Oblatis dne placare   286,2
Oblatis qs dne placare muneribus et
    famulos tuos quos pastores   924,2
    famulum tuum episcopum   920,2
    intercedente b. Chrisogono   460,2
    intercedente b. N.   470,2
    intercedente b. Rufo   418,2
    intercedente b. Valentino   264,2
    intercedentibus omnibus   922,2
    intercedentibus sanctis   374,2
    oportunum nobis   552,4
Oblatum tibi dne   271,2; 278,2; 306,2;
    397,2
Oboedite praepositis vestris   664,1
Obsecramus misericordiam tuam
    917,25
Obsecro itaque vos ego   764,1
Obsecro primum omnium   715,1;
    835,1
Obsecro vos
    ne deficiatis   760,1
    per misericordiam   591,1
    tamquam advenas   669,1
Observationis huius annuae   283,1
Occurrunt turbae   77,1
Oculi dni super iustos   229,21
Oculi mei semper   57,1
Oculi omnium in te   61,2; 206,2
Odore caelestis inspirationis   229,17
Offerebant Iesu parvulos   602,2; 716
Offerentur regi virgines
    post eam   3,4; 26,4; 29,4; 31,4;
        137,4
    proxime eius   17,4; 110,4; 165,4;
        179,4
Offerimus tibi dne
    calicem salutaris   229,2
    munera et vota   559,8
    preces et munera   386,2
Omne datum optimum   673,1
Omne quod
    dat mihi pater   844,4; 915,6
    natum est ex deo   663,1
Omne quodcumque facitis   706,1

Protegat dne qs populum   437,3
Protegať nos dne cum tui   389,4
Protege dne   ·
  plebem tuam per signum   104,4;
    163,4; 523,7
  populum tuum   383,4; 386,3
Protege me dne mysteriis   926,1
Protexisti me deus   98,1; 100,1
Psallam   94,3   → Lauda anima mea
Psallite dno   108,6
Puer natus est   11,1
Purifica dne qs mentes   501,3
Purifica nos misericors deus   322,3
Purificent nos
  dne sacramenta   426,3
  omps et misericors deus   530,3
  qs dne sacramenta   534,10
Purificent semper et muniant   498,3
Purificet nos
  dne qs muneris   365,2; 546,2
  qs dne et divini   529,3

Quae est enim   207,3
Quae oportet   772,1
Quaecumque scripta sunt   809,1
Quaerite dnm   615,1; 915,3
Quaesumus dne deus nr ut
  quos divinis   494,3
  sacrosancta ... et praesens   340,4;
    515,3
  sacrosancta ... intercedente   262,4
Qs dne
  pro tua pietate   573,1
  qui parvulis ad te   894,2
Qs dne salutaribus repleti ...
  ut cuius sollemnia   252,3; 255,3
  ut quorum sollemnia   352,4; 425,7
Qs dne ut famulo tuo ill.   569,1
Qs omps deus
  clementiam tuam   553,7
  familiam tuam propitius   312,1
  instituta providentiae   237,5
Qs omps deus ut
  b. Othmari   331,9
  b. Andreas   462,1
  de praeceptis muneribus   433,3
  et reatum nrum   443,3

famulus tuus rex nr ill.   557,1
hodiernae munus   245,3
illius salutaris ... mysteria   275,3;
    286,3; 387,3
illius salutaris ... piae   436,3
inter eius membra   304,3
nobis b. Fidis   477
nos geminata laetitia   379,1
nra devotio   469,1
Qs omps deus ut qui caelestia ...
  intercedente b. Caesario   450,3
  intercedente b. martyre ill.   470,4
  intercedente b. Symphoriano
    416,5
  intercedentibus sanctis tuis Gordiani
    356,3
  per haec contra omnia   279,3
Qs omps deus ut
  quorum nos tribuis   455,3
  quos divina tribuis   425,6; 431,3
Qs omps deus vota humilium   290,6;
    298,1
Quam bonus Israhel   78,2
Quam dilecta   197,1; 226,1
Quam magna multitudo   45,3
Quam magnificate sunt   37,4
Quam oblationem tu deus   230,8
Quam olim   183,3; 217,5   → Dne
    Iesu Christe rex gloriae
Quam vis enim illius   521,9
Quanta audivimus facta   628,2
Quanta tempore heres   588,1
Quare fremuerunt   9,1
Quasi modo geniti   92,1
Quemadmodum desiderat   917,28
Quemadmodum speravimus   226,2
Qui ascendens super omnes caelos
    362,3; 363,3
Qui autem negaverit   844,6
Qui biberit aquam   62,4
Qui cogitaverunt
  malitias in corde   83,2
  subplantare gressus   80,3; 83,2
Qui confidunt in dno   65. 64,3;
    211,15
Qui continuatis   284,3
Qui corporali ieiunio   282,3

nris oblata   289,2
pro anima   574,2
pro sacra connubii   237,4
Suscipe sacrificium dne   560,2
Suscipe sancta trinitas   *118; 122; 133; 163*
Suscipe sancta trinitas hanc oblationem quam
  ego indignus et peccator   229,4
  tibi offerimus in memoriam   330
  tibi offero pro anima   229,9
  tibi offero pro infirmo   229,7
  tibi offero pro rege   229,6
  tibi offero pro salute   229,3
  tibi offerre praesumo in memoria 229,1
  tibi offerre praesumo pro anima 229,8
  tibi offerre praesumo pro animabus 229,10
  tibi offerre praesumo pro me 229,5
  tibi offert famulus   229,12
Suscipiamus dne misericordiam 509,4
Suscipiant montes   19,4; 20,2
Suscipiat te Christus   916,5; 917,6; 917,8
Suscitans a terra   201,2

Tabernaculum factum est   768,9
Tantis dne repleti muneribus   484,3
Tanto tempore vobiscum   101,4
Te autem creatura aquae   882,9
Te decet hymnus   191,3; 917,12; 917,24
Te deprecamur omps aeterne deus 901,1
Te dne suppliciter
  exorare ut gregem   230,2b; 382,3
  implorantes ut nos   550,3
Te igitur clementissime pater   230,4
Te in tuorum apostolorum   446,3
Te quidem omni tempore sed
  in hac potissimum die   333,3
  in hac potissimum nocte   327,3
  in hac praecipue die   340,3

in hanc potissimam diem   327,3; 333,3
Tecum principium   9,2
Temeritatis quidem   917,35
Temptavit deus Abraham   360,1; 654,3; 684,2
Tenuisti manum   78,2
Terra tremuit   85,4
Terribilis est locus   106,1
Testificor coram deo   820,1; 848,1
Testimonium in   201,1
Tibi dixit cor meum   52,1
Tibi dne
  commendamus animam   *201.* 916,2; 917,36
  creatori meo hostiam   229,11
  derelictus est pauper   70,2; 918,4
  sacrificia dicata reddantur   494,2
Tibi enim semper gratias agere 430,3
Tibi offerent   113,4   → Confirma hoc
Tibi soli peccavi   52,3
Timebunt gentes   27,2; 199,2
Timete dnm omnes sancti   146,1; 146,2; 173,1; 174,2
Timor et tremor venit   213,12
Tolle puerum   18,5
Tollite hostias   75,2; 204,4
Tollite portas   5,2; 8,3; 36,2
Torrentem pertransivit   15,4
Tota die miseretur   153,2
Transeunte Iesu secuti sunt   746,2
Tribue nobis dne caelestis   482,3
Tribue qs dne ut
  eum praesentibus immolemus 248,2
  per haec sacra   348,3
Tribue qs omps deus ut illuc   336,7
Tribulationis cordis mei   46,2
Tristatur aliquis vertrum   541,2; 542,4; 559,3; 843,1
Tu autem in sancto habitas   78,3; 918,4
Tu dne servabis nos   55,4
Tu es
  deus qui facis   39,2

Ut sacris dne reddamur   293,3; 505,3
Ut testimonium perhiberet   127,2
Ut tibi   104,4   → In conspectu tuo
Ut videam voluntatem   42,2
Utinam apprehenderentur · 207,3

Vado ad eum   673,2
Vae qui coniungitis   836,1
Vae vos scribae   729
Vegetet nos dne semper   316,3
Veneranda nobis dne huius diei festivi-
    tas   409
Venerunt duae mulieres meretrices
    635,1
Veni electa mea   179,3
Veni et ostende   7,1
Veni sancte spiritus   69. 216,6;
    704,12
Veni sponsa Christi   137,3
Veniant super me   44,4
Venientes autem venient   31,3
Venit ad Iesum
    leprosus deprecans   754,2
    vir cui nomen Iairus   701,2
Venit Elias in Bersabee   616,2
Venit Iesus
    a Bethsaida   762
    a Galilea   591 A
    in civitatem Samariae   632,2
    in partes Caesareae   718,2; 878,2
    in patriam suam   793
    in regionem Gerasenorum   722
Venit Iohannes Baptista   807,2
Venit mulier Sunamitis   638,1
Venite   22,4   → Iubilate deo uni-
    versa
Venite adoremus   203,1
Venite benedicti patris   88,1
Venite circumveniamus   650,2
Venite et videte opera   67,4
Venite exsultemus dno   211,4
Venite filii audite me   67,2; 190,2
Venite post me   181,4
Verba mea auribus percipe ...
    et exaudi   62,3; 184,3
    intende voci   63,1
Verbo dni caeli firmati sunt   67,3;

    200,2; 520,4
Vere dignum (VD)
    Clementiam tuam suppliciter obse-
       crantes   448,3
    Cuius hodie faciem   234,4
    Cuius munere b. Martinus   454,3
    Cuius primi adventus mysterium
       509,3
    Et in die festivitatis   377,3
    Et in die sollemnitatis   404,3
    Et in hac die quam b. Clementis
       458,3
    Et in hac die quam transitu   473,3
    Et in praesenti festivitate   470,3
    Et in veneratione b. Mariae   524,9
    Et te auctorem   347,3
    Et te in honore sanctorum   471,3
    Et te in veneratione b. Mariae
       230,2a
    Et te in veneratione sanctarum
       410,3
    Gloriosi N. martyris   469,3
    Humili devotione implorantes
       526,8
    Humiliter tuam deprecantes   541,5
    Implorantes tuae maiestatis miseri-
       cordiam
    ut famulo ... liberatus et   915,9
    ut famulo ... liberatus tuis   540,8
    ut mihi famulo tuo mole   538,8
    Maiestatem tuam supplici   474,3
    Per quem maiestatem   230,2
    Per quem salus mundi   569,3
    Pro annua dedicatione   478,3
    Quamvis enim illius   521,9
    Qui ascendens super   362,3; 363,3
    Qui continuatis quadraginta   284,3
    Qui corporali ieiunio   282,3
    Qui cum unigenito filio   518,10
    Qui ecclesiam tuam in apostolica
       352,3
    Qui ecclesiam tuam in apostolicis ...
       b. Andreae   463,3
    Qui ecclesiam tuam in apostolicis ...
       b. N.   467,3
    Qui ecclesiam tuam sempiterna
       417,3

NAMENS-, ORTS- UND SACHREGISTER

Grundsätzlich gilt, dass nur die für den Codex Gressly aussagekräftigen Lemmata vermerkt sind. – Die kursiven Ziffern bedeuten Seitenzahlen, die nichtkursiven Formularnummern

Zu vergleichen ist auch das Verzeichnis der Heiligen und der liturgischen Tage.

SPICILEGIUM FRIBURGENSE

Textes pour servir à l'histoire de la vie chrétienne

fondé par

A. Hänggi – G.G. Meersseman

édité par

A. Hänggi – P. Ladner – J. Leisibach – J. Siegwart

Vol. 17: J. F. HINNEBUSCH OP: The Historia occidentalis of Jacques de Vitry. A critical edition. XXII–314 p., 1972.

Vol. 18: F. HUOT OSB: L'Ordinaire de Sion. Etude sur sa transmission manuscrite, son cadre historique et sa liturgie. 800 p., 1973.

Vol. 19: B. BISCHOFF – B. TAEGER: Johannis Mantuani in Cantica Canticorum et de sancta Maria Tractatus ad Comitissam Matildam. X–199 S., 2 Tafeln, 1973.

Vol. 20: F. UNTERKIRCHER: Die Glossen des Psalters von Mondsee (vor 788). Montpellier. Faculté de médecine Ms. 409. XV–690 S., 16 S. Tafeln, 1974.

Vol. 21: G. G. MEERSSEMAN – E. ADDA – J. DESHUSSES: L'Orazionale dell'Arcidiacono Pacifico e il Carpsum del cantore Stefano di Verona. Studi e testi sulla liturgia del duomo di Verona dal IX all' XI secolo. XVI–381 p., 1974.

Vol. 22: St. J. P. VAN DIJK: The Ordinal of the Papal Court from Innocent III to Boniface VIII and related documents. Completed by J. H. WALKER. LXIII–707 p., 1975.

Vol. 23: P. KÜNZLE OP: Heinrich Seuses Horologium Sapientiae. Erste kritische Ausgabe unter Benützung der Vorarbeiten von D. PLANZER OP. XXIV–692 S., 1977.

Vol. 24: J. DESHUSSES OSB: Le Sacramentaire Grégorien. Ses principales formes d'après les plus anciens manuscrits. Tome II: Textes complémentaires pour la messe. 413 p., 1979; deuxième édition revue et corrigée, 1988.

Vol. 25: M. MEYER OSB: Die Pönitentiarie-Formularsammlung des Walter Murner von Straßburg. Beitrag zur Geschichte und Diplomatik der päpstlichen Pönitentiarie im 14. Jahrhundert. XVIII–609 S., 1979.

Vol. 26: A. ODERMATT OSB: Ein Rituale in beneventanischer Schrift. Roma, Biblioteca Vallicelliana, Cod C 32, Ende des 11. Jahrhunderts. 376 S., 1980.

Vol. 27: M. WALLACH-FALLER: Ein alemannischer Psalter aus dem 14. Jahrhundert. Hs. A. IV. 44 der Universitätsbibliothek Basel. Bl. 61–178. 481 S., 1981.

Vol. 28: J. DESHUSSES OSB: Le Sacramentaire Grégorien. Ses principales formes d'après les plus anciens manuscrits. Tome III. Textes complémentaires divers. 375 p., 1982; deuxième édition revue et corrigée, 1992.

Vol. 29: I. PAHL: Coena Domini I. Die Abendmahlsliturgie der Reformationskirchen im 16./17. Jahrhundert. XVIII–611 S., 1983.

Vol. 30: G. G. MEERSSEMAN OP: Les capitules du diurnal de Saint-Denis. X–118 p., 4 illustrations, 1986.

Vol. 31: A. ODERMATT: Der Liber ordinarius der Abtei St. Arnulf vor Metz (Metz, Stadtbibliothek, Ms. 132, um 1240). XXXII–425 S., 4 Illustrationen, 1987.

Vol. 32: EDWARD B. FOLEY: The first ordinary of the Royal Abbey of St-Denis in France. 736 p. et 28 p. illustr. 1990.

Vol. 33: F. HUOT OSB: Ordinaire du Missel de Genève. 318 p., 10 illustrations, 1993.

Vol. 34: R. DE KEGEL: Johannes von Segovia, Liber de magna auctoritate episcoporum in concilio generali. Ca. 580 S., 1994.

Vol. 35A–B: A. HÄNGGI – P. LADNER: Missale Basileense saec. XI., A: Textband 679 S. B: Faksimileband, 1994.

Vol. 36: R. E. LERNER – CH. MOREROD-FATTEBERT: Johannes de Rupescissa, Liber secretorum eventuum. Edition critique, traduction et introduction historique, 326 p., 1994.

En préparation / In Vorbereitung

Vol. 37: H. LEUPPI: Conrad von Mure, Der Liber Ordinarius des Grossmünsters Zürich (Zentralbibliothek Zürich, Cod. 86).

P. WITTWER: Der Zurzacher Liber Ordinarius (Aarau, Kantonsbibliothek, Ms. BNQ 52).

I. PAHL: Coena Domini II. Die Abendmahlsliturgie der Reformationskirchen vom 18. bis zum frühen 20. Jahrhundert.

SPICILEGII FRIBURGENSIS SUBSIDIA

begründet von

A. Hänggi – G. G. Meersseman

herausgegeben von

A. Hänggi – P. Ladner – J. Leisibach – J. Siegwart

Vol. 1:   K. Gamber:

CODICES LITURGICI LATINI ANTIQUIORES

(Reliquiae liturgiae africanae. Libri Liturgici celtici, gallicani, mozarabici, campani, beneventani et ambrosiani. Sacramentaria, Capitularia, Lectionaria, Antiphonaria, Missalia, Collectaria, Pontificalia, Ritualia.). xvi–334 S., 1963.
Zweite, durchgesehene und stark vermehrte Auflage (secunda editio aucta). In 2 Halbbänden, 651 S., 1968.

Vol. 1A: CODICES LITURGICI LATINI ANTIQUIORES/SUPPLEMENTUM

Ergänzungs- und Registerband. Unter Mitarbeit von:
B. Baroffio, F. Dell'oro, A. Hänggi, J. Janini, A. M. Triacca. xvi–229 S. 1988.

Vol. 2–8:   Bénédictins du Bouveret:

COLOPHONS DE MANUSCRITS OCCIDENTAUX DES ORIGINES AU XVIᵉ SIÈCLE

Vol. 2: Tome I:	Colophons signés A–D (1–3561). xxxix–443 p., 1965.	
Vol. 3: Tome II:	Colophons signés E-H (3562–7391). viii–478 p., 1967.	
Vol. 4: Tome III:	Colophons signés I-J (7392–12130). v–584 p., 1973.	
Vol. 5: Tome IV:	Colophons signés L–O (12131–14888). 353 p., 1976.	
Vol. 6: Tome V:	Colophons signés P–Z (14889–18951). 548 p., 1979.	
Vol. 7: Tome VI:	Colophons lieux-anonymes (18952–23774). 537 p., 1982.	
Vol. 8: Tome VII:	Tables (en préparation)	

Vol. 9–14:   J. Deshusses – B. Darragon:

CONCORDANCES ET TABLEAUX POUR L'ÉTUDE DES GRANDS SACRAMENTAIRES

Vol. 9: Tome I:	Concordance des pièces. 303 p., 1982.	
Vol. 10: Tome II:	Tableaux synoptiques. 350 p., 1982.	
Vol. 11: Tome III, 1:	Concordance verbale (A–D). 562 p., 1982.	
Vol. 12: Tome III, 2:	Concordance verbale (E–L). 481 p., 1983.	
Vol. 13: Tome III, 3:	Concordance verbale (M–P). 544 p., 1983.	
Vol. 14: Tome III, 4:	Concordance verbale (Q–Z). 502 p., 1983.